CW00921312

BLODEUGERDD
O FARDDONIAETH GYMRAEG
YR UGEINFED GANRIF

Blodeugerdd o Farddoniaeth Gymraeg yr Ugeinfed Ganrif

Golygyddion:
Gwynn ap Gwilym ac Alan Llwyd

Gwasg Gomer/Cyhoeddiadau Barddas
1987

Argraffiad cyntaf—1987
Ail-Argraffiad—1994
Trydydd Argraffiad—1998

ISBN 0 86383 349 7

Dymuna'r cyhoeddwyr gydnabod cymorth Adran Ddylunio'r Cyngor Llyfrau Cymraeg a noddir gan Gyngor Celfyddydau Cymru.

Cyhoeddwyd gyda chymorth ariannol Cyngor Celfyddydau Cymru.

Argraffwyd gan J. D. Lewis a'i Feibion Cyf., Gwasg Gomer, Llandysul, Dyfed.

Cydnabyddiaeth a Diolchiadau

Dymuna'r Cyhoeddwyr, Gwasg Gomer a Chyhoeddiadau Barddas, ddiolch i'r canlynol am bob caniatâd a hwylustod a gafwyd i gynnwys y cerddi y mae'r hawlfraint arnynt yn eiddo iddynt hwy:

a) i'r holl feirdd byw y cynhwysir eu gwaith yn y gyfrol. Nid oes angen eu henwi gan eu bod yn ymddangos yn y gyfrol.

b) i'r unigolion a ganlyn, perthnasau agosaf rhai beirdd ymadawedig, a pherchnogion yr hawlfraint: Penry Wyn Williams, am gerddi Eifion Wyn; Arthur ap Gwynn am gerddi T. Gwynn Jones; T. Llew Jones am ei gymorth yn ein hymdrech i olrhain perchnogaeth hawlfraint cerddi Isfoel ac Alun Jones (Cilie), ac am hwyluso ein gwaith; Elwyn Evans am gerddi Wil Ifan; Marian Elias Roberts am englyn Thomas Richards; y Fonesig Amy Parry-Williams am gerddi T. H. Parry-Williams; Eleri Huws am englyn Huw T. Edwards; Mair Saunders am gerddi Saunders Lewis; Dafydd Franklin Jones am englyn J. T. Jones; Sioned O'Connor am gerddi Cynan; J. A. Hopkins am gerddi B. T. Hopkins; Nia Rhosier am englyn W. Roger Hughes; Nel Gwenallt am gerddi Gwenallt; Iolo Wyn Williams ac Iwan Bryn Williams am englynion W. D. Williams; Eirlys Peate am gerddi Iorwerth C. Peate; Mair Davies am y detholiad o 'Sŵn y Gwynt Sy'n Chwythu', J. Kitchener Davies; Eunice Bryn Williams am gerddi R. Bryn Williams; Mati Pritchard am gerddi Caradog Pritchard; y Fonesig Enid Parry am gerddi Syr Thomas Parry; Olwen Parri Jones am gerddi Tom Parri Jones; y Parch. Gwyn Evans am gerddi Tomi Evans; Eilir Wyn Roberts am gerddi R. Meirion Roberts; Nona Jenkins-Jones am gerdd Aneurin Jenkins-Jones; Dr Prys Morgan am gerdd T. J. Morgan; Morfudd Jones am gerddi Rowland Jones; Gwyneth Lloyd am englynion O. M. Lloyd; Eiflyn Roberts am gerddi G. J. Roberts; Dr Eirwen Gwynn am gerddi Harri Gwynn; Mair Roberts am gerddi Trebor Roberts; Gwyn Llewelyn ar ran y teulu am gerdd E. Gwyndaf Evans; Einir, Hawys a Heini Davies am gerdd D. Jacob Davies; Elisabeth Jones am gywydd Gerallt Jones. Ni lwyddwyd, er pob ymchwil ac ymdrech, i ddod o hyd i berchnogion hawlfraint rhai o'r beirdd y cynhwyswyd eu gwaith yn y flodeugerdd hon. Os gwêl rhai o'r rhain y casgliad hwn, ymddiheurwn iddynt ein bod wedi gorfod cynnwys y cerddi heb ganiatâd. Nid ein bwriad oedd tramgwyddo, ond yn hytrach anrhydeddu'r beirdd. Ond nid oes ond rhyw hanner dwsin o feirdd y cynhwyswyd eu cerddi heb ganiatâd, ar y mwyaf. Ni chawsom ateb gan un neu ddau, ac fe'i cymerwyd yn ganiataol, felly, nad oedd unrhyw wrthwynebiad inni gynnwys y cerddi yn y casgliad.

c) i Wasg Christopher Davies (Dryw) am ganiatâd i gynnwys cerddi Saunders Lewis, J. M. Edwards, E. Llwyd Williams, W. R. P. George, Prys Morgan, Gwilym R. Tilsley, John Gwilym Jones, a hefyd rai o gerddi Rhydwen Williams, Bobi Jones, Dafydd Rowlands, Gwynne Williams, Gilbert Ruddock, James Nicholas, Emrys Roberts, R. J. Rowlands, Moses Glyn Jones, Dafydd Owen, Pennar Davies, Derec Llwyd Morgan. Cafwyd caniatâd yr awduron yn ogystal.

ch) Gwasg Gee am ganiatâd i gynnwys cerddi R. Williams Parry, I. D. Hooson, William Jones, T. Rowland Hughes, a hefyd Alun Llywelyn-Williams, Gwyn Thomas, a rhai o gerddi Gareth Alban Davies.

d) Gwasg Gwynedd am ganiatâd i gynnwys cerddi William Morris, Einir Jones, Gerallt Lloyd Owen, Islwyn Edwards a Gwynn ap Gwilym.

dd) Gwasg y Lolfa am ganiatâd i gynnwys dwy gerdd Lona Llywelyn Davies, a gyhoeddwyd yng nghyfres Beirdd Answyddogol y Lolfa.

e) Y Parchedig D. Ben Rees a Chyhoeddiadau Modern Cymreig am ganiatâd i gynnwys cerddi John Fitzgerald a B. T. Hopkins.

f) Gwasg John Penry am ganiatâd i gynnwys cywydd D. J. Davies a cherddi W. Rhys Nicholas.

ff) Emyr Jenkins ar ran Llys yr Eisteddfod Genedlaethol am ganiatâd i gynnwys y detholiadau o awdlau a phryddestau, englynion, cywyddau a cherddi a wobrwywyd yng nghystadlaethau'r Eisteddfod Genedlaethol. Nodir yn union pa gerddi yw'r rhain yn y nodiadau ar y cerddi.

Mawr yw ein dyled i bob un o'r uchod am eu cydweithrediad caredig a pharod. Ni chafwyd atebion i rai o'r llythyrau a anfonwyd yn ymorol am ganiatâd i gynnwys cerddi yn y casgliad. Daethpwyd i'r casgliad, felly, nad oedd gan y sawl yr anfonwyd atynt unrhyw wrthwynebiad inni gynnwys y cerddi. Ond dim ond dwy neu dair o enghreifftiau o hyn a gafwyd.

Dymunwn ddiolch hefyd i nifer o unigolion a fu'n ein cynorthwyo i ddod i ben â'r gwaith o lunio'r casgliad hwn. Diolchwn i Richard Owen, Cyngor Llyfrau Cymraeg, Aberystwyth, R. E. Jones, Llanrwst, Moelwen Gwyndaf, Sanclêr, a'r Athro Ceri W. Lewis, Caerdydd, am ein cynorthwyo i ddod o hyd i rai perchnogion hawlfraint. Diolch hefyd i'r Athro Bobi Jones, Huw Walters, Derwyn Jones a Robert Rhys am sawl cymwynas, ynglŷn â'r nodiadau a'r dyddiadau, a hefyd i Idwal Lloyd, Abergwaun, am nodiadau ar y geiriau tafodiaith a geir yn 'Pwllderi' Dewi Emrys. Ni cheir nodiadau ar eiriau tafodiaith, nac ar eirfa yn gyffredinol, yn y Nodiadau ar y cerddi, ond gan fod 'Pwllderi' yn orlawn o eiriau a ffurfiau tafodieithol, tybiwyd fod angen nodiadau.

Ynglŷn â'r nodiadau yn gyffredinol, bwriedir iddynt fod yn ganllaw ac yn arweiniad yn unig: cynorthwyo'r darllenydd i ganfod ac adnabod islais neu adlais neu gyfeiriadaeth, ac i ddeall y cyfeiriadau hanesyddol. Efallai fod ambell nodyn yn amlwg, i'r rhan fwyaf o ddarllenwyr, ond gan fod posibiliad y defnyddir y flodeugerdd hon mewn ysgolion, nid drwg o beth oedd bod yn weddol hael a manwl. Oedwyd gydag ambell gerdd y rhoir iddi'r enw o fod yn ddyrys neu'n gymhleth, a chredwn fod sylwadau'r beirdd ar eu cerddi eu hunain o'r pwys mwyaf.

CYNNWYS

CYNNWYS

Rhagymadrodd

Gwynn ap Gwilym

Fe ddywedodd Syr John Morris-Jones mai'r blynyddoedd oddeutu 1884-5 oedd cyfnod darostyngiad isaf barddoniaeth Gymraeg.[1] Maentumiodd Saunders Lewis yntau mai 'pwll di-haul' oedd barddoniaeth Gymraeg y blynyddoedd oddeutu 1870.[2] Llifodd i'r pwll llonydd hwn ddwy ffrwd ferfaidd o ganu, sef canu'r neo-clasurwyr a chanu'r Bardd Newydd a'i dilynodd. Am y neo-clasurwyr—Eben Fardd a'i debyg—Goronwy Owen oedd y dylanwad mawr arnynt hwy, a chlasuraeth lom y ddeunawfed ganrif yn Lloegr oedd ffynhonnell eu hysbrydiaeth. Canent gan amlaf ar destunau amhersonol a osodid gan yr Eisteddfod—'Elusengarwch', er enghraifft, 'Dinystr Jerusalem', 'Drylliad y Rothesay Castle', 'Iwbili Siôr III', a mynegwyd eu syniadau am swyddogaeth barddoniaeth yn gryno gan Caledfryn:

> Y mae yn cynnwys pob peth sydd oddiallan i'n profiad a thu draw i'n meddyliau cyffredin. Nid oes dim barddoniaeth yn symudiadau dynion yn eu gorchwylion cyffredin . . . Nid ydyw pethau i'w golygu yn meddu cymeriad barddonol ond pan edrychir arnynt yn wrthddrychol ac yn y pellder.[3]

Am y Bardd Newydd—Islwyn a'i debyg—bardd-bregethwr-broffwyd ydoedd ef, a swyddogaeth ei farddoniaeth oedd traethu rhyw genadwri fawr athronyddlyd mewn iaith niwlog a thrystfawr. Bu Tafolog yn lladmerydd teg i'r dull haniaethol hwn o ganu:

> Gwirionedd yw barddoniaeth—nid addurn ar wirionedd, ond gwirionedd yn ei addurn a'i ogoniant pennaf.[4]

Offeiriad, gan amlaf, oedd y neo-clasurwr; gweinidog ymneilltuol oedd y Bardd Newydd. Diau mai diffyg mawr y ddau fel ei gilydd

[1] John Morris-Jones, *Cerdd Dafod*, Rhydychen, 1925, t. 23.
[2] Saunders Lewis, *An Introduction to Contemporary Welsh Literature*, 1926, t. 3.
[3] *Caniadau Caledfryn*, 'Pa Beth yw Barddoniaeth?', tt. 287-8.
[4] Gweler Thomas Parry, 'Y Bardd Newydd Newydd', *Y Traethodydd*, Gorff. 1939.

oedd prinder eu gwybodaeth am dreftadaeth farddol Cymru ac am y dylanwadau newydd a oedd yn ysgubo drwy Gyfandir Ewrop. Y gŵr a ddysgodd y beirdd am y ddeubeth hyn oedd Syr John Morris-Jones. Iddo ef yn anad neb y mae'r diolch am safon uchel barddoniaeth Gymraeg ein canrif ni. Mewn cyfres o feirniadaethau ar yr awdl a'r bryddest yn yr Eisteddfod Genedlaethol ceisiodd osod sylfaen newydd i farddoniaeth Cymru, a chrisialodd ei syniadau mewn erthygl yn *Y Traethodydd*, 1902, o dan y teitl 'Swydd y Bardd', ac yna, yn ddiweddarach, yn y gyfrol *Cerdd Dafod*, a gyhoeddwyd ym 1925.

Nid collfarnu'r hen feirdd yn unig a wnaeth Syr John, ond mynd ati hefyd i ddysgu chwaeth lenyddol i genhedlaeth newydd ac i'w hyfforddi mewn safonau beirniadol dilys. Ar waith Aristotlys y seiliodd ei ddamcaniaeth. 'Nid â syniadau haniaethol,' meddai, 'y mae a wnelo barddoniaeth ond â syniadau diriaethol'.[5] Gwrthododd bob haeriad fod i farddoniaeth swyddogaeth athronyddol: 'Â'r delyneg y mae a wnelom ni,' meddai, 'canys i'r dosbarth telynegol y perthyn holl hen farddoniaeth Cymru';[6] ac ymhellach: 'Y *teimlad* yw'r testun . . . y mae greddf y gwir fardd yn ei gadw rhag crwydro dros y terfyn o dir y teimlad i dir rheswm noeth'.[7] Eglurodd i'r beirdd eu tasgau, sef ailddarganfod gorffennol eu cenedl a dod i gysylltiad unwaith eto ag Ewrop a'i meddwl a'i gwaith. Gan ddilyn neo-ramantiaeth y cyfnod yn Lloegr, a gynrychiolid gan Rosetti a Swinburne, William Morris a Watts-Dunton—a chofier iddo gael cyfle ym Mhrifysgol Rhydychen i elwa oddi ar 'sosialaeth esthetaidd' William Morris a John Ruskin[8]—aeth Syr John ati'n ymwybodol i geisio dwyn Cymru i ffrwd barddoniaeth Ewrop, ac i annog ei beirdd i chwilio am ysbrydoliaeth i ganu rhamantaidd newydd yn eu traddodiadau cenedlaethol hwy eu hunain. Ni flinai ar annog testunau cenedlaethol ar feirdd yr Eisteddfod, ac yn ei gyfrol, *Caniadau*, 1907, rhoes esiampl ddisglair o'r math o ganu a gymeradwyid ganddo—canu personol am brofiadau cyffredinol wedi ei fynegi'n uniongyrchol mewn iaith goeth. Cyfieithiadau yw llawer o'r cerddi, o waith beirdd rhamantaidd cynharaf Ewrop megis Heine, de Musset a Wordsworth, ond y mae yn *Caniadau* hefyd delynegion

[5] John Morris-Jones, *op. cit.*, t. 20.

[6] *Ibid.*, t. 5.

[7] *Ibid.*, tt. 11-12.

[8] Gweler Alun Llywelyn-Williams, *Y Nos, y Niwl a'r Ynys*, Caerdydd, 1960, t. 28.

gwreiddiol ar yr un patrwm, yn ogystal ag awdlau megis 'Cymru Fu, Cymru Fydd' sy'n gyfuniad o glasuraeth a rhamantiaeth. Esgymunwyd yn llwyr o'r cerddi bob arlliw o athroniaeth: yn wir, yn ôl Syr Thomas Parry, yn y cyfieithiad o benillion Omar Khayyâm y mae'r peth tebycaf i athroniaeth nid yn unig yng nghanu John Morris-Jones ond yn holl gynnyrch yr ysgol o feirdd Cymraeg a'i dilynodd, a rhyw ymwrthod teimladol â realiti yw'r athroniaeth honno, gan ddianc rhagddo i fyd breuddwyd a llesmair a ffantasi.[9]

Daeth dylanwad Syr John yn rym nerthol yng Nghymru bron ar unwaith. Dangosodd Alun Llywelyn-Williams y rheswm am hynny: yr oedd mudiadau mawr y bedwaredd ganrif ar bymtheg wedi paratoi'r ffordd:

> Etifeddodd cenhedlaeth o wŷr ieuainc llenyddol yn y nawdegau ddysg a gweledigaeth yr ysgolheictod newydd a agorasai ddrysau ar hen hanes y genedl, a digwyddodd hynny mewn cyfnod pryd yr ymddangosai breuddwydion y werin bobl ar fin eu sylweddoli, a phryd yr oedd y bri a roddai gwleidyddiaeth Ryddfrydol ar unigolyddiaeth yn ei anterth. Denwyd y genhedlaeth honno gan deithi'r oes at darddiad Rhamantiaeth yn Lloegr a'r Almaen.[10]

Dadleuai Syr John, wrth gwrs, mai'r teimlad oedd deunydd crai pob barddoniaeth, a dyma'r efengyl a dderbyniwyd yn ddigwestiwn gan ei ddilynwyr. Yn ôl Syr Thomas Parry:

> . . . daeth teimlad yn rhan helaeth a phwysig o farddoniaeth Cymru . . . Anghofiodd pawb am yr ysbryd y tu ôl i bethau, a chanwyd gyda hwyl i'r gweledig syml, i bryd a gwedd merch, dail yr Hydref, gwylanod, mis Mai. Aeth pawb i deimlo, teimlo'n angerddol, teimlo'n ddwfn, teimlo ar hyd ei oes. Ni bu erioed y fath garu. Yr oedd gan bob bardd ei anwylyd, yn Fenna neu Wen, neu riain y rhedyn.[11]

Yr oedd gan bob bardd hefyd ei Afallon, ei Dír na nÓg neu ei Ynys Hud—ei wlad y Lotophagoi—ei hun, lle gellid dianc rhag blinion bethau'r byd. Onid ymhyfrydid mewn lleoedd dychmygol fel hyn,

[9] Thomas Parry, *Llenyddiaeth Gymraeg 1900-1945*, Lerpwl, 1945, t. 20.
[10] Alun Llywelyn-Williams, *op. cit.*, t. 28.
[11] Thomas Parry, 'Y Bardd Newydd Newydd', *Y Traethodydd*, 1939.

ymgollid yng ngorffennol Cymru, gan liwio'r gorffennol hwnnw â pherffeithrwydd a dedwyddyd delfrydol a oedd yn ddihangfa oddi wrth hualau gormesol piwritaniaeth yr oes. Dychwelid i oes rywiog a dilyffethair lle ceid byw bywyd i'r ymylon yn llawn. 'Delwedda'r pethau hyn i ni,' ebe T. Gwynn Jones, wrth drafod hen chwedlau'r Gwyddyl, 'fywyd cyntefig, ymladd, hela, gwledda a chanu. Y mae llawer o erwinder yr hen fywyd yn ddiau wedi ymgolli a thyneru yn niwl y pellter, nes ei droi yntau'n rhyw fath ar oes aur'.[12] At hyn, rhoddai'r cyfnod hwnnw fri ar bethau a ystyrid yng Nghymru ddechrau'r ugeinfed ganrif yn dabŵ, a'r pwysicaf o'r pethau hynny yng ngolwg y beirdd oedd angerdd a dwyster serch.

Tueddai'r beirdd ifainc hyn i wrthryfela nid yn unig yn erbyn yr agweddau annerbyniol ar grefydd yng Nghymru ddechrau'r ugeinfed ganrif, ond yn erbyn Cristionogaeth yn ei chrynswth. Synient fod serch ynddo'i hun yn ddigon o grefydd: y mae'r gwrthdaro rhwng agweddau corfforol, synhwyrus serch ac athrawiaeth ysbrydol yr Eglwys yn britho'u canu, a serch yn fuddugol bob tro. Goresgynnodd yr athrawiaeth hon hyd yn oed yr Eisteddfod Genedlaethol pan enillodd Robert Williams Parry Gadair yr Eisteddfod ym Mae Colwyn, 1910, am Awdl yr Haf, gyda'i ffydd ddiysgog yn 'nhegwch y munud' a'i dull hanner-paganaidd o wynebu her y dyfodol. Ymdeimlai beirdd y cyfnod yn drwm â'r golled a fygythiai bob hapusrwydd. Mewn ysgrif ar Thomas Hardy yn ei gyfrol, *Y Tro Olaf*, esbonia W. J. Gruffydd beth yw'r golled honno:

> Yn ei holl weithiau, un trychineb a geir, un golled. Y trychineb hwnnw yw Angau, am fod Angau yn rhoddi pen ar yr hyn sy'n ddiddorol, yn garadwy, yn ddealladwy, sef Bywyd. Ac nid Bywyd gyda B fawr, bywyd yr athronwyr a'r gwyddonwyr mohono, ond y bywyd hwnnw sy'n ddealladwy ac yn ddisgrifiadwy i'r awenydd, bywyd dynion y pentref a'r dref fechan, cymundeb pobl gyffredin y gellir plymio i'w meddyliau am fod eu meddyliau'n rhan o sylwedd y byd gwybyddus . . .[13]

Rhoddai'r beirdd hyn gryn fri ar 'gymundeb pobl gyffredin'. Yr oedd hynny, yn wir, yn nodwedd ar y canu rhamantaidd ledled

[12] T. Gwynn Jones, *Awen y Gwyddyl*, Cyfres y Werin, 1922, Rhagymadrodd, t. 5.
[13] W. J. Gruffydd, *Y Tro Olaf*, Y Clwb Llyfrau Cymreig, 1939, tt. 197-9.

Ewrop. 'Roedd syniadau Jean Jacques Rousseau (1712-1778) wedi dyrchafu bywyd syml y gwerinwr, a hynny yn ei dro wedi arwain i chwyldro gwleidyddol a chymdeithasol enfawr y teimlwyd ei effeithiau drwy holl wledydd y gorllewin. Yng Nghymru, effaith y chwyldro hwn oedd creu cwlt y werin, y canwyd ei chlodydd gan Syr O. M. Edwards ac y lledaenwyd ei bri gan Tom Ellis a'r Lloyd George ifanc.[14] Ac ym mlynyddoedd cynnar yr ugeinfed ganrif, tybid fod ei hymdrech hir am addysg ac awdurdod ar fin cael ei sylweddoli. I'r gwŷr ifainc breintiedig a ysgrifennai farddoniaeth, daeth y werin hon yn wrthrych edmygedd di-ben-draw. Nid rhyfedd felly i Grwys ym 1911 ennill Coron yr Eisteddfod yng Nghaerfyrddin am bryddest i 'Werin Cymru' sy'n dehongli holl hanes y genedl mewn goleuni gwerinol. Y dyb gyffredin oedd fod dydd gogoniant y werin ar wawrio, a chan mai gwerin Gymraeg oedd hi yr oedd awr rhyddhau'r genedl ac adfer ei bri hefyd yn nesáu.

Yn fuan, fodd bynnag, daeth cyflafan a oedd i roi dyrnod drom i'r math hwn o ganu, a Rhyfel Mawr 1914-18 oedd y gyflafan honno. Effeithiodd y Rhyfel ar bron bob un o feirdd y cyfnod; yn wir, bu'n drobwynt sydyn yn hanes y rhelyw ohonynt. O holl feirdd amlycaf dechrau'r ganrif yng Nghymru, un yn unig a barhaodd i bregethu safonau'r hen ramantiaeth, a W. J. Gruffydd oedd hwnnw. Hyd yn oed ym 1931, yn ei Ragymadrodd i'r *Flodeugerdd Gymraeg*, cawn ef yn dal mai 'Hiraeth yw testun pob prydyddiaeth'. Ond er i rai beirdd llai ddal i ganu yn ôl yr hen gonfensiwn, Gruffydd yn unig bellach a ddaliai i ymladd y frwydr. Am y lleill, gwelsant fod yn rhaid addasu eu gwaith yn wyneb y newid a fu. Yn ôl Alun Llywelyn-Williams:

> . . . i'r beirdd yr oedd y rhyfel ei hun yn drobwynt sydyn a thrychinebus. Cyn y rhyfel hwnnw, gallodd Williams Parry gyfrannu i'r farddoniaeth ramantus wedd hyderus a siriol. Ar ei ôl, canodd farwnad nid i'w gyfeillion coll yn unig eithr i'r gymdeithas gyfan a ddarniwyd ganddo. Wedi'r rhyfel y dechreuodd Gwynn Jones o ddifrif ar y gwaith o godi ei dŵr ifori, o greu ei arallfyd ei hunan o'r amseroedd gynt yn iawn am y presennol annioddefol . . . Cyn y rhyfel gallodd T. H. Parry-Williams ymdeimlo â min rhamantiaeth ddelfrydol awdl 'Y Mynydd'; ond

[14] Gweler Alun Llywelyn-Williams, *op. cit.*, t. 142.

> wedyn dysgodd lefaru â llais newydd, a llais mwy realistig, mwy cras, mwy gonest.[15]

Y mae'n debyg mai pryddest 'Y Ddinas', T. H. Parry-Williams, pryddest fuddugol yr Eisteddfod Genedlaethol ym Mangor, 1915, a gyhoeddodd yn groyw fod yr hen ddyddiau wedi dod i ben. Cerdd realistig yw hon, yn ymwrthod â safonau'r hen ramantiaeth a fynnai mai sêr, môr, heulwen a blodau, niwloedd a mynyddoedd a dolydd a phethau o'r fath oedd deunydd crai barddoniaeth. Nid rhyfedd i un o'r beirdd, Eifion Wyn, ei chondemnio'n ddidrugaredd:

> Cyfynga'r bardd ei hun i arweddau tristaf ac aflanaf bywyd. Ni thrig dim da yn ei Ddinas. Anobaith sydd yn ei phyrth ac anfoes yn ei phalasau. Chwiliais hi'n fanwl, a theml ni welais ynddi, na ffydd, na chariad, na hawddgarwch . . . Nid yw ei chynnwys yn llednais, na'i dysg yn ddiogel, na'i thôn yn ddyrchafedig, ac am hynny ni fedraf fi ei dyfarnu'n deilwng o urddas Coron Eisteddfod Genedlaethol Cymru.[16]

Mynnodd rhai beirniaid mai 'Y Ddinas' yw'r gerdd fodern gyntaf yn Gymraeg.[17] Ar wahân i'w disgrifio realistig, creulon, torrodd Parry-Williams un arall o reolau sancteiddiaf y rhamantwyr drwy ymwrthod â geiriau dieithr a hynafol a defnyddio yn eu lle iaith ystwyth, feunyddiol y stryd—geiriau fel *hers, dihitio, crwner, streic, cracio, clap-trap* etc—mewn gwrthryfel ymwybodol yn erbyn syniad Syr John Morris-Jones am werth 'geirfa farddonol'.[18] Parhaodd Parry-Williams ar hyd ei oes i ddefnyddio'r eirfa sathredig hon a llwyddo i'w dyrchafu'n gyfrwng llenyddol o urddas. Parhaodd hefyd i ganu'n sinigaidd, neu'n sardonig-chwareus, ar destunau sydd weithiau'n ymylu ar y *macabre.* Ef oedd y Cymro cyntaf i ddwyn y *poésie cerébrale* i mewn i'n hiaith, ac fe'i cymharwyd gan yr Athro J. E. Caerwyn Williams ac eraill ag Ezra Pound a T. S. Eliot.[19]

Fe agorodd pryddest 'Y Ddinas' y drws i feirdd eraill a fynnai ganu yn fwy realistig nag y caniateid iddynt gan safonau'r hen ramant-

[15] *Ibid.*, t. 170.

[16] Idris Foster (gol.), *Cyfrol Deyrnged Syr Thomas Parry-Williams*, Gwasg Gomer, 1967, erthygl gan Gwilym R. Tilsley ar 'Cerddi'r Eisteddfod', t. 22.

[17] Gweler Bedwyr Lewis Jones, 'The City: A Succès de Scandale', *Poetry Wales*, Haf 1974.

[18] Gweler John Morris-Jones, *Cerdd Dafod*, t. 24 *et. seq.*

[19] J. E. Caerwyn Williams, 'T. H. Parry-Williams', 'The Poetry of Wit', *Poetry Wales*, Haf 1974.

iaeth. Manteisiwyd ar y cyfle gan wŷr fel Prosser Rhys yn ei bryddest 'Atgof', a enillodd iddo Goron yr Eisteddfod Genedlaethol ym Mhontypŵl ym 1924, a Chynan, a enillodd Goron yr Eisteddfod yng Nghaernarfon ym 1921 am ei bryddest, 'Mab y Bwthyn', y dywedir yn aml fod dylanwad 'The Everlasting Mercy', John Masefield, arni.[20] Protest ddicllon enaid hydeiml yn erbyn anfri rhyfel sydd yn 'Mab y Bwthyn', fel yn y mwyafrif o gerddi Cynan yn ei gyfrol, *Telyn y Nos*, ac o ystyried y cerddi hyn fel rhan o'r newid a oresgynnodd farddoniaeth Gymraeg wedi tua 1920, arwyddocaol iawn yw'r dyfyniad allan o *Lyfr Du Caerfyrddin* ar ddechrau'r gyfrol:

Seith ugein haelon
a aethan ygwllon
yng coed Kelyddon
y darfuan.

Erbyn ail chwarter y ganrif yr oedd safonau'r hen fyd yn dymchwel yn gyflym—y wlad benbaladr yn wynebu argyfwng economaidd dychrynllyd, diweithdra'n rhemp, a'r arweinwyr cymdeithasol yn 'fancrypt moesol'.[21] Anodd i ni heddiw yw dychmygu cyni ac anobaith y Tridegau cynnar, a ddisgrifiwyd mor hunllefus gan D. Tecwyn Lloyd a Gwynfor Evans.[22] Gadawodd y blinder hwn ei ôl yn drwm ar feirdd y cyfnod. Lle buasai'r hen do yn gwrthryfela yn erbyn rhagrith a ffiloreg mewn crefydd a chymdeithas, gan geisio ymgolli mewn byd dedwyddach o'u dychymyg eu hunain, dechreuodd cenhedlaeth newydd o ddeallusion geisio wynebu'r argyfwng drwy astudio Marx am ystyr a gwerth cymdeithas a'r seicoleg newydd am werth personoliaeth dyn. Buasai'n hawdd i ramantwyr dechrau'r ganrif adweithio yn erbyn y grefydd gyfundrefnol, a oedd yn eu hieuenctid hwy yn berffaith sefydlog ei safle a'i dylanwad, a chreu iddynt eu hunain baradwys ddiddig rhwng difrif a chwarae, ond yr oedd anfodlonrwydd yr Ugeiniau a'r Tridegau yn beth dyfnach o lawer, a alwai am ailystyried yr holl systemau a lywodraethasai

[20] D. Ben Rees (gol.), *Dyrnaid o Awduron Cyfoes*, Cyhoeddiadau Modern Cymreig, 1975, erthygl ar Gynan gan Dafydd Owen, t. 36.

[21] Gweler D. James Jones, 'Crefydd Cymru a'i Beirdd, 1900-1955', *Y Traethodydd*, Hydref 1960.

[22] D. Tecwyn Lloyd, 'Llenyddiaeth Cyni a Rhyfel', *Ysgrifau Beirniadol IV*, tt. 154-5. Gwynfor Evans, *Aros Mae*, Abertawe 1971, tt. 306-7.

ar gymdeithas gyhyd; oblegid nid anobaith melys y rhamantwyr oedd hwn, ond ing gweladwy a gwirioneddol. Buasai T. E. Nicholas ers rhai blynyddoedd yn fflangellu gormes cyfalafiaeth ar weithwyr Cymru, ac yn gwawdio'r grefydd ddifater a oddefai i'r dyn cyffredin fyw yn ei drueni, a gwelwyd yr un syniadau yn rhai o gerddi T. Gwynn Jones ac yng nghaniadau cynnar Gwilym R. Jones ac Aneirin Talfan Davies. Am y cyfnod hwn yn ei hanes y dywedodd Gwenallt yn ei ysgrif 'Credaf':

> Yr oedd Marcsiaeth i ni yn llawer gwell crefydd na Methodistiaeth. Efengyl oedd hi; crefydd, a chrefydd gymdeithasol, ac yr oeddem yn barod i fyw drosti, i aberthu drosti, ie, a marw er ei mwyn, ond ni chodem fys bach dros Galfiniaeth.[23]

Dyma'r cyfnod a siglodd yr hen ramantiaeth i'w sail; ac nid yng Nghymru yn unig y bu hynny, ond yn Lloegr hefyd, fel y dangosodd A. C. Ward:

> The disruption produced between 1914 and 1918 by the war might not of itself have unseated Romanticism, which had prevailed in literature and in the general conduct of life since the last years of the eighteenth century. It was post-war economic and spiritual depression, and deepening dejection in a world impermeable to optimistic idealism in the nineteen-thirties, that at length overthrew the Romantics and brought in a generation of writers of whom some desired a revival of classicism, others a new era in which the scientific spirit of the modern world should be exalted over all else, while yet others (probably the majority) attended at the rebirth of the metaphysical temper which had been dormant in English poetry since the seventeenth century. These new metaphysicals were often as crabbed and tortuous in expression as the least luminous of their long-ago predecessors, and they displayed an equivalent preoccupation with death. But whereas salvation through Christ and damnation through sin were the alpha and omega of John Donne and of the Puritans, salvation through Marx and damnation through capitalism were favoured as substitutes in the nineteen-thirties. The Communist manifesto displaced the Thirty-Nine Articles.[24]

[23] Gweler J. E. Meredith, *Gwenallt, Bardd Crefyddol*, Gwasg Gomer, 1974, t. 20.
[24] A. C. Ward, *Twentieth Century English Literature*, Llundain, 1964, tt. 189-90.

Bu bron i'r un peth ddigwydd yng Nghymru hefyd, ond arbedwyd ein beirdd ni rhag teithio'r llwybr comiwnyddol i'w ben draw gan draddodiad Cristionogol eu cenedl. At y traddodiad hwn y troesant am gysur ar ôl eu dadrithio gan 'chwyldro' sosialaidd yr Ugeiniau, ac o ganlyniad y mae yng nghynnyrch barddonol Cymru wedi tua 1930 fwy o wir brofiad crefyddol nag a welwyd ers amser emynwyr y Diwygiad Methodistaidd. 'Y mae'n anodd peidio â'i ystyried fel bardd Cristionogol mwyaf Cymru er dyddiau Williams Pantycelyn ac Ann Griffiths,' ebe J. E. Meredith am Gwenallt,[25] ac yr oedd nifer o feirdd amlwg eraill y cyfnod—Saunders Lewis, er enghraifft, a Waldo Williams a Gwilym R. Jones—yn Gristionogion o argyhoeddiad, a llawer o'u cerddi yn dathlu gwerth y traddodiad crefyddol Cymraeg fel y dehonglent hwy ef.

Ei siom ynglŷn â pholisïau'r llywodraeth Lafur yn Ugeiniau'r ganrif a barodd i Gwenallt gefnu ar ei ddelfrydau comiwnyddol cynnar. Y mae cyfran dda o'i ysgrif, 'Credaf', yn mynegi'r dadrithio a ddaeth i'w ran yn ystod y blynyddoedd hyn, er enghraifft methiant y llywodraeth i ddiddymu'r frenhiniaeth a Thŷ'r Arglwyddi ac i roi ymreolaeth i India, ac amharodrwydd y mudiad llafur i ymladd dros gyfiawnder cyffredinol ac i sefydlu sosialaeth.[26] Mewn ysgol haf yn Spidéal, Iwerddon, ym 1929, y daeth yn ymwybodol o 'werth iaith a diwylliant a thraddodiadau'r bywyd gwledig', a myfyrdod ar ei brofiadau yno a arweiniodd at ei ddehongliad diweddarach o Gymru fel 'treftadaeth Gristionogol':

> Ynddi y gorwedd llwch Dewi Sant, a'r saint cynnar, llwch mynachod ac abadau'r Oesoedd Canol; llwch yr Esgob Morgan a'r Ficer Pritchard a Morgan Llwyd, llwch Pantycelyn, Christmas Evans, Williams o'r Wern, Michael D. Jones ac Emrys ap Iwan. Ein dyletswydd ni yw traddodi'r dreftadaeth a gawsom i'n plant; treftadaeth o bregethu Efengyl Mab Duw, o weddïo a gweithredu, ac o lunio yng Nghymru gymdeithas ar sail egwyddorion moesol Cristionogaeth.[27]

Daeth nodyn newydd i'w ganu o hynny allan. Yn ogystal â phrotestio yn erbyn y system a'r gyfalafiaeth front a'i cynhaliai, dechreu-

[25] J. E. Meredith, *op. cit.*, t. 9.
[26] *Ibid.*, tt. 65-6.
[27] *Ibid.*, t. 40; allan o araith deledu ar 'Neges Dewi Sant'.

odd godi ei lais hefyd yn erbyn gwrthwynebwyr y drefn honno, yn erbyn holl argyfwng materol ei gyfnod, lle'r oedd gweithwyr a meistri fel ei gilydd yn diystyru gwerthoedd uchaf bywyd. Rhoes cymdeithas drwyddi draw, yn wreng a bonedd, ei ffydd mewn eilunod a gwagedd, mewn deddfau gwlad, mewn gwell amodau byw, mewn gwyddoniaeth a meddygaeth a thechnoleg—ym mhob dim ond yn ei chrefydd—ac yr oedd ei materoldeb stwrllyd yn tagu'r gwir werthoedd ac yn arwain i ddigalondid ysbrydol ac anhrefn eneidiol dwfn.

Bardd nid annhebyg i Gwenallt yw Saunders Lewis. Er mai ychydig yw swm ei farddoniaeth ef, y mae'r cerddi yn ei gyfrol, *Byd a Betws*, 1941, yn cynrychioli agweddau tebyg iawn i'r rhai a geir yng ngwaith Gwenallt tua'r un cyfnod. Yn ei Ragair i'r gyfrol dywed iddo gasglu'r cerddi sydd ynddi ynghyd:

> oblegid eu bod yn gais i ddatgan, yng nghanol y rhyfel, argyhoeddiad ynghylch dwy gymdeithas a dau draddodiad,—y ddau beth a ystyriaf bwysicaf yn argyfwng ein dydd.

Y ddau draddodiad y cyfeirir atynt yw traddodiad yr Eglwys Gatholig a thraddodiad y genedl Gymreig, ond y mae teitl y llyfr ei hun yn cyfeirio hefyd at ddwy gymdeithas—cymdeithas y byd a chymdeithas yr Eglwys, ac y mae natur pob oes yn tarddu o'r gwrthgyferbynnu a'r ymgyfathrachu sydd rhwng y pwerau hyn.[28] Darlunia'r cerddi y croesymdynnu ym mywyd Cymraeg y cyfnod rhwng imperialaeth a chenedlaetholdeb, rhwng materoldeb proletaraidd Seisnig y cymoedd diwydiannol a gofal Saunders Lewis ei hun am safonau ysbrydol gwareiddiad y genedl. Maentumir mai i'r byd y perthyn pob materoldeb, a phopeth aflan ac afledneis; i'r Eglwys y perthyn popeth gwâr, gan gynnwys y traddodiad Cymraeg ei hun. Protestir yn gryf yn erbyn annynoliaeth y cyfnod, yn erbyn yr amgylchiadau hynny a gyfyngodd mor ddirfawr ar urddas dyn, a chwalodd ei hunan-barch, ac a'i hysgarodd, yn enwedig yng Nghymru, oddi wrth ei wreiddiau a'i dreftadaeth. Ac weithiau fe dry'r brotest a'r anobaith yn hunllef iasol, fel yn y gerdd 'Golygfa mewn Caffe', lle disgrifir bryntni'r Tridegau mewn delweddau swrealaidd, annymunol.

[28] Gweler Alun R. Jones a Gwyn Thomas (gol.), *Presenting Saunders Lewis*, Caerdydd, 1973, erthygl gan Gwyn Thomas ar 'His Poetry', t. 106.

Dengys barddoniaeth Saunders Lewis a Gwenallt yr adwaith a fu ymhlith beirdd Cymraeg ail chwarter yr ugeinfed ganrif yn erbyn rhamantiaeth ddiddig ac anghristionogol arloeswyr y deffroad llenyddol yng Nghymru. Yn achos Saunders Lewis, bu'n adwaith mor gryf nes llywio ohoni ei holl ymateb i fywyd, a'i arwain i gofleidio pendefigaeth ac esthetigaeth a chatholigiaeth—y cyfan yn groes i syniadau beirdd y deffroad gyda'u mawl i'r werin a'u crefydd anghydffurfiol, lastwraidd, neu'r anffyddiaeth ffasiynol a oedd mor boblogaidd ganddynt.

Wrth reswm, nid oedd popeth a ysgrifennwyd yn y cyfnod 1920-1939 yn adwaith ymwybodol yn erbyn safonau'r rhamantwyr. Y mae rhai o nodweddion canu'r blynyddoedd hyn yn ddatblygiad naturiol o'r rhamantiaeth honno. Y diddordeb mewn seicoleg, er enghraifft, a'r hir ymdroi yn nirgel-leoedd yr isymwybod ac yng nghilfachau meddwl dyn: bu'r diddordeb hwn yn rhan annatod o'r mudiad rhamantaidd ers y cychwyn ac yn nodwedd ym marddoniaeth Cymru ers dyddiau Williams Pantycelyn. Enynnwyd y fflam gan ddamcaniaethau arloesol Freud a Jung, a'i gwnaeth yn bosibl i'r beirdd archwilio moroedd newydd o brofiadau dynol a fuasai hyd yn hyn yn anhygyrch iddynt. Yn ôl y Dr. Pennar Davies,[29] T. H. Parry-Williams yw cyfryngydd pennaf y dull hwn o ganu seicolegol, realistig yn Gymraeg. Ond bu beirdd eraill hefyd yn arbrofi ynddo. Yr amlycaf ohonynt, efallai, yw Caradog Pritchard, a enillodd Goron yr Eisteddfod Genedlaethol yng Nghaergybi, 1927, am ei bryddest, 'Y Briodas', lle'r astudir troeon meddwl gwraig weddw a fyn ei beio'i hun am farwolaeth ei gŵr. Yn y gerdd hon y darganfu Caradog Pritchard ei lais ei hun. Yn ddiweddarach datblygodd ei ddiddordeb yng nghilfachau'r meddwl a'r enaid yn obsesiwn bron ynglŷn â digalondid ac anobaith cymdeithas. Ond gellir dweud, serch hynny, na wrthryfelodd ef erioed yn erbyn y mudiad rhamantaidd; yn hytrach fe droes lif y mudiad hwnnw i'w felin ei hun. Gellir honni'r un peth am nifer o feirdd eraill y cyfnod: y mae Iorwerth Peate hefyd yn enghraifft dda o fardd yn datblygu'r tueddiadau rhamantiaeth hynny a apeliodd at ei feddylfryd ef.

Ymddengys i farddoniaeth Saesneg y cyfnod rhwng y ddau ryfel ddylanwadu peth ar waith beirdd Cymru. Dyma'r blynyddoedd a

[29] Pennar Davies, 'Y Ganrif Hon yn ein Barddoniaeth', *Ysgrifau Beirniadol IV*, t. 190.

gynhyrchodd feirdd fel W. H. Auden, Cecil Day Lewis a Stephen Spender, tri bardd o'r ysgol Seisnig a geisiai fynegi cymhlethdod diwydiannol a gwyddonol y gymdeithas ddinesig gyfoes. A dyma'r math o farddoniaeth a gymeradwyid hefyd gan rai Cymry blaenllaw ar y pryd. Ym 1935 cawn Alun Llywelyn-Williams yn ysgrifennu erthygl yn *Y Llenor* ar 'Farddoniaeth Oes Ddiwydiannol', gan ddadlau y dylai'r beirdd droi eu cefn ar yr hen fywyd gwledig, traddodiadol, ac wynebu her y byd peiriannol, modern:

> . . . yn awr y mae nodwedd yr amserau wedi newid, ac y mae'n rhaid i'r bardd wynebu ar broblem newydd. Os ydyw'n ddidwyll ac am gadw ei waith mewn cysylltiad agos â bywyd, os mynn ef fod yn wir ddehonglydd i'w oes i ddangos ei harwyddocâd artistig, y mae'n rhaid iddo'n awr gael mynegiant barddonol a fyddo'n addas i oes ddiwydiannol.[30]

Cyfeiria'n ddirmygus at Saunders Lewis a'i ddilynwyr—'canoloeswyr yr ugeinfed ganrif'—gyda'u 'syniadau clasurol Catholig, ie Pabyddol':

> Onid dianc y mae hwythau hefyd fel Mr T. S. Eliot yn Lloegr, eithr mewn ffordd wahanol, rhag problemau artistig bywyd cymdeithasol y Deheudir sy'n bygwth y wlad achlân, a dianc i ryw fyd—dychmygol gan mwyaf fel hanes—o'u creadigaeth eu hunain?[31]

Cafwyd yr un ddadl gan Syr Thomas Parry yn ei gyfrol feirniadol, *Llenyddiaeth Gymraeg 1900-1945*, lle'r ymddengys fod ganddo yntau gryn gydymdeimlad â'r beirniaid hynny a fynnai fod yn rhaid addasu iaith a mesurau cerdd dafod at anghenion y dydd:

> Rhaid ymysgwyd o'r dyb fod rhai geiriau na eill y bardd ymhel â hwy o gwbl, oherwydd os ydys am drafod bywyd y dydd heddiw, ni ellir osgoi rhoi eu henwau i bethau'r bywyd hwnnw. Os tractor sy'n tynnu'r aradr, pa les sôn am yr hen gaseg winau? Os awyrblanau sy'n torri ar heddwch y wlad, ffwlbri yw dal i ganu am y llong â'r hwyliau sidan. Os yw dynion yn byw ar y dôl, ofer colli

[30] Alun Llywelyn-Williams, 'Barddoniaeth Oes Ddiwydiannol', *Y Llenor*, Gwanwyn 1935, t. 25.
[31] *Ibid.*, t. 32.

pen ynghylch golud y machlud drud. A mwy na hynny, rhaid i'r bardd sydd am fyw yn heddiw a defnyddio iaith heddiw gael rhythmau a mesurau amgen na'r rhai a rygnwyd hyd syrffed ar hyd y blynyddoedd. Boed iddo'r rhyddid i ddewis ei fesurau fel y mynno, hepgor odl efallai, a hepgor y curiadau cynefin sydd yn y mesurau rheolaidd. Dywaid ef mai peth peiriannol yw'r rhythm gosodedig sydd mewn penillion cyffredin, a bod y fath beth â rhythm llafar, rhediad naturiol geiriau a osodwyd yn gelfydd mewn brawddeg. Felly, yn lle llunio'i gerdd wrth acenion trwm ac ysgafn, llunia'r bardd hwn hi wrth y llinell. Gofala fod i'r llinell ei rhediad (nid rhythm reolaidd), ac wrth amrywio hyd ei linellau pair fod ei gerdd yn ymdonni ac ymnyddu, yn fwy wrth ei hanianawd hi ei hun nag wrth ddim ymyriad oddi wrth ofynion y ffrâm allanol.[32]

Cyfeirio y mae Syr Thomas yma, wrth gwrs, at y mesur penrhydd—y *vers libre*—a oedd yn prysur ennill tir yng Nghymru yn ystod y cyfnod dan sylw, yn bennaf, efallai, oherwydd diflastod y beirdd â mesurau peiriannol ac odlau treuliedig eu rhagflaenwyr. Eithr nid yn iaith a mesurau barddoniaeth yn unig y gwelai Syr Thomas newid a datblygiad, ond yn y testun hefyd, ac yn holl agwedd y bardd at ei alwedigaeth. Mewn erthygl bryfoclyd ar 'Y Bardd Newydd Newydd' yn *Y Traethodydd*, Gorffennaf 1939, maentumiodd fod barddoniaeth Gymraeg y cyfnod cyn dechrau'r Ail Ryfel Byd yn ymdebygu fwyfwy i gynnyrch Bardd Newydd diwedd y bedwaredd ganrif ar bymtheg:

> Bu'r Bardd Newydd yn broffwyd ac yn ddehonglwr. Bu dilynwyr Morris-Jones yn creu prydferthwch. Ond gwrandawer ar un o feirdd ifainc ein hoes ni: 'Y mae gwir farddoniaeth bob amser yn agos at galon bywyd, am mai'r bardd ydyw'r pwynt cyffwrdd mwyaf angerddol sydd rhwng bywyd a phrofiadau dynion, ac am mai trwy farddoniaeth (a chrefydd) y caiff dyn yr ymdeimlad dyfnaf o werth bywyd, a eill roddi mynegiant i'w broblemau mawrion'. (*Y Ddau Lais*, t.xii). Dyna'r Bardd Newydd Newydd. Ef yw'r pwynt cyffwrdd rhwng bywyd a phrofiadau dynion. Trwyddo ef y daw bywyd i mewn i brofiadau dynion. Ef yw'r gweledydd a'r dehonglwr, yn union fel y Bardd Newydd gynt. Yn wir gallasai Tafolog ysgrifennu'r geiriau uchod, ond yn unig na wyddai am y ddau air 'ymdeimlad' a 'phroblemau'.

[32] Thomas Parry, *Llenyddiaeth Gymraeg 1900-1945*, t. 35.

Y mae'r Bardd Newydd Newydd, meddai, yn llwyr anwybyddu'r teimlad ac yn darganfod posibilrwydd barddoniaeth yng nghefndir diwydiannol yr oes ac yn ei phroblemau economaidd; mae'n aml yn dywyll ac yn amleiriog—bron yn anniddorol, a dweud y gwir; ac yn ei ymwneud â chymhlethdod ei bersonoliaeth ei hun gwelir yr un ymgais at ddehongli bywyd ag a oedd mor amlwg yng ngwaith beirdd diwedd y ganrif ddiwethaf. Eithr, yn wahanol iddynt hwy:

> . . . nid yw'r Bardd Newydd Newydd mor hy ar y cyfanfyd . . . fe ffeiriodd ef y macrocosmos am y microcosmos:
>
> Tybed fy mod i, O Fi fy Hun,
> Yn myned yn iau wrth fyned yn hŷn,
> A gwanwyn a gwenau a gwibiog hynt
> Yn gwahodd fel y gwahoddent gynt?
>
> Neu'n debycach i'r Bardd Newydd:
>
> Mae ynof byth a hefyd gyngor terfysg
> Myfïau anghytûn yn pennu deddf;
> Pob un yn lleisio'i ble'n aflafar gymysg,
> Angof a chof, pob greddf a'i gelyn reddf.
>
> Yn rhyfedd, y mae'r dyfyniad olaf yn dwyn ar gof inni eiriau Tafolog mor bell yn ôl â 1897: 'Y mae môr mawr barddoniaeth yn ymchwyddo rhwng y 'myfi' dieithr o'n mewn, a'r 'Nid Myfi' dieithrach o'r tu allan inni'.

Fodd bynnag, fe arbedwyd y beirdd rhag teithio'r llwybr myfïol hwn eto i'r pen draw; ac unwaith yn rhagor y traddodiad cenedlaethol Cristionogol a ddaeth i'r adwy. Ym mis Medi 1939 fe dorrodd yr Ail Ryfel Byd, ond y mae'n syndod cyn lleied o effaith a gafodd ar y beirdd. Yn ystod y rhyfel ei hun ychydig a ysgrifennwyd y gellid ei alw'n 'farddoniaeth ryfel', ac nid tan ymhell ar ôl y gyflafan y dechreuwyd canu am erchyllterau Belsen a Hiroshima. Mwy dylanwadol o lawer na dyfodiad y rhyfel oedd gweithred Saunders Lewis, Lewis Valentine a D. J. Williams yn llosgi'r Ysgol Fomio ym Mhenyberth ym mis Medi 1936. Rhoes y weithred hon gyfeiriad a phwrpas i'r beirdd Cymraeg am flynyddoedd lawer. Ni bu erioed gymaint o ganu i'r genedl ag a fu yn ystod yr hanner canrif diwethaf, ac ni bu erioed sylweddoli mor glir faint y bygythiad i'w pharhad. A llosgi'r Ysgol Fomio yn Llŷn a amlygodd berygl y bygythiad hwnnw am y tro cyntaf. Er i Blaid Cymru gael ei sefydlu un mlynedd ar ddeg ynghynt, ym 1925, gellir dweud mai dyma'r tro cyntaf i rym cenedlaetholdeb dreiddio'n ddwfn i fêr esgyrn y beirdd. Sylweddolwyd o'r newydd mai argyfwng cenedl oedd gwir argyfwng Cymru, a dechreuwyd traethu hynny ag argyhoeddiad llachar. Nid â ffydd a hyder yr hen ramantwyr, ond â dwyster ac angerdd newydd a drôi weithiau'n ddychan, weithiau'n ddigalondid, ac weithiau'n fawl i'r traddodiad a fu.

Dylanwadwyd yn drwm ar R. Williams Parry, a gyhoeddodd ei ail gyfrol o farddoniaeth, *Cerddi'r Gaeaf*, ym 1952, wedi hir ddistawrwydd. Cydymdeimlai ef yn fawr â Saunders Lewis, ac yr oedd ei edmygedd ohono yn ddiderfyn. Teimlai i'r byw drosto yn wyneb y driniaeth annheilwng a ddioddefodd oddi ar law rhai Cymry dylanwadol ac oddi wrth y Brifysgol a'i cyflogai. Cythruddwyd ef i lid a chwerwder ac i feirniadaeth finiog a dychan deifiol ar adwaith y genedl i'w aberth ef drosti.

Bu ymateb Gwenallt i daeogrwydd y genedl beth yn wahanol. Daliodd ef yn fwy ffyddiog na Williams Parry, ac ni pheidiodd â gobeithio y cyfodai'r Cymry eto i ymgeleddu eu gwlad friw. Ganddo ef hefyd, yn ei gerdd, 'Cymru' ('Gorwedd llwch holl saint yr oesoedd') y cafwyd y disgrifiad perffeithiaf, o bosibl, o'r dreftadaeth Gristnogol Gymraeg. Nid oedd mor barod â Williams Parry i ddannod eu difrawder i'r Cymry ac i'w beio hwy am bob camwri a niwed. Gwelai ochr arall y darlun hefyd, sef pwysau gormesol Lloegr, ac y mae ei ddisgrifiad o'r ormes honno yn un eithriadol o rymus yn aml.

Gwenallt oedd bardd Cymraeg mwyaf dylanwadol y Deugeiniau cynnar, ac nid rhyfedd i'w esiampl ef gael cryn effaith ar y beirdd a'i dilynodd. Y mae bron bob un ohonynt wedi ysgrifennu cerdd yn beirniadu'r genedl a'i bradwyr neu'n ei moli hi a'i chynheiliaid. Enghreifftiau da yw 'Y Gweddill', J. M. Edwards, 'Mi Af i'r Coed i Wylo', Gwilym R. Jones, ac 'Awdl Cwm Carnedd', Gwilym R. Tilsley. Efallai mai yng ngwaith Waldo Williams y ceir yr enghreifftiau mwyaf nodedig o ganmol a chlodfori cymdeithas Gymreig y saint, gwarcheidwaid ffordd wâr a seml o fyw. Ond gellir cymryd cenedlaetholdeb y mwyafrif mawr o'n beirdd wedi'r Ail Ryfel Byd yn ganiataol. A'u Cristionogaeth hefyd: catholigiaeth Saunders Lewis, brawdgarwch a chyfriniaeth Waldo Williams, heddychaeth a defosiwn Gwilym R. Jones, dyngarwch J. M. Edwards, myfyrdod duwiol Pennar Davies, pendantrwydd argyhoeddiad Rhydwen Williams, diffuantrwydd T. Glynne Davies, ffydd dawel, gydwybodol Alun Llywelyn-Williams, Calfiniaeth Bobi Jones, rhyfeddod gorawenus Emrys Roberts at drefn y cread. Y mae rhyw ymdeimlad o bwrpas i fywyd, a'r ymdeimlad hwnnw wedi ei seilio ar gred grefyddol o ryw fath neu'i gilydd yn cyniwair drwy holl gynnyrch y beirdd hyn, ac y mae eu hymlyniad wrth achos Cymru hefyd yn sicr.

Mewn darlith ar y testun *Beth yw Pwrpas Llenydda?*, fe geisiodd Bobi Jones esbonio'r rheswm dros y pwrpas a'r argyhoeddiad sy'n nodweddu barddoniaeth Gymraeg ddiweddar:

> Braint fawr y llenor o Gymro heddiw yw ei eni i frwydr. Os yw ef yn gymharol effro, y mae'n *rhaid* iddo gredu rhywbeth o werth. Er bod pwysau Lloegr ac America, yr awyrgylch gwleidyddol a chrefyddol, fel pe bai'n gwasgu arno i gyfeiriad peidio â chredu, fedr y Cymro ddim llai: does ganddo ddim dewis. Does ganddo ddim amser i fod yn ffasiynol ansicr. Moeth maldodus yw'r dogma o amheuaeth. Mae'n cael ei orfodi i gredu *rhywbeth* cadarnhaol. Ar unwaith. All e ddim, wrth raid, osgoi'r clwyf hyll amlwg yn ysbryd ac yn niwylliant ei bobl. A'r un pryd, taw pa mor brudd a phesimistaidd y mae'n caru bod (yn wir, y mae'n gorfod bod), faint bynnag y mae'n ymddifyrru mewn yfed dagrau, all ef ddim llai nag ymwybod â'r grym adeiladol hefyd—grym enfawr, gredaf i—sy'n symud yma o blaid adnewyddu ac adfywio'i wlad . . . Pe bai ef yn trigo yn Huddersfield neu yn Wigan neu yn Southampton, fe allai fe ddatblygu'n llenor heb ei gorddi gan argyfwng byw a marw ei gyfrwng, gan fyw a marw ei gymdeithas i gyd; ond yng Nghymru heddiw, dim ond y sinig marw o wleidydd sy'n medru eistedd ar ben llidiart, dim ond y crefyddwr proffesiynol, sydd wedi ymrwymo'n gibddall i ddiffyg credu y genhedlaeth eciwmenaidd o'r blaen, a all ymdroi mewn merddwr teimlad ac mewn difaterwch.[33]

[33] Bobi Jones, *Beth yw Pwrpas Llenydda?*, Darlith Eisteddfod Genedlaethol Cymru, 1974, tt. 21-22.

Yr oedd naws broffwydol, genhadol, felly, i'r canu Cymraeg mwyaf arwyddocaol wedi'r Ail Ryfel Byd. Cyfleu neges oedd y nod, ac yn erbyn y nod hwnnw y gwrthryfelodd Euros Bowen, bardd na ddechreuodd farddoni nes ei fod yn dair a deugain mlwydd oed ac a gynhyrchodd waith y bu trafod mawr arno o hynny allan. Dehonglodd ei ddull ei hun o ysgrifennu mewn erthyglau yn *Taliesin* 9 a 10, yn *Yr Arloeswr*, Sulgwyn, 1958, ac yn *Mabon* 1. Byrdwn yr erthyglau hyn yw ei ymwybyddiaeth o'r ffaith fod ei farddoniaeth ef yn hollol wahanol i ddim a ysgrifennwyd yn Gymraeg o'r blaen. Dywed iddo ymwrthod â dau draddodiad ym myd awen, sef y traddodiad o draethu ystyr lythrennol—yr hyn a eilw ef yn 'farddoniaeth ffotograffig'—a'r traddodiad o wneud gosodiadau ac yna'u hegluro neu eu helaethu drwy drosiadau a chymariaethau. Ei enw ef ar gerddi a gyfansoddir yn y ddau draddodiad hyn yw 'cerddi cyfathrach', cerddi sy'n apelio'n uniongyrchol at ddeall y darllenydd. Eithr nid felly ei gerddi ef. Geilw'r rheini yn 'gerddi cyflwyniad', cerddi nad ydynt yn apelio'n uniongyrchol at y deall, ond yn hytrach at y dychymyg, ac y bydd yn anos i'r deall eu hamgyffred na'r caneuon hynny a ysgrifennir yn y ddau hen draddodiad. Mewn gair, cerddi a fydd yn dywyll i'r darllenydd a geisia'u hamgyffred â'i ddeall, ond yn eglur i'r sawl a'u gwerthfawroga â'i ddychymyg.

Trwy ddelweddau y cyflwynir cerdd yn uniongyrchol i'r dychymyg, a'r delweddau hynny yn 'hanfod y dweud' yn hytrach nag yn 'addurn ar y dweud' fel mewn cerddi cyfathrach. Canlyniad hyn yw nad oes dim egluro arwyddocâd delweddau mewn cerdd gyflwyniad. Y delweddau *yw*'r gerdd, a rhaid i'r darllenydd amgyffred eu harwyddocâd trwy gyfrwng ei ddychymyg ei hun. Amcana cerdd gyflwyniad at fod yn waith o gelfyddyd bur:

> Lle mae cerdd gyfathrach yn perthyn yn agos i fyd syniadaeth, mae cerdd gyflwyniad yn perthyn yn nes i fyd celfyddyd, y naill i'r byd fel y mae, y llall i'r byd fel y mae celfyddyd yn ei amgyffred, y naill i'r byd ymddangosiadol, bob-dydd, y llall i fyd celfyddyd, i fywyd ymreolus, creadigol dyn.[34]

Arbrofodd Euros Bowen gryn dipyn hefyd â ffurf allanol ei gerddi, gan geisio ymryddhau'n llwyr o afael yr hen fesurau. Yn ei gyfrol,

[34] Euros Bowen, 'Barddoniaeth Dywyll', *Taliesin* 10, Gorffennaf 1965, t. 27.

Cerddi Rhydd, ceisiodd hepgor 'yr un peth yn arbennig a oedd yn perthyn i'r hen ddull o lunio barddoniaeth, sef y llinell . . . golygai hynny sgrifennu yn nhrefn mynegiant rhithmig yn unig, a'r cymal, neu'r frawddeg, neu'r paragraff felly'n unedau mynegiant a rhithm'.[35] Rhyddhaodd y gynghanedd hefyd, gan 'gynganeddu rhithm y dweud mewn cymal, brawddeg a pharagraff',[36] ar yr egwyddor mai'r unig beth hanfodol i farddoniaeth yw rhythm.

Er i ddull Euros Bowen o gynganeddu ddylanwadu ar rai beirdd—yn enwedig, efallai, ar Gwynne Williams—ni chafodd ei syniad am 'gerdd gyflwyniad'—celfyddyd er ei mwyn ei hun, fel petai—ryw lawer o groeso. Yn wir, mewn llawer o'i gerddi diweddarach y mae fel pe bai ef ei hun wedi rhoi'r syniad hwnnw o'r neilltu. Parhau i 'gyfathrachu' (neu i 'gyfathrebu', a defnyddio gwell gair) a wnaeth y genhedlaeth newydd o feirdd a'i dilynodd—Gerallt Lloyd Owen, er enghraifft, a Donald Evans ac Alan Llwyd a Nesta Wyn Jones, a dychwelyd hefyd, yn arwyddocaol ddigon, at yr hen themâu—cenedlaetholdeb a gwarineb yn achos Gerallt Lloyd Owen, a chenedlaetholdeb a Christionogaeth yn achos Donald Evans ac Alan Llwyd a Nesta Wyn Jones.

Yn y Chwedegau cythryblus y daeth y beirdd hyn i oed, cyfnod boddi Tryweryn, arwisgiad y tywysog Charles, buddugoliaeth seneddol gyntaf Plaid Cymru ac ymgyrchoedd cyntaf Cymdeithas yr Iaith Gymraeg.[37] Ymgyfunodd y ffactorau hyn, ynghyd ag ysbryd gwrthryfelgar y cyfnod yn gyffredinol, i ddyfnhau ymwybyddiaeth y beirdd o'u cenedligrwydd, a diau mai dyna'r rheswm am y diddordeb newydd a gododd yn y gynghanedd a mesurau traddodiadol cerdd dafod. Mewn erthygl ddiweddar yn yn cylchgrawn *Barddas*, fe ddywedodd David Johnston:

> Credir yn gyffredin fod y gynghanedd yn gynhenid i'r iaith Gymraeg, ac wrth gwrs mae hynny'n rhoi gwedd wleidyddol i'r canu caeth diweddar—y syniad o gadw'n fyw un o draddodiadau hynafol y genedl yn wyneb yr holl fygythiadau i'n hiaith a'n diwylliant.[38]

[35] Euros Bowen, *Cerddi Rhydd*, 1961, Rhagair, t. v.

[36] *Ibid.*, t. vi.

[37] Gweler Alan Llwyd, *Barddoniaeth y Chwedegau*, Cyhoeddiadau Barddas, 1986.

[38] David Johnston, 'Dadeni'r Canu Caeth', *Barddas*, Gorffennaf/Awst 1987, t. 1.

Rhoddwyd hwb sylweddol i'r diddordeb newydd hwn pan sefydlwyd yn yr Eisteddfod Genedlaethol yn Aberteifi, 1976, y Gymdeithas Gerdd Dafod a'i chylchgrawn, *Barddas*. 'Dyna sy'n wir fendigedig yn *Barddas*,' meddai Donald Evans yn rhifyn Gorffennaf/Awst 1977 o'r cylchgrawn, 'mae'r gynghanedd yn hollbwysig', ac eto, yn rhifyn Ionawr 1979: 'Mae saithdegau'r ganrif yma'n dirwyn i ben, a theitl addas iawn i'w disgrifio, o safbwynt llên Cymru, fyddai cyfnod y Dadeni Cynganeddol'. Cerddai'r dadeni hwn law-yn-llaw â chenedlaetholdeb milwriaethus a oedd yn ymwybodol iawn o'r berthynas rhyngddo ac ymdrechion cenhedloedd difreintiedig eraill ledled y byd. Yn ôl Bobi Jones:

> Y mae rhai llenorion yn dal mai braf fyddai byw'n 'normal' fel pobl Sheffield, heb fod eu diwylliant cenedlaethol mewn perygl o ddiflannu'n derfynol i ddifancoll o fewn ychydig genedlaethau. Ond ar hyd a lled y byd, mewn cannoedd o wledydd, fe geir cynifer o bobloedd sy'n gynnwrf oherwydd bygythion unffurfiaeth a pharlys diwylliannol a chenedlaethol: ar bum cyfandir fe gwyd yr argyfwng Cymreig i'r golwg, fel na allwn ddweud mai trafferth plwyfol yw hyn. Y mae'n fath o her ryngwladol. Ac yn sicr, y mae'n hwyl ac yn wreichion i'r gwaed ac yn fwrlwm i'r meddwl.[39]

Fe feirniadwyd beirdd Cymraeg yr ugeinfed ganrif droeon am fethu ymateb i'r amgylchiadau a oedd yn llywio'r gymdeithas yr oeddynt yn byw ynddi. Dengys y flodeugerdd hon nad gwir hynny. Fe fu i'r beirdd ganu o dan ddylanwad digwyddiadau hanesyddol mawr y ganrif—y Rhyfel Byd Cyntaf, dirwasgiad y Tridegau, yr Ail Ryfel Byd, adfywiad cenedlaethol y Chwedegau, ac argyfwng cyffredinol gwareiddiad, ac achosodd y pethau hyn i'r mwyafrif mawr ohonynt ddychwelyd at eu gwreiddiau fel Cymry ac at ganonau'r Ffydd Gristionogol. Yr hyn sy'n gwbl wir amdanynt, wrth gwrs, yw nad ydynt odid byth yn adlewyrchu barn cymdeithas. Y mae honno, at ei gilydd, yn Brydeinllyd ac yn baganaidd. Ond arweinwyr yw'r beirdd—rhai sy'n gwarchod ac yn rhybuddio ac yn cynnig ymwared, nid annhebyg, yn wir, i broffwydi Israel gynt. Gwyddant yn well na neb fod dyfodol eu celfyddyd yn annatod glwm

[39] Bobi Jones, '*Beth yw Pwrpas Llenydda?*, t. 22.

wrth ddyfodol y Gymraeg ei hun, ond os pery hi fe bery'r farddoniaeth hefyd. Ac y mae'r sylfaen y bydd y beirdd yn adeiladu arni wedi 1987 yn filmil cadarnach na'r un yr adeiladodd yr hen ramantwyr arni wedi 1884.

JOHN OWEN WILLIAMS (PEDROG)
1853-1932

1

Y Rhosyn a'r Grug

I'r teg ros rhoir tŷ grisial—i fagu
Pendefigaeth feddal;
I'r grug dewr y graig a dâl—
Noeth weriniaeth yr anial.

WILLIAM THOMAS EDWARDS
(GWILYM DEUDRAETH)
1863-1940

2

Hydref 1923

Bu i'r haf gwlyb a rhyfedd—oer wyro
I weryd o'r diwedd,
Ond wele'n llawn hudoledd
Hydref aur yn crwydro'i fedd.

3

Beddargraff Geneth Ieuanc

O! wyryf deg, arafa di,—a gwêl
Y golofn sy'n nodi
Nad henaint a'm clodd tani;
Un ddeunaw oed oeddwn i.

JOHN MORRIS-JONES
1864-1929

4

Rhieingerdd

Dau lygad disglair fel dwy em
Sydd i'm hanwylyd i,
Ond na bu em belydrai 'rioed
Mor fwyn â'i llygad hi.

Am wawr ei gwddf dywedyd wnawn
  Mai'r can claerwynnaf yw,
Ond bod rhyw lewych gwell na gwyn,
  Anwylach yn ei liw.

Mae holl dyneraf liwiau'r rhos
  Yn hofran ar ei grudd;
Mae'i gwefus fel pe cawsai'i lliw
  O waed y grawnwin rhudd.

A chlir felyslais ar ei min
  A glywir megis cân
Y gloyw ddŵr yn tincial dros
  Y cerrig gwynion mân.

A chain y seinia'r hen Gymraeg
  Yn ei hyfrydlais hi;
Mae iaith bereiddia'r ddaear hon
  Ar enau 'nghariad i.

A synio'r wyf mai sŵn yr iaith,
  Wrth lithro dros ei min,
Roes i'w gwefusau'r lluniaidd dro,
  A lliw a blas y gwin.

5 *Y Gwylanod*

Rhodio glan y môr yr oeddwn,
  Meddwl fyth amdanat ti;
Hedai cwmwl o wylanod
  Buain llwyd uwchben y lli.

Troelli'n ebrwydd ar yr adain
  Wnaeth yr adar llwyd-ddu hyn;
Yn y fan, yng ngolau'r heulwen,
  Gwelir hwynt yn ddisglair wyn.

Bu fy nyddiau gynt yn llwydaidd,
A heb lewych yn y byd;
Twynnodd gwawl dy gariad arnynt—
Gwyn a golau ŷnt i gyd.

6 *Henaint*

'Henaint ni ddaw ei hunan';—daw ag och
Gydag ef, a chwynfan,
Ac anhunedd maith weithian,
A huno maith yn y man.

7 *Penillion Omar Khayyâm*

(Detholiad)

Fel llif mewn afon, ac fel gwynt ar draeth,
Dydd arall o derm f'einioes treiglo wnaeth;
Am ddau o ddyddiau ni ofidiaf fi,
Am ddydd i ddyfod, ac am ddydd a aeth.

Bydd lawen yn dy fywyd, na fydd brudd;
A meithrin farn yn lle'r ffolineb sydd;
A chan nad ydyw'r byd i gyd ond diddim,
Cyfrif nad wyt ond diddim, a bydd rydd!

Fe benderfynwyd ddoe pa wobr a gei,
A doe nis cyfnewidi ac nis dilei;
Bydd lawen, canys, heb dy gennad di,
Fe bennwyd ddoe pa beth yfory a wnei.

Y Pin yn y dechreuad fu'n coffáu
Y drwg a'r da, heb gloffi na llesgáu;
Cyn dichlais dydd y cread y bu'r Arfaeth,
Ac ofer iti wingo na thristáu.

A chan mai gwir y gair, pa les yw dwyn,
Oherwydd dy drabluddiau, och a chŵyn?
Dygymydd di â'th dynged—ni thry'r Pin
I newid un llythyren er dy fwyn.

Ac am y drwg a'r da sy'n natur dyn,
Y gwae a'r gwynfyd sydd ar ran pob un,
Na chyfrif hwynt i'r Rhod—mae honno'n fil
Mwy diymadferth na thydi dy hun.

Cyn dal meirch gwyllt yr haul yn nhrec eu Rhi,
Cyn gosod deddf Parwîn a Mwshtarî,
Hon oedd y rhan a dyngodd Tynged im;
Pa fodd y pechais? Dyma 'nghyfran i.

O begwn Sadwrn i'r dyfnderoedd cudd,
Datrys a wneuthum bob dyryswch sydd;
Llemais drwy rwymau celwydd, do, a thwyll—
Pob clwm ond clwm Tynghedfen aeth yn rhydd.

Trwy len Tynghedfen nid oes ŵr a êl,
Na golwg o'i dirgelwch neb nis gwêl;
Myfyriais, ddydd a nos, am ddeuddeng mlynedd
A thrigain, ac mae'r cyfan imi'n gêl.

I'r cyngor cudd nid oes a ddyry lam;
Ni chemir dros y terfyn hanner cam;
Oddi wrth y disgybl at yr athro trof,
A dirym megis minnau pob mab mam.

Tynged â'i gordd a'th yrr fel pêl ar ffo
I ddeau ac i aswy yn dy dro:
Y Gŵr a'th fwriodd i'r blin heldrin hwn,
Efô a ŵyr, Efô a ŵyr, Efô.

Yn wir, rhyw ddernyn gwyddbwyll ydyw dyn,
Tynged yn chware â hwnnw'i chware'i hun;
Ein symud ar glawr Bywyd, ôl a blaen,
A'n dodi 'mlwch yr Angau, un ac un.

Fel llunio llestr drwy ryw gywreiniaf drefn,
A rhoi can cusan ar ei arlais lefn,
Crochenydd Byd yn gweithio'r llestr yn gain,
A'i fwrw'n deilchion ar y llawr drachefn.

Fo'i Hunan fu'n ei wneuthur; pam y gyr
Y llestr i ddinistr wedi oed mor fyr?
Y pen telediw a'r wen luniaidd law,
Trwy ba ryw serch y'u gwnaeth, a llid y'u tyr?

Y Meistr ei Hun a fu'n cymysgu'n clai,
A pham y myn ddifetha'r cyfryw rai?
Od ydyw'r llestr yn hardd, paham y'i torrir?
Ac onid ydyw'n hardd, ar bwy mae'r bai?

Fe wyddai'r Gŵr, pan luniai 'nghlai â'i law,
Pa beth a wnawn, wrth fy ngwneuthuriad draw;
Nid oes un weithred im nas parodd Ef,
A pham y myn fy llosgi Ddydd y Praw?

ELISEUS WILLIAMS (EIFION WYN) 1867-1926

8

Y Sipsiwn

Gwelais ei fen liw dydd
Ar ffordd yr ucheldir iach,
A'i ferlod yn pori'r ffrith
Yng ngofal ei epil bach;
Ac yntau yn chwilio'r nant
Fel garan, o dro i dro,
Gan annos ei filgi brych rhwng y brwyn,
A'i chwiban yn deffro'r fro.

Gwelais ei fen liw nos
Ar gytir gerllaw y dref;
Ei dân ar y gwlithog lawr;
A'i aelwyd dan noethni'r nef:
Ac yntau fel pennaeth mwyn
Ymysg ei barablus blant,
Ei fysedd yn dawnsio hyd dannau'i grwth,
A'i chwerthin yn llonni'r pant.

Ond heno pwy ŵyr ei hynt?
  Nid oes namyn deufaen du
A dyrnaid o laswawr lwch
  Ac arogl mwg lle bu:
Nid oes ganddo ddewis fro,
  A melys i hwn yw byw—
Crwydro am oes lle y mynno ei hun,
  A marw lle mynno Duw.

9

Gwrid

Goch y gwin, wyt degwch gwedd;—ton y gwaed,
  Ystaen gwg a chamwedd;
 Morwynol fflam rhianedd—
 Swyn y byw—rhosyn y bedd.

10

Yr Hebog

Hed hebog fel dart heibio—a'i wgus
  Lygaid yn tanbeidio;
 Drwy y drain y dyry dro—
 Nid oes gân lle disgynno.

11

Blodau'r Grug

Tlws eu tw, liaws tawel,—gemau teg
  Gwmwd haul ac awel;
 Crog glychau'r creigle uchel,
 Fflur y main, ffiolau'r mêl.

J. J. WILLIAMS
1869-1954

12 *Clychau Cantre'r Gwaelod*

O dan y môr a'i donnau
  Mae llawer dinas dlos,
Fu'n gwrando ar y clychau
  Yn canu gyda'r nos;
Trwy ofer esgeulustod
  Y gwyliwr ar y tŵr,
Aeth clychau Cantre'r Gwaelod
  O'r golwg dan y dŵr.

Pan fyddo'r môr yn berwi,
  A'r corwynt ar y don,
A'r wylan wen yn methu
  Â disgyn ar ei bron;
Pan dyr y don ar dywod,
  A tharan yn ei stŵr,
Mae clychau Cantre'r Gwaelod
  Yn ddistaw dan y dŵr.

Ond pan fo'r môr heb awel,
  A'r don heb ewyn gwyn,
A'r dydd yn marw yn dawel
  Ar ysgwydd bell y bryn,
Mae nodau pêr yn dyfod,
  A gwn yn eithaf siŵr
Fod clychau Cantre'r Gwaelod
  I'w clywed dan y dŵr.

O! cenwch, glych fy mebyd,
  Ar waelod llaith y lli;
Daw oriau bore bywyd
  Yn sŵn y gân i mi;

Hyd fedd mi gofia'r tywod
 Ar lawer nos ddi-stŵr,
A chlychau Cantre'r Gwaelod
 Yn canu dan y dŵr.

HENRY LLOYD (AP HEFIN)
1870-1946

13

Lliwiau'r Hydref

Liwgar deg lygredigaeth,—gwyar haf,
 Gwrid darfodedigaeth,
Tywyn ôl y tân a aeth,
Amryliw wisg marwolaeth.

T. GWYNN JONES
1871-1949

14

Ymadawiad Arthur

(Detholiad)

Bedwyr, yn drist a distaw,
Wylodd, ac edrychodd draw.

Yno, ag ef yn ei gur,
Y syrthiodd neges Arthur
Ar ei glyw: "Bydd ddewr a glân,
Baidd ddioddef, bydd ddiddan!
Mi weithion i hinon ha
Afallon af i wella,
Ond i'm bro dof eto'n ôl,
Hi ddygaf yn fuddugol
Wedi dêl ei hoed, a dydd
Ei bri ymysg y bröydd;
Hithau, er dan glwyfau'n glaf,

Am ei hanes, ym mhennaf
Tafodau byd, dyfyd beirdd,
Pêr hefyd y cân prifeirdd;
Pob newid, bid fel y bo,
Cyn hir e dreiddir drwyddo;
Â o gof ein moes i gyd,
A'n gwir, anghofir hefyd;
Ar ein gwlad daw brad a'i bri
Dan elyn dry'n drueni;
Difonedd fyd a fynnir,
A gwaeth—tost geithiwed hir;
Ond o'r boen, yn ôl daw'r byd
I weiddi am ddedwyddyd,
A daw'n ôl yn ôl o hyd
I sanctaidd Oes Ieuenctyd;
A daw Y Dydd o'r diwedd,
A chân fy nghloch, yn fy nghledd
Gafaelaf, dygaf eilwaith
Glod yn ôl i'n gwlad a'n iaith."

Hwyliodd y bad, a gadaw
Bedwyr mewn syn dremyn, draw.

Lledai'r hwyl gain fel adain ar ledwyr,
Yntau a glywodd o gant gloyw awyr
Ddwsmel ar awel yr hwyr, melysdon
Yn bwrw ei swynion ar bob rhyw synnwyr.

Mor dyner y diferai
Â rhyw law mân drwy haul Mai,
A'r hud ar Fedwyr ydoedd,
A boddhad pob awydd oedd;
Dyma'r glod ym miragl hwyr
A rywiog lanwai'r awyr:

"Draw dros y don mae bro dirion nad ery
Cwyn yn ei thir, ac yno ni thery
Na haint na henaint fyth mo'r rhai hynny
A ddêl i'w phur, rydd awel, a phery
  Pob calon yn hon yn heiny a llon,
Ynys Afallon ei hun sy felly.

"Yn y fro ddedwydd mae hen freuddwydion
A fu'n esmwytho ofn oesau meithion;
Byw yno byth mae pob hen obeithion,
Yno, mae cynnydd uchel amcanion;
  Ni ddaw fyth i ddeifio hon golli ffydd,
Na thro cywilydd, na thorri calon.

"Yno, mae tân pob awen a gano,
Grym, hyder, awch pob gŵr a ymdrecho;
Ynni a ddwg i'r neb fyn ddiwygio,
Sylfaen yw byth i'r sawl fyn obeithio;
  Ni heneiddiwn tra'n noddo—mae gwiw foes
Ac anadl einioes y genedl yno!"

Yn y pellter, fel peraidd
Anadliad, sibrydiad braidd,
Darfu'r llais; o drofâu'r llyn
Anial, lledodd niwl llwydwyn;
Yn araf cyniweiriodd,
Ac yno'r llong dano a dodd,
A'i chelu; fel drychiolaeth,
Yn y niwl diflannu a wnaeth.

Bedwyr, yn drist a distaw,
At y drin aeth eto draw.

15

Madog

(Detholiad)

Gyda bod Madog a'i longau ar gyrraedd y môr agored,
  Duodd ffurfafen y deau, chwyrn gyfododd y chwa;
Gwelwodd ysblander y golau, oerodd hawddgarwch y bryniau,
  Glasodd y môr, a gloesai'r gwaneifiau gan ofwy'r gwynt;
Hwythau'r dyfodiaid weithion y troesant i'r aswy yn ebrwydd,
  Gwib am bentir Caer Gybi a wnaeth eu blaenorion hwy.
Yna, bu ymlid ac annog, a Madog ym myd ei afiaith,
  Gwanc ei wŷr oedd y goncwest, mwy iddo ef oedd y môr;
Helynt y gwynt a'r hwyliau, a chrygni croch rwgnach y rhaffau,
  Traflwnc hirsafn y cafnau, a'r llam ar grymeddau'r lli;
Dreng ymgyfwrdd a dringo, ymwingo ym mwng y gwanegau,
  Dwyfol ymryson dyfais y dyn a'r elfennau dall.
Draw â chyflymder yr awel y gwanai Gwennan y dyfroedd,
  Llithrai â'i hwyliau llathraid yn gwatwar gwatwar y gwynt;
Gwrando peroriaeth gerwinder ei hynt yr oedd yntau, Fadog,
  Angof fu ganddo'r llongau ar dro am y pentir draw;
Buan 'roedd Gwennan a'i bwa yn troi am y trwyn a'u cuddiai,
  Mur fu'r graig rhag y morwynt, mwy nid terfysglyd y môr;
Chwyrn am y traeth yr ymsaethodd Gwennan i ganol y llongau,
  Rhwygwyd yr awyr ogylch â gwawch a diasbad gwŷr.

Hywel fab Owain oedd yno, a'i Wyddyl yn eiddig lanio,
  Dinistr y gad yn eu denu, a llid yn eu cymell hwy,—
Canys, ac yntau'n cynnull ei hawl ei hun yn Iwerddon,
  Dafydd ei frawd i'w afael a ddug ei diroedd a'i dda;
Hywel, pan glybu, cynheuwyd ei lid, a'i lu a gynullodd,
  Rhwygodd ei longau'r eigion gan awch ei gynddeiriog nwyd,
Felly, Hywel, pan welodd ef Fadog, cyfododd a'i gyfarch;
  "Madog! tydi a'm oedodd, a throi fy mordaith ar ŵyr?
Diau, tydi ni fordwyit eigion ar neges y bradwr,—
  Na Chamlan mileiniach ymladd gŵr gan ei swyddog ei hun!"

"Hywel," medd yntau, "ni welais luman—gyflymed yr hwylit!—
  Maddau, gwyddost mai eiddig fyfi pan gynhyrfo fôr;
Gresaw a geffych, a grasus a fo dy farn ar dy ddeiliaid,
  Teg a fyddo dy neges, a doeth fo dy gyngor di!"

Yntau, Hywel, yn tewi, a'i wedd yn anniddig gan gyffro,
  Meddai: "I ti y mae addas gair na bo groes na gwyllt;
Ond ef, y bredychwr, Dafydd, yn draws a dreisiodd fy nghyfoeth,
  Wele, bydd teg fy neges, a rhaid fydd fy nghyngor i!"
"Cof am ein tad," medd Madog, "a'i gyngor, ac angau'n ei orfod,
  Brodyr, er pob bâr ydym—tost na baem hefyd gytûn!
Difai, yn hyn, ni bu Dafydd, eto, ymatal beth erddo—
  Antur na phwyllai yntau er Duw rhag dy gyngor doeth."
"Ai brawd," medd Hywel, "y bradwr traws a'r a'm treisiodd i'm
    gwrthgefn?
  Brawd! pe rhoit imi Brydain, mi nid arddelwn ef mwy!"

Creg ddiasbad o'r creigiau a dorrodd yn daer ar eu clustiau;
  Darfu am rin doethineb,—dall, hurt, a byddar yw dig,—
Dig, er y maint fyddo degwch yr achos, pan drecho gyngor,
  Union rhag traws ni bydd yno, neb, na dim, namyn nwyd.
Diriaid, draw i'r ymdaro, oedd ddylif y ddeulu gynddeiriog,
  Trydar môr adar, rhedai ym mylchau eu criau croch;
Brithwyd yr awyr â brathog saethau rhes eithaf y Gwyddyl,
  Un fu lam y tarianau, fel mur am flaenaflu Môn;
Yna, bu ruthrau ac annog, cilio, ac eilwaith ymgyrchu,
  Acw, ymwasgar, cymysgu, gweu fel dail yn y gwynt.

Mud oedd Mabon a Madog, yn gwylio â gwelwon wynebau,
  Rawd y gyflafan a redai fel ing rhyw ddifaol haint;
"Mabon," medd Madog, "ymwybod nid oes yn y dorf sydd acw,"
  "Haint," meddai Mabon yntau, "tra bo, a ddistrywia bwyll."

Dolef ddisyfyd o alar a fu ar faes y gyflafan,
  Yna, gwaedd o lawenydd, draw lle'r oedd ddycnaf y drin,
Gwaedd uwch gwaedd, yna'r Gwyddyl i'r môr o'r marian yn cilio,
  Cilio rhag ymlid caled, a'r maes gan ryfelwyr Môn.
Hywel â saeth y gelyn a'i blaen yn ymblannu'n ei galon,
  Gloes yn ei lygaid gleision, a chlo ar ei dafod ef,
Hywel, y bardd, y bu harddwch y wawr a'r eira'n ei swyno,
  Gynt, i ganu, ac yntau yn boeth gan lawenydd byw;
Diffaith mawrfaith a morfa a garai, a gwyros a meillion,

Haul ar loywder yr heli, a dolef yr anwar don!
Distain Hywel o weled y Mynach, dymunodd ei gyrchu,
Yntau, â geiriau trugaredd, aeth i'w gysuro ef;
Truan y troai Hywel ei olwg wrth alwad y Mynach,
Ofer y gwingodd ei wefus—mud ydoedd honno, mwy;
Cododd y meddwl caeëdig i'w legach lygad yn ddeigryn,
Arhosodd fel gem o risial tawdd wrth yr amrant hir,
Yna, disgynnodd hyd wyneb Hywel, a chaeodd yr amrant,—
Ias, ac uchenaid isel, a dim lle bu'r nwydau oll!

16

Gwlad Hud

(Detholiad)

Ym moreddydd pell fy mreuddwyd
Imi'r ydoedd man fel nefoedd;
Pob rhyfeddod yno'n hanfod,
A'r hen ddaear hon oedd ieuanc;
A'm cyfoedydd yn y coedydd,
Mi ganfuum a gwybuum
Ryfeddodau lledrith fodau;
Y pryd hynny, nid oedd synnu
Eto'n wendid nac yn ffoledd,
Namyn coledd pob rhyw lendid
A rhyfeddod ar a fyddai.

Byddai yno bob eidduniad—
Yno gwelid llun ac olion
Mwyn hudolion, man y delid;
Ôl y Tylwyth Teg yn gylchau,
Sôn ysbrydion bro unigrwydd;
Seiniau meinion tannau mwynion
Nas clyw unblaid onid enaid
Na ŵyr lithio na rhagrithio,
Na difwyno, na difenwi,
Namyn hanfod mewn rhyfeddod
Fyth yn dirion ac yn wirion.
Gwirion hefyd oedd y gware
Hwyr a bore fyddai yno,

Lle bu genni dan ganghenni
Fan a garwn, fwyna goror,
Dan dlws wead dulas ywen,
A lawnt werddlas yn ei gwmpas;
Yno a'r manod ar y mynydd,
Gwelais glaerwyn Glychau Mebyn,
A gwrandewais oni chlywais
Hwy yn canu i'm diddanu,
Emau gwynion, am y gwanwyn.

Wanwyn, pan ddôi addwyn ddyddiau,
Galwai'r blodau at ei gilydd,
Torrai gloau eu trigleoedd,
O'u tywyllwch neidient allan;
Dôi Briallu yno i wenu,
Coch a gwyn a brith a melyn;
Briallu Mair ym môn y clawdd,
A'r Geden Werdd a'r Gadwyn Aur;
Ac wrth y ddôr yn swil ymagor,
Rhos bach gwynion a melynion;
Dail Cyrn hirion, gloyw-wyrdd, irion,
Hen Ŵr peraidd ger y pared,
Mwsogl hefyd, Mwsg a Lafant,
A Drysïen draw, a'u sawyr
Gyda'r hwyr yn brwysgo'r awyr;
Ffiled Fair yn rhuban disglair,
Rhes fach fain o Falchder Llundain,
Hwythau'r Cennin Pedr yn edrych
Yno megis sêr disberod,
Haid, am ennyd wedi mynnu
Gado'u rhod am goed yr adar.

Adar To, fe ddeuent yno,
Gnafon bach na bu ddigrifach,
Yn lladron hy o gylch y tŷ,
Neu yn y llaid yn chwarae'n llon—
Diau, gwarthus digio wrthyn

Rhag digrifed fydd eu gweled!
Dacw fo o dan y bondo
Yn llygadu a phen-gamu,
Ac yn rhegi'r ci neu'r hogyn
Draw a oedodd ei ladradau!
Bod rhwng dynyn ac ederyn
Yw Llwyd y To, lle bynnag y bo,
Hy ysbeiliwr, ymrysonwr,
Dewr ei fenter, budr ei fantell;
Doed a ddêl, bydd ef ddiogel,
Bwyd a fyn, doed byd a fynno.

17

Hydref

Gwelais fedd yr haf heddyw,—
Ar wŷdd a dail, hardded yw
Ei liwiau fyrdd, olaf ef,
Yn aeddfedrwydd lleddf Hydref.

Ar wddw hen Foel Hiraddug,
Barrug a roed lle bu'r grug;
A thraw ar hyd llethr a rhos,
Mae'r rhedyn fel marwydos
Yn cynnau rhwng y conion,
A than frig eithin y fron.

Rhoddwyd to o rudd tywyll
Ag aur coch hyd frigau'r cyll;
Mae huling caerog melyn
Wedi'i gau am fedw ac ynn,
A'r dail oll fel euraid len
Ar ddyrys geinciau'r dderwen.

Ba wyrth wir i'r berth eirin
A fu'n rhoi gwawr ddyfna'r gwin,
A rhudd liw gwaed ar ddail gwŷdd
Gwylltion a drain y gelltydd?

O drawster Hydref drostynt,
A waedai'r haf wedi'r hynt?
Ai ufudd oedd ei fodd ef
Wrth edryd i wyrth Hydref
Orau rhwysg ei aur, a rhin
Ei flasus rudd felyswin?

Edrych, er prudded Hydref,
Onid hardd ei fynwent ef?
Tros y tir, os trist ei wedd,
Mor dawel yma'r diwedd!
Nid rhaid i Natur edwi
Yn flin neu'n hagr, fel nyni;
Onid rhaid Natur ydyw
Marw yn hardd er mor hen yw!

18

Penmon

I W. J. G.

Onid hoff yw cofio'n taith
Mewn hoen i Benmon, unwaith?
Odidog ddiwrnod ydoedd,
Rhyw Sul uwch na'r Suliau oedd;
I ni daeth hedd o'r daith hon,
Praw o ran pererinion.

Ar dir Môn, 'roedd irder Mai,
Ar ei min, aerwy Menai
Ddillyn yn ymestyn mal
Un dres o gannaid risial;
O dan draed 'roedd blodau'n drwch,
Cerddem ymysg eu harddwch;
E fynnem gofio'u henwau
Hwy, a dwyn o'r teca'n dau,
O'u plith, ond nis dewisem,—
Oni wnaed pob un yn em?

Acw o lom graig, clywem gri
Yr wylan, ferch môr heli;
Hoyw donnai ei hadanedd,
Llyfn, claer fel arfod llafn cledd;
Saethai, hir hedai ar ŵyr
Troai yn uchder awyr;
Gwisgi oedd a gosgeiddig
Wrth ddisgyn ar frochwyn frig
Y don, a ddawnsiai dani;
Onid hardd ei myned hi
Ym mrig crychlamau'r eigion,
Glöyn y dwfr, glain y don.

A'r garan ar y goror,
Draw ymhell, drist feudwy'r môr;
Safai'r glaslwyd freuddwydiwr
Ar ryw dalp o faen, a'r dŵr,
Gan fwrw lluwch gwyn ferw y lli,
O'i gylch yn chwarae a golchi;
Yntau'n aros heb osio
Newid trem, na rhoi un tro,
Gwrandawr gawr beiston goror,
Gwyliwr mud miraglau'r môr.

Cyrraedd Penmon ac aros
Lle taenai'r haf wylltion ros
Ar fieri'n wawr firain,
A gwrid ar hyd brigau'r drain.

Teg oedd y Mynachty gynt,
Ymholem am ei helynt,
Ac o'r hen bryd, ger ein bron,
Ymrithiai'r muriau weithion;
Berth oedd waith ei borth a'i ddôr,
A main ei dyrau mynor;
Nawdd i wan ei neuadd o,
A glân pob cuddigl yno;

Meindwr y colomendy
Dros goed aeron y fron fry
Yn esgyn i hoen ysgafn
Wybren lwys, fel sabr neu lafn;
A than y perthi yno,
A nennau dail arno'n do,
Hun y llyn hen yn llonydd
Is hanner gwyll drysni'r gwŷdd.

Ar y ffin 'roedd oer ffynnon,
Ac ail drych oedd gloywder hon;
Daed oedd â diod win
Ei berw oer i bererin.

Ac yna bu rhyw gân bêr,
Ym mhen ysbaid, mwyn osber;
Cyweirgerdd clych ac organ,
Lleisiau cerdd yn arllwys cân
I lâd nef, gan Ladin iaith;
Ond er chwilio'r drych eilwaith,
Mwy nid oedd namyn y dail
Prydferth hyd dalpiau'r adfail,
A distawrwydd dwys tirion—
Mwy, ni chaem weld Mynaich Môn!

19

Y Saig

Dim ond dy ben, ar ddysgl ar y bwrdd,
ynghanol y letys gwyrdd,
a'r gweddill wedi mynd i gegau eraill.
Dy lygad marw, oddi tan ei ffenestr welw,
megis merbwll bach tan rew,
a'th safn yn llydan agored,
wedi sefyll,
yn ystum rhyw chwerthin chwith—
fel pedfai digrif gennyt ti
dy dynged, wedi dianc yn dy dro,

rhag miloedd safnau'r môr,
dy ddal gan bryfyn tir,
a'th dreisio di i'th drwsio â dail, mor dwt,
wrth grefft y cogydd coeth
i blesio blys y safn a'r dannedd gosod,
a'r llygaid, hwythau tan eu gwydrau gwneud,
a fyn bob saig y sydd o dir a môr,
cyn mynd yn saig ei hun i bryfed llai.
Ac onid digrif hynny?
Diau. Chwardd.

20

Cynddilig
(Detholiad)

A daeth rhysedd ei hil arno yntau Gynddilig,
a'i waed yn ffrwd o dân i'w ffroen,
gan losgi drwy ganol ei esgyrn,
gan gnoi ei gnawd,
a Duw o'i enaid yn edwino,
onid oedd ei holl anwydau ef
yn ddolur o ddialedd,
dialedd hen ei dylwyth.

Ac yn ei ing, ag un waedd,
o galon farw oer gelyn ei frawd,
y ddagr a dynnodd yn goch a'i throchi
yn ôl yng nghalon ei elyn . . .

Yna'n syfrdan y griddfannodd,
o uthrwch ei weithred;
och o'i law rudd! . . . oni chlywai reg
yn y geiriau anhrugarog?—
"Och, Gynddilig, na buost wraig!"

A'r geiriau anhrugarog,
yn edliw, gan ryw lusgo'n wawdlyd,
iddo ei ofer ddefod,
a'i adduned yn y dyddiau hynny,

ym myfyr a thangnefedd Meifod,
ei doeth ddysg a rhyfeddod ei thasgau,
a bryd ddiwrthymod ei brodyr . . .
"Och, Gynddilig, na buost wraig!"

Och, Wên! ai efô, o'r tawch yno,
a fwriai arno wawd, rhag ofered,
rhag mor ddi-raid ei ddiriaid gynddaredd,
dielwaf dialedd?—
"Och, Gynddilig, na buost wraig!"

Na! Gwên, ni bu erioed wên ar ei wyneb
onid o gariad gwirion
na dig na dirmyg nid oedd
a gelai ef yn ei galon . . .

Ac nid oedd i Gynddilig un dim
a welai'n ei ŵydd onid y ddwy gelain oer,
a dalodd y ddyled olaf,
yn y fan yn druan, drist,
Och Grist! mor drist, mor dru . . .
a'r ddagr . . . a'i ddu euogrwydd . . .

A gwayw'i nwyd yn y giau'n edwi,
ymgroesai; ac am ei euog rysedd,
ei ddialedd, ymgreiniodd Cynddilig,
yn y gwaed a thrwy'r rhedyn a'r gwellt,
drwy y drain yn chwerwder ei drueni,
a baich ei bechod;
yn ei ing yr ymwingai
oni bu efô yn ei boen
fel marw ar gyfyl y meirwon,
y ddeugorff oedd agos
onid bod ynddo ef anadl—
pob deisyfiad fel pe bai wedi sefyll,
bod wedi peidio â byw . . .

21

Mac

(a laddwyd Awst 23, 1940)

I

Wylasom uwchben ei wely isel,
ei wely olaf,
yn y clai, lle gorweddai yn ei waed,
tan nawdd y gastanwydden.

Yno y dôi, pan nad oedd onid ieuanc,
o'i flino ymysg ei ofalon mân,
dyrys gyfyngderau,
a'r dasg nad oedd onid antur a'i dysgai,—
greddf yn ysblander ei grym.

Yno dôi i orffwyso ennyd,
neu fyfyrio ar ryw dro fu oferedd;
yno, lle disgwyliai amdanom,
yno, lle dysgodd ei ddoethineb,
a'i ben ar ei balfau bach.

II

A mynnem, hyhi a minnau,
ei weled am y tro olaf,
yn y bedd, lle'i gwelai hi fel plentyn bach,
yn gu iawn, fyth mwy yn ei gwsg,
y cwsg hir . . .

Nid oedd inni un dim a'n diddanai,
nac a liniarai golyn hiraeth,
dim, onid wylo ein dau,
am yr un na chawsom erioed
ball ar ei ffyddlondeb ef,
na siom erioed am ei groeso mawr iawn,
un a wyliai oni ddychwelem,
a wyddai'r dydd a'r awr y doem.

A byth mwy, nid oedd obaith am ei weld,
neu gael yr hen groeso a'n disgwyliai
gynt . . .
pen ar ei ffyddlondeb pur,
diwedd dewr un nid eiddo dwyll.

III

Ti, onid wyt ti o hyd
yn yr haul, tu draw i'r tarth, yn rhywle,
yn hir yn ein haros?
a wyddost y dydd a sut y down,
yn ein tro, pan ddown ninnau trwodd? . . .
O! am dy hen lawenydd—
oni ddaw eilwaith pan ddelom,
oddi yma, hwnt, i'r distawrwydd mawr?

THOMAS JACOB THOMAS (SARNICOL)
1873-1945

22

Ar Ben y Lôn

Ar Ben y Lôn mae'r Garreg Wen
  Yr un mor wen o hyd,
A phedair ffordd i fynd o'r fan
  I bedwar ban y byd.

Y rhostir hen a fwria hud
  Ei liwiau drud o draw,
A mwg y mawn i'r wybr a gwyd
  O fwthyn llwyd gerllaw.

Ar Ben y Lôn ar hwyr o haf
  Mi gofiaf gwmni gynt,
Pob llanc yn llawn o ddifyr ddawn
  Ac ysgawn fel y gwynt.

Ar nawn o Fedi ambell dro
  Amaethwyr bro a bryn
Oedd yno'n barnu'r gwartheg blith
  A'r haidd a'r gwenith gwyn.

Ac yma, wedi aur fwynhad
  Tro lledrad ger y llyn,
Bu llawer dau am ennyd fach
  Yn canu'n iach cyn hyn.

O gylch hen Garreg Wen y Lôn
  Bu llawer sôn a si;
Ond pob cyfrinach sydd dan sêl
  Ddiogel ganddi hi.

Y llanciau a'r llancesau glân
  Oedd gynt yn gân i gyd
A aeth hyd bedair ffordd o'r fan
  I bedwar ban y byd.

Pa le mae'r gwŷr fu'n dadlau 'nghyd
  Rinweddau'r ŷd a'r ŵyn?
Mae ffordd yn arwain dros y rhiw
  I erw Duw ar dwyn.

Fe brofais fyd, ei wên a'i wg,
  O olwg mwg y mawn,
Gwelais y ddrycin yn rhyddhau
  Ei llengau pygddu llawn:

Ar Ben y Lôn mae'r Garreg Wen
  Yr un mor wen o hyd
A dof yn ôl i'r dawel fan
  O bedwar ban y byd.

WILLIAM CRWYS WILLIAMS (CRWYS)
1875-1968

23

Tut-ankh-amen

Yn nyffryn y brenhinoedd gwaedd y sydd
  Am ogoneddus deyrn yr euroes bell,
  Heb lais na chyffro yn y ddistaw gell,
Na gŵr o borthor ar yr hundy cudd;
Er cynnau'r lamp, ni ddaw i'r golau mwyn,
  Er gweiddi seithwaith uwch, ni chlyw efe,
  'Pharaoh'—ust! na, nid yw'r teyrn yn nhre,
Na'r un gwarchodlu a omedd ichwi ddwyn
Ei olud; ewch a rhofiwch, llwyth ar lwyth,
  Heb arbed dim, na'r aur na'r ifori,
  Na'r meini prid, na'r pres, na'r eboni,
Ac ymestynnwch ar y meinciau mwyth:
  Ni'ch goddiweddir ddim; mae'r teyrn ar daith;
  Ni ddychwel heno,—nac yfory chwaith.

24

Dysgub y Dail

Gwynt yr hydref ruai neithiwr,
  Crynai'r dref i'w sail,
Ac mae'r henwr wrthi'n fore'n
  'Sgubo'r dail.

Yn ei blyg uwchben ei sgubell
  Cerdd yn grwm a blin,
Megis deilen grin yn ymlid
  Deilen grin.

Pentwr arall; yna gorffwys
  Ennyd ar yn ail;
Hydref eto, a bydd yntau
  Gyda'r dail.

25

Melin Trefin

Nid yw'r felin heno'n malu
  Yn Nhrefin ym min y môr,
Trodd y merlyn olaf adre'
  Dan ei bwn o drothwy'r ddôr,
Ac mae'r rhod fu gynt yn rhygnu
  Ac yn chwyrnu drwy y fro,
Er pan farw'r hen felinydd,
  Wedi rhoi ei holaf dro.

Rhed y ffrwd garedig eto
  Gyda thalcen noeth y tŷ,
Ond 'ddaw neb i'r fâl â'i farlys,
  A'r hen olwyn fawr ni thry;
Lle dôi gwenith gwyn Llanrhiain
  Derfyn haf yn llwythi cras,
Ni cheir mwy ond tres o wymon
  Gydag ambell frwynen las.

Segur faen sy'n gwylio'r fangre
  Yn y curlaw mawr a'r gwynt,
Dilythyren garreg goffa
  O'r amseroedd difyr gynt;
Ond 'does yma neb yn malu,
  Namyn amser swrth a'r hin
Wrthi'n chwalu ac yn malu,
  Malu'r felin yn Nhrefîn.

BEN BOWEN
1878-1903

26

Gorffwys yn Nuw

Ymdawelaf, mae dwylo—Duw ei hun
  Danaf ymhob cyffro;
Yn nwfn swyn ei fynwes O
Caf lonydd, caf le i huno.

I. D. HOOSON
1880-1948

27

Y Cudyll Coch

Daeth cysgod sydyn dros y waun,
  A chri a chyffro lle'r oedd cerdd
A chwiban gwyllt aderyn du
  A thrydar ofnus llinos werdd,
Ac uwch fy mhen ddwy adain hir
Yn hongian yn yr awyr glir.

Fe safai'r perthi ar ddi-hun,
  A chlywid sŵn ffwdanus lu
Yn ffoi am noddfa tua'r llwyn
  Mewn arswyd rhag y gwyliwr du;
Ac yntau fry yn deor gwae,
A chysgod angau dros y cae.

A minnau yno'n syllu'n syn,
  Ar amrant—yr adenydd hir
Dry dan fy nhrem yn flaenllym saeth,
  A honno'n disgyn ar y tir;
Ac yna un, a'i wich yn groch,
Yng nghrafanc ddur y cudyll coch.

28

Hawliau

Mi welais ŵr—llechwrus ŵr—
  Un min y nos, ar ddistaw droed,
Yn gosod creulon fagl ddur
  I ddal diniwed deulu'r coed;
Haerai y gŵr ei hawl a'i reddf
Yn erbyn arglwydd, gwlad a deddf.

Mi welais ŵr—truenus ŵr—
  O flaen y llys ar wŷs ei well,
A'r Ustus balch â sarrug drem
  Yn sôn am ddirwy, cosb a chell;

Dadleuai'r gŵr ei hawl a'i reddf,
Pwysleisiai'r Ustus hawliau'r ddeddf.

Mi welais yn y fagl ddur
  Greadur bach a'i wddf yn dynn,
A'i ffroenau'n wlyb gan ddafnau gwaed,
  Ac yn ei lygaid olwg syn;
Dadleuai yntau yno'n lleddf
Ei hawl i fyw. yn ôl ei reddf.

29

Y Pabi Coch

'Roedd gwlith y bore ar dy foch
Yn ddafnau arian, flodyn coch,
A haul Mehefin drwy'r prynhawn
Yn bwrw'i aur i'th gwpan llawn.

Tithau ymhlith dy frodyr fyrdd
Yn dawnsio'n hoyw ar gwrlid gwyrdd
Cynefin fro dy dylwyth glân,
A'th sidan wisg yn fflam o dân.

Ond rhywun â didostur law
A'th gipiodd o'th gynefin draw
I estron fro, a chyn y wawr
Syrthiaist, a'th waed yn lliwio'r llawr.

30

Y Rhosyn

Fel hen dafarnwr rhadlon
  Bu'r haul drwy'r hir brynhawn
Yn rhannu'i winoedd melyn,
  A'i westy llon yn llawn.
'Roedd llygaid gloywon yno
  A llawer gwridog fin;
A choch gwpanau'r rhosyn
  Oedd lawn o'r melys win.

Cyn hir fe gaeodd yntau
  (Yr hen dafarnwr llon)
Ei windy, ac fe giliodd
  I'w wely dan y don.
A thrwy y nos bu'r rhosyn
  Yn sibrwd dan y sêr
Wrth bob rhyw awel grwydrad
  Am rin y gwinoedd pêr.

31

Y Fflam

Carafán goch a milgi brych
A chaseg gloff yng nghysgod gwrych:
A merch yn dawnsio i ysgafn gân
A chrwth ei chariad yng ngolau'r tân.

Cyfyd y tân ei wenfflam fry
Fel braich am wddf y crochan du;
A'r Sipsi tal a rydd dan sêl
Ei lw o serch ar fin o fêl.

Dros ael y bryn y dring y lloer,
Mae'r tân yn awr fel hithau'n oer;
Angerdd pob fflam, a thân pob nwyd,
A dry'n ei dro yn lludw llwyd.

32

Y Dychwel

Ni chaiff y pryf fy nghnawd,
  Er mai fy mrawd yw ef;
Gwell gennyf enau glân
  Y tân a'i wenfflam gref.
Mi rof fy llwch ar ben fy hynt
  Yng ngofal gwynt y nef,

I'w wasgar p'le y myn
  Ar feysydd gwyn fy ngwlad,

Fel heuwr ar y ddôl
  Yn bwrw'n ôl yr had—
Y pridd i'r pridd, a'r ysbryd fry
  Yntau i dŷ ei Dad.

DAVID EMRYS JAMES (DEWI EMRYS)
1881-1952

33

Pwllderi

(Yn nhafodiaith Dyfed)

Fry ar y mwni, mae nghatre bach
Gyda'r goferydd a'r awel iach.
'Rwy'n gallid watwar adarn y weunydd,—
Y giach, y nwddwr, y sgrâd a'r hedydd;
Ond sana i'n gallid neud telineg
Na nwddi pennill yn iaith y coleg;
A 'sdim rhocesi pert o hyd
Yn hala goglish trwyddw'i gyd.
A hinny sy'n y'n hala i feddwl
Na 'sdim o'r awen 'da fi o gwbwl;
Achos ma'r sgwlin yn dal i deiri
Taw rhai fel 'na yw'r prididdion heddi.

'Rown i'n ishte dŵe uwchben Pwllderi,
Hen gatre'r eryr a'r arth a'r bwci.
'Sda'r dinion taliedd fan co'n y dre
Ddim un llefeleth mor wyllt yw'r lle.
'All ffrwlyn y cownter a'r brethin ffansi
Ddim cadw'i drâd uwchben Pwllderi.
'Ry'ch chi'n sefill fry uwchben y dwnshwn,
A drichid lawr i hen grochon dwfwn,
A hwnnw'n berwi rhwng creige llwydon
Fel stwceidi o lâth neu olchon sebon.
Ma' meddwl amdano'r finid hon
Yn hala rhyw isgrid trwy fy mron.

Pert iawn yw 'i wishgodd yr amser hyn,—
Yr eithin yn felyn a'r drisi'n wyn,
A'r blode trâd brain yn batshe mowron
Ar lechwedd gwyrdd, fel cwmwle gleishon;
A lle mae'r gwrug ar y graig yn bwnge,
Fe dingech fod rhywun yn tanu'r llethre.
Yr haf fu ino, fel angel ewn,
A baich o ribane ar ei gewn.
Dim ond fe fuse'n ddigon hâl
I wasto'i gifoth ar le mor wâl,
A sbortan wrth hala'r hen gropin eithin
I allwish sofrins lawr dros y dibyn.
Fe bange hen gibidd, a falle boddi
Tae e'n gweld hinny uwchben Pwllderi.

Mae ino ryw bishyn bach o drâth—
Beth all e' fod? Rhyw drigen llâth.
Mae ino dŵad, ond nid rhyw bŵer,
A hwnnw'n gowir fel hanner llŵer;
Ac fe welwch ino'r crechi glas
Yn saco'i big i'r pwlle bas,
A chered bant ar 'i fagle hir
Mor rhonc bob whithrin â mishtir tir;
Ond weles i ddim dyn eriŵed
Yn gadel ino ôl 'i drŵed;
Ond ma' nhw'n gweid 'i fod e', Dai Beca,
Yn mentro lawr 'na weithe i wreca.
Ma'n rhaid fod gidag e' drâd gafar,
Neu lwybir ciwt trwy fola'r ddeiar.
Tawn *i*'n gweld rhywun yn Pwllderi,
Fe redwn gatre pentigili.

Cewch ino ryw filodd o dderinod—
Gwilanod, cirillod a chornicillod;
Ac mor ombeidus o fowr yw'r creige
A'r hen drwyn hagar lle ma' nhw'n heide,
Fe allech wrio taw clêrs sy'n hedfan
Yn ddifal o bwti rhyw hen garan;

A gallech dingi o'r gribin uwchben
Taw giar fach yr haf yw'r wilan wen.

A'r mowcedd! Tina gimisgeth o sŵn!—
Sgrechen hen wrachod ac wben cŵn,
Llefen a whiban a mil o regfeydd,
A'r rheini'n hego trw'r ogofeydd,
A chithe'n meddwl am nosweth ofnadwi,
A'r morwr, druan, o'r graig yn gweiddi,—
Yn gweiddi, gweiddi, a neb yn aped,
A dim ond hen adarn y graig yn clŵed,
A'r hen girillod, fel haid o githreilied,
Yn weito i'r gole fynd mâs o'i liged.
Tina'r meddilie sy'n dwad ichi
Pan foch chi'n isthe uwchben Pwllderi.

Dim ond un tŷ sy'n agos ato,
A hwnnw yng nghesel Garn Fowr yn cwato.
Dolgâr yw ei enw, hen orest o le,
Ond man am reso a dished o de,
Neu ffioled o gawl, a thina well bolied,
Yn gennin a thato a sêrs ar 'i wmed.
Cewch weld y crochon ar dribe ino,
A'r eithin yn ffaglu'n ffamws dano.
Cewch lond y lletwad, a'i llond hi lweth,
A hwnnw'n ffeinach nag un gimisgeth;
A chewch lwy bren yn y ffiol hefyd
A chwlffyn o gaws o hen gosin hifryd.

Cewch ishte wedyn ar hen sgiw dderi
A chlŵed y bigel yn gweid 'i stori.
Wedith e' fowr am y glaish a'r bŵen
A gas e' pwy ddwarnod wrth safio'r ŵen;
A wedith e' ddim taw wrth tshain a rhaff
Y tinnwd inte i fancyn saff;
Ond fe wedith, falle, a'i laish yn crini,
Beth halodd e' lawr dros y graig a'r drisi:

Nid gwerth yr ŵen ar ben y farced,
Ond 'i glwed e'n llefen am gal 'i arbed;
Ac fe wedith bŵer am Figel Mwyn
A gollodd 'i fowyd i safio'r ŵyn;
A thina'r meddilie sy'n dwad ichi
Pan foch chi'n ishte uwchben Pwllderi.

34

Y Gorwel

Wele rith fel ymyl rhod—o'n cwmpas,
Campwaith dewin hynod;
Hen linell bell nad yw'n bod,
Hen derfyn nad yw'n darfod.

W. J. GRUFFYDD
1881-1954

35

Gwladus Rhys

Seiat, Cwrdd Gweddi, Dorcas, a Chwrdd Plant;
A 'nhad drwy'r dydd a'r nos mor flin â'r gwynt,
A'r gwynt drwy'r dydd a'r nos ym mrigau'r pîn
O amgylch tŷ'r gweinidog. Ac 'roedd 'mam,
Wrth geisio dysgu iaith y nef, heb iaith
Ond sôn am Oedfa, Seiat, Cwrdd a Dorcas.

Pa beth oedd im i'w wneuthur, Gwladus Rhys,
Merch hynaf y Parchedig Thomas Rhys,
Gweinidog Horeb ar y Rhos? Pa beth
Ond mynych flin ddyheu, a diflas droi
Fy llygaid draw ac yma dros y waun,
A chodi'r bore i ddymuno nos,
A throsi drwy'r nos hir, dan ddisgwyl bore?
A'r gaeaf, O fy Nuw, wrth dynnu'r llen
Dros y ffenestri bedwar yn y pnawn,
A chlywed gwynt yn cwyno ym mrigau'r pîn,
A gwrando ar ymddiddan 'nhad a 'mam!

Rhyw ddiwrnod fe ddaeth Rhywun tua'r tŷ,
A theimlais Rywbeth rhyfedd yn fy nghalon:
Nid oedd y gwynt yn cwyno yn y pîn,
A mwyach nid oedd raid i'm llygaid droi
Yma ac acw dros y waun. Daeth chwa
Rhyw awel hyfryd o'r gororau pell.

Mi dynnais innau'r llenni dros y ffenestr,
Heb ateb gair i flinder oer fy nhad,
A gwrando 'mam yn adrodd hanes hir
Cymdeithas Ddirwest Merched Gwynedd: yna
Heb air wrth neb eis allan drwy yr eira,
Pan oedd y gwynt yn cwyno drwy y pîn,
A hithau'n noson Seiat a Chwrdd Dorcas.

Am hynny, deithiwr, yma 'rwyf yn gorwedd
Wrth dalcen Capel Horeb,—Gwladus Rhys,
Yn ddeg ar hugain oed, a 'nhad a 'mam
Yn pasio heibio i'r Seiat ac i'r Cwrdd,
Cyfarfod Gweddi, Dorcas, a phwyllgorau
Cymdeithas Ddirwest Merched Gwynedd; yma
Yn nyffryn angof, am nad oedd y chwa
A glywswn unwaith o'r gororau pell
Ond sŵn y gwynt yn cwyno yn y pîn.

36

1914-1918

Yr ieuainc wrth yr hen

Am fod eich c'lonnau chwi yn oer,
  A'ch cas yn llosgi'n ysol fflam,
A'ch dannedd yn ewynnu poer,
  A'ch enaid wedi tyfu'n gam;

Am nad oes yn eich bywyd gwael
  Un gobaith yn tywynnu dydd,
Am nad oes dim tosturi hael
  Na chariad gennych na dim ffydd;

Am droi ohonoch eiriau Duw
  Yn udo croch am fwy o waed,
Am faeddu ffrwd y dyfroedd byw,
  Am droi Ei fainc yn lle i'ch traed,–

Am ichwi wneuthur hyn i gyd,
  'Rŷm ni, fu'n aberth er eich mwyn
Fel gyr o anifeiliaid mud,
  Dan feichiau oedd ry drwm i'w dwyn,

'Rŷm ni'n cyhoeddi melltith mwy
  Ar bawb ohonoch yn eich tro,
Benadur gwlad, cynghorwr plwy',
  Arglwydd yr aur, a thorrwr glo.

Ni ydyw'r ieuainc distadl ffôl
  Yrasoch chwi wrth weiddi gwaed;
Ni ddaw ohonom un yn ôl,
  Ni chlyw'r hen lwybrau sŵn ein traed.

Ni oedd gariadon hyd y ffyrdd
  Yn nistaw hwyr yr hydref lleddf;
Nyni oedd biau'r gwanwyn gwyrdd,
  Ac eiddom ni bob glendid greddf,

Pob breuddwyd teg a phurdeb bryd,
  Pob gobaith, pob haelioni hir,
Pob rhyw ddyheu am lanach byd,
  Pob tyfiant cain, pob golau clir.

Nyni yw'r rhai fendithiodd Duw
  Â'r dewrder mawr heb gyfri'r gost;
Ni oedd yn canu am gael byw,
  A byw a bywyd oedd ein bost.

Ohonom nid oes un yn awr;
  Aeth bidog drwy y galon lân,
Mae'r ffosydd dros y dewrder mawr,
  Mae'r bwled wedi tewi'r gân.

Pan gerddoch chwi, hen ddynion blin,
  Hyd lwybrau'r wlad, ni'ch poenir fawr
Gan sibrwd isel, fin wrth fin;
  Mae'r cariad wedi peidio'n awr.

Mae melltith ar ein gwefus ni
  Yn chwerw, ond wedyn cyfyd gwên,
Wrth gofio nad awn byth fel chwi,
  Wrth gofio nad awn byth yn hen.

37

Cefn Mabli

Yma bu pob rhyw lendid mab a merch
  Ar anterth awr eu bywyd yn rhoi tro;
Bu yma ddawns a chân yn cymell serch
  Nosweithiau'r haf i fynwes gwyrda'r fro,
A llygaid mwyn ar lawer trannoeth blin
  Drwy'r ffenestr hon yn gwylio'r curlaw llwyd
A hwyr sigliadau düwch llwm y pîn,
  A thruan dranc cyfaredd yr hen nwyd.
Awgrym nid oes o'r maith rialti gynt
  Nac atgof prin o'r hen anobaith hardd,—
Dim ond rhyw lais yn lleddfu ar fin y gwynt,
  A rhosyn gwyllt yn hendre rhos yr ardd,
Ychydig o'r hen wylo yn y glaw,
Ychydig lwch yn Llanfihangel draw.

38

Ywen Llanddeiniolen

(Golwg arni o bell)

Ar draws y gorwel lle'r â'r haul i lawr
  Dros rynnau eithaf y caregog dir,
Mae eglwys Llanddeiniolen, a du wawr
  A chysgod trwch ei hisel gangell hir
Yn dristwch gwan dros arwyl ola'r dydd;

O amgylch hon ymestyn dulas lu
  Anhyblyg wyliedyddion bro y bedd
A'u ceinciog gnotiog freichiau'n codi fry
  I guddio llawen iechydwriaeth gwedd
Haul y rhai byw o dir y meirwon prudd.

Ymhlith y rhain, gwŷr llys yr Angau, cwyd
  Penadur yw-wydd llannau Cymru oll,
Yn fras ei wedd ar aml i saig o fwyd
  Ac ar ei farwol ddarmerth ni bu goll,
Maer tref y meirw, ysgweier balch y plwy',

Ysgweier balch y llan, yn wych ei fyd
  Ar gig a gwaed ei ddeiliaid eiddil o,
Heb ofni achwyn ei dyddynwyr mud
  Na'u gweld yn gado'i stad i newid bro—
Mae hyn yn hen gynefin iddynt hwy.

O gylch yr ywen hon ddechreunos daw
  Holl ddeuoedd llon y plwyf i ddwedyd rhin,
I ddysgu yma wrth gyntedd brenin braw
  Y camre cyntaf ar yr yrfa flin;
Hirymarhous yw'r ywen; daw eu tro.

Fe ddaw eu tro'n ddiogel—ond pa waeth?
  Ni leddfir tinc y chwerthin melys rhydd;
Ni ddelir adain maboed un yn gaeth
  Wrth gofio am drueni'r meirwon prudd,
A'u dwylo'n groesion, yn eu gwely gro.

39

Y Tlawd Hwn

Am fod rhyw anesmwythyd yn y gwynt,
  A sŵn hen wylo yng nghuriadau'r glaw,
Ac eco'r lleddf adfydus odlau gynt
  Yn tiwnio drwy ei enaid yn ddi-daw,

A thrymru cefnfor pell ar noson lonydd
  Yn traethu rhin y cenedlaethau coll,
      A thrydar yr afonydd
  Yn deffro ing y dioddefiannau oll,—
Aeth hwn fel mudan i ryw rith dawelwch,
  A chiliodd ei gymrodyr un ac un,
A'i adel yntau yn ei fawr ddirgelwch
  I wrando'r lleisiau dieithr wrtho'i hun.

Gwelodd hwn harddwch lle bu'i frodyr ef
  Yn galw melltith Duw ar aflan fyd;
Gwrthododd hwn eu llwybrau hwy i nef
  Am atsain ansylweddol bibau hud
A murmur gwenyn Arawn o winllannau
  Yn drwm dan wlith y mêl ar lawr y glyn,
      A neithdar cudd drigfannau
  Magwyrydd aur Caer Siddi ar y bryn.
A chyn cael bedd, cadd eistedd wrth y gwleddoedd
  A llesmair wrando anweledig gôr
Adar Rhiannon yn y perl gynteddoedd
  Sy'n agor ar yr hen anghofus fôr.

40

Mae'r Pasiant Trosodd ym Mro Morgannwg

Mae'r pasiant trosodd; nid oes un
  Actiwr nac actres a fu ddoe'n
Dangos dan rith tymhorol lun
  Mor ddarfodedig ydyw poen,

Mor fyr llawenydd. Nid oes go'
  Ond cochni'r maes lle troedient gynt,
A gwywder lle bu'r llwyfan dro,
  A darnau papur yn y gwynt.

Mae'r pasiant trosodd; fe aeth Wil
  I lawr y glyn, aeth Ann yn ôl,
A darfu am rith y caru swil
  A 'ffansi'r bachgen ifanc ffôl'.

Mae'r dwrn a fu yn herio trais?
  Beth ddaeth o'r wisg dderwyddol hardd
A'r eco a oedd bron yn llais,
  Athrylith unig Iolo fardd?

Plygwyd y babell; ni bydd cerdd
  Na thriban mwyach dan ei tho,
Na goslef o Ewenni werdd,
  Na chwynfan o Fethesda'r Fro.

DAFYDD JONES (ISFOEL)
1881-1968

41

Twmi'r Efail

Gof gwlad oedd Twmi'r Efail, heb ei sbwylio,
Yn parchu'r saith niwrnod trwy ei oes,
Fe fynnai glensio'r hoelen cyn noswylio,
Awdurdod ardal ar broblemau croes.
Ymdyrrai ei gymdogion wrth y degau
I'r ffair ac i gymanfa Blaen-y-cwm,
Ond nid anghofient, wedi iro'u cegau,
Droi mewn i setlo'r mater gyda Thwm.
Trengodd y fegin, ni ddaw mwy orchwylion,
Clowyd y senedd lle bu miri a hwyl;
Ni chlywir tinc a thalent y morthwylion,
Fe fecaneiddiwyd popeth ond yr hwyl.
Ond anfarwolwyd Twmi, yr hen bagan,
Caiff chwythu'r tân fel arfer yn Sain Ffagan.

42 *Y Ddau Bob ym Mharadwys*

Ein 'Llwyd' mad yn ymadaw
A churo drws 'r ochor draw,
Clywed hwyl curo dwylo—
Hen hwyl frwd Llandderfel fro
A thwrw traed; aruthr yw trwst
Y miloedd digymalwst:
Moliant y baled-gantor,
Angerdd cerdd, gweiddi encôr,
Berw ar draeth! bwrw'r drwm!
Di-amen bandemoniwm!

A 'Llwyd' yn prysur guro
Ar y drws, fe egyr dro,
Yna styr, a distawrwydd,
A thramawr gawr yn eu gŵydd!
Tai'r-felin, tŵr y faled,
Yn troi'i drem; nerth traed y rhed!

Ger y drws bu gware dro
A gwladaidd ymgofleidio;
Yna bloedd a chyhoeddi
Areifal 'Llwyd' uwch twrf lli;
Yna llef uwch o'r llwyfan—
Bybyr lef—"Doed Bob i'r lan!"

Bob Tai'r-felin:

Y genau pert, gwn pwy wyt,—
Bob Llwyd â'i bibell ydwyt,
Gyfaill, mor dda dy gyfarch,
Gwae dy wŷs dan gaead arch,
A gwae aelodau dy gôr
A wylant gylch dy elor.
Mawr dy barch ond gwae'r archoll
Aeth i'r gân a thi ar goll.
Onid lleddf yr eisteddfod!
Ffodd a machludodd ei chlod,
A miri hiwmor rhamant
Y ddarlith o blith dy 'blant'.

Tywysog y prentisiaid,
Pwy yn y plwy ddaw o'u plaid?
Est o'th fyd, ceraist o'th fodd
Oedran planhigion adrodd.
A man dwys yw Cefnddwysarn–
Athen farw,–a thi'n y farn!
Nesâ a rho hanes rŵan,–
Sut ma nhw oll? Sut ma 'Nans'?

Bob Lloyd:

Garw 'myd, a'r dagr ymadael
A datod ei hamod hael;
O raid mynd, hyfryd y modd–
Llaw angel a'm gollyngodd.
Mae ar fy ôl gymar fau
Riddfannus, prudd wyf innau.
Hyd dranc, onid Duw a'i rhodd?
Hi â'i dwylaw a'm daliodd.

Bob Tai'r-felin:

Ers tro bu osgo disgwyl
Dy dro i heicio i'r Ŵyl.
Am sŵn dy droed bu oedi,
A brwd aidd dy galibr di.
Gymro craff â'th gamre cry',
Hoffet dwyglun ffawd-heglu.
A bydd tra bo codi bawd
Glod teg i'th gamre gymrawd.
Pwy ar lafar o lwyfan
A yrr y dorf fawr ar dân?
A phwy geir i gadeirio
Y bardd ple bynnag y bo?

Tylawd fydd sgrîn teledu
A gwasg; hwy ddôn' mewn gwisg ddu.
Lliwgar iaith mewn arddull gre'
A bwythaist trwy dy 'Bethe'.

Pegwn torf, pwy gâi ond ti
Ddistawrwydd adrodd stori?
Uchel lefel dy lafar
A gwyrth dy fonheddig 'R'!
Bwriaist fellten i'r nennawr—
Tali-ho! dyna'r tŷ lawr!

Bob Lloyd:

Arafach! gan bwyll bach, Bob!
A ddysgaist weddi esgob?
Atal, 'rwy'n sâl, taw â sôn,
Rho saib i'th eiriau sebon!
Dwfn a hir fu ein hiraeth,
Bob annwyl, a fu hwyl waeth?
Heb dy ffliwt, enbyd o fflat
Yw doniau cerdd amdanat.
Tai'r-felin! rhoit ryw foliant
Digyfryw mor fyw o'th fant;
Aer-arwr, meddwai'r werin
Ar flas dy gartrefol win;
Dy dinc ddigri, a di-dau
Felodion dy faledau;
Â'th draed ac iaith direidi
Lladd torf fel y llwyddit ti!

Ni heneiddia'r blynyddoedd
Sêl y gymdeithas a oedd;
Cofio'r afiaith a'r teithio
Hir a phell,—adar ar ffo!
Mawrhau sioe 'Mari' a 'Siân'
Yn fôr o'th oslef arian,
Wyst ti be', er aethost, Bob,
Heb ei harwr bu Iwrob!

* * *

Unig, dwys y'n gadawsoch,—oer a llwm
  Yw'r lle yma heboch!
 Hwnt i'r farn dau gantwr foch,
 Hedd hun i'r ddau ohonoch.

43 *Cywydd Diolch am Eog*

I ti ŵr mad am rad rodd,
Os medraf drwsio ymadrodd,
Hyd lewych nen diolch wnaf
Am eog o'r pwys mwyaf.

Rhoist ar fy mord lord o li,
Etifedd ystad Teifi;
Rhoist i mi gig rhost y môr,
Daeth melysfaeth o lasfor.
Aradr glew holltwr dŵr gloyw,
Campwr y parlwr purloyw,
Ffrwydrai wyllt ffrydiau i'r âr
Ar apêl ei bropelar,
Saeth ganon syth o Genarth,
Enghraifft o fysg pysg y parth,
I drap hudaist dorpido,
Deol fach a'i daliai fo!

Est i'w ffau, bwriaist â ffon
Dryfer i lord yr afon,
A'r frath ddug lefiathan,
Deifiwr o li Deifi i'r lan.

Mae cadarn ddyled arnom
Am bryd o li i'm bord lom,
Yn ŵyl eilchwyl diolchaf
Am haelwedd bryd, am wledd braf;
Gwledd o fawredd y foryd
A chig rhost marchog y rhyd,
O'i annog ef ei hunan
O'i ddidol lys ddod i lan.

Chwim y gwalch o'i amgylchedd
Fwriodd lam i fwrdd y wledd;
Saig ir, ffres ysgweier ffrwd,
Saig irber ei ysgerbwd.

Â'i gwrwgl yng Nghilgerran
Dewin o li'n dwyn i lan
Wyrth, a dug wrth ei dagell
Y barwn gwych brown o'i gell.

Ni'th siomwyd ar daith samon,
Chwys i ti fu'r orchest hon;
Est i'w glas, ni chenaist gloch,
Er angau fu'r oed rhyngoch!
Curaist ei driciau cywrain,
Er rhyngu 'modd, rhwng y main,
Cipiaist y cawr i'm cwpwrdd
A'i rwyfau mawr ar fy mwrdd.

Na'th rwystrer gan giperiaid
Mawr Teifi pan weli naid,
A rho im wledd ar 'y mhlat
O'i theyrnas,—bendith arnat.

WILLIAM EVANS (WIL IFAN)
1882-1968

44

Ym Mhorth-cawl

Drwy'r dydd daw llef y durtur drist
  O'i chawell melyn ger y tŷ.
Beth yw ei llais? Rhyw ddwyster pêr
  A loes caethiwed, gofid cu,
A chenedlaethau o hiraeth gwyllt
  Am rywbeth gollwyd, ddyddiau fu.

Daeth nos, a mud yw'r cawell hesg,
  Distaw yw miri'r byd yn awr;
Ond dros y morfrwyn crwydra cri
  Y dyfnder lleddf yn disgwyl gwawr,—
Y durtur lwyd a gaeodd Duw
  Tu ôl i'r twyni tywod mawr!

45

Atgof

Mis Awst, a'r grug o'n cylch, a'r môr
  Odanom heb na gwg na chas,
Ac un cwch draw ar adain wen
  Fel glöyn byw'n y glas.
Chwedleua'n llon wnaem ninnau;
A chudyll coch o'r Ciliau
  Yn yr asur wrtho'i hun,
A'i ddisyfl adain yn gwneud y byd
  I gyd
'Yn llonydd fel mewn llun!'

Er cilio o Awst, a llawer Awst,
  O hyd mwyneiddiaf atgof yw
Porffor y grug uwch glesni'r môr,
  A'r cwch fel glöyn byw.
Ond ambell ddunos effro,
Ofnadwy nos fel heno,
  'Dyw'r tlysni i gyd ond rhith a ffug;
Mae disyfl adain uwch fy mhen
  Yn cuddio'r nen
A minnau a phawb sydd annwyl im
  Yn ddim
Ond cryndod yn y grug.

THOMAS RICHARDS
1883-1958

46

Y Ci Defaid

Rhwydd gamwr hawdd ei gymell—i'r mynydd
  A'r mannau anghysbell;
Hel a didol diadell
Yw camp hwn yn y cwm pell.

R. WILLIAMS PARRY
1884-1956

47

Y Llwynog

Ganllath o gopa'r mynydd, pan oedd clych
Eglwysi'r llethrau'n gwahodd tua'r llan,
Ac anhreuliedig haul Gorffennaf gwych
Yn gwahodd tua'r mynydd,—yn y fan,
Ar ddiarwybod droed a distaw duth,
Llwybreiddiodd ei ryfeddod prin o'n blaen;
Ninnau heb ysgog a heb ynom chwyth
Barlyswyd ennyd; megis trindod faen
Y safem, pan ar ganol diofal gam
Syfrdan y safodd yntau, ac uwchlaw
Ei untroed oediog dwy sefydlog fflam
Ei lygaid arnom. Yna heb frys na braw
Llithrodd ei flewyn cringoch dros y grib;
Digwyddodd, darfu, megis seren wib.

48

Hedd Wyn

1

Y bardd trwm dan bridd tramor,—y dwylaw
Na ddidolir rhagor:
Y llygaid dwys dan ddwys ddôr,
Y llygaid na all agor.

Wedi ei fyw y mae dy fywyd,—dy rawd
Wedi ei rhedeg hefyd;
Daeth awr i fynd i'th weryd,
A daeth i ben deithio byd.

Tyner yw'r lleuad heno—tros fawnog
Trawsfynydd yn dringo;
Tithau'n drist a than dy ro
Ger y ffos ddu'n gorffwyso.

Trawsfynydd! Tros ei feini—trafaeliaist
Ar foelydd Eryri;
Troedio wnest ei rhedyn hi,
Hunaist ymhell ohoni.

2

Ha frodyr! Dan hyfrydwch—llawer lloer
Y llanc nac anghofiwch;
Canys mwy trist na thristwch
Fu rhoddi'r llesg fardd i'r llwch.

Garw a gwael fu gyrru o'i gell—un addfwyn,
Ac o noddfa'i lyfrgell;
Garw fu rhoi'i bridd i'r briddell,
Mwyaf garw oedd marw ymhell.

Gadael gwaith a gadael gwŷdd,—gadael ffridd,
Gadael ffrwd y mynydd;
Gadael dôl a gadael dydd,
A gadael gwyrddion goedydd.

Gadair unig ei drig draw!—Ei dwyfraich,
Fel pe'n difrif wrandaw,
Heddiw estyn yn ddistaw
Mewn hedd hir am un ni ddaw.

49 *Eifionydd*

O olwg hagrwch Cynnydd
Ar wyneb trist y Gwaith
Mae bro rhwng môr a mynydd
Heb arni staen na chraith,
Ond lle bu'r arad' ar y ffridd
Yn rhwygo'r gwanwyn pêr o'r pridd.

Draw o ymryson ynfyd
  Chwerw'r newyddfyd blin,
Mae yno flas y cynfyd
  Yn aros fel hen win.
Hen, hen yw murmur llawer man
Sydd rhwng dwy afon yn Rhos Lan.

A llonydd gorffenedig
  Yw llonydd y Lôn Goed,
O fwa'i tho plethedig
  I'w glaslawr dan fy nhroed.
I lan na thref nid arwain ddim,
Ond hynny nid yw ofid im.

O! mwyn yw cyrraedd canol
  Y tawel gwmwd hwn,
O'm dyffryn diwydiannol
  A dull y byd a wn;
A rhodio'i heddwch wrthyf f'hun,
Neu gydag enaid hoff, cytûn.

50

Clychau'r Gog

Dyfod pan ddêl y gwcw,
  Myned pan êl y maent,
Y gwyllt atgofus bersawr,
  Yr hen lesmeiriol baent;
Cyrraedd, ac yna ffarwelio,
  Ffarwelio,—Och na pharhaent!

Dan goed y goriwaered
  Yn nwfn ystlysau'r glog,
Ar ddôl a chlawdd a llechwedd
  Ond llechwedd lom yr og
Y tyf y blodau gleision
  A dyf yn sŵn y gog.

Mwynach na hwyrol garol
  O glochdy Llandygái
Yn rhwyfo yn yr awel
  Yw mudion glychau Mai
Yn llenwi'r cof â'u canu;
  Och na bai'n ddi-drai!

Cans pan ddêl rhin y gwyddfid
  I'r hafnos ar ei hynt
A mynych glych yr eos
  I'r glaswellt megis cynt,
Ni bydd y gog na'i chlychau
  Yn gyffro yn y gwynt.

51 *Drudwy Branwen*

I

O haul, bydd iddo'n nawdd,
  Bydd dithau deg, O wynt;
A phâr, O fôr, na fawdd
  Ar ei ddiorffwys hynt.

Digrifwas adar byd,
  Annuwiol yn ei hoen,
A than ei asgell glyd
  Sanctaidd epistol poen.

Wrth dân y gegin ddoe
  Parablu'r olaf waith
Yn dlws ar dâl y noe
  Ei wers mewn estron iaith.

Ac wele fysedd bun
  Ag amal gywrain bwyth
Yn rhoddi ei gorff ynglŷn
  Wrth ei alarus lwyth.

Gwae'r dwylo gynt fu gain!
  Gan loes eu trymwaith trist
Dolurus ydyw'r rhain,
  Creithiog fel dwylo Crist.

A gwae'r frenhines hon
  O'i chystudd yn ei chaer
A enfyn dros y don
  Isel ochenaid chwaer.

II

Heddiw ar drothwy'r ddôr
  I'r wybr y rhoddir ef;
I siawns amheus y môr,
  A'r ddi-ail-gynnig nef.

Pa fore o farrug oer?
  Pa dyner hwyr yw hi?
Neu nos pan luchia'r lloer
  Wreichion y sêr di-ri?

Ni rydd na haul na sêr
  Oleuni ar ei lwybr,
Cans yn y plygain pêr
  Y rhoddir ef i'r wybr.

Cyn dyfod colofn fwg
  Y llys i'r awel sorth,
I ddwyn yr awr a ddwg
  Y cigydd tua'r porth.

Ac eisoes, fel ystaen
  Ar y ffurfafen faith,
Fe wêl y ffordd o'i flaen
  A'i dwg i ben ei daith.

Ac megis môr o wydr
  Y bydd y weilgi werdd
Cyn tyfu o'i gwta fydr
  Yn faith, anfarwol gerdd.

Pan ddengys haul o'i gell
  Binaclau'r ynys hon
Fel pyramidiau pell
  Anghyfanedd-dra'r don.

Pan gyfyd, megis llef
  Wedi distawrwydd hir,
Mynyddoedd yn y nef,
  A thros y tonnau, tir.

III

A pha hyd bynnag bu
  Ei annaearol daith,
Yn y diddymdra fry
  A thros y morlas maith,

Dyfod i'r tir a wnaeth,
  A chylchu uwch y fan
Lle llifa'r môr di-draeth
  Yn afon rhwng dwy lan.

Yno o'r lliaws mân
  Chwilio y mae am un,—
Yr enaid ar wahân,
  Y duw ar ddelw dyn—

Nes canfod yng Nghaer Saint,
  Yng nghanol gwyrda'i fro,
Ŵr o ddifesur faint
  Yn dadlau iddo dro.

Ac ar ei ysgwydd ef
  Y disgyn oddi fry
Fel anfonedig nef,
  A garwhau ei blu.

O'i flin adenydd daw
  Yn dristaf fu erioed
Y llythyr dan ei llaw;
  A'i ddarllen yn ddi-oed.

Y drudwy dewr ei hun
  Atega ddagrau taer
Ac ocheneidiau'r fun
  O gegin y bell gaer.

A chlod ei gamp a gerdd
  Hyd gyrrau'r ddaear faith;
Ei siwrnai o'r Ynys Werdd,
  A'r modd y dysgodd iaith.

IV

Y chwedl nid edrydd ddim
  Dynged y deryn pur;
Ai dychwel eto'n chwim,
  Ai gostwng dan ei gur

Fu iddo'n wael ei wedd;
  Ai Brân ei hun a ddaeth
Ac a wnaeth iddo fedd
  Petryal ar y traeth,

Ai byrddio llong o'r llu,
  A chyrchu'n iach ei nwyf
Yr Ynys Werdd i su
  Rhyfelwyr wrth y rhwyf.

Yntau i gadw gŵyl
  Yn gwatwar cerddi'r tir;
Dynwared yn yr hwyl
  Ac ar yr hwylbren hir

Yr adar oll ar hwrdd
  Â llawer pill o'i stôr:
Y bronfraith ar y bwrdd,
  Y mwyalch yn y môr.

A chrechwen yna y mae
  Y llongwyr ar y lli,
Fel petai'r byd heb wae
  Na dwyfol drasiedi.

52

Yn Angladd Silyn

Mor ddedwydd ydyw'r 'deryn gwyllt
  Heddiw a hyllt yr awel;
Yfory, pan fo'i dranc gerllaw,
  Fe gilia draw i'w argel;
A neb ni wêl na lle na dull
  Ei farw tywyll, tawel.

Tithau, a garai grwydro'r rhos
  Pan losgai'r nos ei lleuad,—
Yr awr o'r dydd pan gasgl y byw
  I roddi'r gwyw dan gaead,
Daethost lle gwêl y neb a fyn
  Ddyffryn dy ddarostyngiad.

O na bai marw'n ddechrau taith
  Trosodd i'r paith diwethaf,
Lle cilia'r teithiwr tua'r ffin
  Fel pererin araf,
Cyn codi ar y gorwel draw
  Ei law mewn ffarwel olaf.

53 *Cymru 1937*

Cymer i fyny dy wely a rhodia, O Wynt,
Neu'n hytrach eheda drwy'r nef yn wylofus waglaw;
Crea anniddigrwydd drwy gyrrau'r byd ar dy hynt—
Ni'th eteil gwarchodlu teyrn na gosgorddlu rhaglaw.
Dyneiddia drachefn y cnawd a wnaethpwyd yn ddur,
Bedyddia'r di-hiraeth â'th ddagrau, a'r doeth ail-gristia;
Rho awr o wallgofrwydd i'r llugoer tu ôl i'w fur,
Gwna ddaeargrynfeydd dan gadarn goncrit Philistia:
Neu ag erddiganau dy annhangnefeddus grwth
Dysg i'r di-fai edifeirwch, a dysg iddo obaith;
Cyrraedd yr hunan-ddigonol drwy glustog ei lwth,
A dyro i'r difater materol ias o anobaith:
O'r Llanfair sydd ar y Bryn neu Lanfair Mathafarn
Chwyth ef i'r synagog neu chwyth ef i'r dafarn.

54 *J.S.L.*

Disgynnaist i'r grawn ar y buarth clyd o'th nen
Gan ddallu â'th liw y cywion oll a'r cywennod;
A chreaist yn nrysau'r clomendy uwch dy ben
Yr hen, hen gyffro a ddigwydd ymhlith colomennod.
Buost ffôl, O wrthodedig, ffôl; canys gwae
Aderyn heb gâr ac enaid digymar heb gefnydd;
Heb hanfod o'r un cynefin yng nghwr yr un cae—
Heb gorff o gyffelyb glai na Duw o'r un defnydd.
Ninnau barhawn i yfed yn ddoeth, weithiau de
Ac weithiau ddysg ym mhrynhawnol hedd ein stafelloedd;
Ac ar ein clyw clasurol ac ysbryd y lle
Ni thrystia na phwmp y llan na haearnbyrth celloedd.
Gan bwyll y bwytawn, o dafell i dafell betryal,
Yr academig dost. Mwynha dithau'r grual.

D. J. DAVIES
1885-1969

55

Gwŷr wrth Grefft

Molianner eu haml ynni,
Eu hawen hardd a'i hoen hi.
Enwog oedd y rheini gynt,
Ar wedd creawdwyr oeddynt.
Rhoddent o'u taeraf afiaith
I gronni Gwir yn eu gwaith.

Cuddiai nerth ei ryferthwy
Yng nghenlli eu hegni hwy,
Wrth fwynhau eu celfau call
A dawn Duw yn eu deall.
Eu dyfais o rin dwyfol
A rannai rin ar eu hôl.

Gwybu'r graig bŵer eu grym
A gwelid offer golym
I'w dwrn yn troi'n gadernid,
Yn gyflawnder praffter prid.
Ar raen y maen y mynnynt
Ddihuno gwedd awen gynt,
Ac ar bren eu hawen oedd
Yn llawen o'u galluoedd;
A'r haearn, fe ddaeth arno
O fedr rhwydd, eu ffurf a'u tro.
Uwch aur pur dôi gwŷr a'u gwaith
I'w gywreinio'n goronwaith,
A thrwy afiaith yr hyfedr
Cywreiniai llaw'r croen yn lledr.
Yno nyddwyd, gwelwyd gwau
Hen ogoniant y gynau;
Ar wisgoedd yr oedd eu rhin
A'u harwriaeth i'r werin.

Mewn oesoedd, cymwynaswyr
O'u dydd gwaith ydoedd y gwŷr;
Hawddgar weision, glewion gwlad,
A gwir roddwyr gwareiddiad.

ELLIS EVANS (HEDD WYN)
1887-1917

56

Rhyfel

Gwae fi fy myw mewn oes mor ddreng,
  A Duw ar drai ar orwel pell;
O'i ôl mae dyn, yn deyrn a gwreng,
  Yn codi ei awdurdod hell.

Pan deimlodd fyned ymaith Dduw
  Cyfododd gledd i ladd ei frawd;
Mae sŵn yr ymladd ar ein clyw,
  A'i gysgod ar fythynnod tlawd.

Mae'r hen delynau genid gynt
  Ynghrog ar gangau'r helyg draw,
A gwaedd y bechgyn lond y gwynt,
  A'u gwaed yn gymysg efo'r glaw.

57

Y Blotyn Du

Nid oes gennym hawl ar y sêr,
  Na'r lleuad hiraethus chwaith,
Na'r cwmwl o aur a ymylch
  Yng nghanol y glesni maith.

Nid oes gennym hawl ar ddim byd
  Ond ar yr hen ddaear wyw;
A honno sy'n anhrefn i gyd
  Yng nghanol gogoniant Duw.

58

Haul ar Fynydd

Cerddais fin pêr aberoedd—yn nhwrf swil
Nerfus wynt y ffriddoedd,
A braich wen yr heulwen oedd
Am hen wddw'r mynyddoedd.

59

Nid Â'n Ango

Ei aberth nid â heibio,—ei wyneb
Annwyl nid â'n ango,
Er i'r Almaen ystaenio
Ei dwrn dur yn ei waed o.

T. H. PARRY-WILLIAMS
1887-1975

60

Tŷ'r Ysgol

Mae'r cyrn yn mygu er pob awel groes,
A rhywun yno weithiau'n 'sgubo'r llawr
Ac agor y ffenestri, er nad oes
Neb yno'n byw ar ôl y chwalfa fawr;
Dim ond am fis o wyliau, mwy neu lai,
Yn Awst, er mwyn cael seibiant bach o'r dre
A throi o gwmpas dipyn, nes bod rhai
Yn synnu'n gweld yn symud hyd y lle;
A phawb yn holi beth sy'n peri o hyd
I ni, sydd wedi colli tad a mam,
Gadw'r hen le, a ninnau hyd y byd,—
Ond felly y mae-hi, ac ni wn paham,
Onid rhag ofn i'r ddau sydd yn y gro
Synhwyro rywsut fod y drws ynghlo.

61

Llyn y Gadair

Ni wêl y teithiwr talog mono bron
  Wrth edrych dros ei fasddwr ar y wlad.
Mae mwy o harddwch ym mynyddoedd hon
  Nag mewn rhyw ddarn o lyn, heb ddim ond bad
Pysgotwr unig, sydd yn chwipio'r dŵr
  A rhwyfo plwc yn awr ac yn y man,
Fel adyn ar gyfeiliorn, neu fel gŵr
  Ar ddyfroedd hunlle'n methu cyrraedd glan.
Ond mae rhyw ddewin â dieflig hud
  Yn gwneuthur gweld ei wyneb i mi'n nef,
Er nad oes dim gogoniant yn ei bryd,
  Na godidowgrwydd ar ei lannau ef—
Dim byd ond mawnog a'i boncyffion brau,
Dau glogwyn, a dwy chwarel wedi cau.

62

Moelni

Nid oedd ond llymder anial byd di-goed
  O gylch fy ngeni yn Eryri draw,
Fel petai'r cewri wedi bod erioed
  Yn hir lyfnhau'r llechweddau ar bob llaw;
A thros fy magu, drwy flynyddoedd syn
  Bachgendod yn ein cartref uchel ni,
Ymwasgai henffurf y mynyddoedd hyn,
  Nes mynd o'u moelni i mewn i'm hanfod i.
Ac os bydd peth o'm defnydd yn y byd
  Ar ôl yn rhywle heb ddiflannu'n llwyr,
A'i gael gan gyfaill o gyffelyb fryd
  Ar siawns wrth odre'r Wyddfa 'mrig yr hwyr,
Ni welir arno lun na chynllun chwaith,
Dim ond amlinell lom y moelni maith.

63

Y Rheswm

Nid am fod brigyn briw ar goeden ir
  Yn gwyro tua'r llawr yn llipryn claf,
A'i dipyn dail ar wasgar hyd y tir
  Yn efelychu hydref yn yr haf;

Nid am fod haen o niwl ar Ben-y-cefn
  Yn esgus bod yn eira cyn ei bryd,
A'i arian luwch ar hyd y geufron lefn
  Fel petai'r gaeaf eisoes dros y byd;
Nid am in weld fel hyn, yn nyddiau'r cŵn,
  Ysmaldod cainc a niwl a'u hofer gais
I rusio'r haf i ffwrdd, y clywaist sŵn
  Rhyw chwithdod oer annhymig yn fy llais,
Ond am fod ynof fis Gorffennaf ffôl
Yn ciprys gydag Ebrill na ddaw'n ôl.

64

Dychwelyd

Ni all terfysgoedd daear byth gyffroi
  Distawrwydd nef; ni sigla lleisiau'r llawr
Rymuster y tangnefedd sydd yn toi
  Diddim diarcholl yr ehangder mawr;
Ac ni all holl drybestod dyn a byd
  Darfu'r tawelwch nac amharu dim
Ar dreigl a thro'r pellterau sydd o hyd
  Yn gwneuthur gosteg â'u chwyrnellu chwim.
Ac am nad ydyw'n byw ar hyd y daith,
  O gri ein geni hyd ein holaf gŵyn,
Yn ddim ond crych dros dro neu gysgod craith
  Ar lyfnder esmwyth y mudandod mwyn,
Ni wnawn, wrth ffoi am byth o'n ffwdan ffôl,
Ond llithro i'r llonyddwch mawr yn ôl.

65

Carol Nadolig

Y mae'n agos i chwarter canrif erbyn hyn
Er y dydd Nadolig y croesodd fy nhad y glyn.

Dyna gythraul o beth oedd i'r Angau ar fore'r ŵyl
Ddod heibio fel Ffaddar Crismas o ran rhyw hwyl

A mynd ag ef oddi arnom, ac ar un strôc
Droi Gŵyl y Geni'n Ddygwyl y Marw, fel jôc.

Fe wyddem fod Angau o gwmpas; ond nid oedd raid
I'r llechgi ddangos ei orchest a rhoddi naid

O'i gerbyd ar hytraws, megis mwnci-pen-pric,
Neu glyfryn mewn syrcas yn dangos sut i wneud tric,

A ninnau oll wedi dysgu ar hyd ein hoes
Fod Mei-lord yr Angau'n batrwm o urddas a moes.

Ond efallai fy mod, er hynny, yn gwneuthur cam
Ag ef yn ei fater. Pwy a all ddwedyd paham

Y daeth i benglog y Pen-dychrynwr ei hun
Chwarae cast â ni ar Nadolig Mab y Dyn?

Hwyrach nad cellwair, wedi'r cwbwl, yr oedd
Ei Ras, ond urddasoli'r ymweliad ar goedd.

Begio'i bardwn am amau'i fwriad fel hyn:
Fe'i gwelais wedyn yn dod i'w gyhoeddiad o'r glyn

Ar fore Sul, i gyrchu fy mam yn ei gôl.—
Ymollwng a wneuthum; 'rwy'n tynnu fy ngeiriau'n ôl.

66 *Rhieni*

Mae'r dafnau a ddisgynnodd i fedd agored gynt,
Wedi hen atgyfodi a chwalu ar y gwynt,
A llunio llawer enfys ar ôl helbulus hynt.

Mae'r ddeulwch sy'n y ddaear dan bwysau mynor du,
Yn ymgymysgu'n ddistaw, a'r Hen Ysgarwr hy
Yn methu rhwystro ailuno dau gariad dydd a fu.

Mae hiraeth yn heneiddio, ac angau'n mynd yn iau:
Mae'r cartre'n llawn o eco, a'r bedd yn trugarhau,
A'r pedair milltir ffyddlon yn llinyn rhwng y ddau.

67 *Bro*

Fe ddaw crawc y gigfran o glogwyn y Pendist Mawr
Ar lepen yr Wyddfa pan gwffiwyf ag Angau Gawr.

Fe ddaw cri o Nant y Betws a Drws-y-coed
Ac o Bont Cae'r-gors pan gyhoeddir canlyniad yr oed.

Fe ddaw craith ar wyneb Llyn Cwellyn, ac ar Lyn
Y Gadair hefyd daw crych na bu yno cyn hyn.

Fe ddaw crac i dalcen Tŷ'r Ysgol ar fin y lôn
Pan grybwyllir y newydd yng nghlust y teliffôn.

Fe ddaw cric i gyhyrau Eryri, ac i li
Afon Gwyrfai daw cramp fy marwolaeth i.

Nid creu balchderau mo hyn gan un-o'i-go',—
Mae darnau ohonof ar wasgar hyd y fro.

WILLIAM MORRIS
1889-1979

68 *Mewn Angof ni Chânt Fod?*

Yn nhymor blin y drin drom
O draserch ein gwaed roesom.
Buom drwy waethaf bywyd,
Dwyn cosb o dan wae cyhyd.

Eithr ba werth i'n haberth oedd
Wedi'r anwar heldrinoedd?
A chau ein beddau, ba waeth?
Beddau gwael buddugoliaeth.

Wedi'r boen ni wrendy'r byd,
Mor ofer ein marw hefyd.
Is gleifwaith fe'n hysglyfiwyd.
Ddaear oer, mor fyddar wyd!

69

Deulais y Nadolig

Gwrandewais lais o lysoedd
Dyrys dyn. O mor drist oedd!
Dyna garol Nadolig,
Nodau hedd uwch tonnau dig.

Erys rhyfel, a helynt
Ei oediog wae'n llond y gwynt.
Wele wŷr yn siriol wau
O'r alaeth eu carolau.

Beth a dâl gobaith dilesg
I dewi llid henfyd llesg?
Dihidla, gawod nodau,
Fel o Nef i'w lawenhau.

O gwerylgar wladgarwch,
A ddaw trai i'th gamwedd trwch?
Lleddfa'r Crist donnau tristyd;
A gano'i fawl, gwyn ei fyd.

Holaf, yn sŵn dialedd
Oriau siom, am euroes hedd.
Agorwyd, â'i waed gwirion,
Adwyau drud i dir hon.

Heddiw, mae yr hedd, mwyach,
A dry'n wynfyd i'n byd bach?
Daear wen dan dw'i rinwedd,
Dyna fyd dan fwa hedd.

70

Plentyn

Oer yw mynwent i blentyn;—trodd yma
Trwy ddamwain dra sydyn;
Ni roed erioed neb mor wyn,
Neb ireiddiach, i briddyn.

71

Cerddor

(John Williams, F.R.C.O.)

Troi organ yn ddiddanwch—yn Nhŷ Dduw,
  Dyna'i ddawn a gofiwch.
 Am ei ddwylo meddyliwch,
 Celfydd, yn llonydd mewn llwch.

GRIFFITH JOHN WILLIAMS
1892-1963

72

Yr Henwyr

Ar bentan gloyw'r dafarn
  Eistedda'r henwyr llwyd,
Gan rythu i'r marwydos
  Â'u llygaid pŵl di-nwyd.

Drwy'r ffenestr fach fe dremia
  Ffenestri cul y llan,
A'r clochdy llwyd, a'r onnen
  Sy'n gwyro dros y fan.

Yno yn drachtio'r cwrw
  Heb obaith mwy na chur,
Mor fud â'r cerrig gleision
  Sy'n rhesi hwnt i'r mur.

Ac ambell nawn, fe glywant
  Ganu rhyw angladd du,
A mwmian pell y person
  Am sicir obaith fry.

Trônt at eu diod eilwaith
  Heb geisio deall mwy,
Mor dawel â'u hynafiaid
  Sy'n naear fud y plwy';

Yn eistedd oni chlywir
Sain hir a lleddf y gloch,
Gan rythu i'r marwydos
A drachtio'r cwrw coch.

HUW T. EDWARDS
1892-1970

73 *Mynydd Tal-y-llyn*

Mynydd yr oerwynt miniog—a diddos
Hen dyddyn y Fawnog,
Lle'r oedd sglein ar bob ceiniog
A 'nhaid o'r llaid yn dwyn llog.

SAUNDERS LEWIS
1893-1985

74 *Y Dilyw 1939*

Mae'r tramwe'n dringo o Ferthyr i Ddowlais,
Llysnafedd malwoden ar domen slag;
Yma bu unwaith Gymru, ac yn awr
Adfeilion sinemâu a glaw ar dipiau di-dwf;
Caeodd y ponwyr eu drysau; clercod y pegio
Yw pendefigion y paith;
Llygrodd pob cnawd ei ffordd ar wyneb daear.

Unwedd fy mywyd innau, eilydd y penderfyniadau
Sy'n symud o bwyllgor i bwyllgor i godi'r hen wlad yn ei hôl;
Pa 'nd gwell fai sefyll ar y gongl yn Nhonypandy
Ac edrych i fyny'r cwm ac i lawr y cwm
Ar froc llongddrylliad dynion ar laid anobaith,
Dynion a thipiau'n sefyll, tomen un-diben â dyn.

Lle y bu llygaid mae llwch ac ni wyddom ein marw,
Claddodd ein mamau nyni'n ddifeddwl wrth roi inni laeth o Lethe,
Ni allwn waedu megis y gwŷr a fu gynt,
A'n dwylo, byddent debyg i law petai arnynt fawd;
Dryllier ein traed gan godwm, ni wnawn ond ymgreinio i glinig,
A chodi cap i goes bren a'r siwrans a phensiwn y Mond;
Iaith na thafodiaith ni fedrwn, na gwybod sarhad,
A'r campwaith a roisom i hanes yw seneddwyr ein gwlad.

II

Cododd y carthion o'r dociau gweigion
Dros y rhaffau sychion a rhwd y craeniau,
Cripiodd eu dylif proletaraidd
Yn seimllyd waraidd i'r tefyrn tatws,
Llusgodd yn waed o gylch traed y plismyn
A lledu'n llyn o boer siliconaidd
Drwy gymoedd diwyneb diwydiant y dôl.

Arllwysodd glaw ei nodwyddau dyfal
Ar gledrau meddal hen ddwylo'r lofa,
Tasgodd y cenllysg ar ledrau dwyfron
Mamau hesbion a'u crin fabanod,
Troid llaeth y fuwch yn ffyn ymbarelau
Lle camai'r llechau goesau llancesi;
Rhoed pensiwn yr hen i fechgynnos y dôl.

Er hynny fe gadwai'r lloer ei threiglo
A golchai Apolo ei wallt yn y gwlith
Megis pan ddaliai'r doeth ar eu hysbaid
Rhwng bryniau'r Sabiniaid ganrifoedd yn ôl;
Ond Sadwrn, Iau, ac oes aur y Baban,
Yn eu tro darfuan'; difethdod chwith
Ulw simneiau a'r geni ofer
A foddodd y sêr dan lysnafedd y dôl.

III

Ar y cychwyn, nid felly y gwelsom ni'r peth:
Tybiem nad oedd ond y trai a'r llanw gwaredol, yr ansefydlogi
    darbodus
A fendithiai'n meistri fel rhan o'r ddeddf economaidd,
Y drefn wyddonol newydd a daflasai'r ddeddf naturiol
Fel Iau yn disodli Sadwrn, cynnydd dianterth bod.
A chredasom i'n mesitri: rhoisom arnynt wisg offeiriadol,
Sbectol o gragen crwban a throwsus golff i bregethu,
I bregethu santeiddrwydd y swrplws di-waith ac ystwyth ragluniaeth
    prisoedd;
Ac undydd mewn saith, rhag torri ar ddefod gwrtais,
Offrymem awr i ddewiniaeth dlos y cynfyd
Ac yn hen Bantheonau'r tadau fe ganem salm.

Yna, ar Olympos, yn Wall Street, mil naw cant naw ar hugain,
Wrth eu tasg anfeidrol wyddonol o lywio proffidau ffawd,
Penderfynodd y duwiau, a'u traed yn y carped Aubusson
A'u ffroenau Hebreig yn ystadegau'r chwarter,
Ddod y dydd i brinhau credyd drwy fydysawd aur.

Ni wyddai duwiau diwedda' daear
Iddynt wallio fflodiardau ola'r byd;
Ni welsant y gwŷr yn gorymdeithio,
Y dyrnau cau a'r breichiau brochus,
Rheng ar ôl rheng drwy ingoedd Fienna,
Byddar gynddaredd ymdderu Munich,
Na llusg draed na llesg drydar gorymdaith
Cwsgrodwyr di-waith a'u hartaith hurt.
Ond bu; bu gwae mamau yn ubain,
Sŵn dynion fel sŵn cŵn yn cwyno,
A myrdd fyrdd yn ymhyrddio'n ddihyder
I'r ffos di-sêr a'r gorffwys di-sôn.
Pwyll llywiawdwyr y gwledydd, pallodd,
Bu hau daint dreigiau ar erwau Ewrop,
Aeth Bruening ymaith o'u berw wyniau,

O grechwenau Bâle a'i hagr echwynwyr,
Rhuchion a rhytion rhawt Genefa,
I'w fud hir ympryd a'i alltudiaeth.
A'r frau werinos, y demos dimai,
Epil drel milieist a'r *pool* pêl-droed,
Llanwodd ei bol â lluniau budrogion
Ac â phwdr usion y radio a'r wasg.

Ond duodd wybren tueddau Ebro,
Âi gwaed yn win i'n gwydiau newynog,
A rhewodd parlys ewyllys wall
Anabl gnafon Bâle a Genefa.
Gwelsom ein twyllo. Gwael siomiant ellyll
Yn madru'n diwedd oedd medr ein duwiau;
Cwympo a threisio campwaith rheswm
A'n delw ddihafal, dyn dihualau;
Crefydd ysblennydd meistri'r blaned,
Ffydd dyn mewn dyn, diffoddwyd hynny:
Nyni wynepglawr fawrion,—fesurwyr
    Y sêr a'r heuliau fry,
    Di-elw a fu'r daith,
    Ofer pob afiaith,
Dilyw anobaith yw ein dylaith du.

A thros y don daw sŵn tanciau'n crynhoi.

75 *Golygfa Mewn Caffe*

O ffrwst y garsiwn lifreiog
A'u trwst yn Great Darkgate Street,
Yng nghanol y llu a arllwysid o'r mart ac o'r coleg
Ac o ysgoldai'r capeli ac o'r tafarnau,
Yng nghanol y dyrfa fraith,
Y dyrfa drist a gollasai ddaioni'r deall,
Y meirwon byw,
Yng nghanol crechwen aflawen a chrafangau cochion benywod
A'u gweflau fel hunllef anllad yn rhwygo
Cwsg eu hwynebau gorila,

Yng nghanol y dyrfa ar ffo,
Ar ffo rhag yr angau o'r awyr a'r bywyd o'r bom,
Ymhlith y sgerbydau llafar, y lludw rhodiennus,
Ymwthiasom drwy ddrysau'r caffe
Gan guddio'n penglogau gweigion tu ôl i'n ffigysdail,
A chipio cornel o fwrdd rhag byddin Babel,
A gweiddi uwchben yr esgyrn a'r dysglau te
Ar forwyn gerllaw.

Fuaned oedd gweini'r forwyn,—
Dug inni wystrys a finegr Kosher a'r gwasanaeth claddu ar dôst.
Cwympodd y glaw fel parasiwt ar y stryd,
Ond safodd gwarchodlu dinesig y cistiau lludw
Fel plismyn yn rhes ger eu tai.
Ac aeth hen wrach, a chortyn am ei gwddf,
O gist i gist dan y glaw, a chodi pob clawr,
A'u cael, bob arch, yn wag.
Ac ar waelod y ffordd,
Gerbron y lludw bwyteig acw'n y caffe,
Y lludw a ddihangodd o'r cistiau,
Blonegesau Whitechapel, Ethiopiaid Golder's Green,
Ar lampost cyfleus, ac â'i chortyn, ymgrogodd y wrach.
Gwelsom ei heglau'n troi dan y glaw,
A gwybuom wrth ei menyg gwynion a'u hoglau camffor
Yr hanfu o'r hen wlad.
Claddwyd hi'n anenwadol gan y B.B.C.
Ar donfedd yr ymerodraeth.

76 *I'r Lleidr Da*

Ni welaist ti Ef ar fynydd y Gweddnewid
  Na'r nos yn cerdded y lli;
Ni welaist erioed gelanedd yn gwrido pan drewid
  Elor a bedd gan ei gri.

Ar awr ei gignoethi a'i faw y gwelaist ti Ef,
  Dan chwip a than ddrain,
A'i hoelio'n sach o esgyrn tu allan i'r dref
  Ar bolyn, fel bwgan brain.

Ni chlywaist ti lunio'r damhegion fel Parthenon iaith,
  Na'i dôn wrth sôn am ei Dad,
Cyfrinion yr oruwchystafell ni chlywaist chwaith,
  Na'r weddi cyn Cedron a'r brad.

Mewn ysbleddach torf o sadyddion yn gloddest ar wae,
  A'u sgrech, udo, rheg a chri,
Y clywaist ti ddolef ddofn torcalon eu prae,
  "Paham y'm gadewaist i?"

Tithau ynghrog ar ei ddeau; ar ei chwith, dy frawd;
  Yn gwingo fel llyffaint bling,
Chweinllyd ladronach a daflwyd yn osgordd i'w wawd,
  Gwŷr llys i goeg frenin mewn ing.

O feistr cwrteisi a moes, pwy oleuodd i ti
  Dy ran yn y parodi garw?
"Arglwydd, pan ddelych i'th deyrnas, cofia fi,"—
  Y deyrnas a drechwyd drwy farw.

Rex Judaeorum; ti gyntaf a welodd y coeg
  Gabledd yn oracl byw,
Ti gyntaf a gredodd i'r Lladin, Hebraeg a Groeg,
  Fod crocbren yn orsedd Duw.

O leidr a ddug Baradwys oddi ar hoelion stanc,
  Flaenor bonedd y nef,
Gweddïa fel y rhodder i ninnau cyn awr ein tranc
  Ei ganfod a'i brofi Ef.

77 *Marwnad Syr John Edward Lloyd*

Darllenais fel yr aeth Eneas gynt
Drwy'r ogof gyda'r Sibil, ac i wlad
Dis a'r cysgodion, megis gŵr ar hynt
Liw nos mewn fforest dan y lloer an-sad,

Ac yno'n y gwyll claear
Tu draw i'r afon ac i Faes Wylofain
Gwelodd hen arwyr Tro, hynafiaid Rhufain,
Deiffobos dan ei glwyfau, drudion daear,

Meibion Antenor ac Adrastos lwyd;
A'i hebrwng ef a wnaent, a glynu'n daer
Nes dyfod lle'r oedd croesffordd, lle'r oedd clwyd,
A golchi wyneb, traddodi'r gangen aur,
Ac agor dôl a llwyni'n
Hyfryd dan sêr ac awyr borffor glir,
Lle y gorffwysai mewn gweirgloddiau ir
Dardan ac Ilos a'r meirwon diallwynin.

Minnau, un hwyr, yn llaw hen ddewin Bangor
Euthum i lawr i'r afon, mentro'r cwch,
Gadael beisdon yr heddiw lle nid oes angor
A chroesi'r dŵr, sy ym mhwll y nos fel llwch,
I wyll yr ogofâu
Lle rhwng y coed y rhythai rhithiau geirwon
Gan sisial gwangri farw helwyr meirwon
Nas clywn; nid ŷnt ond llun ar furiau ffau.

Yna daeth golau a ffurf fel gwawr a wenai,
Helm a llurig yn pefrio ac eryr pres
A chwympo coed, merlod dan lif ym Menai,
Palmantu bryniau a rhaffu caerau'n rhes:
Tu . . . regere populos,
Mi welwn lun Agricola yn sefyll
Ar draeth ym Môn, murmurai frudiau Fferyll,
A'r heli ar odre'r toga'n lluwch fin nos.

Ac ar ei ôl mi welwn ŵr yn troi
Oddi ar y ffordd i'r fforest, i glirio llain
A hau ei wenith a hulio bwrdd a'i doi;
Ac yn ei ystum 'r oedd cyfrinach. Gwnâi'n

Araf arwydd y groes,
Ac adrodd geiriau atgofus dros y bara,
A chodi cwpan tua'r wawr yn ara',
Penlinio a churo'i fron, cymuno â loes.

Petrusais: 'Gwn, tra pery Ewrop pery'r
Cof am y rhain; ni byddant feirw oll,
Seiri ymerodraethau'r Groes a'r Eryr;
Eu breuddwyd hwy, a glymodd dan un doll,
Un giwdod ar un maen,
Fôn a Chyrenaïca, fu sail gobeithio
Dante a Grotius, bu'n gysgod dros anrheithio
Ffredrig yr Ail a Phylip brudd o Sbaen.

Ond yma ym mro'r cysgodion y mae hil
Gondemniwyd i boen Sisiffos yn y byd,
I wthio o oes i oes drwy flynyddoedd fil
Genedl garreg i ben bryn Rhyddid, a'r pryd—
O linach chwerw Cunedda,—
Y gwelir copa'r bryn, drwy frad neu drais
Teflir y graig i'r pant a methu'r cais,
A chwardd Adar y Pwll ar eu hing diwedda';

Pa le mae'r rhain?' Ac wele neuadd adwythig,
Gwely'n y canol, esgob, archddiagon,
Claswyr corunog, prioriaid Caer, Amwythig,
Yn iro llygaid tywyll uthr bendragon,
Ac yntau'n tremio o'i henaint
Ar ffiord yn Llychlyn, llongau Gothri ar herw,
Ogof Ardudwy, geol Hu Fras, Bron 'r Erw,
Helbulon saga oes a'i loes dan ennaint.

A gwelais grog ar lawnt a dwylo drudion
Yn estyn tuag ati rhwng barrau heyrn,
Oni ddaeth llong o Aber a rhwyfwyr mudion,
Tyrs ar y lli a lludw ar wallt teyrn

A chrog rhwng dwylo ar sgrin . . .
A dacw ben ar bicell, a rhawn meirch
Yn llusgo yn llwch Amwythig tu ôl i'w seirch
Gorff anafus yr ola' eiddila' o'i lin.

Ac ennyd, megis paladr fflam goleudy
Dros genlli'r nos, fflachiodd agennau'r gaer
A saif ar graig yn Harlech, etifedd deudy
Cymru'n arwain coron, dawns i'r aer;
Yna ger Glyn y Groes
Rhoes ail Teiresias ym mhylgain Berwyn
Ddedfryd oracl tynged, a bu terfyn:
Toddodd ei gysgod yn y niwl a'i toes.

Fel hwnnw a ddringodd sblennydd gwlad anobaith,
Trois innau at fy mlaenor, 'A all dy fryd
Esgyn i glogwyn tymp a chanfod gobaith?
Eu hiaith a gadwant, a oes coel ar frud?
A gedwir olaf crair
Cunedda o drafael cur ei feibion oll?'
Ond ef, lusernwr y canrifoedd coll,
Nid oedd ef yno mwy, na'i lamp na'i air.

78

Llygad y Dydd yn Ebrill

Doe gwelais lygad y dydd
fel drych harddwych y wawrddydd;
echdoe dibris y troediwn,
a doe gweld. Daed y gwn
egni nwyd gwanwyn a'i aidd
yn creu ei swllt crisialltaidd,
angerdd celfyddyd gweungors,
rhuddem a gem yn y gors.
Y cae lle y canai cog
Ebrill aeth yn Llwybr Llaethog;
troes y ffurfafen benben,

miliynau heuliau y nen
yn is sawdl a osodwyd
i euro lawnt daear lwyd;
Orïon ar y bronnydd,
Arctwros a Seirios sydd,
gleiniau tân glöynnod Duw,
yn sêr effro seraffryw
ar las wybren ysblennydd.
Doe gwelais lygad y dydd.

79

Mair Fadlen
'Na chyffwrdd â mi.'

Am wragedd ni all neb wybod. Y mae rhai,
Fel hon, y mae eu poen yn fedd clo;
Cleddir eu poen ynddynt, nid oes ffo
Rhagddo nac esgor arno. Nid oes drai
Na llanw ar eu poen, môr marw heb
Symud ar ei ddyfnder. Pwy—a oes neb—
A dreigla'r maen oddi ar y bedd dro?

Gwelwch y llwch ar y llwybr yn llusgo'n gloff:
Na, gedwch iddi, Mair sy'n mynd tua'i hedd,
Dyfnder yn galw ar ddyfnder, bedd ar fedd,
Celain yn tynnu at gelain yn y bore anhoff;
Tridiau bu hon mewn beddrod, mewn byd a ddibennwyd
Yn y ddiasbad brynhawn, y gair Gorffennwyd,
Y waedd a ddiwaedodd ei chalon fel blaen cledd.

Gorffennwyd, Gorffennwyd. Syrthiodd Mair o'r bryn
I geudod y Pasg olaf, i bwll byd
Nad oedd ond bedd, a'i anadl mewn bedd mud,
Syrthiodd Mair i'r tranc difancoll, syn,
Byd heb Grist byw, Sabath dychrynllyd y cread,
Pydew'r canmil canrifoedd a'u dilead,
Gorweddodd Mair ym meddrod y cread cryn,

Yng nghafn nos y synhwyrau, ym mhair y mwg;
Gwynnodd y gwallt mawr a sychasai ei draed,
Gwywodd holl flodau atgo' ond y gawod waed;
Cwmwl ar gwmwl yn ei lapio, a'u sawr drwg
Yn golsyn yn ei chorn gwddf, ac yn difa'i threm
Nes diffodd Duw â'u hofnadwyaeth lem,
Yn y cyd-farw, yn y cyd-gladdu dan wg.

Gwelwch hi, Niobe'r Crist, yn tynnu tua'r fron
Graig ei phoen i'w chanlyn o'r Pasg plwm
Drwy'r pylgain du, drwy'r gwlith oer, drwy'r llwch trwm,
I'r man y mae maen trymach na'i chalon don;
Afrwydd ymlwybra'r traed afrosgo dros ddraen
A thrafferth dagrau'n dyblu'r niwl o'i blaen,
A'i dwylo'n ymestyn tuag ato mewn hiraeth llwm.

Un moeth sy'n aros iddi dan y nef,
Un anwes ffarwel, mwynder atgofus, un
Cnawdolrwydd olaf, trist-ddiddanus, cun,
Cael wylo eto dros ei esgeiriau Ef,
Eneinio'r traed a golchi'r briwiau hallt,
Cusanu'r fferau a'u sychu eto â'i gwallt,
Cael cyffwrdd â Thi, Rabboni, O Fab y Dyn.

Tosturiwn wrthi. Ni thosturiodd Ef.
Goruwch tosturi yw'r cariad eirias, pur,
Sy'n haearneiddio'r sant drwy gur ar gur,
Sy'n erlid y cnawd i'w gaer yn yr enaid, a'i dref
Yn yr ysbryd nefol, a'i ffau yn y santeiddiolaf,
Sy'n llosgi a lladd a llarpio hyd y sgarmes olaf,
Nes noethi a chofleidio'i sglyfaeth â'i grafanc ddur.

Bychan a wyddai hi, chwe dydd cyn y Pasg,
Wrth dywallt y nard gwlyb gwerthfawr arno'n bwn,
Mai'n wir 'i'm claddedigaeth y cadwodd hi hwn';
Ni thybiodd hi fawr, a chued ei glod i'w thasg,

Na chyffyrddai hi eto fyth, fyth â'i draed na'i ddwylo;
Câi Thomas roi llaw yn ei ystlys; ond hi, er ei hwylo,
Mwyach dan drueni'r Bara y dôi iddi'r cnawd twn.

Dacw hi yn yr ardd ar glais y wawr;
Gwthia'i golygon tua'r ogof; rhed,
Rhed at ei gweddill gwynfyd. Och, a gred,
A gred hi i'w llygaid? Fod y maen ar lawr,
A'r bedd yn wag, y bedd yn fud a moel;
Yr hedydd cynta'n codi dros y foel
A nyth ei chalon hithau'n wag a siêd.

Mor unsain â cholomen yw ei chŵyn,
Fel Orphews am Ewridice'n galaru
Saif rhwng y rhos a chrio heb alaru
'Maent wedi dwyn fy Arglwydd, wedi ei ddwyn,'
Wrth ddisgybl ac wrth angel yr un llef
'Ac ni wn i ple y dodasant ef,'
Ac wrth y garddwr yr un ymlefaru.

Hurtiwyd hi. Drylliwyd hi. Ymsuddodd yn ei gwae.
Mae'r deall yn chwil a'r rheswm ar chwâl, oni
Ddelo a'i cipia hi allan o'r cnawd i'w choroni—
Yn sydyn fel eryr o'r Alpau'n disgyn tua'i brae—
Â'r cariad sy'n symud y sêr, y grym sy'n Air
I gyfodi a bywhau: 'a dywedodd Ef wrthi, Mair,
Hithau a droes a dywedodd wrtho, Rabboni.'

80

Dychwelyd

Bûm ifanc yn caru. Mae cariad
Yn lladd byd o bobl ar drawiad:
Does neb yn bod ond fy nghariad.

Mae myrdd goleuadau'r cread
Yn diffodd yn rhin yr eiliad:
Does na haul na lloer ond fy nghariad.

Weithian mi wn anobeithio.
Anobaith, anobaith, mae'n chwalu pob bod
Yn ulw â'i gnulio.

81 *Gweddi'r Terfyn*

Mae'n brofiad i bawb na ŵyr neb arall amdano.
Pob un ar ei ben ei hun yn ei ddull ei hun
Piau ei farw ei hun
Trwy filiynau blynyddoedd yr hil.
Gellir edrych arno, gellir weithiau adnabod yr eiliad;
Ni ellir cydymdeimlo â neb yn yr eiliad honno
Pan baid yr anadlu a'r person ynghyd.
Wedyn? Nid oes yn ymestyn i'r wedyn ond gweddi'n ymbalfalu.
Mor druan yw dyn, mor faban ei ddychymyg:
'Yn nhŷ fy Nhad y mae llawer o drigfannau',
Cyn dloted â ninnau, yr un mor ddaearol gyfyng
Oedd ei athrylith yntau ddyddiau yr ymwacâd.
Ninnau ni fedrwn ond felly ddarlunio gobaith:
'Mae'n eistedd ar ddeheulaw Dduw Dad hollalluog',—
Cadfridog a'i orfoledd drwy ddinas Rufain
Wedi'r enbydrwydd mewn Persia o greadigaeth
A'i goroni'n Awgwstws, Cyd-Awgwstws â'i Dad,—
Mor ddigri yw datganiadau goruchaf ein ffydd.
Ac o'n cwmpas erys mudandod a'r pwll diddymdra
Y syrth ein bydysawd iddo'n gyfan ryw nos.
Ni all ein geiriau olrhain ymylon mudandod
Na dweud Duw gydag ystyr.
Un weddi sy'n aros i bawb, mynd yn fud at y mud.

EDGAR H. THOMAS 1894-1952

82

Gwleidyddion
(1919-39)

Diystyrasoch ni, a fynnem greu
Byd dymunolach na'n dihiroes hon,—
Nyni'r genhedlaeth oedd â hir ddyheu'n
Dychlamu'n hyder gwanwyn yn ei bron;
A rhag mor fyr eich cof am rai a aeth
Ym mherygl einioes gynt ar fôr a thir,
Wele, ar sathr eu hil ddiniwed, daeth
Gaea'r amseroedd yn y dyddiau ir;
Bellach, wŷr stad y gwledydd, a fu'n nyddu'r
Dynged a'n daliodd, o feddyliau gŵyr,
A droech chwi raid yn gysur, a'n llonyddu
Am angof doe, a'r edifeirwch hwyr,
Am fod y plaeniau dur yn poeri'u tân
Ar hen ac ifanc heddiw'n ddiwahân?

EVAN JENKINS
1894-1959

83

Haf Gwlyb

'Does i'n byd ar hyfryd hin
Falm hafal y Mehefin;
Ond yr heulwen eleni,
Rhad ei naws ni roed i ni.
Wele Dachwedd. Clyw duchan
Mai sâl yw mis o law mân!

Na phoener, mis Gorffennaf
Daw yn ei bryd â hin braf.
Â thes gobaith ysgubor
Daw haul wrth addewid Iôr.
Oni addawyd yn ddiau
I ŵr ei ŷd wedi'r hau?

Fis na roddes wres i ro,
Da yw gweled ei gilio.
A thwf mewn hiraeth ofer
Am wenau twym huan têr.
Os Awst i faes a estyn
Ei law, beth a ddaw o ddyn?

Dyna Medi'n ymado,
Wele'r grawn ar lawr y gro;
Yn dal o hyd wele haf
Aflawen fel ail aeaf.
Pitw bach o gorrach gwan
Yw dyn pan lidio anian.

84

Y Barrug

Yn oer drwch ar dir uchel—daw â'i gen
  Wedi Gŵyl Fihangel;
A daw i'r coed fel lleidr cêl
Gan eu diosg yn dawel.

S. B. JONES
1894-1964

85

Gorffennaf

Fe beidiodd pob dyfalu,
  Nid oes wamalu mwy;
Aeth heibio ddyddiau'r pethau bach
  Ac ni ddychwelant hwy.
Mae'r nyth ym môn y gangen
  A neb â'i hangen hi;
Ni chyrraedd cantor newydd, mwyn
  O'r llwyn na thros y lli.

Mae'r haf â'i fenni cludo
  Yn mudo ar y maes,
A'r rhegen hwyr a'i rhygnu hi
  O dan y llwythi llaes.

Mae'n cynnull ei drysorau,
  Goludoedd gorau gallt;
Ond yn eu mysg mae deilen gryn
  Fel blewyn gwyn mewn gwallt.

Mae'r gog yn dechrau crygu
  A mygu yn ei mawl;
Daeth tro i'w rhagrith yn y nyth
  Lle bu hi'n treisio'r hawl.
A pheth cynharach teithiwr
  Na neithiwr yw yr haul;
A gwennol haf yn ganol oed
  Ar drum yn bwrw'r draul.

86 *Chwalu: Cilie 1936*

Curwch ei furiau i lawr â byllt a gordd,
  Dinoethwch ef, y trawstiau derw a'r to;
Bwriwch bob drws ac astell rywle o'r ffordd,
  Datodwch heddiw ei gadernid o.
Chwelwch bentanau pridd y Lwfer Fawr,
  A rhofiwch gyda nerth yr huddygl trwch,
Dymchwelwch ystafelloedd llofft a llawr,
  A chwerddwch chwithau yng nghymylau'r llwch.
Mae pawb yn ddigon pell—ni chyfyd un
  O'r byw ei law, ac ni ddaw llais o'r Llan
I'ch atal nac i ddannod i chwi lun
  Yr annibendod sy'n gorchuddio'r fan:
Mynnwch yn llawen gyda'r hwyr eich tâl,
A'r lloer yn edrych ar domennydd chwâl.

A dewch yfory'n nerthol gyda'r wawr
  Â holl fedrusrwydd crefft ar goed a maen;
Rhowch seiliau dyfnach, sicrach yn y llawr
  Ac ystafelloedd lletach nag o'r blaen.

Cydiwch briddfeini'n rhesi syth wrth drefn
  Â chlymau haearn rhwng y muriau main;
Cuddiwch yr wyneb brych â haenen lefn
  A rhowch forteisi dur i'r cyplau cain;
A phan orffennoch eich celfyddyd lwyr,
  A tharo chwiban cerddi'r newydd fyd
Wrth gefnu ar eich gorchest gyda'r hwyr
  Tros Lôn y Banc a'r Foel a Phont y Rhyd:
Cynullaf innau i'r hen (na ddaw i lawr!)
Y cylch Nadolig dan y Lwfer Fawr.

J. T. JONES
1894-1975

87

Y Llwybr Troed

'Rwy'n hen a chloff, ond hoffwn—am unwaith
  Gael myned, pe medrwn,
 I'm bro, a rhodio ar hwn—
 Rhodio, lle gynt y rhedwn!

ALBERT EVANS JONES (CYNAN)
1895-1970

88

Hwiangerddi

Arglwydd, gad im bellach gysgu,
  Trosi'r wyf ers oriau du:
Y mae f'enaid yn terfysgu
  A ffrwydradau ar bob tu.

O! na ddeuai chwa i'm suo
  O Garn Fadryn ddistaw, bell,
Fel na chlywn y gynnau'n rhuo
  Ond gwrando am gân y dyddiau gwell.

Hwiangerddi tyner, araf,
  Hanner-lleddf ganeuon hen,
Megis sibrwd un a garaf
  Rhwng ochenaid serch a gwên;

Cerddi'r haf ar fud sandalau'n
  Llithro dros weirgloddiau Llŷn;
Cerddi am flodau'r pren afalau'n
  Distaw ddisgyn un ac un;

Cerdd hen afon Talcymerau
  Yn murmur rhwng yr eithin pêr,
Fel pe'n murmur nos-baderau
  Wrth ganhwyllau'r tawel sêr.

Cerddi'r môr yn dwfn anadlu
  Ger Abersoch wrth droi'n ei gwsg;
Cerddi a'm dwg ymhell o'r gadlu,
  Cerddi'r lotus, cerddi'r mwsg.

O! na ddeuai chwa i'm suo,
  O Garn Fadryn ddistaw, bell,
Fel na chlywn y gynnau'n rhuo
  Ond gwrando am gân y dyddiau gwell.

89

Yr Eira ar y Coed

Melfed ddistawrwydd hwyrol
  Fel llen ar ddrama'n cau
Nes rhannu'r byd synhwyrol
  A llwyfan serch yn ddau:
A'r brigau heb sŵn awel,
  A'r eira heb sŵn troed,
Cusanodd fi mor dawel
  Â'r eira ar y coed.

Clod i'r ystormydd nwydus
  Sy'n troelli'r eira'n lluwch,
A'r gwynt ar gyrch arswydus
  Yn rhuthro'n uwch ac uwch;
Ond wedi i'r angerdd dreiglo
  Daw saib hyfryta' erioed,
Pryd na bydd chwa i siglo
  Yr eira ar y coed.

Clod i'r ystorm o garu
  Sy'n lluwchio nwydau'r fron;
Ni wn i edifaru
  Erioed am angerdd hon.
Ond wedi'r iasau hirion
  Yn f'enaid byth arhoed
Atgof un cusan tirion
  Fel eira ar y coed.

90 *Eirlysiau*

Ni chlywais lais un utgorn
  Uwch bedd y gaeaf du,
Na sŵn fel neb yn treiglo
  Beddfeini, wrth ddrws fy nhŷ.
Mi gysgwn mor ddidaro
  Â Pheilat wedi'r brad;
Ond Grym yr Atgyfodiad
  A gerddai hyd y wlad.

Oblegid pan ddeffroais
  Ac agor heddiw'r drws
Fel ganwaith yn fy hiraeth,
  Wele'r eirlysiau tlws
'Oll yn eu gynau gwynion
  Ac ar eu newydd wedd
Yn debyg idd eu Harglwydd
  Yn dod i'r lan o'r bedd.'

ALBERT EVANS JONES (CYNAN)

Aberdaron

Pan fwyf yn hen a pharchus,
  Ag arian yn fy nghod,
A phob beirniadaeth drosodd
  A phawb yn canu 'nghlod,
Mi brynaf fwthyn unig
  Heb ddim o flaen ei ddôr
Ond creigiau Aberdaron
  A thonnau gwyllt y môr.

Pan fwyf yn hen a pharchus,
  A'm gwaed yn llifo'n oer,
A'm calon heb gyflymu
  Wrth wylied codi'r lloer;
Bydd gobaith im bryd hynny
  Mewn bwthyn sydd â'i ddôr
At greigiau Aberdaron,
  A thonnau gwyllt y môr.

Pan fwyf yn hen a pharchus
  Tu hwnt i fawl a sen,
A'm cân yn ôl y patrwm
  A'i hangerdd oll ar ben;
Bydd gobaith im bryd hynny
  Mewn bwthyn sydd â'i ddôr
At greigiau Aberdaron
  A thonnau gwyllt y môr.

Oblegid mi gaf yno
  Yng nghri'r ystormus wynt
Adlais o'r hen wrthryfel
  A wybu f'enaid gynt.
A chanaf â'r hen angerdd
  Wrth syllu tua'r ddôr
Ar greigiau Aberdaron
  A thonnau gwyllt y môr.

92

Marwnad yr Ehedydd

(Y pennill cyntaf yn draddodiadol)

Mi a glywais fod yr 'hedydd
Wedi marw ar y mynydd.
Pe gwyddwn i mai gwir y geiria',
Awn â gyr o wŷr ag arfa'
I gyrchu corff yr 'hedydd adra'.

Mi a glywais fod yr hebog
Eto'n fynych uwch y fawnog,
A bod ei galon a'i adenydd
Wrth fynd heibio i gorff yr 'hedydd
Yn curo'n llwfr fel calon llofrudd.

Mi a glywais fod cornchwiglan
Yn ei ddychryn i ffwrdd o'r siglan
Ac na chaiff, er dianc rhagddi,
Wedi rhusio o dan y drysi,
Ond aderyn y bwn i'w boeni.

Mi a glywais gan y wennol
Fod y tylwyth teg yn 'morol
Am arch i'r hedydd bach o risial,
Ac am amdo o'r pren afal;
Ond piti fai dwyn pob petal.

Canys er mynd â byddin arfog
Ac er codi braw ar yr hebog,
Ac er grisial ac er bloda',
Er yr holl dylwyth teg a'u donia',
Ni ddaw cân yr 'hedydd adra'.

93

Mab y Bwthyn

(Detholiad)

Rhywbryd rhwng un o'r gloch a dau
Yr oeddem drwy'r mieri'n gwau
Yn ôl drachefn am yr hen ffos
Lle safem neithiwr gyda'r nos;

Yn ôl dros ddaear lithrig wleb
Y fan a fu yn Rhandir Neb;
O dan y gwifrau-pigog, geirwon,
A thros bentyrrau hen o'r meirwon.
O Dduw! a raid im gofio sawr
Y fan lle'r heidiai'r llygod mawr,
A bysedd glas y *pethau mud*
Ar glic eu gynnau bron i gyd?

O'r diwedd cerdded yn lluddedig
O dan fy mhwn drwy'r ffordd suddedig.

Wrth inni drampio'n flin drwy'r llaid,
A'r glaw yn disgyn yn ddi-baid,
Dywedwn wrth fy nghalon drom:
'Byddaf cyn dydd ymhell o'r Somme.
Ffarwél, Gehenna ddu, ffarwél,
Y mae fy wyneb ar Flesselles.
Mae yno winoedd gwyn a choch
I foddi sŵn y gynnau croch;
Mae yno winoedd coch a gwyn
I losgi 'mhoen fel llosgi chwyn,
A Mimi yn ei barclod ddel
I lenwi 'ngwydr yn Flesselles.'

Nid oedd fy meddwl eto'n glir.
Bu rhywbeth yn fy llethu'n hir,
Rhywbeth annelwig.—Ni waeth beth.
'Roedd ceisio cofio'r peth yn dreth.
'Mi fathraf,' meddwn, 'dan fy nhraed
Bob atgof am y tywallt gwaed.
Mathraf ef dan fy nhraed i'r llaid
Wrth dramp—dramp—drampio yn ddi-baid.'

WILLIAM JONES
1896-1961

94

Y Cnicht

Mae hudol byramidiau
  Yn codi ris ar ris
Dan awyr las y dwyrain
  Yng nghartref Rameses.

Ond tecach na'r rhai hynny
  Yw'r un sy'n codi fry
O foelni hardd Cwm Croesor
  Dan lach y gwyntoedd cry',

Y gaeafwyntoedd gerwin
  Ar eu porthiannus feirch,
Y daran yw eu hutgorn,
  A'r cesair yw eu ceirch.

95

Y Moelwyn Mawr a'r Moelwyn Bach

Gwnaeth Duw'r ddau Foelwyn, meddant i mi,
O garreg nad oes ei chadarnach hi.

Ond wrth syllu arnynt ambell awr
Ar fore o wanwyn, amheuaf yn fawr

Mai o bapur sidan y torrodd o
Y ddau ohonynt ymhell cyn co',

A'u pastio'n sownd ar yr wybren glir
Rhag i'r awel eu chwythu ar draws y tir.

96

'O! Ynfyd!'

Dywedodd Duw ryw fore gynt:
'Awn, crewn fyd a'i droi i'w hynt.'

A gwych o fyd a luniodd O,
Yn wyrdd ei lawr a glas ei do.

Ond pan orffennodd Ef bob rhan
Fe greodd ddyn yn aer y fan.

A chwythodd hwn â'i 'fennydd pŵl
Y sioe i gyd yn racs—y ffŵl.

R. J. ROBERTS
1896-1981

97

Beddargraff Plentyn

(Oedd yn berchen llais swynol, ond a fu farw o'r diphtheria*)*

'Roedd eisiau'ch mab yn faban—i'w urddo
Yn gerddor yng Nghanaan,
Lle ni eill, o hyn allan,
Ddolur gwddf ddal ar ei gân.

B. T. HOPKINS
1897-1981

98

Ein Tir

Darn o wylltion afonydd,
Doldir a gweundir a gwŷdd,
A goludog aelwydydd.

Daear y dwylo diwyd,
Erwau'n hiaith a'n gwair a'n hŷd,
Hon a biau ein bywyd.

Ddaear hardd! A roddir hon—
Caeau gofal ein calon
Yn wastraff o dan estron?

Ymaith â'ch gwarth o'n parthau,
Wŷr brwnt a segurwyr brau,
Di-lên a di-ydlannau.

Heb dir, heb fywyd iraidd,
Heb gysur ond byw gwasaidd—
Ba rin i bren heb ei wraidd?

99

Rhos Helyg

Lle bu gardd, lle bu harddwch,
Gwelaf lain â'i drain yn drwch.
A garw a brwynog weryd,
Heb ei âr, a heb ei ŷd.

A thristwch ddaeth i'r rhostir—
Difrifwch i'w harddwch hir;
Ei wisgo â brwyn a hesg brau,
Neu wyllt grinwellt y grynnau,
Darnio ei hardd, gadarn ynn,
A difetha'i glyd fwthyn!

Rhos Helyg, heb wres aelwyd!
Heb faes ir, ond lleindir llwyd,
A gwelw waun, unig lonydd,
Heb sawr y gwair, heb si'r gwŷdd.

Eto hardd wyt ti o hyd
A'th oer a diffrwyth weryd;
Mae'n dy laith a diffaith dir
Hyfrydwch nas difrodir—

Si dy nant ar ddistaw nos,
A dwfn osteg dy hafnos;
Aml liwiau'r gwamal ewyn,
Neu lwyd gors dan flodau gwyn.
A'r mwynder hwnnw a erys
Yn nhir llwm y mawn a'r llus.

O'th fro noeth, a'th firain hwyr,
O'th druan egwan fagwyr,

O'th lyn, a'th redyn, a'th rug,
Eilwaith mi gaf, Ros Helyg,
Ddiddanwch dy harddwch hen
Mewn niwl, neu storm, neu heulwen.

Eto, mi glywaf ateb
Y grisial li o'r gors wleb
I gŵyn y galon a gâr
Hedd diddiwedd dy ddaear.

ALUN J. JONES (ALUN CILIE)
1898-1975

100

Sgrap

Bu casglu relics doe o bob rhyw fan
  Yn ddolur llygaid drwy'r prynhawn i mi;
Hen geriach nad oedd iddynt mwyach ran
  Na lle'n hwsmonaeth ein hoes fodern ni.
Allan o'r stabl a'r cartws aeth y cwbl—
  Y certi cist, y gambo fach a'r trap,
Erydr ceffylau o'r ffald, ungwys a dwbl,
  Yn bendramwnwgl ar y domen sgrap.

Ond er i'r bois gael hwyl yn eu crynhoi
  Wrth gwt y tractor mor ddi-ots o chwim,
Ac i minnau daro'r fargen, heb din-droi
  Na hocan, am y nesaf peth i ddim—
Aeth rhywbeth mwy na sgrap drwy iet y clos
Ar lori Mosi Warrell am y rhos.

101

Fy Ngwedd Geffylau Olaf

Dau 'Glydesdale' gwarrog oeddynt, hoyw ac abl
  A chlwstwr ceiniogau'r ceirch yn llathru'u graen;
Ni ddaeth erioed eu noblach trwy ddrws stabl,
  Ac ni bu gwaith a safai ddim o'u blaen.

Hyfryted gwefr y cryndod pan fai'r pâr
  Yn esmwyth orwedd ar y tresi tyn,
A gorfoleddus ddilyn drwy yr âr
  Yn groes i lydain rynnau'r perci hyn.

Naw wfft i gêr ddigwmni'r tractor gwych
  A'u gwthiodd hwynt i lawntre Pant-y-ci,
I dorden yno ymhell o rwn a rhych
  A bwrw'u penolau i'r gwynt o'm gweled i;
Nes dod o'r nacer ffals, ddihitio'i gnoc
Ar dor fy llaw—a'u cael am bris dau groc.

102

Yr Hen Gapel

Hen le anial yw heno,
Anhardd friw ar wedd y fro;
Adeilad gwag, diolau,
A hen Dŷ Cwrdd wedi cau.
Lle dinod, llwyd ei wyneb,
Iddo yn awr ni ddaw neb;
Annedd y saint yn ddi-sôn
A Bethel eu gobeithion.
Ei ddrws dan gordeddog ddrain,
Mieri'n ei gwrt mirain;
Magl y chwyn o'i amgylch o;
Yn yr yw, gwynt yn rhuo.
Y to dan lach y tywydd
Mwy yn sarn anghymen sydd.

Ar gul lôn, gwerinwyr gwlad
Ddoe a'i cododd i'w Ceidwad,
Yn hardd Dŷ i gwrdd â'u Duw
Ac i arddel y gwirdduw;
Diwael wyrth eu dwylo oedd,
Gwiw ar gadarn graig ydoedd,
A'i fawredd yn llefaru
Am wychder hen falchder fu.

Erys o hyd dros ei wedd
Ôl eu manwl amynedd;
Ôl cynion ar dalcennau
Ac ar fold ei gry' fwâu.

Pan ddaw'r Saboth i'w drothwy
Sŵn mawl nid oes yno mwy.
Mae'r hen ddifri gewri gynt?
Yno, 'does un ohonynt
Fu'n dod i gydnabod Naf
Ar Ei fore'n dorf araf,
O lawr bro ac aeliau'r bryn
A'r cwm i oedfa'r cymun.
Hen braidd gwylaidd, digoleg
Y bwthyn a'r tyddyn teg;
Gwŷr prydlon, ffyddlon y Ffydd,
A gwŷr oedd iddo'n geyrydd.
Mae'r awelon? Mae'r hwylwynt
A'r gwresog ymgomio gynt?
Y galw a fu ar rugl fant
Yno ddoe am faddeuant?
A cherddgar leisiau arian
Y gwŷr a fu'n dyblu'r gân?
Ar lain ir eu corlan oedd,
A'u cannwyll mewn drycinoedd;
Afallon eu cyfeillach
Ac ynys Iôn gynnes, iach;
Mawr y sôn am ras yno.
A Gair Duw a'i gariad O.

Obry mae'r ceimion lwybrau
I dai y cwm wedi cau,
A gwag yw'r gweithdai i gyd
Yn hafog y drain hefyd;
Y tai difalch gwyngalchog,
Y tai clyd, a gwellt eu clog;

Tai y saint onest eu sêl
Dros yr Achos aruchel,
A thai yr hen fintai fu
I'w Creawdwr yn credu.

Darfu'r fflam, darfu'r tramwy;
Yntau'r pulpud, mud yw mwy,
Lle bu ysgubol ddolef
Gweision a chenhadon Nef.
Lle anghysbell yw bellach,
Yn y clai mae'r fintai fach
Obry'n nyfnder ei weryd
Mewn hedd yn gorwedd i gyd,
Yn erw ddi-stŵr pridd ei stad,
A man eu hoff ddymuniad;
A'r capel o'i dawelwch
Oer a llaith yn gwylio'r llwch.
A gwibio, heb falio'r fan,
Heibio mae'r dorf benchwiban.

103

Medi

Llwythog a chyfoethog fis,
Heibio daw â phob dewis
O haelioni melynaur.
Ddiwedd haf a'i ddyddiau aur
Rhy aneirif i'w rhifo
Yw saig ffres ei goffrau o
O rin y gwanwyn a'r haf,
Egnïon ei gynhaeaf.
Rhydd ysblander i'r dderwen,
I lwyn o ddail newydd wên,
Gwresog anadl ei graswynt
A rhwd gwan ei wridog wynt.
Ac i li'r ffynnon lon lef
Diwydrwydd dyfod adref.

ALUN J. JONES (ALUN CILIE)

Hwn yw mis crynhoi'r meysydd
A thŵr y ffermwr a'i ffydd;
I'r hwn a fu'n cynnar hau
Y rhydd ei drugareddau.
Cain dymor y cnwd amaeth
Yn llawn o enllyn a llaeth.
Tonnog fôr stôr ei ystâd
Iddo yn rhoi gwahoddiad
Yn ôl i dderbyn eilwaith
Yma ei wobr am ei waith;
E glyw yn y perlog wlith
Suoganu'r maes gwenith.

Hyd y fyl ydyw o faeth
A meniw pob hwsmonaeth
Ar gyfer du argyfwng
Anodd a blin ddyddiau blwng;
Â llid y llew, dywyll hin,
Yn sgego'n nrws y gegin.

Yr un yw'r maes, henfaes hwn,
Ag erioed lle teg rodiwn;
Ond mae'r deiliaid, mae'r dwylo
A fu'n ei gynhaeaf o?
Abl a dewrion bladurwyr
Da'u camp, er ychydig hur,
A dorrai sgôb, fedrus gam,
Â'u byw ergyd a'u byrgam:
Deio'r Foel a Throed-rhiw-fer,
Huw y Rhipyn a'r Hwper;
Griff hoyw o Esgair-y-ffin,
Wiliam a gwraig y Felin;
Mari a Beti'r Plas-bach?
Gwerin na bu'i rhagorach
A wyddai'r hen gelfyddyd
O daro a rhwymo'r ŷd.

O'r hen dai a'r gweithdai gynt
Yma'n dod mwy nid ydynt;

Ni chawn mwy ar erchwyn maes
Fore oedfa ar ydfaes,
Na hud ffraeth dafodau ffri
A'u rhigwm ar hoe hogi.

Ac i'r wledd fel gwyry lân,
Drwsiadus odre sidan,
Dôi'r lloer dros war y darren
Yn dduwies dlos seithnos wen
I roi dewinol olud
Ar dynn glymau rhaffau'r ŷd;
Rhoi ei gloyw sêl ar glo serch
Y llanc ifanc a'i hoywferch–
A'r mwdwl gan aur Medi
Yn em drud i'w modrwy hi.

Eto'n ôl pe doent yn awr,
Y deiliaid gynt, o'r dulawr
I gil dôl, a gweld y Wern
Yn medi â'u gêr modern–
Ni chredent a welent hwy
Â'u tremyn wedi'r tramwy
O'u nefoedd–siwrnai ofer–
Yn ôl i ganol y gêr!
Rhyfyg lle bu arafwch
A fflîd o beiriannau fflwch;
Tw maes dan otomasiwn,
Rhu mawr y grym ar y grwn.
Byrnwr ar stad y bladur,
Com-bein lle bu'r camu byr.

Yr un yw'r maes, henfaes hwn,
Yn y fedel a fedwn;
Darfu hud y dorf hoywdeg,
Heddiw ddau lle'r oedd ddoe ddeg;
Mydrau gêr lle bu'r medr gynt–
Rhodder yr erwau iddynt.

104

Llwybrau

I fyny dônt yn dorf ar ffilm y co'
Bob cyfle, heb alw arnynt un ac un,
A chyda hwy bob sticil, camfa a thro
I'w gweld yn gliriach fel yr af yn hŷn,
Gan ddangos imi fy anwadal rawd,
Ac fel pe'n dannod fy ffolineb gynt
Pan oedd y nwydau'n berwi'r gwaed a'r cnawd,
A naws gorfoledd ieuanc lond y gwynt.

Os gwyrgam ydynt arnaf fi mae'r bai,
Ac ofer ceisio eu cywiro mwy,
Mae'r ymchwydd wedi troi a phell yw Mai.
Ond eto caf, o'u manwl ddilyn hwy
Fod rhai 'rwy'n fodlon arnynt fel y maent,
A rhai, 'rwy'n adde', yr hoffwn pe na baent.

105

Yr Hirlwm

Adeg dysgub ysgubor,—hir gyni
A'r gwanwyn heb esgor;
Y trist wynt yn bwyta'r stôr
Hyd y dim rhwng dau dymor.

W. ROGER HUGHES
1899-1958

106

Einioes

Sŵn myngus, hoen ymwingo,—ac araf
Ond gwrol ymbwyllo;
Rhyw drwst a rhwyg mawr dros dro,
Yna'r mud oer ymado.

DAVID JAMES JONES (GWENALLT)
1899-1968

107 *Myfyrdod*

Rhowch i mi gilfach a glan,
Cilfach a glan a marian i mi,
Lle na ddaw'r gwylanod ar gyfyl y fan,
Na mwstwr tonnau nwydus, twyllodrus y lli.

Ymhell o'r storm a'i stŵr,
Y storm a'i stŵr a'i dwndwr a'i gwawd,
Lle na ddaw'r gwyntoedd i boeni'r dŵr,
Na'r cesair creulon i daro, cnocio'r cnawd.

Lle na ddaw'r geifr â'u cyrn,
Y geifr â'u cyrn hëyrn a hir,
Na phystylad meirch porthiannus, chwyrn,
A'u carnau carlam i godi, torri'r tir.

Rhyw ddedwydd lonydd le,
Llonydd le ar dyle neu dwyn,
Lle caf fodio llawysgrifau'r ne,
Dethol gyfrolau'r doethion, mynachdod myfyrdod mwyn.

108 *Ar Gyfeiliorn*

Gwae inni wybod y geiriau heb adnabod y Gair
A gwerthu ein henaid am doffi a chonffeti ffair,
Dilyn ar ôl pob tabwrdd a dawnsio ar ôl pob ffliwt
A boddi hymn yr Eiriolaeth â rhigwm yr Absoliwt.

Dynion yn y Deheudir heb ddiod na bwyd na ffag,
A balchder eu bro dan domennydd ysgrap, ysindrins, yslag:
Y canél mewn pentrefi'n sefyllian, heb ryd na symud na sŵn,
A'r llygod boliog yn llarpio cyrff y cathod a'r cŵn.

Y duwiau sy'n cerdded ein tiroedd yw ffortun a ffawd a hap,
A ninnau fel gwahaddod wedi ein dal yn eu trap;
Nid oes na diafol nac uffern dan loriau papur ein byd,
Diffoddwyd canhwyllau'r nefoedd a thagwyd yr angylion i gyd.

Mae lludw yng ngenau'r genhedlaeth, a chrawn ei bron yn ei phoer,
Bleiddiast mewn diffeithwch yn udo am buteindra dwl y lloer:
Neuaddau'r barbariaid dan sang, a'r eglwys a'r allor yn weddw,
Ein llong yn tin-droi yn y niwl, a'r capten a'r criw yn feddw.

Gosod, O Fair, Dy Seren yng nghanol tywyllwch nef,
A dangos â'th siart y llwybr yn ôl at Ei ewyllys Ef,
A disgyn rhwng y rhaffau dryslyd, a rho dy law ar y llyw,
A thywys ein llong wrthnysig i un o borthladdoedd Duw.

109 *Y Gristionogaeth*

A ddaeth Dy awr, O Dduw, Dy awr ofnadwy Di?
Ai cyflawnder yr amser yw yn ein hoes a'n heinioes ni?
Oes athrist yr Anghrist hy, awr yr her a'r trawster a'r tranc,
Awr y finegr a'r fynwent, oes dwym y ffagl a'r ystanc.

Cynefin ein min â moeth, a'n hysgwydd â sidan wisg,
Gwynfyd yw byd a gwybodaeth a llafur dwfn y llyfrau dysg:
Ai'r plan ydyw gado'r plu, y mêl a'r llieiniau main,
A herio cynddaredd Nero, a chabledd Iwdas a Chain?

Ni, weinion a deillion diallu, y llesg feidrolion a llwfr,
O aed heibio Dy aberth; aed Dy dân, O Dad, aed y dwfr;
Ni fynnwn y bustl a'r finegr, y main a'r ffrewyll a'r myrr,
Na gado ein melyn godau, esmwythyd ein bywyd byr.

Y mae treftad ysbryd ein tadau tan ddanadl a banadl y byd,
Yr ysgall lle bu'r esgor a'r drain lle bu'r marw drud;
Bawlyd yw purdeb eu halen, a llaith yn ein llestr ni,
A'u cannwyll gynt a fu'n cynnau, gwelw yw ei golau hi.

Ar y Ddeddf a'r Drugareddfa dawnsiwn a chwaraewn chwist,
Bargeiniwn lle bu'r Geni, gwnawn log lle bu Crog y Crist;
Wrth borth y Nef mae'r anifail, a'i dom a'i fiswail a'i sŵn,
Heidia'n y nen yr ehediaid, ar hyd y côr rhed y cŵn.

Anniddig ŷm wedi'r pigo, fel drudwen, bronfreithen neu frân,
A phrofi clêr a phryfed, trychfilod a malwod mân;
Ardderchoced a fai hedeg uwch y drwg i'w uchderau Ef,
Lle mae'r Oen yn wledd a gweddill yn nhai eryrod y Nef.

Os mynni ein gwaed, o fyd, yf bob diferyn coch,
Rho'n cyrff yn ogor i'th feirch, rho'n cnawd yn soeg i'th foch.
Yr enaid a ddaw'n ôl o'r anwel, oddi wrth Grist â gwyrthiau gras;
Tynnwn y cread o'r tonnau, y byd o'i ddiddymdra bas.

Gwân dy holl epil â'r gynnau, â'r bom maluria di'r byd,
Poera dân o bob peiriant, a fflam a phlwm o bob fflyd,
Diwreiddia di dy wareiddiad, a phan fo'r ddaear fel braenar briw
Down â haul o'r byd anweledig, down â'r gwanwyn o ddwylo Duw.

110 *Cymru*

Er mor annheilwng ydwyt ti o'n serch,
Di, butain fudr y stryd â'r taeog lais,
Eto, ni allwn ni, bob mab a merch,
Ddiffodd y cariad atat tan ein hais:
Fe'th welwn di â llygaid pŵl ein ffydd
Gynt yn flodeuog yn dy wyrfdod hardd,
Cannwyll brenhinoedd, seren gwerin rydd,
Lloer bendefigaidd llên ac awen bardd.
Er mwyn y lleng o ddewrion gynt a roes
Eu gwaed i'w chadw'n bur rhag briw a brad,
A'r saint a'i dysgodd yn erthyglau'r Groes,
Tosturia wrthi, drugarocaf Dad,
Rho nerth i'w chodi, yna gwisgwn ni
Ei chorff â gwisg ei holl ogoniant hi.

111 *Y Meirwon*

Bydd dyn wedi troi'r hanner-cant yn gweld yn lled glir
  Y bobl a'r cynefin a foldiodd ei fywyd e',
A'r rhaffau dur a'm deil dynnaf wrthynt hwy
  Yw'r beddau mewn dwy fynwent yn un o bentrefi'r De.

Wrth yrru ar feisiglau wedi eu lladrata o'r sgrap
  A chwarae Rygbi dros Gymru â phledrenni moch,
Ni freuddwydiais y cawn glywed am ddau o'r cyfoedion hyn
  Yn chwydu eu hysgyfaint i fwced yn fudr goch.

Ein cymdogion, teulu o Ferthyr Tydfil oeddent hwy,
  'Y Merthyron' oedd yr enw arnynt gennym ni,
Saethai peswch pump ohonynt, yn eu tro, dros berth yr ardd
  I dorri ar ein hysgwrs ac i dywyllu ein sbri.

Sleifiem i'r parlyrau Beiblaidd i sbïo yn syn
  Ar olosg o gnawd yn yr arch, ac ar ludw o lais;
Yno y dysgasom uwch cloriau wedi eu sgriwio cyn eu pryd
  Golectau gwrthryfel coch a litanïau trais.

Nid yr angau a gerdd yn naturiol fel ceidwad cell
  Â rhybudd yn sŵn cloncian ei allweddi llaith,
Ond y llewpart diwydiannol a naid yn sydyn slei,
  O ganol dŵr a thân, ar wŷr wrth eu gwaith.

Yr angau hwteraidd: yr angau llychlyd, myglyd, meddw,
  Yr angau â chanddo arswyd tynghedfen las;
Trôi tanchwa a llif-pwll ni yn anwariaid, dro,
  Yn ymladd â phwerau catastroffig, cyntefig, cas.

Gwragedd dewrfud â llond dwrn o arian y gwaed,
  A bwcedaid o angau yn atgo tan ddiwedd oes,
Yn cario glo, torri coed-tân a dodi'r ardd
  Ac yn darllen yn amlach hanes dioddefaint Y Groes.

Gosodwn Ddydd Sul y Blodau ar eu beddau bwys
  O rosynnau silicotig a lili mor welw â'r nwy,
A chasglu rhwng y cerrig annhymig a rhwng yr anaeddfed gwrb
  Yr hen regfeydd a'r cableddau yn eu hangladdau hwy.

Diflannodd yr Wtopia oddi ar gopa Gellionnen,
  Y ddynoliaeth haniaethol, y byd diddosbarth a di-ffin;
Ac nid oes a erys heddiw ar waelod y cof
  Ond teulu a chymdogaeth, aberth a dioddefaint dyn.

112 *Y Dirwasgiad*

Nid egyr ystac ei hymbarél o fwg
  Fflam-ddolen uwch cwpan ein byd,
 Nid â rhugldrwst y crân a sgrech yr hwterau
 Rhyngom ac arafwch yr uchelderau;
  Y mae'r sêr wedi eu sgrwbio i gyd.

Ni ddisgyn mwrllwch ar y gerddi gerllaw
  Fel locustiaid Aifft newydd dyn,
 A mentra glaswelltyn a chwynnyn dyfu
 A daw sipsiwn o ddefaid yn anamlach i lyfu
  Bwcedi'r tuniau samwn a sardîn.

Ailwynnir yr ewyn ar afon a nant,
  A chliria'r ysgúm oddi ar y cerrig brith,
 Haws canfod y brithyll yn y dyfroedd olewllyd,
 A'r llyswennod yn llithro rhag y fitrel drewllyd
  I ymyl y lan i dorchi eu nyth.

Ni chlywir y bore larwm y traed
  Na chwerthin bolwyn y llygaid y prynhawn;
 Estron yw'r cil-dwrn yn y cypyrddau,
 A'r tai yn tocio'r bwyd ar y byrddau,
  A'r paent ar ddrws a ffenestr yn siabi iawn.

Surbwch yw'r segurdod ar gornel y stryd;
Gweithwyr yn trampio heb eu cysgod o le i le;
Daeth diwedd ar Eldorado'r trefi;
Tyllwyd y gymdogaeth; craciwyd y cartrefi,
Seiliau gwareiddiad a diwylliant y De.

113 *Rhydcymerau*

Plannwyd egin coed y trydydd rhyfel
Ar dir Esgeir-ceir a meysydd Tir-bach
Ger Rhydcymerau.

'Rwy'n cofio am fy mam-gu yn Esgeir-ceir
Yn eistedd wrth y tân ac yn pletio ei ffedog;
Croen ei hwyneb mor felynsych â llawysgrif Peniarth,
A'r Gymraeg ar ei gwefusau oedrannus yn Gymraeg Pantycelyn.
Darn o Gymru Biwritanaidd y ganrif ddiwethaf ydoedd hi.
'R oedd fy nhad-cu, er na welais ef erioed,
Yn 'gymeriad'; creadur bach, byw, dygn, herciog,
Ac yn hoff o'i beint;
Crwydryn o'r ddeunawfed ganrif ydoedd ef.
Codasant naw o blant,
Beirdd, blaenoriaid ac athrawon Ysgol Sul,
Arweinwyr yn eu cylchoedd bychain.

Fy Nwncwl Dafydd oedd yn ffermio Tir-bach,
Bardd gwlad a rhigymwr bro,
Ac yr oedd ei gân i'r ceiliog bach yn enwog yn y cylch:
'Y ceiliog bach yn crafu
Pen-hyn, pen-draw i'r ardd'.
Ato ef yr awn ar wyliau haf
I fugeilio defaid ac i lunio llinellau cynghanedd,
Englynion a phenillion wyth llinell ar y mesur wyth-saith.
Cododd yntau wyth o blant,
A'r mab hynaf yn weinidog gyda'r Methodistiaid Calfinaidd,
Ac yr oedd yntau yn barddoni.
'R oedd yn ein tylwyth ni nythaid o feirdd.

Ac erbyn hyn nid oes yno ond coed,
A'u gwreiddiau haerllug yn sugno'r hen bridd:
Coed lle y bu cymdogaeth,
Fforest lle bu ffermydd,
Bratiaith Saeson y De lle bu barddoni a diwinydda,
Cyfarth cadnoid lle bu cri plant ac ŵyn.
Ac yn y tywyllwch yn ei chanol hi
Y mae ffau'r Minotawros Seisnig;
Ac ar golfenni, fel ar groesau,
Ysgerbydau beirdd, blaenoriaid, gweinidogion ac athrawon Ysgol Sul
Yn gwynnu yn yr haul,
Ac yn cael eu golchi gan y glaw a'u sychu gan y gwynt.

114 *Morgannwg*

Yn y pentrefi peiriannol, proletaraidd,
  Lle'r oedd chwyrn y gantri a rhugldrwst y crân,
Lle'r oedd y gwaith cemi yn crafu'r gwddwg
  A gwrid ar yr wyneb o'r ffwrnais dân:
Yn y môr mechanyddol 'roedd teuluoedd dyn
  A'r Eglwysi fel ynysoedd glân.

Nid oedd y gweithiwr ond llythyren a rhif
  Yn rhyw fantolen anghyfrifol draw;
Ni osodai ei ddelw ar lif y metel;
  Marw oedd cynnyrch ei law:
Iechyd fin-nos oedd twlc mochyn a gardd
  A thrin morthwyl a chaib a rhaw.

Nid oedd yr un ysbryd yn troi eu holwynion,
  Nac acen Y Crist ar dafod y fflam,
Ac nid oedd pâr o Ddwylo tyllog
  Y tu ôl i'r dwylo yn llanw tram:
Canai personau mewn cyngerdd ac Ysgol Gân
  'All men, all things' a 'Worthy is the Lamb'.

Diffoddai'r hwter fflach yr hiwmor
  A tharo anffyddiaeth a Sosialaeth yn syn;
A dirwynai'r angladdau yn dawel dywyll
  Rhwng taranau'r gwaith dur a'r gwaith tún:
Codent o'u beddau ar rym yr emyn
  Heibio i'r staciau yn eu gynau gwyn.

W. BERLLANYDD OWEN (BERLLANYDD)
1899-1984

115 *Draenen*

Morwyn brydferth y perthi—a'i gwenwisg
  Fel gŵn ddydd priodi;
 Â'n filain os gafaeli
 A chwarae ffŵl â'i chorff hi.

W. D. WILLIAMS
1900-1985

116 *Wrth Fwrdd Bwyd*

O Dad, yn deulu dedwydd—y deuwn
  Â diolch o newydd,
 Cans o'th law y daw bob dydd
 Ein lluniaeth a'n llawenydd.

117 *Er Cof am Enid Wyn Jones*

Gaeafu er ein gofid—wnaeth yr haf,
  Aeth y rhin o'r gwyddfid;
 Mae geiriau gras? Mae gwawr gwrid?
 Mae rhinwedd? Marw yw Enid.

J. H. ROBERTS (MONALLT)
1900-

118

Yr Esgob William Morgan

Gerllaw'r llwybr tua'r Wybrnant,
Canu'i hawl wnâi tinc y nant;
Ufudd i'w greddf, eiddgar oedd
I'w hantur er croeswyntoedd;
Mwyaf llid creigiau didor,
Mwya'i hawch am fynd i'r môr.

Clywai'r tlotaf ei 'stafell
Her y gainc o lwydni'r gell;
Aur ni feddai, prin foddion
O dda yr hen ddaear hon;
A'r 'barchus, arswydus swydd'
Ni fu'n ysgafn i'w ysgwydd.

Wylai hwn heb gorlannu
Yr anynad ddafad ddu;
Hoffai weld yn lloc y Ffydd
Ei ddiadell yn ddedwydd;
A rhoi'n hael, drwy erwin wynt,
Ryfeddol borfa iddynt.

Rhai'n llwm ar anniwall hynt
Heb y wledd o'r Beibl iddynt—
Dihafal lên Dwyfol Air
Yn eu hiaith heb lyffethair;
Pa straen fel chwip estroniaith,
A'r mud yn grwm dan y graith?

Druaned y werinos
Dlawd yn niwl dileuad nos;
Âi drwy'i enaid ryw ynni
A'i hawliai'n llwyr, fel hoen lli;
Rhôi fin i'w benderfyniad
I lwyddo i oleuo'i wlad.

Erfyn ar ei Dduw dirfawr
Am hyder i'r fenter fawr;
Oedai gwlith yr Ysbryd Glân
Yn oergell William Morgan;
Unaï'n dân awen a dysg,
Ieuo gweddi ac addysg.

Yn nieithr fyd athrofâu,
Bodiai lên hen femrynau;
Treiddiai eu rhythmau trwyddo,
A di-ffael gafael ei go';
'Roedd parch i ymadrodd pur,
Gorau iaith i'r Ysgrythur.

Yr iaith Roeg a'i thoreth rhin
A'r oludog, wâr Ladin,
Hithau'r Hebraeg lathr ei bri
Ar ffawd y gwir broffwydi
Yn eu heniaith eu hunain,—
Cerddi'r Ffydd yn gelfydd gain.

Denai hwy i rwyd ein hiaith
Ni â graen ar gywreinwaith;
Hudo rhywiog gystrawen
I roi lliw a blas i'r llên;
O fewn i'w rhwysg llifai'n rhydd
Idiom wen ffrwd y mynydd.

Mêr y Gymraeg yma a roes
I wanwyno ei heinioes;
Rhoi i'r Gair ei ddisgleirwisg
Reiol a'i werinol wisg;
Rhannu â'r Cymro uniaith
Fanna'r Nef yn yr hen iaith.

Wele afon ei lafur,
Brig ei oes, a gwobr ei gur;

Ag angor sicr cawn forio
A mwynhau ei gwmni o
Ar liwgar li gorau lên,
Ar raeadr bur ei awen.

Yn ei llif ni chronna llaid,
Yn nŵr hon gwynnir enaid;
Rhyddid o'r rhwystrau didor
Ei mynd i ymchwydd y môr.
Mwy yw hon na chymwynas—
Mae'n fawl i rym nefol ras.

119 *Y Ddarlith Radio, 1962*

(Gan Saunders Lewis)

Megis pren crin, mae'n ddinerth,—a rhewodd
Ei chystrawen brydferth;
Dibwys i'n gwlad yw aberth,
Mae'r Gymraeg yma ar werth.

PROSSER RHYS
1901-1945

120 *Y Dewin*

(Mewn cyngerdd organydd tai pictiwrs yng Ngogledd Cymru, Gorffennaf 1939)

'R oedd y neuadd dan sec hyd y gornel bellaf
Er bod haul ar y Gogarth a chwch ar y lli,
Pan godwyd y Dewin disgleirwallt i'n golwg
Yn dwt wrth ei organ amryddawn ei chri.

Dotiasom ar rempiau a strempiau ei ddwylo—
A'r organ rhagddynt yn anadlu a byw;
Llef utgorn . . . chwiban . . . grŵn gwenyn . . . trwst trenau . . .
Fel y mynnai'r Dewin, a lamai i'n clyw.

Cawsom siwgr a wermod operâu'r Eidal,
  Urddas Tannhäuser, boléro Ravel,
Dybryd seiniau Harlem o'r lloriau dawnsio,
  Rymba o Rïo, a walsiau bach del.

Fel y dôi'r gyfeddach beroriaeth i'w therfyn,
  A'r Dewin yn siŵr o dymer yr awr—
Yn sydyn, yn nwydus, mae'n taro medlai
  O folawdau'r Sais i'w ryfelwyr mawr.

Clywsom dabwrdd Drake . . . dadwrdd Trafalgar,
  A bendithio teyrnwialen Brenhines y Don;
Cyffroes y dyrfa, ac ag unllais aruthr
  Mae'n uno â'r organ yn eirias ei bron.

(Draw ar y Cyfandir gwelid noethi dannedd;
  Cerddai tywyll ddarogan, a holi o hyd
A oedd Rhyddid ar alw ei Grwsadwyr eto?
  Ac ing a dinistr yn dychwel i'r byd?)

Ac yno, yn y neuadd, a'r organ a'r dyrfa
  Yn canu am yr uchaf—gwelais fab, gwelais dad
Yn ymdaith o Gymru yn lifrai'r arfogion,
  A'r lampau'n diffodd o wlad i wlad.

121 *Cymru*

Mi glywais awydd gynnau
  Am godi cefn o'm gwlad,
Sy'n ofni dwyn ei phynnau
  Ac yn difwyno'i stad;
Ysglyfaeth barod twyll fo groch
Sy'n gwario'i da am gibau'r moch.

A ffoi i ynys radlon
  Yng ngloywddwr Môr y De,
Lle llithiwyd pob afradlon
  Doreth o dan y ne,

Ac uno â'r ddawns mewn celli werdd
A phlwc gitâr yn cynnau cerdd.

Yno, ni cheid cymysgu
  Gwerthoedd mewn cyfrwys iaith,
Na'r lludded o ddad-ddysgu
  Dros gymhlethdodau'r daith;
Hysteria'r slogan fyddai 'mhell
A'r addo gwych ar ddyddiau gwell.

Ac felly gan anwylo
  Y seml dreftadaeth lawn,
Tariwn o gyrraedd dwylo
  Busnes a'i sinistr ddawn;
Ac ni phwrcasai un fawrhad
Yr estron drwy sarhau ei wlad.

Ond—glynu'n glòs yw 'nhynged
  Wrth Gymru, fel y mae,
A dewis, er ei blynged,
  Arddel ei gwarth a'i gwae.
Bydd Cymru byth, waeth beth fo'i rhawd,
Ym mêr fy esgyrn i, a'm cnawd.

A chyda'r cwmni bychan
  A'i câr drwy straen a stŵr,
Heb hitio yn nig na dychan
  Cnafaidd nac ynfyd ŵr,
Galwaf am fynnu o'n cenedl ni
Gymod â'i theg orffennol hi.

Ac os yw'r diwreiddiedig
  A'r uchelgeisiol griw
Yn dal mai dirmygedig
  Yw ple'r cymrodyr gwiw,
Deued a ddêl, rhaid imi mwy
Sefyll neu syrthio gyda hwy.

122

Y Newid

Mae'r tadau garw a'r teidiau,
  Ffyddloniaid teml a ffridd,—
Porthwyr pob angenrheidiau,
  Wrth Fethel dan y pridd;
Ond bellach nid oes gamp na lliw
I'w had yn eu gwareiddiad gwiw.

Mae'r criw cyfoedion diddan
  Yn feddal wŷr y dre;
Pallodd y ffraeth ymddiddan
  (Ac ni bu llenwi eu lle).
Er taro arnynt, ambell waith,
Nid ydym fel o'r blaen ychwaith.

Fe ddarfu am y coelion
  A'r hen arferion gynt—
Crefft y pentanau moelion,
  A chwedlau hwyl a hynt.
Ac o'u hwyrfrydig gilio hwy
Nid f'henfro i yw honno mwy.

Gyr anwar sy'n cyflymu
  Tranc ein cynefin fyd;
Daeth datod (wedi'r clymu)
  A hwnnw'n gnotiau i gyd.
Mae gwing ansicrwydd ar bob llaw,
Ac ni ŵyr neb pa beth a ddaw.

Pe deuai rhyw gyweithas
  Ddewin i oes mor ffôl,
Ac adfer holl gymdeithas
  Fy mebyd yn ei hôl,
Gwahanol fyddai popeth, gwn,
Wedi'r aflêr gyfamser hwn.

Ond er ysgytiau profion
  Cyfnewidioldeb dyn,
Angoraf yn f'atgofion—
  Nid oes ond hwy a lŷn;

Maent imi'n sefydlogrwydd siŵr
A diogelwch uwch y dŵr.

IORWERTH C. PEATE
1901-1982

123

Ronsyfál

Fynyddoedd llwyd, a gofiwch chwi
  helyntion pell y dyddiau gynt?
'Nid ydynt bell i ni, na'u bri
  yn ddim ond sawr ar frig y gwynt.
Ni ddaw o'n niwl un milwr tal,
o'r hen oes fud, i Ronsyfál.'

Gwelsoch fyddinoedd Siarlymaen,
  ai diddim hwythau oll achlân,
holl fawredd Ffrainc, syberwyd Sbaen,
  Rolant a'i wŷr, a'r Swleimân?
'Maent fudion mwy, a'u nerth yn wyw.
Yn Ronsyfál yr hyn sy fyw

yw'n mawredd ni,—y gwellt a'r grug,
  ac isel dincial clychau'r gyr,
a'r gostyngedig wŷr a blyg
  pan glywont gnul, brynhawnddydd byr.
Niwloedd a nos, y sêr a'r wawr,
yn Ronsyfál y rhain sy fawr.'

Lledodd y caddug tros y cwm
  (o! glodfawr wŷr, mor fyr yw clod),
clyw-wn y da'n anadlu'n drwm
  (o! fywyd, bychan yw dy rod);
ac aros nes i'r gwyll fy nal,
a'r nos a fu, yn Ronsyfál.

124

Nant yr Eira

Mae tylluanod heno yn Nôl-y-garreg-wen,
mae'r glaswellt tros y buarth a'r muriau'n llwyd gan gen,
a thros ei gardd plu'r gweunydd a daenodd yno'u llen.

Tros fawnog lom Cwmderwen, mae'r plu yn amdo gwyn,
a'r ddwy das fel dau lygad nad ydynt mwy ynghyn,
a'r sêr yn llu canhwyllau draw ar allorau'r bryn.

Benwynion gwan y gweunydd, beth yw'r hudoliaeth flin
a droes yn sgrwd bob atgof a'r rhostir hen yn sgrin?
'Dim, namyn gormes Amser a dry bob gwiw yn grin.'

Ni ddychwel yr hen leisiau yn ôl i Fiwla trwy
flin drais y ddwylath gweryd; bu'n ormod iddynt hwy.
Bydd dawel, galon ysig, a phaid â'u disgwyl mwy.

Y mwynder hen a geraist, ffoes ar annychwel hynt,
diflannodd gyda'r hafau bereidd-dra'r amser gynt.
Nid erys dim ond cryndod plu'r gweunydd yn y gwynt.

125

Diodlestr o Oes y Pres

O gwpan pridd ger maen dy gist,
pa dristwch a'th roes danodd?
Pa ddagrau a fu uwch gwely cul,
pa gnul, pa gloch a ganodd?

A ddygit fedd neu'r neithdar meddf
i leddfu ing y pangau,
neu win i'r teithiwr ar ei hynt
tu hwnt i gerrynt angau?

Fe ffoes y teithiwr tua phaith
gweundiroedd maith marwolaeth:
Amser ni phaid â'i sang ar dir
nac Angau ei hir ddidolaeth.

Nid yfodd ef o'th felys win:
chwerwach ei flin gwmpeini.
Gyda thi mwyach nid oes dim
ond diddim lwch a meini.

126

Awyrblandy Sain Tathan

Duw yn ei ryfedd ras a luniodd ardd
rhwng môr a mynydd lle mae'r llwybrau'n tywys
y werin flin i'r dolydd ir lle tardd
dyfroedd Bethesda a heddwch Eglwys Brywys.
Ynddi fe ddodes amal bentref llawen
yn em disgleirwyn yn y glesni mwyn—
Llan-faes, Y Fflemin Melyn, Aberddawen—
a chêl oludoedd gweirglodd, lôn a thwyn.
Bellach fe'i chwalwyd oll: a nwyd dymchwelyd
anhapus ddyn a gais yr hyn ni allo
yn troi'r hamddenol ffyrdd yn sarnau celyd
na chyrchant hedd Llan-dwf na hud Llangrallo.
  A'r syber fro o'r Barri i Borth-y-cawl
  yn gignoeth dan beiriannau rhwth y Diawl.

127

Men Ychen

'Dau ych yw Silc a Sowin,
un coch a'r llall yn felyn . . .'

Rhwng cloddiau pêr diwedydd bro Ewenni
'drwy oglais yr ymdreiglut' tua'r clôs
yn heddwch huawdl byd yr ych a'r menni
a sain tribannau'n fyrdon crwth y nos.
Araf y llusgai Sowin drwstan garnau,
isel y llaesai Silc lafoeriog safn,
dyfal fu'r cywain hir tros eirwon sarnau
cyn diosg iau am groeso llith a chafn.
Ni welaist ti mo'r uffern sy'n lluesta
heddiw ar grindir maith dy ddolydd gynt:
digon i'th werin awel o Fethesda
heb weld y diawl ar wegil chwyrn y gwynt.
  'R wyt yma'n fud, heb lyw, heb lwyth, heb lach
  un gyrrwr hoyw i beri'r hen wich wach.

MATHONWY HUGHES
1901-

128

Corlannau
(Detholiad)

Yma ganwaith y bu ymgynnull
cewri gewynnog tan y cerrig hyn,
Meca'r bugeiliaid a'r myllt.

Erys hiraeth
ac wylo am yr hen fugeiliaid
a yrrai eu cŵn hyd y graig hon,
i gyrchu diadell a'i gwarchod wedyn.

A hi'n dywyll gwrandawem
ar y cneifwyr a'u cŵn ufudd,
prydlon gymdogion cyn dydd,
yn cychwyn, a'r wawr yn cochi,
o lwm anheddau, i hel y mynydd.

Diwrnod hir fyddai diwrnod hel.

Y codwyr bore, er cydio o'r barrug,
a droediai'r cwm â dewr hyder i'w camu.

Y gwŷr a glywem o'r uchel greigleoedd
yn galw ar ei gilydd,
ac yn gyrru eu cŵn, gan greu cynnwrf,
ar y cyd wrth gribo'r cwm
uchod o bob dafad lechu.

O dalgrib clywid helgri
ac annos, a'r praidd yn ymgynnull.

O'u dyfal gymell y diadelloedd
o'r ucheldiroedd, ar chwâl, a dyrrai
yn yrroedd ar i waered
yma i'n lloc ym min y llyn.

Egwyl, a'r praidd yn mygu'n
wlanog lonydd
ar ôl y carlam; ac ambell famog
yn rhythu'r ast ac yn curo'i throed.

Ci'n cyfarth ac yn cynnig gafael,
a Phyrs yn ei fygwth â'i ffon.

Rhyw oen yn neidio'r wal
yn giwt, ac yn cymryd y goes,
a Nel yn ei gorlannu eilwaith.

Ac wele'r hen fugeiliaid,
y cneifwyr, fan acw'n eu hafiaith
ar ryw lain o ddaear las
yn awchu'r ornest, ac yn dechrau arni.

Clip, clip gwelleifiau'n clepian
a galw dioedi a glywid wedyn.

Diaros eu galw ar draws ei gilydd:
'Llwdwn' . . . a'n lloriau'n lleidio
gan drigil yr egwan draed.

Y cludwyr dyfal yn cludo'r defaid
anhylaw i dawelu
llefau mynych y gwelleifiau miniog.

Guto'r Gwter â'i chwys yn diferu,
llwm ei allu, ond yn llamu o ewyllys.
Bustachai, mygai wrth gludo'r mamogiaid
a'r myheryn mawr amharod.

A'r 'Hen Geiliog' yn chwyrnu a galw:
'Cydia'n ei gorn o'r Cadi,
Cydia'r ffŵl, neu cadw o'r ffordd.'

Byr ei amynedd (â'i boeri mynych),
oedd yr hen Byrs, ac yn ddraen i bawb.
Gwelai'r hen gnaf yn ei glaerwyn gneifiau
glydwch y gŵr goludog.

Ond am yr hen Amos,
gwledd oedd gwylio hwn:

Twnelai'n giwt wlân y gwddf,
a gyrru deulafn, heb agor dolur,
â rhyw hyder i'w sain, ar hyd yr asennau,
ac i lawr y glun.

Cneifiai'n sionc gynefin
heb eillio tafell i'r byw lle tyfai
afrywiog flew y bol ar ei freuaf.

Hen gneifiwr a'i gnu hefyd,
wedi'i gamp, fel cwrlid gwyn.

Rhigymwr gwamal
ydoedd Morus, 'Prydydd y Marian'.

Herian y byddai Morus,
herian yn ddidrugaredd:

'Dan bach y cigydd gora'
Sy'n torri'r cnawd yn dalpia';
Mae wrthi'n ddyfal fel hen ddyn,
Fe gneifiodd 'un' er bora'.

Dan bach a'i ddafad dena',
Mae sôn am ei hasenna',
Chodith honna byth mo'i hoen
A'r croen fel 'hanner c'ronna'.'

A'r 'Hen Bant' yn cyfrannu'i bill
yn finiocach o'r fan acw:

'Tyrd hefo'r tar 'na Rhisiart,
Mae'n rhaid i hwn ga'l trichwart;
A dyro help bach iddo fo
I lapio gwlân 'ei lewpart'.'

A'r 'Hen Sant' graenus ei waith,
gwarrog, annwyl, wrth y garreg yna,
yr hen ŵr mwyn a oedd yn rhan o'r mynydd;

Gwyn ei wallt ac egwan oedd,
a rhyfyg yn ei frifo,
O! fynyddig fonheddwr;
cneifiai'n ddi-stŵr yn y mwstwr mawr
a'i wên yn goleuo'i wyneb.

129 *Y Cenedl-Laddwr*

Â naid annisgwyl â'r coed yn ysgwyd
y daw fel gwylliad i foel a gelli
i rychu glynnoedd, amharchu glannau.

Fel Cawr i ryfel y cyrch
gwm anhygyrch, gan rwygo mawnogydd
ac aelwydydd Cymry gwledig.

Chwâl yn ddiddychwelyd
gartrefi hoff. Wrth agor trwy faen,
aelwydydd o'i flaen fel ôd a ddiflanna.

O gwm i gwm y rhwyg ef
hygar lennyrch i greu ei lynnoedd.
Diraddia ardaloedd, diwreiddia'r deiliaid
o'u tir iach lle buont erioed;
lle bu'r da gymod a'r llwybro hyd gomin,
haul a drycin, i Fethel draw acw.

Dilea hen deuluoedd
y ffriddoedd a phereiddiaith
cwm uniaith lle bu cymuno
a mawr groeso Cymry gwresog.

Hyder oesoedd a dreisir;
cur a glywir uwch creigleoedd.

Y Bwystfil bostfawr
a hawlia ran hil a roes
ei llafur einioes ar dir llafrwynog.

Hyd flaenau'r cymoedd, lle diflanna'r comin,
mae ei fforest bîn. Ymffrostia beunydd
yn ei fforestydd a'i ffau ar astell
aruchel, unig, goruwch ei lynnoedd,
ei ddifyr sedd i fwrw Sul.

Dros ffridd lwyd rhoes ffordd lydan
I hudo'r estron i dir ei ystryw,
llwybr i'w foch lle bu'r fuches,
llwybr i ddiawl lle bu'r addoli.

130

Jac Dafis

Hen ŵr o bladurwr da
Ydoedd hwn, a'r diddana';
Hen ŵr oedd brin ei eiriau,
Dyn a wnâi gymaint â dau.

Ar haf ffyrnicaf ei wres
Diddannod oedd ei hanes;
Heb ei annog dôi beunydd
At ei waith ar lasiad dydd:
Codai'r glew cyn codi o'r gwlith,
Cyn erlid y cynnarwlith,
I waedu'r waun gyda'r wawr,
Torrai, cyn brecwast, deirawr.

Ei freichnoeth rym a'i frychni
A'i fyw air a gofiaf i
Ar egwyl fer o hogi.

Y gwlith ar ddiferog lafn
A gwawr lelog ar loywlafn . . .

Y gŵr â'r wyneb gerwin,
Gŵr oedd nas gorchfygai'r hin.

Dan awyr dân hwyr y dydd,
Odid nad âi ddiwedydd
Yn warrog, a hi'n oeri,
Fel arth i'r afael â hi.

Ar weundir carwn wrando
Hyder awch ei bladur o,
Ellyn o lafn yn eillio
Y gweiryn byr garwa'n bod
A cherfio'n goch ei arfod
Waneifiau cynaeafol,
A'r waun fel bwrdd ar ei ôl.

Yr hen bladurwr uniaith,
Hyd wyll ni adawai'i waith.

JAMES KITCHENER DAVIES
1902-1952

131

Sŵn y Gwynt sy'n Chwythu

(Detholiad)

Heddiw
Daeth awel fain fel nodwydd syring,
Oer, fel ether-meth ar groen,
i chwibanu am y berth â mi.
Am eiliad, fe deimlais grepach yn f'ego,
fel crepach llwydrew ar fysedd plentyn
wrth ddringo sticlau'r Dildre a'r Derlwyn i'r ysgol;

dim ond am eiliad, ac yna ailgerddodd y gwaed,
gan wneud dolur llosg fel ar ôl crepach ar fysedd,
neu ether-meth ar groen wedi'r ias gynta'.
'Ddaeth hi ddim drwy'r berth
er imi gael adnabod ei sŵn sy'n chwythu,
a theimlo ar f'wyneb
lygredd anadl mynwentydd.
Ond y mae'r berth yn dew yn y bôn, ac yn uchel,
a'i chysgod yn saff na ddaw drwyddi ddim,
—dim byd namyn sŵn y gwynt sy'n chwythu.

Hy!
Ti sy wedi bostio erioed
nad oes arnat ti ddim ofn marw,
Ond dy fod ti yn ofni gorfod diodde' poen.
'Chest ti ddim erioed gyfle
i ofni na marw na diodde' poen,
—ddim erioed, gan gysgod y berth sy amdanat.
Do, do 'rwyt ti, fel pawb yn d'oedran di,
wedi gweld pobl mewn poen,
a gweld pobl yn marw—pobl eraill—
heb i'r gwynt sy'n chwythu dy gyrraedd di'n is nag wyneb y croen,
heb i ddim byd o gwbl ddigwydd y tu mewn i'r peth wyt ti.
I ti, peth iddyn' nhw, y lleill,
Yw diodde' poen a marwolaeth,
Yw pob bwlch argyhoeddiad, yn wir,
yn gywir fel actio mewn drama.
'Wyt ti'n cofio dod 'nôl yn nhrap Tre-wern
o angladd mam? Ti'n cael bod ar y set flaen gydag Ifan
a phawb yn tosturio wrthyt,—yn arwr bach, balch.
Nid pawb sy'n cael cyfle i golli'i fam yn chwech oed,
a chael dysgu actio mor gynnar.
Neu a wyt ti'n dy gofio di'n bymtheg oed
yng nghwrdd gweddi gwylnos Rhys Defi?
'Roedd llifogydd dy ddagrau di'n boddi hiraeth pawb arall,—
('ar dorri 'i galon fach' medden' nhw, 'druan bach')—
a llais dy wylofain di fel cloch dynnu sylw;

Dim ond am fod hunandod hiraeth pobol eraill
yn bygwth dy orchuddio di, a'th gadw di y tu allan i'r digwydd.
'Roet ti'n actor wrth dy grefft, 'does dim dwywaith,
ac yn gwybod pob tric yn y trâd erbyn hynny.
  O ydy, mae hi'n ddigon gwir, wrth gwrs,
na wnest ti fyth wedyn golli dagrau wrth un gwely cystudd
nac wylo un defnyn ar lan bedd neb
o gywilydd at dy actio 'ham',
a gormodiaith dy felodrama di dy hun, y tro hwnnw.
Onid amgenach crefft gweflau crynedig
a gewynnau tynion yr ên a'r foch,
llygaid Stoig, a gwar wedi crymu—
mor gyrhaeddgar eu heffaith ar dy dorf-theatr di?
'O, 'roedd e'n teimlo, druan ag ef, 'roedd e'n teimlo,
'roedd digon hawdd gweld, ond mor ddewr, mor ddewr.'

Arwr trasiedi ac nid melodrama mwy—uchafbwynt y grefft,
a thithau heb deimlo dim byd
ond mwynhau dy actio crand, a chanmoliaeth ddisgybledig
y dorf o glai meddal dan dy ddwylo crochenaidd.
Na, 'ddaeth dim awelig i gwafrio dail dy ganghennau di,
chwaethach corwynt i gracio dy foncyff
neu i'th godi o'th bridd wrth dy wraidd.
'Ddigwyddodd dim byd iti erioed
mwy nag iti glywed sŵn y gwynt sy'n chwythu
y tu hwnt i ddiogelwch y berth sydd amdanat.

R. BRYN WILLIAMS
1902-1981

132

Patagonia
(Detholiad)

Mawrwynt y storm a yrrir,—ergydio
  Ar goedydd a blygir;
 Y glaw yn drwm a glywir,
 Yn eilio cŵyn Nahuelquîr.

Hen Indiad godre'r Andes,—a gofiaf
 Yn gyfaill dirodres;
Â'i waed yn oer, daw yn nes,
Unig, hen, at dân cynnes.

Heb barch y gwelir perchen—diball dir
 Hyd bellterau'r wybren:
Tlawd ŵr ger y toldo hen
Yw'r Llywydd, heb air llawen.

'Cyn gyrru tranc i'n goror,—rhoed inni
 Hir adenydd Condor:
Byw'n rhydd o fynydd i fôr.

'Ein dydd mewn gwersyll diddos—yn heulog,
 Neu'n hela'r Wanacos:
A chael nef eilchwyl y nos.

'Ond, ebrwydd, gelyn dybryd—â'i ystryw
 A ddinistriai'n gwynfyd:
Llawn o boen, tywyll ein byd.

'Rhoi Beibl a llygru'r bobloedd,—a'i foethau
 Yn difetha'r miloedd:
Rhoi inni'r wawr? Anwir oedd.

'Deuai gofid o'i gyfoeth,—ni ddôi'r hedd
 O'i wareiddiad annoeth:
Rhyddid bedd a'r ddiod boeth.

'Arfau tân y Cristianos—yn llethu
 Fy llwythau heb achos,
A'n troi'n haid eto i'r nos.

'Creuloned ein corlannau—a'n dofi
 Fel defaid diallu:
Rhannu'r wlad i'r anwar lu.

'Yng ngharchar Cwm Rosario,—er eu gwaedd
  Mae'r gweddill yn tario:
 Ein gyrru â brad i gwr bro.

'Byw yn ddof beunydd hefyd,—a thaeog
  Mewn caethiwed enbyd:
 Diwedd gwag i'n dyddiau i gyd.

'Iaith ein duw, tithau'n dewin,—iaith galar
  A theg ŵyl a chwerthin:
 Gwyw yw'r iaith ar wefus grin.

'Sain utgyrn mwy sy'n atgo,—ni'n galwant
  I'n gŵyl Camarwco:
 Darfu'r hwyl a mud yw'r fro.

'Hen hiraeth a fyn aros—am y sêr
  Ac am salm yr eos:
 Swyn gitâr ein hanwar nos'.

O'i weld yn troi i'w doldo,—yn ei gur,
  A'i gorff yn dadfeilio,
 O dristwch wylaf drosto,
 Olaf un o'r hil efô.

Yn ei drem wrth droi ymaith—oeda ofn
  A'r dyfnaf anobaith:
 Gwybod na ddychwel gobaith
 Yw poen Pendefig y Paith.

133 *Capel Gwauncwmbrwynog*

Cenawon amser wedi cyfarth dy braidd
o gilfachau'r mynydd
a'th adael yn gorlan rwyllog
ar y llethrau anghyfannedd.

Gwae ddyfod dydd dy ddiweddu
yng Ngwauncwmbrwynog,
a dyfod o'r gwynt i gwyno'i alargan
i'r cymun a fu.

Diffoddwyd pabwyr y lanternau
ar y llwybrau pererin
sydd ar goll yn y brwyn,
ac nid erys ond lluwch y sêr dihidio
tu hwnt i niwl yr Wyddfa foel.

Ni ddaw heno ond wylo bach
afon Swch
i gyfarch dy ffenestri
a wybu unwaith arllwys y mawl
i gwpan y Cwm;
ac ni bydd wrth dy allor
ond arogldarth y grug,
a chwerthin awel ifanc
lle bu'r gweddïo plaen.

Yntau'r gwynt yn maleisus ddarogan
dy dynged o'i bulpud ysgithrog,
gan watwar utgyrn
dy bregethau mawr.

Eithr erys hyd awr fy niweddu
atgofus dangnefedd dy gwmnïaeth,
ac ni thau y lleisiau
a lŷn wrth dy furiau briw.

134 *Gwarineb*

Geni, cenhedlu a marw, dyna'r drefn
  A roed i fywyd gan greawdwr doeth;
Tyfu o'r pridd i syrthio'n ôl drachefn,
  Dychwel ar siwrnai fer i'r cychwyn noeth:

Ninnau'n ymboeni'n ofer ar y daith
  I grafu cyfoeth a chrafangu clod,
Heb gofio fyrred yw ein diwrnod gwaith
  Ac nad oes sicrwydd ond yn nhrefn y rhod.
Mynnaf gan hynny sugno fy mwynhad
  O leisiau'r cread ac o liwiau'r byd,
Heb ofer chwennych rhyw amgenach stad
  Na gwyllt ymlafnio am y rhithiau mud;
Profi o serch a chwmni'r sawl a'm câr
Rhwng geni a marw. Hyn yw'r bywyd gwâr.

T. ROWLAND HUGHES
1903-1949

135

Y Grib Coch

Gwaedda–
ni chynhyrfi braidd y llethrau hyn,
rhaeadr y defaid maen,
y panig di-frys, di-fref,
y rhuthr pendramwnwgl, stond:
a fugeiliodd mynyddoedd iâ,
a wlanodd rhew ac eira a niwl,
a gneifiodd corwynt a storm
yng nglas y byd–
ni ddychryni'r rhain.

Gwaedda–tafl dy raff
(oni chipia'r gwynt dy edau o lais)
fil o droedfeddi crog
am gyrn y tarw-wyll sy â'i aruthr dwlc
rhyngot a'r dydd.

Gwaedda–
Ni thâl geiriau yma:
onid doe y ganwyd hwy,
y baban-glebrwyd hwy
mewn ogof fan draw?

J. M. EDWARDS
1903-1978

136

Peiriannau
(Detholiad)

Wele, daeth eu hawr hwythau,
Codasant lef gytûn megis rhu taran,
Ac ataf y cyrhaeddodd ei hymchwydd fry
Dros geinder daear.
Holl nwydau dyn oedd iddi—
Balchder, newyn, dig:

'Nyni yw'r peiriannau.
Chwithau, ddynion, a'n cenhedlodd
  o gyfrin groth eich ymennydd,
Gwybyddwch na ddihengwch rhagom,
  nad oes ffoi o'n crafangau ni;
Eich awydd balch a'n ffasiynodd
  i foldio, torri, morthwylio,
Ein hiliogi i ddigoni eich trachwant
  a bod byth yn gaethweision i chwi.

'Rhwygasoch hen gyrff y mynyddoedd,
  prociasoch le tân yr heuliau
Amdanom, rhoisoch ddawns i'r atomau
  lle gorweddem yn ddirym a mud.
Heddiw mae rhythm ein dyrnodio
  yn eco dros feysydd a dinas;
Nyni ydyw'r meistri bellach,
  ystyriwch eich taliad drud.

'Dowch atom, nesewch at ein gorseddau concrit
Lle'r awdurdodwn eich einioes.
Yma cewch glywed nerth ein rhu a chrynu,
Rhu newynog, orfoleddus,
Gwaedd fygythiol, erch.

'Clywch glepian ein morthwylion ar y platiau dur,
Cloncian y gyrdd trymion ar y blociau,
Anthem ein stacato brathog,
Hisian ein crwnan cras,
Chwyrnu'r moduron trydan,
Wedyn, hymian y dynamo,
Rhwnc a tharan corfan y cwbl,
Y dadwrdd a'r pwnio a chwim droi'r beltiau,
Chwyrnell y piston a phoeryn
Yr haearn cyrliog yn naddion oraens a glas
O'n hymysgaroedd llosg.

'Nyni yw'r peiriannau . . . Nyni!

'Malu! . . . malurio! . . . malurio! . . . malu!
Drwy'r hir nos
Mae olwyn ar olwyn rythmig, trosol ar drosol.
Dallwn eich dinasoedd a siglwn bileri'r cread,
Â'n mellt rhwygwn y nos yn ddwy;
Cronnwn eich afonydd canys nid oes a wneloch hebom.
Pan gwynwn, chwydwn y gwreichion ysgarlad i'ch llygaid.
Seiniwn drwy'r nefoedd ein cerddi dur.

'Gwyliwch na ddelo'r dydd tyngedfennol
Y cipiwn eich holl nerth,
Y meddiannwn eich cyhyrau dirym
O hir atal eu hymarfer hwy
A diflannu o'r hil!
Nyni yw'r peiriannau.

'Mynnwn ein hymborth, rhaid ein digoni,
Ystyriwch, chwi weiniaid, wirioniaid,
Ymbesgwn ar eich cyrff a'ch gwaed, ar fêr iraidd
Esgyrn eich meibion, eich plant a'ch gwragedd.
Deuant yn heigiau ufudd
Gan ymdaflu megis tonnau ar graig a morglawdd;
Hwy a ddeuant heb drai, ciliant
Drachefn yn ysig a briw.

'Ond eich gwŷr ieuainc a garwn yn orau,
Hwynt-hwy, rai cryfion, dewr.
Oni ddaeth i'w bryd unwaith y medrant
Arglwyddiaethu arnom? Hyrddiant eu hunain danom,
Tynnant ni, gwthiant ni,
Ond ni fedrant chwarae plant â ni.

'Rhwng ein dannedd a'n pawennau yr ymnyddant,
Gorachod brysiog, gwallgof, cellweirus
Rhwng gwefusau'r cogiau a'r gêr.
Ir oeddynt gan nodd eu hieuenctid hardd
Ond nyni a ddihysbyddwn bob nerth,—
Nyni yw'r peiriannau . . . Nyni.
Felly yn eu balchder y rhwygwn hwy,
Gweithiwn yn gyson, siŵr,
Ac â'n beunyddiol ffust darniwn y clymedig yn araf.

'Heb enaid, heb ymennydd, heb nerf
A heb drugaredd . . . gan gnoi'r metel
Cnoi hefyd fel tynged hyd graidd lwynau'r ddynolryw,
A sathru'r gerddi yn y galon
Gan ymlid y blodau o'n diwydiannol stad.
Nyni yw'r peiriannau . . . Nyni!

'Chwarddwn pan lewygo'r genethod bach twt
Yn eu heiddilwch, meginwn i'w hysgyfaint
Hadau'r farwolaeth ddu.
Rhythant arnom â'u llygaid mawrion, syn.
Awyddwn hefyd am fronnau'r gwragedd,
Y twymfronnau gwynion, llawn;
Sugnwn eu pereidd-dra gan grechwenu'n haearnaidd
Pan ddêl atom gri egwan eu hepil di-faeth,
A chlywed y llefain pell yng ngwingo eisiau eu rhai bach.
Na, ni thâl hi ddim iddynt,
Beth yw esgyrn a gwaed a giau
Wrth dragywydd gadernid ein hystlysau?
Ebyrth a besga'r Llo Aur ar bedestal ei fri,
Duw ein gweddïau dur.

'Deuant . . . arhosant . . . ânt . . .
Gyda'r blynyddoedd y ciliant,
Ysbwriel traethau drycinog y stryd,
I'r tloty, i'r bedd.
Ymollynga'r traed, llaesa'r ysgwyddau, ysigir
Y gwarsyth fel y gorsen,
Syrth tŵr cadernid y cnawd,
I'r pydredd llaith rhoir cerfwaith ei farmor cain.
Ond nid oes terfyn i'n rhuo a'n rhygnu,
Nyni yw'r peiriannau.
'Cyn hir daw awr eich barn arnoch,
Yna ni a esgynnwn hyd ein tywyll ffyrdd
Uwchben yn wybren y nos.

Lledwn yn rhydd lwythog adenydd ein dinistr
A'ch deifio â thân yr angau sydyn;
Llef eich wylofain a leinw'r tywyllwch
Hyd oni ffowch rhag cawodydd y brwmstan
Am nawdd eich tyllau pridd,
Teimlau eich gwareiddiad newydd.
O! ynfydion, pa lesâd a fydd i chwi
Os ufudd yr arddwn eich meysydd yn llygad haul
A ffresni eu cwysi coch yn gwahodd had y bywyd,
Ac yna, ddyfod ein cymheiriaid gyda'r sêr
I fedi eich cyrff yn ein cynhaeaf mawr
A chwilfriwio eich anheddau llosg yn olosg ulw?

'Tithau, ordeiniwn di'n lladmerydd,
Proffwyd ein cadarn frenhiniaeth.
Dos atynt, a dywed wrthynt hwy
Mai nyni yw penaethiaid y ddaear,
Nyni yw rheolwyr eu tynged
A thynged y byd oni newidiont eu ffyrdd.

'Dewiswn di'n llais drosom, tydi
A ymglywaist goruwch meibion â churiad ein calon,
A synhwyraist ryferthwy ein dyfod dychrynllyd.

Dos di, a dysg y marwolion
Mai eiddom ni'n unig yw'r prydferthwch gwir,
Duwdod y newydd oes a phob llachar ogoniant.

'Nyni . . . Nyni yw'r peiriannau.'

137 *Nadolig Ewrop: 1945*

Tywyllach yw'r nos na nos y bugeiliaid hen
Ac oerach, os rhywbeth, yw'r gwynt;
Ond diau, fy mwyn gyfeillion, y cerddwch eleni
Tua Bethlehem eto fel cynt.
Eithr nid mor gysurus y daith, canys rhyngoch a'r preseb
Ymestyn briw llawer bro,
A thrueiniaid bach unig Nadolig diaelwyd
Heb hosan a thegan a tho.

Distawach yw'r gerdd na cherdd yr angylion hen
Ar serth orielau'r sêr;
Nid hawdd yw ailennyn y cywair a fu gynt
Yn parablu'r tangnefedd pêr.
Diglychau eleni fydd llawer tŵr
Er pan fu'r gwaed ar ymylon Ffrainc;
Hyd fil o adfeilion carneddog, di-ddrws
Ni ddaw'n ôl na charol na chainc.

Pellach yw'r ffordd na thrymffordd y doethion hen
At le'r geni dros gyfandir o fedd;
A chofio'n flin lawer gwerin sy'n gorwedd
Lle mae'r meinwynt glas yn gledd.
Tywyllwyd y seren oesol gan fwg cyflafan,
Mae'r dwyrain draw yn drist;
Ni fydd trysor ar henllawr y preseb gwael
Os yw'r doethion heb weld y Crist.

Llymach yw'r newydd deyrn na Herod hen,
Byr yw ei barch i'r byw;
Myn iddo'n deyrnas randir yr ewyllys da,—
Y Brenin Newyn yw.

Trwy Lydaw, trwy Roeg a thros lannau Rhein,
Hon yw'r ffordd at y Mab sydd i'ch dwyn;
Nid yw mor gyfarwydd na chysurus ychwaith;
O! na . . . fy nghyfeillion mwyn.

138 *Y Llanw*

Doe ysgubai'r noethwynt
Dros farian llwyd y byd,—
Gaeaf a'i drai dan droed.
'D oedd dim ond chwerwgri adar y storm
Dros draethell gwlad,
Drwy'r gwymon-goed.

Ond heddiw ymdonna
Penllanw pêr hoywder yr haf
Yn fôr gwyrdd drwy ei frigau ir,
A'r awel yn selog ei sain.
Byrlyma'r glesni a thyr uwch fy mhen
Yn drochion drain.

139 *Y Gweddill*

Hwynt-hwy ydyw'r gweddill dewr a'i câr yn ei thlodi,
Ac a saif iddi'n blaid yn ei dyddiau blin;
Allan yn y cymoedd a'r mynyddoedd amyneddgar
Hwy a wynebant yr estronwynt a phob hin.

A hwy ydyw'r gweddill da a wêl trwy ei charpiau
Aflonydd yn y gwynt du hwnnw a'i raib
Degwch blodeuog ei dydd cyn difwynder cur craith;
Y rhai yn y dyddiau diwethaf a blediodd eu henaid drosti
Â thân yn eu her, a'i hen hiraeth hi yn eu hiaith.

Hwy hefyd yw'r gweddill dwys a'i clyw yn griddfan
Gyda'i chwiorydd dirmygedig allan yn y cefn;
Llef pendefigaidd un a'i hysbryd heb ei lwyr lethu
A glywant, ond gloywa'i gobeithion gwan ei llygaid
Wrth ei hymgeleddu i'w hail hoen drachefn.

A chyn bydd i'r rhain mwyach yn eu hyder cyndyn
Ddileu oddi ar lech y fron eu cyfamod â hi,
A chyn gweld syrthio o seren olaf ei choron
A diffodd yn y llaid wrth yr eithaf ffos,
Bydd rhagfuriau eu serch yn gandryll hyd lawr
Gwlad Fyrddin a Morgan,
Y Rhondda a'r Rhos.

140 *Y Ceyrydd*

Y mae tair caer yn cylchu
Tŵr ein diwylliant ni;
Lleidr yw y llanw ag y mynnwn rhagddo
Eu cynnal hwy gyda chwi.
Os dwfn yw eu seiliau yn y glynnoedd
Ac ym mêr y mynyddoedd mawr,
Aeth byw yn wyliadwriaeth bob awr
Wrth ddorau ail gantref y lli.

Os â gwyrthiau gwae y myn dyn
Barhau yn ei raib ar ei hynt,
Hyd ddydd medi ei gynhaeaf hyll
Ar aceri'r gwynt;
Prysurwn ninnau yn ein tir
Â dwylo heb staen brad,
I achub tref hendaid a thad,
Y gwyrda gynt.

Caer fewnol fy nheulu,
Lle rhodiaf i'w gwarchae bob dydd
A godais, a osodais ar y sail
Rhag y saethau sydd;
A thra pery o fewn ei rhagfur
Loywarf yr heniaith yn lân,
Ni ddichon na dŵr na thân
Ysu caer ffiniol fy ffydd.

Fy mro Gymreig sydd hithau
Yn gaer am ei phethau gwiw,
Lle mae'r gymdeithas yn parhau
Yn batrymau triw;
Eithr nid oes hedd mewn cilfachau heddiw,
Mae brwydr ar bob bryn,
A gwylio drws yn y glyn
Os am yfory i fyw.

Arfogwn yn genedl i gyd,
Ac ymwrolwn ar y mur;
Mae croes hon ar flaen ein crwsâd
Er yn gaeth gan ei hen gur.
Banerwn bob un erw ohoni,
Ac ar bob trum boed draig;
Yna, bydd yma gaer o graig
Yn drech na'r un dur.

ROGER JONES
1903-1982

141

Nyth

Ni fu saer na'i fesuriad—yn rhoi graen
Ar ei grefft a'i drwsiad,
Dim ond adar mewn cariad
Yn gwneud tŷ, heb ganiatâd.

142

Gwaith Duw

O'i ewyllys gwna'i hollwaith,—y Nef wen
A'i fyd yn gyfanwaith;
Nid yw Duw yn gwneud ei waith
Heb ei orffen yn berffaith.

143

Y Mae Balm i Boen

Yng nghanol byd y dolur,—yr angen
A'r ingoedd didostur,
Y mae i'w gael falm i gur
A Cheidwad i bechadur.

144

Ffarwél y Gog

I degwch ein cymdogaeth—dau nodyn
Ydoedd ei cherddoriaeth,
Ond yn ei hôl mynd a wnaeth
Aderyn codi hiraeth.

145

Gwynt

Gwae y fedwen pan gyfodo,—gwae'r môr,
Mae grym aruthr ynddo;
Y cawr yw, ond mae'n crio
Yn null clown yn nhwll y clo.

146

Brodyr

Diwahaniaeth yw dynion—ymhob oes,
Mae i bawb helbulon;
Yng nghanol ein hanghenion
Un yw y byd yn y bôn.

147

Drain Duon

Trwm yw gwae storm y gaeaf,
Dwys gur lle bu rhwysg yr haf,
Ni ddaw y gân o ddu goed
Nac ariangerdd o gringoed;
Hen aethant fel hwyl neithiwr,
Gweinion ŷnt fel gwên hen ŵr;
Gwanwyd gan ddirmyg Ionawr
A'i drem oer, yr irder mawr;

Buont yn egni bywyd
Duon ddrain yn gain i gyd,
Ond heddiw ar glawdd Tyddyn
Bregus wedd y brigau syn.

Daeth hydref a'i liw efydd
A'i law goch i ddail y gwŷdd;
Oer yw'r pridd a garw yw'r pren,
Oedrannus yw pob draenen;
Y gwrych unig a phigog,
Haf ar drai lle canai cog,
Y dail irion, dolurus,
Main a brau yn ffoi mewn brys.

Hen ŵr â medr sy'n edrych,
Daw â'i grefft i goed y gwrych,
Gŵyr ei awr, mae'n blygwr hen
Yn celfydd drwsio colfen,
Llygadog a llaw gadarn,
Ei arf a'i awch, cywir farn,
Mae hwn â'i drem yn y drain,
Alluog ŵr llaw gywrain;
Ei hoff hwyl yw torri ffon
Yn ei nawn o'r drain union,
Ffon loywddu, ffon i ludded,
Hen ŵr yw, mwyach ni red.

A dig ias yn llond y gwynt,
Daw yr ŵyn o'r dwyreinwynt,
Sugno'u mam, yna llamu,
Llon eu dawns ger y llwyn du;
Iach wefr yr haf Chwefror oer,
Her i naws yr hin iasoer,
Y drain mewn llymder ennyd,
A'r ŵyn bach yn yr un byd,
Rhoi eu nawdd mae'r drain iddynt
A'u gwadd i gysgod y gwynt.

I'w dir âr daw'r heuwr ŷd
Â'i og arw i drin gweryd,
Erwau addas eu priddyn
Ar nawn haul a'r drain yn wyn,
Cynnar frig yn cannu'r fro
Yn hudolus cyn deilio;
Daw adar cynnar eu cerdd
I'r cangau i roi cyngerdd,
Buan y dychwel bywyd,
Daw y gân i'r coed i gyd.

Hawliodd y coed glawdd y cae,
Trwch o degwch rhwng deugae;
Gwrych di-ffael yn gwarchod ffin
Anifail a'i gynefin,
Pigog, arfog y terfyn,
Ei droi'n ôl a wna'r drain hyn,
Her i drachwant, llwyr drechu
Campau'r afrad ddafad ddu.

Ar daith, pan gynheso'r dydd
Daw eilwaith tua'r dolydd
Ŵr a'i ffon, a'i orffennol
Ar ei war yn hir o'i ôl,
Hon oedd ddoe yn ddraenen ddu,
Heddiw nodded o'i naddu,
Cymorth y cam, o wyrth coed,
A llyw union llaw henoed.

Hen yr haf a hi'n hwyrhau,
Hen wraig sy'n chwilio'r brigau,
Casgl yr eirin gwerinol,
Gwleddoedd haf ar glawdd y ddôl,
Iach i gorff yw coch y gwin
O wneuthuriad trwyth eirin.

A hwy'n wydyn, hen ydynt,
Duon, a'u gwallt yn y gwynt,
A hwy'n wyn dyna Wanwyn,
A'i ynni cri yn eu crwyn,
Hardd yn eu gwyrdd yw hen goed,
Mwynder ysgafn mewn drysgoed.

Llwyn dyrys, llai na derwen,
O rin a nodd draenen wen,
Drain y tir nid yr ynn tal,
Na choed turn addurn meddal,
Diachles, diloches lu,
Y gordderch frigau oerddu,
Gwerin y coed, geirwon cam,
Y corgoed pigog gwyrgam:
Eu cadernid godidog,
A'u gwên cyn dychwel y gog.

GWILYM R. JONES
1903-

148

Dygwyl y Meirwon
(Chwiw y foment)

Gwell inni anghofio'r rhai a aeth i'w hir hun,
Y rhai hawdd eu cofio
A'r cof amdanynt
Yn wefr ac yn wae.
Anghofiwn
Eu rhithiau canhwyllwedd,
Goslef eu lleisiau a siâp eu cyrff,
A'u holaf ingol drem ar dir y byw.
Aeth rhai ohonynt i'r nos
Heb adael eu hôl,
A gadodd y lleill
Waddol o heddwch
Ac anesgor gynhysgaeth.

Anghofiwn hwy,
A gadawn i'r yw gwyno'u colli hwy.
Aethant i'r cwm tywyll,
Rhai â gwên a rhai â gwaedd.
Myned heb ganhwyllau yn socedi eu llygaid
I ddi-loer hirnos y meirwon
A thân haul byth ni welant.
Anghofiwn hwy.
Byddwn ddarbodus o'n munudau
A godrwn yn llwyr
Laeth bronnau y ddaear-fam.
Awn i ystumio yn nrych y dydd,
I dynnu'r meddwol darth
O stympiau'r strydoedd.
Melysach y meddwl am ryw orig a ddaw
Pan daeno'r haul ei fratiau ar yr heol,
Pan lusgo'r dydd ei sgertiau hyd y llawr,
Pan wisgo'r nos ei lifrai
A'i botymau pres,
Ac agor llenni
I'r chwarae sydd tu draw i'n chwedlau ni.

149 *Mi Af i'r Coed i Wylo*

Mi af i'r coed i wylo am yr hen bobl,
Gwenith maethlona'r tir, yr hengyff nobl.
Ni roed ar ddail wlith eu hathrylith hwy,
Eu mawredd uniaith, y rhin nas profir mwy;
Awen cystrawen ac ias tafodiaith fyw—
Prin y daw'r sôn clasurol mwyach ar ein clyw.

Anwyliaid a chyfeillion draw yng Ngwynedd gynt,
Mae tincial clych eu tsieni'n aros yn y gwynt.
Ar derfyn taith diferion gras oedd gwin eu gwên
A phob ffarwelio'n clwyfo eu calonnau clên.
Llieiniau can eu croeso a drôi fara'n wledd,
A'u gwlâu anadlai lafant-lendid nosau hedd.

O wyll hen ogofâu yn oesau'r main a'r pres
Dôi seiniau hengerdd yn fflam-olau dres.
Soniarus ei hen eiriau! Pereiddiaf osai'n hiaith.
'Run seiniau glybu llengoedd Rhufain ar eu taith.
O sgrin rhyw bentan heno, pan fo'r lamp ynghyn
Daw'r un perseinedd, siant sancteiddrwydd gwyn.

Mae'r gannwyll heno'n llosgi'n wan yn nhir ein gwlad
Trwy'r twllwch dudew sydd i'r glew yn gad:
Daw o wefusau crinion rin clasuron clust—
O bencampwriaeth iaith cyn hir ni bydd un tyst,
A dim ond ewin-loer y cof am chwedl dlos
A fydd yn ceisio chwalu'r fagddu-waeth-na-nos.

Fe egrodd medd ymadrodd, troes ein manna'n wêr,
A dyfroedd Gŵy a Dyfrdwy sydd yn wylo sêr.
Ninnau a alarnadwn yn y gwyll a'r glaw,
Fel ceiliogod Annwn, galwn am wawr na ddaw.
Crefwn am lais i lefain â'r bywyd gwâr ar gil,
Am rywun i fynegi oesol hiraethau'r hil.

Ni saif un castell mwyach rhyngom a phwys y drin,
Dim ond y tŵr eneidiau tan lach blynyddoedd blin,
Sy'n pledio'u hoedl ar heniaith a bery'n bêr ei blas
Er gwaetha'r haint echryslon, clefyd y bywyd bas.
Closiwn ynghyd, eiddom yw'r stad rhwng Gwent a Môn
Ac nid oes geyrydd fel Duw a chenedl yn y bôn.

150

Y Parrot

Tydi a gafodd dafod dyn
a'i ddof regfeydd
a chof fel nodwydd gramoffôn,
fe'th glywais yn prepian o'th gawell
yn llediaith y tafleisydd,
heb iti ddeall, mwy na'i ddoli glwt,
un sillaf fer o'th stori.

Rhigymi eiriau heb deimlo mwy o'u hias
na'r tâp sy'n troi corfannau soned Bardd yr Haf
mewn dosbarth nos;
a'r mwclis bywiog yn dy ben
yn dawnsio am fanna melys.

'Rwy'n pitïo drosot
am fod dy ylfin
yn ysu mewn gwig o wifrau
am wefr y prennau byw,
fel gwefusau baban wrth deth siop;
ac ar dy gaboledig glwyd
hiraetha dy draed
am hyrddio'r siglwr cudd
a'i suo-gân.

'Rwy'n cenfigennu wrthyt
am nad yw geiriau'n ddychryn iti
ac am mai rhith mewn drych
yw d'elyn mwyaf milain.

'Rwy'n eiddigeddus atat
am na lyfa'r pridd mo'th blu
ryw ddibarabl ddydd a ddaw
pan gedwir hanner d'ogoniant
yn sioe dan wydr.

Ond ni bydd dawns
yn y perlau-ffatri a sgleinia yn dy ben
bryd hynny.

151

Cwm Tawelwch

(Detholiad o'r gerdd radio: 'Y Ffatri Atomig')

I ble yr ei di, fab y ffôedigaeth,
A'th gar salŵn yn hymian ar y rhiw
A lludded yn dy lygaid?
'R wy'n chwilio am y Cwm
Tu draw i'r cymoedd,

Am Gwm Tawelwch:
Rhyw bowlen fach o ddyffryn
Rhwng ymylon du y pîn,
Lle nad oes leisiau
Ond y lleisiau sy'n diddanu,
Na dim nad yw yn gweddu i'r lle.
Cawn yno sgwrs â'm henaid
A hoe i drefnu 'mhecyn at y dywyll daith,
A meddu'r pethau
A wnaed â dyfal bwyll
A'u graen yn para.
Mae yno osteg ar lan llyn
A gwrych i dorri croen y gwynt;
Mae yno aerwy ffeind
I'm dal yn rhwym wrth byst hen byrth.

'R wy'n ceisio'r chwerthin
A wybu 'nghalon unwaith
A'r tosturiaethau
Oedd dan ddistiau tŷ fy nhad.

'Does dim parhad i ddynion:
Fe bery'r dail i ddawnsio
Wedi'r elom ni.
Mi welais wŷr
A'r golau'n pylu yn eu llygaid
Cyn dyfod nos;
A llawer tranc a wybuasant hwy.
Aeth rhai i Fflandrys y tadau,
Ac ni ddaeth dim ond rhith y popi'n ôl.
Aeth eraill i Alamein eu dydd,
Ac yno pliciwyd eu cnawd oddi ar eu hesgyrn
Gan y gwifrau drain;
A heddiw tyf dail tafol
Lle y rhoed eu llwch.

Ninnau sy'n ofni marw ac yn ofni byw;
Buom yn ofni ffon y sgwlyn,

Gwep y plismon plant,
Cnoc y beili ar y ddôr
A gwg giaffer.
Arswydem unwaith rhag y sawdl dur,
Rhag Munich a Belsen bell,
Rhag annwfn y siamberi nwy
A'r beddau mawr i'r pentwr cyrff:
Gwelsom mewn breuddwydion nos
Y cysgod lamp a wnaed o groen
A'r sebon a wnaed o floneg dynion . . .

Mae pobun wedi colli'r traw;
Nid oes gynghanedd ynom.
Pryder, megis cysgod o lech i lwyn,
Yw ein cydymaith.

Ni allwn ddal newyddion drwg
A gwg y dydd sy'n dyfod;
Ofnwn y pennawd yn y papur newydd,
Y sibrwd yn y gegin botio,
Ysgrech y bracio sydyn,
A'r nawnddydd Gwener pan fo nodyn gyda'r pae . . .
'R ŷm ninnau'n prepian, prepian
I guddio'n braw.
Y Dawnsiwr Du sy'n llusgo'i draed
Hyd loriau ein llawenydd.
Meirwon ŷm oll yn eirch ein tai,
Wedi'n mymeiddio
Yn amdo ein crwyn . . .

'R oedd mwy o flas ar fyw,
A deufwy gwyrddach oedd y dail
Pan oedd y ddaear yn ieuengach.

Cyn gado'r sioe fyrhoedlog hen,
Sy'n troi a throi
Fel trên y crwt ar siwrnai gron,

Cyn mynd i dafarn wag marwolaeth,
Mi hoffwn fyw.

A dyna pam y chwiliaf am y Cwm
Tu draw i'r cymoedd,
Am Gwm Tawelwch.

152 *Yr Hen Wynebau*

Maen nhw ar gael o hyd,
Yn dair cenhedlaeth gryno
Wedi'u diwarthu rhwng clasbiau pres
A chloriau bochiog yr hen albwm.
Fferrwyd eu gwên a'u gwg
Ac eneinio ystum a migmas
A dal y cnawd yn torri cyt
Mewn brethyn main a sidan.

'Chawn-ni ddim colli 'nabod arnyn-nhw mwy
Na 'sgoi'r ysgarff o farf
Na'r deucorn bual ar y wefl:
Maen nhw yma'n araf felynu
Mewn llodrau cord a chrinolîn.

Dyma'r Hen Bry
Â'i wyneb 'deryn-drycin
A'r ploryn yn addurn ar ei ên:
Fe aeth oddi ar groen daear
A gadael hen gownt
Heb ei setlo yn y Swan.

A Ladi'r Lôn
Wedi botymu'i chnawd o'i siâp
A phletio'i cheg, yn eistedd
Mor dwt ag iâr degan,
Â'i pharasôl o Ffair y Sarn
Yn her i'r haul i frychu'i chroen.

A hithau Mali'r Felin,
Gwraig y buasai llyfriaid yn taro drosti
A'i thegwch yn ddolur i ddynion:
Hi a ddysgodd yn ei byrddydd
Mor frau yw llw wrth allor
Ac nad oes ffasiwn i lendid.

Erbyn hyn
Crafodd y pridd eu cnawd yn lân,
A gado'u hesgyrn yn ein llannau.
Ond ymrithiant eto am ennyd fach
Rhwng y cloriau hyn;
A phan bylo'r darlun olaf
A phan ballo'r cof amdanynt,
Byddant oll ar gael
Yn y diamser.

153 *Y Rhai na Buont*

Dyfalaf eu hynt—
Y rhai na welsant ein helynt ni,
Y cenhedloedd nas cenhedlwyd,
Yr had a fu'n ddyhead i ddeuoedd,
Yr had a'u hoedl fel llyfiad fflam,
A'r egin-blant a aeth ar driwant o dref;
Brenhinhad un-orig a grefodd am fywyd
O'r tu faes i byrth y byd,
Y rhai na chawsant aeddfedu i fedel Herod
Na blasu'r heddwch yn seintwar Crist.

Ni chlywsom eu curiad ar gyntedd Amser
Mwy nag ochenaid y lindys yn eu nythod sidan.
Megis gwreiddiau mewn pridd
Heb nodd i flaendarddu,
Ni welsant y golau sy'n bywhau.

Cenfigennwn wrthynt
Am na fygwyd anadl eu diniweidrwydd
Gan ddraig hen y ddaear hon.
Hwy eu meudwyaeth
Na phenyd Brân yn Annwfn.
Ond bach o beth a fu einioes iddynt;
Braidd-gydio mewn edau wawn
A'i gollwng heb ei gweled.

Galarwn drostynt
Am na ddamweiniodd iddynt
Ddeintio dros riniog y bresen hon
I yfed gwaed y gwynt
A bwyta'r manna ac yfed y medd
Yn lluest yr ysbryd.

Ni ddarfu amdanynt
Yn eu sêr-luosog lochesfeydd
Mwy na'r llwch is meini'r llan
Neu'r nwyon sy'n yr awyr.
Y maent yn ein haros
Tros y trum
Sydd rhyngom a diffwys yr angau.
Yn nherfyn ein hamser
Cywirwn ein hoed â hwy.

154

Ar Gofeb Rhyfel Ysgol Dyffryn Nantlle

Hon yw allor ein colled,—cofadail
Cyfoedion dinodded
A ddug groes cenhedloedd Cred
Yn ieuanc a diniwed.

O nawdd yr hen fynyddoedd—y rhwygwyd
Ir egin ein cymoedd;
A llosg berth eu haberth oedd
Yn ysu y teyrnasoedd.

Anhyddysg mewn trin oeddynt,—a beiau
Ein bywyd oedd arnynt;
A'r un hedd sy'n rhan iddynt
Â'r 'gwŷr a aeth Gatraeth' gynt.

I'w helynt dros bell dalar—aeth y rhain,
Fel y llathr wŷr cynnar
A aeth gynt yn ebyrth gwâr
I hen dduwiau y ddaear.

155

Infferno

Credasom yn Uffern,
ym mhob Gehenna a fwngler-ffaglodd dyn.
Nid yw lastig iaith
yn 'mestyn yn ddigon pell
i gwmpasu'r holl danchwaoedd
a greodd y demoniaid clai.

Dihoenodd Duw
yn Passchendaele
a boddwyd Ewrop mewn cors o waed.

Credasom mewn difod
pan fu farw ein Duw.
Mae'r pryfed cop yn ddiwyd
wrth eu rhwydwaith
yn y seler lle rhoed Ef.

Dechreuodd y pydredd yn y Cwymp
a tharo'r gwaelod
yn siglennydd Ffrainc,
yn Buchenwald a Dresden
a Hiroshima boeth.
Tafod y sarff
yw'r bidog
sy'n crynu yn y cnawd
a marc Cain
sydd ar dalcen yr arteithiwr.

Heddiw,
taran o bell yw'r drin:
sïodd y mellt
yn y moroedd o waed
rhad.
'Rŷm ninnau'n methu â chofio'r gwir
amdanom ein hunain
am ei fod yn atgas.
Nid yw ein llond bol o chwerthin
yn ddim ond eco
gwallgof mewn dimbydrwydd.

Llifodd rhaeadrau o bobl heibio
er y dyddiau duon hynny,
ond ni ddaw'r cnawd yn ôl
na'r Duw a laddwyd
o'i fedd yn y llaid coch.
Credasom mewn Infferno
waeth nag Uffern Dante.

WALDO WILLIAMS
1904-1971

156

Geneth Ifanc

Geneth ifanc oedd yr ysgerbwd carreg.
Bob tro o'r newydd mae hi'n fy nal.
Ganrif am bob blwydd o'm hoedran
I'w chynefin af yn ôl.

Rhai'n trigo mewn heddwch oedd ei phobl,
Yn prynu cymorth daear â'u dawn.
Myfyrio dirgelwch geni a phriodi a marw,
Cadw rhwymau teulu dyn.

Rhoesant hi'n gynnar yn ei chwrcwd oesol.
Deuddeg tro yn y Croeso Mai
Yna'r cydymaith tywyll a'i cafodd.
Ni bu ei llais yn y mynydd mwy.

Dyfnach yno oedd yr wybren eang,
Glasach ei glas oherwydd hon.
Cadarnach y tŷ anweledig a diamser
Erddi hi ar y copâu hyn.

157 *Mewn Dau Gae*

O ba le'r ymroliai'r môr goleuni
Oedd a'i waelod ar Weun Parc y Blawd a Parc y Blawd?
Ar ôl imi holi'n hir yn y tir tywyll,
O b'le deuai, yr un a fu erioed?
Neu pwy, pwy oedd y saethwr, yr eglurwr sydyn?
Bywiol heliwr y maes oedd rholiwr y môr.
Oddifry uwch y chwibanwyr gloywbib, uwch callwib y cornicyllod,
Dygai i mi y llonyddwch mawr.

Rhoddai i mi'r cyffro lle nad oedd
Ond cyffro meddwl yr haul yn mydru'r tes,
Yr eithin aeddfed ar y cloddiau'n clecian,
Y brwyn lu yn breuddwydio'r wybren las.
Pwy sydd yn galw pan fo'r dychymyg yn dihuno?
Cyfod, cerdd, dawnsia, wele'r bydysawd.
Pwy sydd yn ymguddio ynghanol y geiriau?
Yr oedd hyn ar Weun Parc y Blawd a Parc y Blawd.

A phan fyddai'r cymylau mawr ffoadur a phererin
Yn goch gan heulwen hwyrol tymestl Tachwedd
Lawr yn yr ynn a'r masarn a rannai'r meysydd
Yr oedd cân y gwynt a dyfnder fel dyfnder distawrwydd.
Pwy sydd, ynghanol y rhwysg a'r rhemp?
Pwy sydd yn sefyll ac yn cynnwys?
Tyst pob tyst, cof pob cof, hoedl pob hoedl,
Tawel ostegwr helbul hunan.

Nes dyfod o'r hollfyd weithiau i'r tawelwch
Ac ar y ddau barc fe gerddai ei bobl,
A thrwyddynt, rhyngddynt, amdanynt ymdaenai
Awen yn codi o'r cudd, yn cydio'r cwbl,
Fel gyda ni'r ychydig pan fyddai'r cyrch picwerchi
Neu'r tynnu to deir draw ar y weun drom.
Mor agos at ein gilydd y deuem—
Yr oedd yr heliwr distaw yn bwrw ei rwyd amdanom.

O, trwy oesoedd y gwaed ar y gwellt a thrwy'r goleuni y galar
Pa chwiban nas clywai ond mynwes? O, pwy oedd?
Twyllwr pob traha, rhedwr pob trywydd,
Ha! y dihangwr o'r byddinoedd
Yn chwiban adnabod, adnabod nes bod adnabod.
Mawr oedd cydnaid calonnau wedi eu rhew rhyn.
Yr oedd rhyw ffynhonnau'n torri tua'r nefoedd
Ac yn syrthio'n ôl a'u dagrau fel dail pren.

Am hyn y myfyria'r dydd dan yr haul a'r cwmwl
A'r nos trwy'r celloedd i'w mawrfrig ymennydd.
Mor llonydd ydynt a hithau a'i hanadl
Dros Weun Parc y Blawd a Parc y Blawd heb ludd,
A'u gafael ar y gwrthrych, y perci llawn pobl.
Diau y daw'r dirhau, a pha awr yw hi
Y daw'r herwr, daw'r heliwr, daw'r hawliwr i'r bwlch,
Daw'r Brenin Alltud a'r brwyn yn hollti.

158 *Preseli*

Mur fy mebyd, Foel Drigarn, Carn Gyfrwy, Tal Mynydd,
Wrth fy nghefn ym mhob annibyniaeth barn.
A'm llawr o'r Witwg i'r Wern ac i lawr i'r Efail
Lle tasgodd y gwreichion sydd yn hŷn na harn.

Ac ar glosydd, ar aelwydydd fy mhobl—
Hil y gwynt a'r glaw a'r niwl a'r gelaets a'r grug,
Yn ymgodymu â daear ac wybren ac yn cario
Ac yn estyn yr haul i'r plant, o'u plyg.

Cof ac arwydd, medel ar lethr eu cymydog.
Pedair gwanaf o'r ceirch yn cwympo i'w cais,
Ac un cwrs cyflym, ac wrth laesu eu cefnau
Chwarddiad cawraidd i'r cwmwl, un llef pedwar llais.

Fy Nghymru, a bro brawdoliaeth, fy nghri, fy nghrefydd,
Unig falm i fyd, ei chenhadaeth, ei her,
Perl yr anfeidrol awr yn wystl gan amser,
Gobaith yr yrfa faith ar y drofa fer.

Hon oedd fy ffenestr, y cynaeafu a'r cneifio.
Mi welais drefn yn fy mhalas draw.
Mae rhu, mae rhaib drwy'r fforest ddiffenestr.
Cadwn y mur rhag y bwystfil, cadwn y ffynnon rhag y baw.

159 *Cwmwl Haf*

'Durham', 'Devonia', 'Allendale'—dyna'u tai
A'r un enw yw pob enw,
Enw'r hen le a tharddle araf amser
Yn yr ogof sy'n oleuach na'r awyr
Ac yn y tŷ sydd allan ymhob tywydd.

Bwrw llond dwrn o hedyddion yma a thraw
I alw cymdeithion y dydd,
Yn eu plith yr oedd anrhydedd llawer llinach.
Henffych i'r march mawr teithiol dan ei fwa rhawn,
A'i gerddediad hardd yn gywydd balchder bonedd,
Ninnau'n meddwl mai dangos ei bedolau yr oedd.

Ac wele i fyny o'r afon
Urddas wâr, urddas flith, fel y nos,
Yn plygu'r brwyn â'i chadair
Ac yn cario'r awyr ar ei chyrn.
Ac yn ein plith ni, arglwyddi geiriau, yr oedd rhai mwy
Na brenhinoedd hanes a breninesau.
Ym mhob tywydd diogelwch oedd y tywydd.
Caredigrwydd oedd y tŷ.

Unwaith daeth ysbryd cawr mawr i lawr
Trwy'r haul haf, yn yr awr ni thybioch,
Gan daro'r criw dringwyr o'u rhaffau cerdd,
Nid niwl yn chwarae, na nos yn chwarae,
Distawrwydd llaith a llwyd,
Yr un sy'n disgwyl amdanom,
Wele, fe ddaeth, heb ddod.
Caeodd y mynyddoedd o bobtu'r bwlch,

Ac yn ôl, yn ôl
Fel blynyddoedd pellhaodd y mynyddoedd
Mewn byd oedd rhy fud i fyw.
Tyfodd y brwyn yn goed a darfod amdanynt
Mewn byd sy'n rhy fawr i fod.
Nid oes acw. Dim ond fi yw yma
Fi
Heb dad na mam na chwiorydd na brawd,
A'r dechrau a'r diwedd yn cau amdanaf.

Pwy wyf i? Pwy wyf i?
Estyn fy mreichiau ac yno, rhwng eu dau fôn
Arswydo meddwl amdanaf fy hun,
A gofyn gwaelod pob gofyn:
Pwy yw hwn?
Sŵn y dŵr. Bracsaf iddo am ateb.
Dim ond y rhediad oer.

Trwy'r clais adref os oes adref.
Swmpo'r post iet er amau,
Ac O, cyn cyrraedd drws y cefn,
Sŵn adeiladu daear newydd a nefoedd newydd
Ar lawr y gegin oedd clocs mam i mi.

160 *Die Bibelforscher*

Pwy fedr ddarllen y ddaear? Ond cawsom neges
Gan Frenin i'w dwyn mewn dirfawr chwys,
Ni waeth ai ymhell ai'n agos
Y seinio'r utgorn rhag Ei lys.

Trwy falais a chlais a chlwy
Gwrit y Brenin a ddygasant hwy.

Er na chwblhaer y ddaear ail i ddameg
A fflach dehongliad yn ei hwyr
Trwm-lwythog, na dirhau'r dychymyg
Gwydr a thân is y ceyrydd cŵyr,
Pur trwy ffieidd-dra'r ffald
Oedd eu tystiolaeth hwy yn Buchenwald.

Heb hidio am y drws a agorid
Os rhoent eu llaw i'r geiriau llwfr,
Sefyll rhwng cieidd-dra a'r pared,
Marw lle rhedai eu budreddi i'w dwfr,
Cyrraedd porth y Nef
A'u dyrnau'n gaeëdig am Ei ysgrif Ef.

Pwy fedr ddarllen y ddaear? Hyn a wyddom,
Tarth yw'r llu lle geilw'r llais.
Mae wybren lle'r â'n ddiddym
Rym yr ymhonwyr, trwst eu trais.
Lle cyfyd cân yr Oen
A gogoniant yr apocalups o'r poen.

161 *Wedi'r Canrifoedd Mudan*

Wedi'r canrifoedd mudan clymaf eu clod.
Un yw craidd cred a gwych adnabod
Eneidiau yn un â'r rhuddin yng ngwreiddyn Bod.

Maent yn un â'r goleuni. Maent uwch fy mhen
Lle'r ymgasgl, trwy'r ehangder, hedd. Pan noso'r wybren
Mae pob un yn rhwyll i'm llygad yn y llen.

John Roberts, Trawsfynydd. Offeiriad oedd ef i'r tlawd,
Yn y pla trwm yn rhannu bara'r unrhawd,
Gan wybod dyfod gallu'r gwyll i ddryllio'i gnawd.

John Owen y Saer, a guddiodd lawer gwas,
Diflin ei law dros yr hen gymdeithas,
Rhag datod y pleth, rhag tynnu distiau'r plas.

Rhisiart Gwyn. Gwenodd am y peth yn eu hwyneb hwy:
'Mae gennyf chwe cheiniog tuag at eich dirwy',
Yn achos ei Feistr ni phrisiodd ef ei hoedl yn fwy.

Y rhedegwyr ysgafn, na allwn eu cyfrif oll,
Yn ymgasglu'n fintai uwchlaw difancoll,
Diau nad oes a chwâl y rhai a dalodd yr un doll.

Y talu tawel, terfynol. Rhoi byd am fyd,
Rhoi'r artaith eithaf am arweiniad yr Ysbryd,
Rhoi blodeuyn am wreiddyn a rhoi gronyn i'w grud.

Y diberfeddu wedi'r glwyd artaith, a chyn
Yr ochenaid lle rhodded ysgol i'w henaid esgyn
I helaeth drannoeth Golgotha eu Harglwydd gwyn.

Mawr ac ardderchog fyddai y rhain yn eich chwedl,
Gymry, pe baech chwi'n genedl.

162 *Yr Heniaith*

Disglair yw eu coronau yn llewych llysoedd
A thanynt hwythau. Ond nid harddach na hon
Sydd yn crwydro gan ymwrando â lleisiau
Ar ddisberod o'i gwrogaeth hen;
Ac sydd yn holi pa yfory a fydd,
Holi yng nghyrn y gorllewinwynt heno—
Udo gyddfau'r tyllau a'r ogofâu
Dros y rhai sy'n annheilwng o hon.

Ni sylwem arni. Hi oedd y goleuni, heb liw.
Ni sylwem arni, yr awyr a ddaliai'r arogl
I'n ffroenau. Dwfr ein genau, goleuni blas.

Ni chlywem ei breichiau am ei bro ddiberygl
Ond mae tir ni ddring ehedydd yn ôl i'w nen,
Rhyw ddoe dihiraeth a'u gwahanodd.
Hyn yw gaeaf cenedl, y galon oer
Heb wybod colli ei phum llawenydd.

Na! dychwel gwanwyn i un a noddai
Ddeffrowyr cenhedloedd cyn eu haf.
Hael y tywalltai ei gwin iddynt.
Codent o'i byrddau dros bob hardd yn hyf.
Nyni, a wêl ei hurddas trwy niwl ei hadfyd,
Codwn, yma, yr hen feini annistryw.
Pwy yw'r rhain trwy'r cwmwl a'r haul yn hedfan,
Yn dyfod fel colomennod i'w ffenestri?

163

Rhodia, Wynt

Sisial y gwynt rhwng yr haidd,
Sychir y colion di-daw,
Tery bob paladr i'w wraidd,
Gwynt yn yr haidd wedi'r glaw.
Gwynt yn yr haidd wedi'r glaw.
Ar eu hôl hwythau yr haul,
Golud o'r ddaear a ddaw.
Erys y drindod heb draul.
Rhodia, rhodia O wynt!
Rhodia drwy'r ddaear faith,
Rho inni dy help ar dy hynt,
A chyfyd ein gwobrwy o'n gwaith.

Ysbryd o'r anwel a gân,
Moldiwr yr wybren i'w fryd;
Artist a drig ar wahân,
Cynnar bererin y byd.
Cynnar bererin y byd,
Gwadwr pob terfyn a wnaed,
Rhodiwr, a'r môr megis rhyd
Cennad a gyrraedd bob gwaed,

Rhodia, rhodia O wynt!
Rhodia drwy'r ddaear faith
Rho inni dy hwyl ar dy hynt,
A chyfyd ein gwobrwy o'n gwaith!

Rhued y trymwynt trwy'r fro,
Llofft ac ysgubor a grŷn,
Fflangell y glaw ar y to,
Y cawr yn yr hwyr ar ddi-hun.
Y cawr yn yr hwyr ar ddi-hun,
Profwr adeilwyr erioed,
Praffach na'r praw fyddo'r dyn,
Sicrach y cerrig a'r coed.
Rhodia, rhodia O wynt!
Rhodia drwy'r ddaear faith,
Rho inni dy her ar dy hynt
A chyfyd ein gwobrwy o'n gwaith.

CARADOG PRITCHARD
1904-1980

164

Cân yr Afon
(O'r bryddest 'Y Briodas')

Mae'r daith i lawr y Nant yn hir
  A'r nos yn dawel, dawel,
A melys, pan ddaw pelydr clir
  Y wawr ar frig yr awel,
Fydd stelcian ennyd wrth Bont y Tŵr
Yn llyn bach diog wrth Bont y Tŵr.

Tra byddo'r glasgoed ar y lan
  Yn peintio 'mron â'u glendid
Caf lwyr anghofio'r creigiau ban
  Sy'n gwgu ar fy ngwendid,
A siglo, siglo rhwng effro a chwsg
Yn llyn bach diog rhwng effro a chwsg.

A thoc caf wrando tramp y traed
  Ar dâl y bont yn curo,
Pob troed ar gyrch i frwydr ddi-waed
  Rhwng llechi'r gwaith a'i ddur o,
I ennill bara dan wg y graig
A bwrw y diwrnod dan wg y graig.

Ac ambell fore fe fydd lliw
  Y gwyrddail llaith yn duo,
A deudroed sionc ynghwsg o'r criw
  A'r awel yn eu suo;
A gwg y graig fydd yn fwy bryd hyn,
A'i harswyd arnaf yn fwy bryd hyn.

Ond os bydd dau gynefin droed
  Yfory'n fud o'r dyrfa
A'r creigiau ban a dail y coed
  Yn gwgu ar fy ngyrfa,
Caf stelc er hynny wrth Bont y Tŵr,
Yn llyn bach diog wrth Bont y Tŵr.

165

Tantalus

Pa chwedl fu'n gwau ei chlem,
Dantalus, amdanat ti,
A'th dragywydd newynog drem
A'th fythol sychedig gri?
Ai celwydd hen ordderch llys
Neu anair rhyw eunuch llwfr
Sy tu ôl i'r anfarwol flys
Ac o dan y diddiod ddwfr?

Gŵr gwâr a thrugarog wyf,
A hawdd im fai coelio hyn
A bwrw fy ngalawnt rwyf
I'th godi o'th garchar-lyn;

Ond o wyll d'anghysbell awr
Hyd yr awr ehud hon
Gwaddol dy feiau mawr
Fu'n grach dros y ddaear gron.

—

Yn ofer y bwriwyd llid
Duwiau di-foes ar dy ben
Os cipio cyfrinion prid
A wnest o'r tu ôl i'w llen,
A'u rhoddi'n deganau drud
I wyry hiliogaeth d'oes
I'w deffro'r bore o'i chrud
A'i hudo'r hwyr dan ei chroes.

Ofer hefyd eu cyfiawn farn
Os lluniaist i'th epil frad
A bwtsiera, ddarn ar ddarn,
D'etifedd, O lawrudd dad,
I'w arlwyo ar fyrddau'r byw
Yn nefol, freiniol wledd,
A blasu â neithdar duw
Lygredig seigiau'r bedd.

Dysgasom oferedd hyn oll
Er pan brofwyd o ffrwyth hen bren
Ac er pan fu'r wylo uwch coll
Hen Wynfa nad ydoedd wen.
Gwyliasom y duwiau'n ail-doi
Pob murddun â'u nef las-lefn
A chipio byr gwsg cyn crynhoi
Eu chwyth i'w ddymchwel drachefn.

Er duwiau a'u dyfalbarhad,
Disgynnodd un ar ôl un
O gyfrinachau brad
I gwpan dy ddwylo, ddyn.

Eu mwyar a'u neithdar hwy
A roes awch i'th reiol daith
Na bu ei ddiwallu mwy,
Na'i ddisychedu chwaith.

Gwyn fyd, gwyn fyd y rhai byw
A genfydd yn nydd eu nerth
Y cigfrain yn yr yw
A'r angel yn y berth;
Ni bydd un newyn a'u gwân
Ar drothwy'r anial draw
Pan dawo'r fronfraith-gân
A phan beidio'r glaw.

O lyn dy ddarostwng gwêl,
Ar hen fynydd dy gynnydd, garn
Lle sefaist i dderbyn sêl
Y deyrnas sy heddiw'n sarn;
Man dy ddyrchafael i ŵydd
Eisteddfa'r nefol-ddoeth
Yn awr anterth llwydd
Yr olaf gyfrinach noeth.

Try'r gog i'w hawyrddoeth hynt
Ar drywydd haf di-draul,
Nis twyllir gan drofa'r gwynt
Na'i dallu gan dywyn haul;
Ac erys, pan ddarffo'i dydd,
Ei hetifeddiaeth fwyn
I ddysgu ei siwrnai gudd
Mewn deunod o lwyn i lwyn.

Ond tydi, gyda gwaddol dy warth
Ni roist yn d'ewyllys ddim
Ond y disylwedd darth
Sy'n cuddio'r dyrchafael chwim,

Ac yn cuddio'r dramwyfa rith
A chanllawiau'r grisiau gwawn
A'th ddug at y ffynnon wlith
Ac i gyrraedd y nefol rawn.

Os disgyn fu drachefn
Liw nos ar y grisiau cudd,
A'r sgrepan ar dy gefn
Yn drwm gan ladradau'r dydd,
A thwymyn gwybodau pob duw
Ar iad ac ymennydd yn wres,
Ac yn nhrysorfa dy glyw
Gynghanedd eu geiriau, pa les?

Pa les fu'r ysbail na wnaeth
Ond d'arfogi â dwyfol glai
A'i rym fel tonnau'r traeth
A'i wendid fel eu trai?
D'ordeinio'n unawr deyrn
Dros deulu gwaed a chnawd
I gasglu coronau heyrn
Ei freniniaethau tlawd.

Eu casglu, ac wedi eu cael,
Cymell â'th uchel wanc
Dy holl ymerodraeth wael
I'w holaf drin ac i dranc.
Anaf cyflafan y nef
A roed ar bob un o'th ryw
A arbedwyd gan druan lef
Ac a wnaed yn garcharor duw.

Ac megis y mae yn fy nghân,
Dantalus, dy enw di
Sydd ar ei dafod dân
Yn chwerw, gableddus gri;

A'i wefusau cras a lyf
Fel y diorffwys nawf
Ar wyneb y dŵr nad yf
A than y ffrwyth na phrawf.

166

Plant Dioddefaint

(O'r bryddest 'Penyd')

Ei hafod yw Bryn Dioddefaint,
  A'i rhandir lle'i methrir dan draed,—
Yr hil sydd yn cerdded y ddaear
  A gwenwyn y Groes yn ei gwaed;
Cynefin ei phlant â phob dolur,
  Newynant lle porthir pum mil;
Ac wylant i gân eu telynau
  Dan feichiau tragwyddol yr hil.

O ffrwyth pob rhyw bren y profasant,
  Adwaenant gamwri pob oes;
A chrogant lle casglo pob tyrfa
  Yn foeswers am bechod a'i loes;
Hwynt-hwy sy ganolnos yn agor
  Pyrth cedyrn carcharau sy 'nghudd,
A myned i mewn i gaethiwed
  Y rhai a ollyngant yn rhydd.

Ac weithiau fe chwarddant yn uchel,
  A'u chwerthin fel croesi dau ddur;
Ymgollant bryd hyn yn eu cellwair
  Am nad oes un gwaelod i'w cur;
A phan ddelo'r dydd ar eu gwarthaf
  Cyfarthant ac udant fel cŵn,
A chiliant i'w dyfnder eu hunain,
  I'r dyfnder lle boddir pob sŵn.

Nid oes o rifedi'r cenhedloedd
  Na welodd yr hil ar ei thaith,
Ond Plant Dioddefaint yn unig
  A ddeall, a sieryd ei hiaith;

Chwychwithau, bwy bynnag a'm gwrendy,
  Pan glywoch ddieithrwch fy nghri,
Nac ofnwch fy llais, ond gwybyddwch
  Mai plentyn o'r hil ydwyf i.

167

Y Tangnefeddwr

(A ganfuwyd wedi ymgrogi)

Tydi, fwyn filwr Tangnefedd, a orfu, a orfu,
  Dyrchafer dy faner faen cyn ei phlannu ar fedd,
Llefared llythyren aur uwch y galar a'r tyrfu:
  'Er cof am ryfelwr cu wedi haeddu ei hedd'.
Pan welaist gyntaf y gelyn cyn gweld ei ystrywiau,
  Dewr a phenuchel y noethaist fidogau'r Gair
Nes dysgu, o faes i faes yng nghadleoedd y duwiau,
  Y ffordd a gymerodd y Milwr a aned o Fair.
Â dwylo gwyn yn hiraethu am ôl yr hoelion
  Cymeraist i'th fynwes drueni'r bicell a'r drain;
Pechodau'r byd, ei gam a'i gul ofergoelion,
  Ei wrid a'i waradwydd, anwesu pob un o'r rhain,
A phan ymwregysodd eu lluoedd i'th lwyr orthrymu
Troi arnynt fawr allu dy fonedd, a moesymgrymu.

168

Dieithrwch

Mae eto lawer blwyddyn gaeth i ddod
  Cyn croesi ohonof ffin addewid Duw,
Ond llam i gyfnod tywyll, byr, fy mod
  (Sy dristed im â'r bod pan ddarffo byw)
A ddengys im ddinodedd bwthyn clyd,
  Fu glyd i minnau unwaith, nef a'i gŵyr,
A phlantos bach yn chwarae'n wyn eu byd
  Fy hen chwaraeon i. A chyda'r hwyr
Daw pelydr y ffenestri hyd y fro
  I wawdio a'u hanwylai ddyddiau gynt.
O un i un diffoddant . . . Yn ei dro
  Daw'r glaw i chwerwi'n greulon oergri'r gwynt
Nad mi fy hun wyf i fy hun yn hwy,
Na bro fy mebyd fro fy mebyd mwy.

169

Terfysgoedd Daear

(Detholiad)

Pa ddyrys fodd yr esgynnaf i Dŵr Tawelwch
  ac ennill o'r antur ei dduwdod amddifad o,
y Tŵr sy goruwch pob uchel ac isel elwch,
  y duwdod a orfydd ar lygad a chlust a cho'?
Onid cyfiawn a ddywed yn ddoeth mai ysgeler
  yw annedd fy newis a phendramwnwgl ei stad,
ei dyrchafedig dan draed, ei nef yn ei seler
  a'r bedd a'i betheuach iddi'n feunyddiol fwynhad?
Llefared y cyfiawn doeth. Fy llw ni ollyngaf
  nes cyrraedd uchelder y byd sydd â'i ben i lawr,
canys yno digrifwch oer fydd i'm hawr gyfyngaf
  yn gwylio marwolion yng ngwae eu cyfyngaf awr,
a gwybod i'm llwch ddiogelwch yn dragywydd,
rhag diwyd helgwn daear fu'n sawru ei drywydd.

Llawer yw'r llwybrau, er pan gychwynnwyd yr helfa,
  a gymerth dynion o anwar fforestydd eu byd
i dwyllo'r cŵn a chyrraedd yr uchel ddirgelfa
  ymhell o derfysg yr ubain a'r utgyrn i gyd;
ac er i'w taith fod weithiau dros anial greigleoedd,
  ac weithiau trwy diroedd ffrwythlonder a syrffed rhudd,
erys eu holion anturus yn waedlyd weoedd
  ym mhatrwm y crystyn clai sy'n gorchuddio'u dydd.
Felly y darfu'r doe. Felly hefyd y derfydd
  pob heddiw lluddedig a'i dilyn i'r labrinth faith;
trennydd a erlid yfory hyd pan gyferfydd
  deupen treuliedig y belen ar ddiwedd y daith;
a mud bryd hynny fydd helgorn rhwd a bytheuad,
mor fythol fud â chwerthin y dyn yn y lleuad.

Mae rhaff yn hongian uwch adwy'r Ffordd Grog flinderus
  a'i dolen hirgron yn llwythog gan sêr y nef;
o'r llun du-a-gwyn yn y nos dim ond ffrâm a erys
  pan lenwir y ddolen gan wddw daearol, di-lef.

Ond taer yw llais y cudd-gymell: 'Er iti drengi
  o dipyn i beth yn fy nghoflaid, gwarant a gei
na ddychwel dy droed i'w chynefin ac na sengi
  byth mwy'n ddolurus ar feini'r sarn a gaséi.'
Daeth rhynllyd genlli o wynt a gwelais gydymaith
  yn troi tuag ataf a newydd lun oedd i'r ffrâm;
troais fel llwfryn ar ffo a phrysuro ymaith
  o ŵydd y creadur gorgwrtais a'i ffug-salâm,
ac ystumiau'i wyneb hyll yn gwawdio'i gyfeillion
o ddwy seren bŵl ei lygaid agored, deillion.

Mae afon a'i ffrydiau'n tarddu o'r tywyll Hanfod,
  pob ffrwd, wedi gyrru rhyw galon fel perfedd cloc,
yn llifo'n araf a cheulo yn nu ddiwahanfod
  yr afon ddisymud pan dawo'r dyfal dic-doc;
a daw yn eu tymp i winwydd a chyll eu ffrwythau,
  a chura calonnau gwŷr uwch y gwin a'r cnau,
nes dyfod yn hwyr neu hwyrach eu tymor hwythau
  i agor y fflodiat a thewi o'u llawenhau.
A! Fywyd, nid dyma'r ffordd y croesaf dy riniog
  a chaffael yr uchel orffwys o'r brwydro blin;
wrth arswyd gwythïen wan dan y gyllell finiog
  pa beth yw oferedd y wyrth a dry waed yn win,
y wyrth a wnaethpwyd ar erwau Ffrainc yr un ffunud
dan arswyd gwythi'n gwacáu o funud i funud?

Ni pheidia'r mellt ac ni thau taranau'r blynyddoedd
  pan aeth fy nghenhedlaeth i huno o'i hanfodd hael;
mae'r fflach a'r ffrwydro fyth y tu ôl i'r mynyddoedd
  yn chwyddo byddinoedd heddychlon y lleiddiaid gwael.
Cyn rhwygo'r cwmwl, cyn torri o'r storm anorfod
  â newydd gynddaredd dros newydd-flodeuog dir,
mi fynnaf ddewrach, tecach enw na lleiddiad gorfod
  a sicrach ffordd i dangnefedd yr hawddfyd hir,
Mi a'i mynnwn o gampwaith glanwaith bwled fuan
  a llamu'n ebrwydd i annedd fy newydd stad
i ennill, yn lle ebargofiant rhyfelwr truan,
  y bau a ordeiniais, goruwch cymylau pob cad,

pe gwyddwn na byddai im oesoedd o edifaru
rhag eco tragwyddol un ergyd i'm byddaru.

Fy ffiol sy lawn, megis y bu lawn yn Athen
  pan roddes tad y gwirgeiswyr ei chegid i'w fin,
ond rhyngof a hi ar y bwrdd, o fewn un llathen,
  crynhowyd difesur ymdeithio'r canrifoedd blin;
cyfodwyd allorau newydd i'w harogldarthu
  â nwyau marwolaeth y gwyddon-goncwerwr hy;
dieithr, enbydus eirf a forthwyliwyd i garthu
  cyrff y cenhedloedd oddi ar yr hen ddaear ddu.
Llanwer yr hen Acropolis a'r hen farchnadle
  â chwyth o wenwyn y milain wareiddiad hwn—
un anadl olaf o gyrrau rhyw bell-bell gadle,
  un cri truenus brycheuyn o bridd dan ei bwn—
ac yntau Socrates ddewr â pharablau beilchion
a ddirmygai'r ffiol rad a'i malurio'n deilchion.

Dyrchafaf fy llygaid. Draw mae addewid hafan
  lle cyfyd yr hwyr ar y gorwel ei choelcerth goch,
rhith caer ddihenydd o gyrraedd gwae pob cyflafan
  a'i llathraid ffenestri ynghau rhag y lleiddiaid croch.
Rhwyfaf fy nghwch tua'i phorth, a daw dyrys ofnau
  nad arwain llwybyr y môr ei bererin i lan;
dadfeilio mae'r gaer, cryn ei chelfydd golofnau,
  a'r lli sy'n llepian dan seiliau fy rhithlun gwan.
Daw llais, rhwng gwahodd a gwahardd, o fynwes y tonnau,
  a dyfal ddilyn fy nghwch, sydd yn dychwel i dir:
'Rhown iti dristfelys fiwsig torri calonnau
  a phêr alargerddi i'th suo i'r huno hir';
a thraw, megis fwltur trin, wele'r wylan, druan
yn troi a throsi'n ddolefus uwch gwaedlyd huan.

Nid oes ond un ffordd wen yn arwain i'm hannedd
  a thrwy'r dyffryndir y cerddaf i'w cheisio hi,
trwy bentrefi gwyn a bythynnod anghyfannedd—
  blynyddoedd a dyddiau diddychwel fy mebyd ffri;

nes dyfod, rhwng llwyni'r cnau a'r mwyar a'r mafon,
  at lain na bu iddi liw yn fy nghalon ond gwyrdd,
cae'r hogiau bach oedd yn deall iaith glan yr afon
  ac yn gwybod holl gastiau'r brithyll a'i dywyll ffyrdd.
A'r man lle bu 'nghorff bach glân yn ymfwrw a nofio
  rhwng heulwen a chysgod dan loches yr hen Faen Mawr,
heddiw a rydd i'r ymennydd y mwyn anghofio
  yn nhawel ffurfafen y byd sydd â'i ben i lawr,
lle'r ymwan paladr a chwmwl hyd at ddirgelwch
uchel, anghyffwrdd dduwdod Tŵr y Tawelwch.

Dyfnder a eilw ar uchder ac uchder ar ddyfnder,
  a meirwon sy feirwon ar feirwon sy'n hanner byw;
daw llais o'r llyn a chanfyddaf yn nrych ei lyfnder
  rywun sy'n debyg i mi ond yn fwy ar lun duw;
i'w dôn mae dieithrwch hanner mud y pellterau
  sy'n cynnig imi dangnefedd y bau dan y dŵr,
rhitheiriau'n sôn am ddi-sôn-amdanynt fwynderau,
  a chwerthin a chwerthin heb iddo'r un ystyr siŵr.
Lle gynt y bu'r nofiwr bach yn moethus glustfeinio
  ar wastad ei gefn, a'i lygaid hyderus i'r nef,
bellach fe droes ar ei dor ac isel ymgreinio
  gerbron yr hen swynwr fu'n cyfrif ei ddyddiau ef,
yn cyfrif ei ddyddiau, bob un, dau, tri a phedwar,
a dwys, ddidosturi dôn i'w dafodau lledwar.

170

Y Fargen

(Er cof am Robert Williams Parry)

'The Minister of Works said they had under construction an ultra-sonic vibrator to scare away the starlings roosting around Trafalgar Square.'

Gwrandewch, chwi gymdeithas barablus sy'n clwydo'r nos
  A begera'r dydd yng nghyffiniau Sgwâr Trafalgar,
Mae cynllwyn ar droed i'ch troi o'ch goludfawr glos.
  A dyma'r gyfrinach, yn ôl ei dyfeisydd dialgar;

Gyrrir ar gerdded trwy wifrau cudd dan eich clwyd
  Donfedd o sŵn uwch amgyffred ein dynol fyddardod;
Try'n ddolur eich cwsg ac yn hunllef eich gorffwys llwyd
  Pan drywano'ch meinglust. Rhy uchel fydd pris eich cardod.

Os oes yn eich plith chwi ddrudwy a glybu sôn
  Gan dad neu dad-cu am y diwrnod hwnnw pan nofiodd
O gopa cofgolofn Nelson i lawr at ei bôn
  A chaffael yno groeso Cymreig nad anghofiodd,
Mi drawaf fargen â'r drudwy hwnnw a rhoi
  Iddo ddihafal siawns i dafodi'r dyfeisydd,
A bod i'w gymdeithion yn sgawt am fan i osgoi
  Yr uffern a baratoir gan y dieflig leisydd.

Ond rhag ofn nad oes, adroddaf i chwi fel y bu
  Pan ddaeth bardd o Eryri ar bwyllog hynt i'ch cynefin
A sefyll yn syn i wylio rhyfeddod y plu
  A oresgynnodd y Sgwâr un prynhawn o Fehefin.
Nesaodd un drudwy fel tae'n ei 'nabod erioed
  Ac ymdroi'n bigfawr a bwyta'i wala o'i ddwylo;
Dedwyddach ni bu'r un deuddyn yn cadw oed
  Na'r bardd a'r aderyn a welais yn ymanwylo.

Felly y bu. Ac er pan ddaeth syfrdan si
  Fod y bardd wedi'i ddarostwng i'r dyffryn neithiwr,
O'm calon i blygion f'ymennydd anfonwyd cri
  Cyffelyb i'r un a gynllwynir gan eich anrheithiwr;
Tu hwnt i fydol ffin sŵn ac uwch dirnad clyw
  Ymchwydda'r alargan yn don ar don i'm byddaru,
Fel pe mynnai bontio'r gagendor sy rhwng y byw
  A'r mud anwylyd a roed mewn blwch i'w ddaearu.

A dyma'r fargen. O'ch rhif etholwch yr un
  Sy barod i daith ac yn ddrudwy sy ddewr ei aden,
Un na fesur filltiroedd, na chyfrif bellteroedd dyn
  Ac nad ofna waedd unigeddau'r wyllt hwyaden;

Hwn fydd fy nghennad at ddôr diagoryd gell
  Y llwyd a'r difreuddwyd ei fron yn nhirion Eryri
I wrando â meinglust astud am nodau pell
  Isel wae-wynfyd annelwig, ddaearol ddyri.

Os hynny a glyw, nid seithug fydd siwrnai'r gwas,
  Ei glust fydd dyst fod yr enfys-bont wedi'i dodi,
A'r galar-uwch-sŵn wedi treiddio'r briddell fas
  A chroesi'r ffin sy rhwng marw ac atgyfodi;
Tau cri'r ymennydd a chaf droi hen ddail
  Beibil y cof, ailfarw ac ail-fyw'r blynyddoedd,
A'r mudan a'r llafar yn croesi'r bont bob yn ail
  I chwarae mig â'r angau rhwng y mynyddoedd.

Am hyn, gymdeithion dan gwmwl, eich gwobr fydd hael
  Pan ddychwel eich etholedig o'i daith yn big-lawen
I sôn am werddon uwch dirnad eich clwydo gwael
  A'ch arwain yn ôl i heol lletyau'r awen,
Lle ni bydd ond tonfedd yr ynfyd wynt yn ei hwyl
  Yn defnynnu ei ddawns a'i gerdd dros eich clyd fargodion
Ac yn gwasgar briwfwyd bras pob atgofus ŵyl
  A gadwodd â'r addfwynaf o lu'r cysgodion.

J. T. JONES (JOHN EILIAN)
1904-1985

171

Claddu Llywelyn Fawr

(Aberconwy, 11 Ebrill, 1240)

Bellach, dros dir a môr, doed y diwedydd
Ac oer dynerwch nos, fel o'r dechreuad;
Er dychryn pan ymedy mawrion gwledydd
Dinewid yw pob dim dan olau'r lleuad.
    Bedd enwog lyw,
Mor welw gyfartal yw dan olau'r lleuad.

Arglwydd Llywelyn, suddaist i'r cysgodion;
Ym mhridd dy frwydrau heno y gorweddi;
Ar ôl dy fri'r wyt yma'n un o'r tlodion;
Saith drudfaith droedfedd ydyw'r fan a feddi.
    O'th eurog sedd,
Saith drudfaith droedfedd ydyw'r fan a feddi.

Ei faich a'i boen, ei ddirfawr boen, a ddarfu;
Disgynnodd braich y cleddau a'r deyrnwialen;
Yn Aberconwy nid oes dim i'w darfu;
Ymgroesed mawr a bach, a throi y ddalen.
    Daeth oes i ben;
Ymgroesed mawr a bach, a throi y ddalen.

Llif rhagot, Gonwy, dros dy dywod melyn,
Cymer i'r môr y diwrnod a'i alarnad.
Dan bridd dy lan y mae dy fab Llywelyn;
Byth mwy ni syrth ei lew olygon arnad.
    Och ddydd! Och ddydd!
Byth mwy ni syrth ei lew olygon arnad.

172

Meirionnydd

(Detholiad)

A thros y garreg i'r Hendre deg,
I'm cynnar drig, yn nhawelwch Nadolig,
Y deuthum, bererin, o'r twrf a'r trin.
Cusanaf fy mro. Mwy nid breuddwydio
Yr wyf am y bryn wrth Ddôl-y-Melynllyn
Nac am y sibrwd wrth Gapel y Ffrwd.
Daw'r wawrddydd well dros ysgwydd y Rhobell;
Anadlaf ras, canys dyma fy nheyrnas,
Arglwyddiaeth rydd Meirionnydd fy mam.

Nyni, dir fy nghlod, yw dy ddefaid disberod.
Clywsom gan ddydd chwiban y pibydd,
Y pibydd brith o fro hud a lledrith,
A myned i'w ddilyn yn dyrfa dynn.

Fe'n canodd ni i ysfa trefi,
I'r melinau hyll ac i'r tyrau tywyll,
O'n trysor a'n tras i'r troi dibwrpas
Nes dyfod cynfyd yn farn ar y byd:
Cynfyd yr heyrn, rhaib a gormesdeyrn,
A chwympo'r anwar a chwympo'r gwâr.

Ninnau yn ein siom, yno'r wylasom
Wrth feddwl a chofio am ein braint a'n bro.
I ba le y try y plant i gyfannu
Eneidiau toredig? Wele'r hen drig
A'r llechweddau'n llon o ddychwelyd afradlon
O'i hir gyfeiliornad i dŷ ei dad.
Boed y byd o'i le, cynnes yw'r Hendre,
Cynheiliad y gwiwfoes o oes i oes.
Yn y fro ddi-frys yr hen ust a erys,
Gosteg ar osteg, eira ar eira,
Llonyddwch prydferth a nerth pob nerth.
Y peth di-sôn y daw parabl o'i galon
Fel gynt o'i gôl ar y cyntaf Nadolig,
A hithau'r nos ar ei rhawd ddiaros,
Yn dawel, dawel, ac uwchlaw pob deall,
O'r Orsedd fry, y Gair o Hollallu,
O Frenin Rhagluniaeth, ar lam a ddaeth.

Mor amddifad yw dyn, a'r byd yn elyn
I'w hiraeth ef; pan yw troi tuag adref
I heddwch ei dŷ a Nadolig ei deulu
Yn felys ymwadiad â'r oes a'i brad.
Yma yng nghreigwedd wirionedd y bryniau
Mae eto fyd sydd yn breswyl i'r ysbryd.
A ddengys i oes ddig y rhagordeiniedig
Gytgord rhwng dyn a'i aruchel gychwyn:
Tir Meirionnydd yw ffiol fy ffydd.
Arno mae nod y di-sigl gyfamod,
Hwn yw ein crud anghoncweradwy:
Bys Duw yma sydd, a nefol lawenydd
Nas dyry dyn ac nas dyco diawl.

Ie, dyma'r tŷ, a dyma o'm deutu
Hedd a golud fy mhlentyndod clyd.
Nid yw'r llain yn ei lled na'r grisiau cyn serthed
Ac mae'r cwm wedi cau; er hyn myfi'i piau
A chaf droedio'n benrhydd y llwybyr cudd.
Acw, ar fron y rhosod gwylltion,
O'r cangau crog deuai glaw petalog
Wrth im fynd tua'r gornant a choedwig y pant.
A phan redwn fel hydd i ryddid y mynydd
Byddai bysedd-y-cŵn yno yn fyrddiwn,
Llonaid y fron o fintys gwylltion
A chawodydd diwair o friallu Mair;
Ar hyd y ffin chwerwlys yr eithin,
A cher y ffos, glasglych yr eos—
Pêr fyddai'r awel gan lysiau'r mêl.
Tros ymyl y bryn âi'r llwythog wenyn
Gan fwmian eu sôn gyda chân yr afon,
Ac yn nyddiau daionus mwyar a llus,
Dyddiau glân rhoddi ŷd mewn ydlan,
Byddai'r Garnedd-wen a Moel Hafod Owen
Dan aur a phorffor yr hen, hen stôr.

Wrth y bont fach 'roedd y glas yn lasach
Ac yn taenu trwch o gynnes ddirgelwch
Ar ymylon digymar fy ngwig, fy nghâr.
Cerais ei lliw a'i miwsig teneuwiw:
Dinas wâr gwenyn ac adar
Oedd coedydd Glyn Eden, a phob siriol bren
Yn gywir ei glod, yn ddwfn ei ufudd-dod;
Dinas wâr a'i changhennau'n ymbilgar;
Dinas o wraidd, a'i gwerin santaidd
 maith amynedd yn gweini hedd.
Ffawydden wen, ti wyddost dy ddiben,
Tydi a holl lu y deiliog deulu:
Sefi'n frenhines oerni a gwres,
Yn llathraid blas ac yn deg dy deyrnas
Dros dir a dŵr. Ti yw gwneuthurwr

Tegwch y dyffryn. Ar egni ei hun
Rhoddaist ffrwyn a genfa, a dewis y da
I ddyn rhag ei gur, ac i bob creadur.
Yn dy ffydd, ffawydden, y bodlon bren,
Disgwyliaist wrth ddyn i ymuno i ennyn
Â'r pridd ac â'th ddail ac â phob anifail
Un anthem bur o dragywydd Wneuthur.
Maddeuer, maddeuer, ufuddferch Nêr.

173

Cathl i'r Plant Bach

Wele'r rhai nid adwaenant wae
Er bod y ddaear fel y mae,
Ond byw pob ennyd o bob dydd
Yn ffyrnig-lawen, ffyrnig-rydd,
A bod i ddyn, yn niwl y llawr,
Yn olwg ar y Glorian fawr.

Y rhain yw'r rhai a roed gan Dduw
Yn oleuadau i ddynol-ryw,
Yn deryll dorf o wlad i wlad
Ac ar eu talcen enw eu Tad,
Gan gadw o hyd eu nefol wawl
A drysu deisyfiadau'r Diawl.

Ysed y byd gan lafn, gan lid,
Rhannu mae'r rhain eu dwyfol wrid.
Rhued y drwg o barth i barth,
Codant fel engyl dros y gwarth,
Yn ddiogel, ddedwydd, ddigrif lu
Wrth orffwys yn y Cariad Cry'.

Y bychan hwn, mor egwan yw,
Ond wele, yn ôl rhagluniaeth Dduw,
Gannoedd o gaethion yn ddi-goll
I weini ar ei reidiau oll,
Ac yntau'n toddi, fore a hwyr,
Y galon faen yn galon gŵyr.

Ac yn ei bresenoldeb mad
Mi wn mai 'mhlentyn yw fy nhad;
Myfi yw'r eiddil yn y byd
Ac yntau sy'n fy ngweld i gyd.
Hebddo ni allwn wneuthur dim;
Efe sy'n helm a tharian im.

Mae'n gweld yr annirnadwy byrth,
Mae'n byw dan liw'r wastadol wyrth
A'i degan bach yn drysor nef;
A friwo hwn a'i briwa Ef
A ddododd arno'i ddwylo gwyn
Gan ogoneddu'r bychain hyn.

Brodyr i bob creadur byw,
A gair eu Crëwr ar eu clyw;
Pa ryfedd fod y cyfryw rai
Gylch yr Orseddfainc yn ddi-drai
Yn canu eu croywber gân eu hun—
Cân diniweidrwydd cyntaf Dyn?

O leisiau cloch, O gyrff bach clau
Sy'n achub ac yn adfywhau,
Chwi yw perffeithrwydd serch mewn cnawd—
Yn llamu i'r byd yn dlws, yn dlawd,
Ac o'ch daioni'n cael pob dim,
Y dianwiredd Geriwbim!

Heb fwyta o bren gwybodaeth sur,
Ni ddaw ond mawl o'r pennau pur.
Och, trugarha, Ein Tad, Ein Tad,
A gyr i'n pydredd sancteiddhad.
Tywynna i mewn i'n hesgyrn mud
A rho blentynnaidd bwyll i'r byd.

THOMAS PARRY
1904-1985

174 *Ansicrwydd*

Pwy fu'n ymryson â chymhelri'r gwynt,
  A throchi'i law yn ewyn chwilfriw'r môr,
Cyn ymlonyddu o gewri'r cyfddydd gynt,
  Cyn troi'r allweddau trwm a bolltio'r ddôr?
Pwy fu'n cordeddu awyr, tir a dwfr
  Yn un gymysgfa ddiogel, a rhoi ias
Herfeiddiol bywyd i eiddilod llwfr
  A hyder gwanwyn yn y ddaear las?
Rhyw ddydd fe laesa ei amrannau ef
  A chwsg, nes clywed gwawch a gwallgof gri
Y cewri'n ymryddhau, gan sarnu'r nef
  A dyrnu'r ddaear; yna gwae nyni
Drychfilod tila rhwng y pridd a'r gwellt
Pan dorrir llyffetheiriau'r gwynt a'r mellt.

175 *Mam wrth ei Phlentyn*

Fy mab, yn irdwf mebyd,
A'th orffwyso'n gyffro i gyd,
Yn nydd dy aflonyddwch,
A byr gyni'n llosgi'n llwch,
Gwêl y cain firaglau cudd
Yn llunio d'esgyrn llonydd.
Gwybydd fy ysig aberth
A'm poen fawr yn awr dy nerth.
A thyn pob giewyn i gyd,
A diwyrni cadernid,
Ystyr di hir saernïaeth
Y darn corff yn druan caeth.

Tra bo corff wrth gorff yn gudd
Cur hen yw pob cur newydd.
Fy mhla i a'm clwyf aml oedd
Yr ias a gerddai'r oesoedd
Dyrys o hyd, a'r ias hon
Ysydd einioes i ddynion.
Cei nwyd a hoen, o'm cnawd i,
Ac o'm henaid cymuni,
D'ymennydd o'm coludd cau,
D'anadl o'm hanadl innau.

Trwy'r hirnos bûm yn gosod,
Â gwewyr balch, gysegr bod;
A rhoi gwreichionen d'enaid
I ysu'n wan, nes y naid
Ryw ddydd yn llathraidd oddaith,
A fflamio cyn darffo'r daith
Neu roi arch o enau'r Iôr
A dryllio coed yr allor.
Yn niwl gwyn heulog einioes
Y mud rith a hir ymdroes—
Rhith mab a draethai ymhell
Eiliad chwim cled a chymell.
I'th wrid a'th wawr di a'th wên
Aeth fy lliw a'm nerth llawen.
Dyn, hud breuddwydion ydyw
A wnaed o boen yn gnawd byw.

Yn hwyr, a'r gwynt yn oeri,
Ym myd siom dyheais i
Am a rôi waedd gref ym mro
A dinas, nes dihuno
O'u hir gwsg yr henwyr gynt
Y bu wan bawb ohonynt.
Gwrthryfel hen wehelyth,
A nwyd ei fam i'w gnawd fyth.
Lleddfaf poen y boen ni bydd—
Dyn nid yw ond ei awydd.

Wedi myned caledi
Ofnadwy awr d'eni di—
Gweld ennyd rhwng byd a bedd
Wyll a niwloedd amhwylledd—
Hedd a thrin, mynydd a thraeth
Iti fydd etifeddiaeth.

Gwn iaith wych y gân ni thau
A phêr hoen offerynnau;
A gwn wingo gan angerdd
O wrando cur nodau cerdd.
Ymbil y ffidil ni phaid
Nes dihoeni o flys d'enaid,
A braich wen yn bwrw'i chân
Yn gŵyn addfwyn neu riddfan,
Fel cariad na fyn wadu
Y faith gyfrinach a fu.

Adnabod syndod y sêr
Ar daen dros yr hwyr dyner;
Rhoi lloches i'r llu uchel
Ym mhlygion y galon gêl;
A'r drin pan frwydra'r rheini
Yw'r erlid a deimli di,
Pan fo aruthr rhuthr a rhus
Hyd hafnau d'enaid ofnus,
A rhin gwyllt y sêr yn gwau
Nos i'th wynias wythiennau.

176

Fy Nhad

(Bu farw Mawrth 20, 1942)

Côstio am dipyn, wedyn hwylio ar led,
Yn llanc, yn llawen, ac yn gryf dy gred.
Troi'n ôl i'th fryniog fro a chroeso'i chraig
A'i charu a'i choledd, megis gŵr ei wraig—
Dringo i'r bonc; datod y clymau tyn
A roed pan blygwyd y mynyddoedd hyn;

Rhoi rhaw yn naear ddicra'r Cilgwyn noeth,
A phladur yn ei fyrwellt hafddydd poeth—
Troi dy dawedog nerth, aberth dy fraich,
Yn hamdden dysg i ni, heb gyfri'r baich.

Ni thorraist fara nac yfed gwin y Gwaed,
Ond cyfarwyddodd Ef dy drem a'th draed.
Difyrrwch pell dy fore, byd nis gŵyr,
Na diddan ludded d'orfoleddus hwyr.
Ni chanwyd cnul na llaesu baner chwaith
Pan gododd llanw Mawrth dy long i'w thaith,
Ond torrodd rhywbeth oedd yn gyfa o'r blaen
Mewn pedair calon chwithig dan y straen,
Wrth iti gychwyn eto i hwylio ar led,
Yn hen, yn hynaws, ac yn gryf dy gred.

177

Gwenallt

Y bardd bach uwch beirdd y byd,
Da ydwyt yn dywedyd,
Dywedyd mai da ydyw
Gwir hanfod ein bod a'n byw.

Diddig gynt oedd prydyddion,
A'u melys gysurus sôn
Am oes aur, am ias hiraeth,
Awel trum neu heli traeth,
Neu nefol hwyl rhyw hen flys—
Difyrrwch edifarus.
Sêr swil a phersawrus wynt
Eu dyrïau direwynt,
A siffrwd mêl awelon,
Yn tiwnio'n braf tan ein bron.
Mwyth eu hoen i'n hesmwytháu;
Mewn hoen gwrandawem ninnau.

Ond fel brath tost daethost ti,
Yn ddaearol dy ddyri.

Un dwys ei wedd, cennad siom
Ac ing oes; a gwingasom.
Torrodd dy brotest eirias
Ar gwsg hyfryd ein byd bas:
Mai ofer ein gwychder gwael,
Mor ofer â'n hymrafael;
Mai ofer ein gwacter gwych,
A phwdr, wedi craff edrych.
Mwyniannau mân yw ein maeth
A'n duw yw marsiandïaeth.

Dyn â'i gamp ar daen i gyd,
Ei wyddor a'i gelfyddyd;
A'i obaith am adnabod,
O ddawn ei ben, ruddin bod—
Y sêr yn y pellterau,
A'r ffrydli trwy'r gwythi'n gwau—
Hynny oll a enillwyd
Heb ddwfn hedd, heb ddofi nwyd,
Heb geinder na gwylder gwâr,
Na Duw i loywi daear.

Gelwaist ti, er miri mawr
Y dorf yn ei rhuthr dirfawr,
Am arafwch, am rywfaint
O hamdden sagrafen saint,
Am ofn Duw, am fan dawel,
Lle gŵyr, lle clyw a lle gwêl
Pob gŵr mewn difwstwr fyd
Foddau'r nefol gelfyddyd.

Nid o ysgol na choleg
Y tardd dy gelfyddyd deg,
Ond o'th enaid a'th ynni
Byrlymog, dihalog di:
Gorchest awen ddilestair,
Rhwydd gamp yn gwefreiddio gair.

Byd ni fedd ddim rhyfeddach
Na'r ddawn a bair i ddyn bach
Herio'i oes a'i gwyllt rysedd
A'i rhaib oer o'r crud i'r bedd,
Herio dydd aur y didduw,
Am iddo ef amau'i Dduw.
Diwyrgam, sicr dy ergyd,
Hir y bo yn her i'r byd
Dân dy nwyd i'n denu oll
I encil o ddifancoll,
Encil dawel ddihelynt,
Fel a fu'n y Gymru gynt.

Wrth droed ei orsedd heddiw
Yn daer iawn ein hyder yw
Na chlwyfo briw na chlefyd
Y bardd bach uwch beirdd y byd.

EUROS BOWEN
1904-1988

178

Y Bryniau Hyn

Y mae amser i'r bore ac amser i'r hwyr
Rhwng curiadau'r bryniau hyn,—
Lle bydd gwawr trugaredd yn dod dan chwibanu
Trwy'r caddug a garw'r barrug gwyllt,
A thosturi'r ymachlud yn drymio i dre
Yng ngŵydd a chlyw'r seithliw sêr—
Lle na chlywir un anaf i hedd y ffurfafen
Oddi wrth saethiadau simneiau'r nos,
Na ras ddidostur disberod y bore
Ar hyd heolydd, na chrynfa rheiliau,
Na byddin gadwynog rhuthradau'r hwyr
Yn taro pob awel ffordd yr eir i dwnelau.
Bydd baneri trugaredd uwch gwair a gwellt
Yn arllwys eu lliw ar orymdaith y rhos,

A thosturi pob lluman yn drwm gan sloganau
Yn torri anghenion fforddolion y ddôl:
O aelwyd y ceiliog i lety'r dylluan
Bydd pob congl o'r dydd yn dal ar flas
Y seiniau esmwyth yn dyfod o bell,
O'r tu hwnt i drwst y morthwylio draw.

179 *Brain*

Brain yn hedeg i'w hencil yng nghôr y coed,
Yn troi uwchlaw rhuthr y ffordd oddi arni,
Hen bethau byth-a-hefyd-gyda-ni
'R un fath â phechodau gwyrdd, melynllwyd,
Cenedlaethau'r dail a braeneddau'r deri,
Gweinidogion dan glochdy cryg y plwy,
Yn eu du ar allorau briw'r derwyddon,
Ac wrthi'n awr rhwng muriau gwenwisg y nef
Yn llafarganu salmau myfyrdodau'r dydd—
Wedi bod yn hir fugeilio halen y ddaear
Yng ngoleuni'r byd ar lechwedd a chae,
Yn gwrando ar had y trysor
Ac yn pigo at galon
Y doethineb cudd rhwng y creigiau a'r cerrig—
Ac yn dychwelyd oddi wrth aroglau'r ceunentydd
I gangell ac allor fin nos
Heibio i'r trai a'r llanw a'r lludw a'r llwch
Â hadau mwstard y perl yn eu pig—
Goruchwylwyr y dirgeledigaethau gwyn
Dan glychau'r bryn yng ngogoniant canghennog y pren.

180 *Danadl ym Mai*

A yw danadl yn dwyno Mai
Pryd y bydd baglau rhedyn yn bennau elyrch?
Mae chwa ar hawnt rhwng y muriau beddau
A'r cloffi ar ddaffodil diweddar y llan,
Fel gwynt botasau'r gog
Yn troi i ganlyn y gwynt:

Hir-yddfog yw meddiant y mieri
Yn nofio
Ar grychdoniad rhododendron,
A gwyrdd gwaed y ddraenen wen
Sy'n dristwch o liw arafwch loes,
Tristwch yr hwyrddydd hir.
A yw'r daran yn difa cyntefin amser
Pan lusg ei magiad ar fynydd
A thrymhau'r dydd ar wely'r llyn?
Na, nid felly.
Tyr fflach ar syndod y tir,
Fel brathu blinder llaw,
Y nodwydd yng nghasgliadau'r cwmwl,
Pigiadau'n esgeiriau gwair—adferwch poen.

181 *Mewn Arena*

Y glaw,
    y glaw a glywid:

Mellt oer
    am y lle a'i do,
rhusiad o daranau
dros dywod arena,
a'r glaw,
    y glaw a glywid.

A'r mellt
    ar wedd daranog,
Yn rym o wylltiroedd hyd arena,
a'r mellt
    ar wedd daranog
o erwau ymhell i dreiddiad arena
a dorrai i fewn
yn darw ar i fyny,
a'r glaw,
    y glaw a glywid:

Nerth yn y ffroenau,
nerth yn ffrwyno,
nerth yn haffio â'r anadl,
nerth yn offer anaf,
nerth yn fferru enaid,
a'r glaw,
    y glaw a glywid.

Gwaed ar hyd ei war,
        gwaed twym ei ystlys,
gwaed ar ei dor,
        gwaed tymhestlog
hyd dywod tywyll,
a'r glaw,
    y glaw a glywid.

Nerth hir ei gyrn
yn rhuthr i gyd
hyd dywod tywyll
y dŵr a'r gwaed,
        a'r dŵr yn gwaedu,
a'r glaw,
    y glaw a glywid.

Ofn ar ei ben ei hun,
ofn a'r boen ohono,
ofn yn litwrgaidd,
ofn a'i aneliad,
        hoyw ei ergyd,
yn offeiriadu i'r angau ei hunan:

Â'i â phurhad ar wingo hwnnw,
yn ddiwedydd gwyrdd
        o'r bedydd gwaed.

Olé ac Olé!
    a'r glaw,
        y glaw a glywid.

182

Ogof Wag

(Ger Aber Mawr yn Sir Benfro)

Ogof wedi ei gwagu,
oddieithr fod sŵn y gro
sy'n crafu dŵr y môr islaw'n
llanw a threio o'i mewn.

Cynefin môr-ladron yn cuddio
ysbail antur a dychymyg,
yn cronni'r blys
yn niogelwch ei thywyllwch hi,

Y groth gyfrin
yn meithrin codiadau'r môr,
yn maethu gostyngiad yr had,
yng nghysgod llanw a thrai
ei distawrwydd,

A'r ceudwll heddiw'n esgor
ar dwf,
yn ysbail o wynder gwylanod
ar faes yr ogof wag.

183

Beddau

Mae'r coed yn ben i waered
yn y dŵr,
fel pe bai disgyn yn y diwedd
yw ein tynged ni bob un,
y llechweddau'n boddi yn yr olwg,
y bryniau eu hunain yn gorwedd
yn y gweryd llyfn,
a'r caeau'n llonydd
hwythau
mewn claddfa o le:

Mae arogl blodau'n plethdorchi
cysgodion o awyr y dolydd,
fel hediad galarnad
brân ar ôl brân
uwch llwybrau hwyr y llyn:

Ar wahân i hyn
does dim ond tawelwch
araf yr hydref
yn aeddfedu'r claddedigaethau
yng nghoffadwriaethau'r cof:

Y beddau a'u gwlych yr haul.

184

Saliwt

Er cof am William Alwyn Jones a George Taylor, Abergele

Gwisgwch y ddwy arch,
yn goch, yn wyrdd, yn wyn,
â baneri anrhydedd ein gwlad.

Cludwch ddistawrwydd eu cnawd
rhwng cerddediad y parch o'u blaen
a'r balchder sy'n rhodio ar eu hôl,
a phlyged o ddeutu'r ffordd,
ysgwydd wrth ysgwydd,
ddail
y fasarnen a'r onnen a'r deri,
oherwydd
ni chlywodd ein hoes ni
arogl gwaed mor ddieithr
â rhin y gweddillion hyn.

Curwch ar bylwch tabyrddau
alarnad yr orymdaith
i feddiant y beddrodau
yn rhyddid gwyn y tir.

Llathred dros y briwgig
saliwt
y frân a'r wylan a'r wennol,
ac utganer i glyw'r bannau
fiwglau'r alwad ola
uwch gorwedd y clod.

Yna caeër y pridd
am fywyn yr eirch,
oblegid
bydd gwreiddiau'r gwaed hwn
yn y tir
yn blodeuo'n wyrdd.

185

Plu Eira

Rhwng wybr a daear yn y nos
disgynnai'r plu ar lannau'r llyn
ac ar doeau ffatrïoedd,
crynhoi ar hyd canghennau'r allt
a hel fel gwybed
dan oleuadau palmentydd,

a theimlem rithiau ymlid
y lluwch dros y lle'n
oriau'n bwysau trybini byd.

Rhwng daear ac wybr
esgynnai'r plu oddi ar lannau'r llyn
a thoeau ffatrïoedd
yn godiad adenydd
oddi ar ganghennau'r allt
ac oriau palmentydd,

a theimlem anterth amliw
y plwc—hediadau'r plu'n
wawr heini uwch trybini byd.

TOM PARRI JONES
1905-1980

186

Yr Oes Aur
(Detholiad)

Wrn llwyd i lwch breuddwydion
Ydyw byd a wybu hon.
Ei dydd fel ienctid, a aeth
Yn ddihenydd ddewiniaeth;
Oni welir cnu heulwen
Dros ei gwynfyd hyfryd hen
Yn aur, ag atgo'n aros
Yn nydd byr Rhagfyr yn rhos.

Teg fyth mewn atgof yw hon.
Hi yw golau y galon.
Hi yw bywyd pob awen
Ac ysbrydiaeth hiraeth hen.
Diddarfod ei darfod yw,
Rhyw wynfyd o hyd ydyw,
A cheir, fel enfys ar chwâl,
Ei gwrid hyd Roeg a'r Eidal.
Tlysni diedwi ydyw,
Tragywydd lawenydd yw!

Gwelwn atgof o'i golud
Yn artistri meistri mud.
'Roedd maith anniddigrwydd môr
I'w breuddwydio'n bêr, ddidor,—
Ddyfod ei diddyfod ddydd
Yn llunio dawn llawenydd.
Creu addurn o'u cur oeddyn';
Heb gur ni cheid addurn dyn.
A gwelsant ogoniant gynt
Nad oedd eiddo'r dydd iddynt.

Un dydd, gwyn eu bod oeddynt,
Gwelsant ei gogoniant gynt!
Rhyw Olau nas ceir eilwaith
Ar diroedd na moroedd maith.

Rhyw oes . . . artistiaid yr hil
Â dawn gain bod yn gynnil
Eu medr a rwydai'i lledrith,
A rhoent i'w hanghyfan rith
Fireinder cân, hyder côr,
A mwyn lonyddwch mynor.

Hi a fynnodd nwyf einioes,
A'i thlysni egni eu hoes.
Ond, ni wybu llu'i phenllâd
Angau'n borth darostyngiad!

A'r un sy'n byw drwy einioes
Fel fampir ar egni'r oes,
Gwea'i ddawn mwsgaidd henaur
A thoi oes â thryblith aur . . .

Na chawswn fyw'n ei chysur,
A marw â'i fflam ar ei fflur.
Rhown fyd cau, rhown fywyd caeth
I Olau oriau hiraeth.
Mi a rown hun amrannau.
Maith ing a fai'n esmwyth iau.
Cyfrif fy mhridd yn ddiddim
Ac adfyd yn wynfyd im;
I gael, fel y meistri gynt,
Eu breuddwyd,—y wobr iddynt.

Hunwch chwi, feistri, gwyn fyd
A welodd ei hen olud;
Gweld peth cain na welai neb,
A'i weld yn anfarwoldeb!

Ni ddaw y wawr wen ddwywaith,
Na chog ag enfys ychwaith . . .

Âi, fel niwl, o afael nwyd.
Ai aur oedd, ynteu breuddwyd?

Cyfaill iawn yw cof llenor,
Melyster cerdd, hyder côr.
Ond, mae brud pêr mwynder maith
Neu gronicl o'i gwawr unwaith?

A hwyrhâi? Pam na cheir rhôl
Awr a aeth mewn chwedl rithiol,
Neu, ddyheus fawl bardd, a hi
Fel heulwen haf i lili . . .?

187

Angau

Wrth borth darostyngiad
lle y mae hi'n nos Sadwrn byth,
y mae'i gerbyd du'n dy ddisgwyl,
cerbyd ag aroglau'r oesau arno,
nid â heibio i neb heb ei godi.

Fe â'r hen bobl ato
ond daw ef at yr ifanc.

Ac ar amnaid gymwynasgar y gyrrwr,
y gyrrwr celgar a di-sgwrs
a chymod â'r pridd yn ei lygaid hen,
ei i mewn
i eistedd ar ystyllen;
bydd yn well na chlustog brenin
am liniaru blinder.

Fe'th hebrwng at droed angel gwyrdd y Llan
wedi agor drws
a'i beintio'n goch,

tan rawio cawodydd y gloch o'r pridd
a'r llithoedd o'r suntur.

Gymaint a gafodd eu codi gan hwn.
Cofi . . .
Helen eurgain o lannau Argos;
ond ni bydd dim o'i phersawr yn y cerbyd
na llafn o'i thlysni,
mwy na chwpan Socrates am glebran.
Dim . . . Dim . . .

TOMI EVANS
1905-1982

188

Y Twrch Trwyth
(Detholiad)

Chwiliwyd a mynych holi
Ar waun a llechwedd hyd Ddyffryn Llychwr,
A chael lle'r aeth y perchyll i'r wâl,
Ond un enaid yn unig
A ddaeth yn ei ôl ddwthwn eu hela.

Arweiniodd yntau'r brenin
Ei luoedd i fan yr ymladdfa yno,
A rhag sŵn milwyr a chŵn mewn cymhelri chwyrn,
I warchod ei hil daeth y Twrch i'w dal;
A bu, o lethr i bant,
Ym Mynydd a Dyffryn Amanw,
Frwydr hyd farw i ŵr
A bwystfil fel ei gilydd.

Y Twrch, o weld ei genfaint ar chwâl,
A adawodd y maes a dianc,
A'r ddau oedd yn safn-rudd weddill
O'r aethus haid wrth ei sawdl.

O bant i fryn y bu hynt y frwydr,
Goreugwyr, yng Ngarth Grugyn,
A roes eu heinioes am un ohonynt,
Ac nid rhad yn Ystrad Yw
Mo'r hir hela cyn marw o'r olaf.

Yna Arthur a alwodd i nerthu'r hela
Wŷr ewn a di-ofn o Gernyw a Dyfnaint,
A chaed tro ar y Twrch Trwyth,
Ac yn nyfroedd genau Hafren,
Ei gael ar ei gefn
Onid aeth o dan y dwfr;
Ac wele Cyledyr a Mabon o'r tonnau,
Y naill â gwellaif a'r llall ag ellyn,
Eithr nid oedd, er rhuthro'n dorf,
O'r gwŷr oll a gipiai'r grib,
Cyn iddo gael glan a thraed dano,
I ddianc arnynt i berfeddion Cernyw.

Ac o ddrwg i ddrwg, yn nhueddau'r eigion,
Y bu ennill y grib yno,
Ei erlid o'r forlan,
A'i wylio yn mynd am orwelion y môr.

Yna, troes Arthur o'r antur i hedd
Llwyr Gelli Wig,
I'w buro o'i aflendid a bwrw ei flinder.

A Chulhwch a ddychwelodd
Yn ddi-oed i lys Ysbaddaden,
Lle bu rhoddi a phrofi yr offer rhyfedd.

Cadw o Brydein ar y cawr yn gweini,
Â'i ellyn hyd yr asgwrn yn ei eillio'n drwsgwl,
A rhoi ei finiog lafn drwy fôn ei glust.

'Os cefaist a hawliaist,' ebe Culhwch,
'Diau y caf finnau dy ferch.'
'Cei,' ebr y cawr,
'Hyn yw'r diwedd, ac i Arthur bo'r diolch.'

A gorfu iddo fynd, gerfydd ei fwng,
I'w agor o'i wddf i'w wegil,
A tharo ei ben yn y porth ar bawl.

A bu, y noson honno,
I Gulhwch ac Olwen
Hyd eu heurwawr gydorwedd.

189

Dwylo

Eiddiled yw'r hen ddwylo
Fu'n arfer â gêr y go,
Dwy arw eu mowld, er eu maint
Yn ddiynni'n nydd henaint,
Pâr o siap yr eisiau oedd
Yn waedd y main flynyddoedd,
Yn ceisio 'chydig gysur
A throi'n dorth haearn a dur,
Dwylo doe fu'n dal y dydd
Ac yn huawdl gan awydd,
Yn ffitio crefft cawr o ŵr
Ac eithaf gwarant gweithiwr,
Y pâr clai, pwy ŵyr eu clod
A'u gerwindeb yn gryndod?
Eiddiled yw'r hen ddwylo,
Dwylo braisg a fu'n chwedl bro.

190

Y Pethe

Heniaith yn ôl, dan y garthen niwloedd
Bu egino gwâr a bu geni geiriau,
A'u dyfod adeiniog ar dafodau dynion
Yn ffurfio, cydio'n y cof.

A daeth eneidiau dethol
A'u dewis cywrain ym mhriodas geiriau,
Y rhai a welodd ac anfarwoli
Eigion eu gweledigaeth;
Eu gwisgo â phaladr ac esgyll,
Eu rhwymo yn yr emyn.

Aeriaeth y cenedlaethau,
Hen bethe byw iaith y bobl,
A deunydd eu galwad yn ddiogelwch
I enaid y genedl.

Eli'r galon i'r rhai a'u gwelodd,
Fel y cadarn o'r Sarnau,
Yn ogoniant ac ennill.

Y mae ef ar dramwy o hyd,
Yn dilyn ei arwyr, yn dal i'n harwain;
Diddarfod bererindod yr iaith.

191

Marwnad Ci Defaid

Carlo, tywysog corlan
Yn fyddar i bob chwiban
Yn farw fud i fref wan.

Mae'n wag o'r clos i'r rhosydd
O'i gladdu, a darfu dydd
Ei ofalaeth ar foelydd.

'Roedd henddawn cŵn praidd ynddo,
Awch yr hil i'w chwarae o
Yn golwyn am fugeilio.

Ac ufudd i bob gofyn,
Llywiai'r haid heb golli'r un,
A didol dafad wedyn.

A chi'r awr pan drechai'r ôd
Siberiaidd haid ddisberod,
A gwynfedd i'w ddarganfod.

Sŵn eu hymbil wrth chwilio
Yn hir ddwys, ei arwydd o
Fod un o'i ddefaid yno.

Swatiwr mud a meistr y maes
Yn troi helfa'r treialfaes
Yn huodledd tafodlaes.

Galaru o weld gloywres
Cwpanau, tarianau'n rhes,
O'u cyfrif, cyfrif cofres.

Draw ar freuddwydiol drywydd
Ger y tân, o'r hysfa'n rhydd,
Â'i bawennau'n obennydd.

Erys y cylch tymhorol,
Yr un daith i fryn a dôl;
Yr un, ond mor wahanol.

Atgofion gant a gyfyd
O'i ffordd ef â phraidd o hyd,
A chofio sy'n falch hefyd.

192

Adfail Hen Fwthyn

Af i hen blwyf nobl ei wedd,
Y mae yno lom annedd;
A gŵyr Duw mai garw yw dod
I'r hendy ar bererindod.
Llwybyr tirf yw'r feidir fach
A gwelaf hwnnw'n gulach,
Gweld deufaen heb glwyd hefyd,
Y ddau yng nghwsg meddw ynghyd,
A'r mwswm ar bendrwm bâr,
Clydwch tawelwch talar.
Hithau'r ardd, fe aeth y rhos
Â thegwch perthi agos.
Dof yn ôl i'r dethol dir
A'i weld yn un anialdir;
Hen bridd a fu'n Eden bro,
Y danadl yw'r cnwd yno,
A'r lle bu mam yn tramwy
'D oes gysgod na maldod mwy.

Rhyw adwy rhwng parwydydd
Yw'r ddôr a agorai ar ddydd.
Rhiniog y chwerw wahanu
Yn fwlch i'r aelwyd a fu.
Hithau'r aelwyd o'i threulio
Yng nghynnydd ei dedwydd do,
A welodd yn nhawelwch
Ei llawr yn malurio'r llwch;
Porfa a'i sawr lle prifiais i,
A manwellt rhwng y meini;
Yr awron irder iorwg
Ar y main lle codai'r mwg.
A'r to a heriai'r tywydd
Yn sarn ar y glaslawr sydd.
Hen le'r gân a'r galar gynt
Yn agored i'r gyrwynt.

Fel claf mae'n araf wyro
Yn ôl i bridd cornel bro;
Tâl y rhent ola' i'r hin
A'i drothwy dan dw'r eithin.

E. LLWYD WILLIAMS
1906-1960

193 *Preseli*

Unwaith yn unig
Y dyrchefais fy llygaid i'r mynyddoedd
A gweled gwarth.
Yr oedd milwyr ar y moelydd
Yn bwrw'u prentisiaeth lladd.
Noethai'r cŵn eu dannedd arnynt,
A chrwydrodd y defaid ymaith
O olwg bugeiliaid newydd Garn Gyfrwy.
Ciliodd yr wylan i'r heli,
Ehedodd yr ehedydd o'i randir
A daeth y merlod-feirch yn ffrindiau
Dan y graig y dwthwn hwnnw.
Ni themtiwyd bytheiad i hela cadno
A goddefwyd i'r curyll hedfan
Uwchben yr ydlan.

Nid Cymry oedd milwyr y moelydd,
Ni wisgent ein brethyn
Na siarad iaith ein heddwch.
Daethant a rhwygo
Rhigol gorfoledd
A chwerthin byw diwyd
Doethineb daear.

Pan giliodd y milwyr,
Dychwelodd i'r moelydd
Hud a lledrith machlud a llwydrew;

Rhywbeth na wyddem ei gael
Cyn ei golli.
Gwelsom yr wylan eilwaith,
A darganfu'r ehedydd ei nyth
Â'r wyau'n oer.

194 *Nadolig*

Cleddwch yr ŵyl, nid yw ond ysgerbwd,
Esgyrn y ginio, ysbwriel y wledd.
Teflwch i'r Baban yr hosan deganau
A pheidiwch â son am aur, thus a myr.
Gyrrwch gerdyn cydwybod y gardod
I gyfaill a gofiwch;
Dyna'r ffasiwn a'r ffws.
Ni chlyw'r bugeiliaid ganu'r angylion
Lle bloeddia'r utgyrn,
Ac ni ddaw'r doethion a cherdded dros heol
Bwhwman bom.
Diddig yw'r ddaear dan niwloedd ofergoel
A diddig yw dyn, yr anifail cnawd.
Rhowch iddo'i bibell, ei botel a'i butain.
Gadewch iddo chwarae ag offer ei glyfrwch,
Techneg ei angau; gorfoledd ei wae.
Rhowch gyfle i uffern.
Cleddwch yr ŵyl, eiddo Mamon yw mwyach,
Mamon a masnach, miri a medd.
Gwisgasoch yr Iesu yng nghlogyn Santa
A phlannu'n ddiwreiddiau y goeden â'r tinsel
Lle gynt y bu'r Groes.
Cleddwch yr ŵyl.

'Clyw gryglais yr Eglwys
A'r clychau'n troi geiriau'n gweddïau yn gân.
Tyrd allan.
Tyrd allan o'r gegin, o'r dafarn, o'r ddawns.
Dos, ira dy lygaid ag eli'r gwlith
Awr encil yr haul.

Diosg dy esgid a cherdded yn droednoeth
Nes cyrraedd y llecyn sy'n lân dan y sêr.
O dan y sêr y mae Duw'n siarad.
Yno cei gwmni'r gefell a gollaist
Ddiwrnod y cweryl, brynhawnddydd y pwd.'

Yn y caddug 'rwy'n cuddio,
Dan do adain y dydd
Heddiw.
I'r cnawd pleser yw cnoi.
Cynhaliaf wledd heddiw,
Yfory, ni ddaw i'm rhan, o fwriad.

'Clyw wahodd yr awel,
Tyrd allan o garchar tŷ unnos dy frys.
Gwybydd mor greulon y cuddia d'ystafell
Yr haul a'i orwelion, y lleuad a'i llewych,
A'r sêr ar eu sarn.
Dilyn dy heddiw i benrhyn y machlud,
Cei yno gyfrinach y golau anniffodd,
Llygedyn y ffydd,
Lliw'r harddwch a ddychwel yn danlli i'r wawrddydd
Bob bore, bob bore, heb golli yr un.
Penlinia yn unig ar benrhyn y machlud
A gwylio nes gweld yr haul yn ei wely
A'r lleuad yn codi a'r sêr yn dod ati
'Gydag awel y dydd'.
O dan y sêr y mae Duw'n siarad.
Disgyn Ei eiriau yn fynych i'r gweiriau,
Ond clyw
'Y GAIR a wnaethpwyd yn GNAWD'.'

R. MEIRION ROBERTS
1906-1967

195

Dwy Ŵyl

Gwelais Nadolig yma, gwelais Basg
  Heb laesu o sŵn y gynnau
  Ar wasgaredig rynnau;
Diarbed a fu'r dasg
O Ddydd Nadolig hyd at Ŵyl y Pasg.

Ychydig cyn yr ŵyl yn Alamein
  Cuddiais i amrannau deillion
  Diymadferth fy nghyfeillion,
A'u gadael ar y ffin
Ychydig cyn yr ŵyl yn Alamein.

Moelydd Tobrwc—ceisio anghofio 'nghŵyn;
  Pwy a ddeil y briw feddyliau
  Rhag llithro yn ôl yn ysig byliau,
Mae'r cof yn mynnu eu dwyn
At y twmpathau tawel ar y twyn.

Teithio drachefn, o ddiflan glwyd i glwyd,
  Teithio yfory, teithio drennydd,
  Mae'r ymdaith hon yn hen ddihenydd;
Ar fin y ffordd fe gwyd
Milwriaeth Rhufain yn adfeilion llwyd.

Tynnu tua Mareth, nesu at Ŵyl y Grog;
  Drwy rigolau'r coed olewydd,
  Wele yn wir diriogaeth newydd
I'r Angau drin yr og;
Bu'n trafod o'r Nadolig hyd y Grog.

Angau, oni ostegi dro dy law?
  Rhyngom ni a'r Aifft yn ddiau
  Mae cynifer Calfarïau
Ag a'th lytha'n llwyr—heblaw
Bod dydd yr Atgyfodiad Mawr gerllaw.

196

Dau

Mor dirion ar ein clyw
Dy air, ffraeth enau dysg,
Bendith a erys yw
Dy ddyfod ddoe i'n mysg
I fwrw i gilfachau ein hymennydd
Hen hoen, hen dristwch, hen lawenydd.

Gwych orchwyl o berswâd
Ar d'areithyddiaeth olau
Oedd denu o hedd y wlad
A glwysgell dy gyfrolau
Olud Cynddilig a chyn hynny
Y gweriaist ddiddan oes i'w brynu.

Ond dywed, farchnatawr
Anhygoel nwyddau,
Pwy yw'r golygus gawr
A syllai dros d'ysgwyddau,
A'i gudyn, a'i sbectol gorn galed,
A'i fwmial am wylo Tudur Aled?

197

Eglwys y Wyryf

Eglwys y Wyryf,—y mae draig
Goruwch ei chyntedd di-ystŵr;
A'i saer a roes bod croes fel craig
Uwchlaw ei distaw dŵr.
Ai doeth y pensaer hwn a deifl
Ei gadwyn o grechwenus ddieifl
O gylch y cysegr? Barned gŵr,
A barned hithau'r wraig.

Do, ar fy ngair, fe'u rhoddwyd hwy,
Yr anllad a'r llygredig griw,
I lechu ym mhinaclau'r plwy,
I guddio o fewn y deml wiw.

Yn nwysaf hedd y llan a'i fraint
Lle gwelir gwynlliw ddelwau'r saint
Mi a welais lwyd aflednais liw
Rhyw fforchog gwt neu ddwy.

Diau mai felly yn wir y rhoes
Y cyfiawn Dduw i'r byw yn rhodd
Gofleidio'r fendith lân neu'r loes
Yn ôl eu dewis fodd.
Lle byddo'r Wyryf—y mae'r Fall;
Lle byddo'r Arglwydd Grist—mae'r llall;
Ond cryfach fyth na'r ddraig
Anorthrech graig y Groes.

ELLIS JONES
1906-

198

Y Bargod

Rhy'n ddi-daw tra bo'n glawio—seiniau mwyn,
Fel sŵn mil yn godro;
Pan geir rhew yn dew ar do,
Daw hynod dethau dano.

WILLIAM JONES
1907-1964

199

Cawod

Ambell hen lyffant melyn
O dan fy nhraed,
Ystod 'rôl ystod yn disgyn
Heb golli gwaed.

Cysgod y cwmwl carpiog
Yn duo'r gwair,
Fel angladd yn taflu tristwch
Ar firi ffair.

Fflachiad yn gwanu'r düwch,
Defnynnau bras
Yn blotio cerrig y gefnffordd
Wrth droed y das.

Fe gawsom ollyngdod heddiw,
Bu f'esgyrn i
A Darbi ers dyddiau'n disgwyl
Amdani hi.

200

Yr Hen Blaned 'Ma

Mi wn fod Duw yn dal i gysgu'n drwm
A hen blancedi'r cynfyd drosto ef,
Ni chlywodd dinc morthwylion yn y cwm
Na sŵn tryweli'n codi llan a thref;
Pan anwyd amser collodd beth o'i nerth
Wrth lunio ei blanedau fesul un,
Rhoi ffurf a llun i dwmpath ac i berth
A moldio'r toeslyd bridd i lunio dyn:

Pan ddeffry ef ryw ddydd o'i drymgwsg hir
A rhwbio'i lygaid uwch y blaned hon,
Fe sylla'n hanner hurt ar fôr a thir
Heb 'nabod odid ddim o'i belan gron;
Ac yna codi'i olwg tua'r sêr
Na stompiwyd eto gan ein dwylo blêr.

GERALLT JONES
1907-1984

201 *Y Foneddiges Beti Eic Davies, Gwauncaegurwen*

Un dreng ydyw'r lleidr angau,
Am loywder, ceinder mae'n cau
Ei grafanc o law wancus
O flaen eiddigedd ei flys.
Daw i ddwyn o'n byd ei dda,
A dwyn enaid uniona'.

I 'Ben-twyn' i ddwyn un dda
Daeth o ar ei daith hya'!
Dwyn y fam hael o'r aelwyd,
Dwyn lliw haul a'n gado'n llwyd;
Dwyn y pwyll a'r didwylledd,
Gras ei gair o groeso'i gwedd.
Dwyn gobaith pen-taith weithion
O'r byd; mor dyner ei bôn.

Dwyn o'r Cyngor ragorferch,
Dwyn un bur, ddoeth dan bridd erch;
Dwyn tŵr llawen ei chenedl,
Dwyn un lân ei chân a'i chwedl.
Dwyn hyder ein pryderon,
Hyder lle'r oedd breuder bron.
Dwyn dewrder dan y gweryd,
Dwyn i'r bedd dynera'i byd.
Dwyn o'r byd ffrom golomen;
O wŷn ei gas, dwyn ei gwên.
Dwyn gofal ein gofalon
A dwyn hwyl ydoedd dwyn hon.

Er a ddwedir, gwir a gau,
Un dreng ydyw'r lleidr angau.

T. J. MORGAN
1907-1986

202

Hen Fyfyrwyr

(Er cof am D. J. Evans, Coleg Caerdydd, ac eraill.)

Hen glwt o ynys chwyslyd,
  Rhyw froc ar li'r Môr Tawel,
Yn un o domen ddryslyd
  Mewn bedd di-law, diawel.
Ym mhydew'r clwyf a'r geri,
  A'r hun ddi-boen dragywydd
Mae drych o hynt Pryderi
  A thinc o hoen y cywydd.

Dan dywod cras yn cysgu
  Yng ngwlad yr hen gaethiwed
Ar hanner oed ei ddysgu
  Yn ienctid oes ddiniwed;
Heb gof am gas at elyn,
  Wrth fedd yr anial llydan,
Mae islais o Bantycelyn,
  Ac ysgubau Manawydan.

Ar dir y mawr ddoethineb
  A mynydd duwiau'r Awen,
Mae olion awr wylltineb
  A beddau lu aflawen;
Dan orchudd y maith dawelwch
  Murmuron sydd eto'n aros,
Brith gof o'r 'Wedi elwch'
  A rhin 'Anatiomaros'.

Gwinllannau'r coeth sonedau
  Ac orielau'r llun a'r ddelw,
Heddiw dan graith bwledau
  Ar ôl y gamp ddielw;

Yno heb sôn am ennill
  Dan borfa di-raen erddi
Mae tannau coll heb bennill
  A phersawr y 'Blodeugerddi'.

Ar draethau gwlad y glanio
  A llain y cadau geirwon
Mae'n ddistaw twrf y tanio,
  Distawach torf y meirwon;
Yn gymydog â'i elynion,
  Y llanc a garai drafod
Teyrndlysau'r gell Englynion
  A thrysor cudd Cerdd Dafod.

Dan donnau Môr Iwerydd
  Mae cysgod eto ar grwydyr
O ysfa ddileferydd
  Ymdrechion arall frwydyr;
Gwlithyn sydd yn y dyfnder,
  Hanfod yr hen egnïo,
A llewyrch ar fron y llyfnder
  O gip ar degwch Llïo.

R. E. JONES
1908-

203 *J. E., Tros Gymru*

Dolur ei wlad a welodd,—a gwarthrudd
  Ei gorthrwm a'i clwyfodd;
 I'r frwydr fawr (dewr o'i fodd)
 Am ei rhyddid ymroddodd.

Glendid ei gadernid o—roes i'w wlad,
  Rhoes lewder di-ildio;
 Rhoes ei ddeall diball, do,
 Rhoes ei enaid tros honno.

Pryderu tros Gymru gaeth,—ac er hon
  Gwario'i holl gynhysgaeth;
 Byw'n gyfan i'w gwasanaeth,
 Marw'n wir dros Gymru a wnaeth.

Er cur siom llawer crwsâd—llawen oedd
  A llawn hwyl yn wastad;
 Er clwyfo, brifo'i brofiad,
 Er cario o'i gorff farciau'r gad.

Un wnïad oedd ef â'i grefydd,—un darn
  Oedd y dyn a'r gwleidydd;
 Un ffurf ei weithred a'i ffydd,
 Diwahaniaeth eu deunydd.

Dros ei dud brwydr wastadol—fu'r eiddo
  'Ngrym ei freuddwyd ysol;
 Yn rhengau'r frwydr ingol,
 Glew iawn oedd—digilio'n ôl.

Ac yna, pan oedd ar ganol—y drin,
  Dod o'r wŷs derfynol;
 I'w deg fro enedigol
 Daeth o nych ei daith yn ôl.

Yn ôl i bridd ei fro ddiddig,—yn ôl
  Yn anorchfygedig
 Y dôi'r brodor briwedig,
 Yn ôl i Felin-y-wig.

O'r ddaear, er ysgariad,—daw eto
  Hyd atom ei alwad;
 'Ewch, bob gŵr, o un fwriad,
 Yn llu tros Gymru i'r gad.'

ROWLAND JONES (ROLANT O FÔN)
1909-1962

204

Awdl y Graig
(Detholiad)

Angau'n ei anterth yw pob prydferthwch,
Eigion o ofid yw'r gwin a yfwch.
Sicrach na thynged yw fy nghaledwch,
Hafan a gwâl yw fy niogelwch.
Ni welodd yr anialwch a'i dorf ddu
Arf a all naddu drwy fy llonyddwch.

Druan o'r haf a'i feddal betalau,
Rhyw ias ddiaros yw hedd ei oriau.
Dihuno gwig a mynd a wna'i gogau;
Gwywa, a bydd doreithiog y beddau.
Tyrd i'm gwlith, a chei dithau'n oes oesoedd
Ddringo i diroedd yr eangderau.

Ymlusg yr hydref i welâu'r defaid,
A'i bla a'i rysedd i blwy'r eosiaid.
Pan dry o'm carnen fel unben tanbaid,
Ni wêl y wig hen newyn ei lygaid.
Ni cheir dwyfol ffiolaid dan bren crin,
Na llaw i drin hen drallod yr enaid.

Mwy na'r corff yw'r wisg, a mwy yw'r plisgyn
A'i wead oer na chân yr aderyn.
Awenydd y dorf a ddaw i'w derfyn,
Ond tra bo daear llachar yw'r llwchyn.
Cwymp y dail yw campau dyn, a bydd swae
Y glaw ar y bae pan gilio'r bywyn.

205

Y Gŵr Gofidus

Nid oedd fod a wyddai faint
Ei ddwyfol ddioddefaint.
Rhy lem ei anfeidrol iau
A'i ing yn waeth nag angau.

A hoeliodd gwerin fawlyd
Arno ei bâr yn y byd.

Naddu croes a wnaeth oes au
I arbedwr bywydau;
Ei gorff pur a ddoluriwyd
Gan ladron rhwng lladron llwyd;
Dan wawd ein blaenoriaid ni,
Dwys a dewr ei dosturi.

Y rhyfelwr a folwn,
Ddeifiol un, pa dduw fel hwn?
Ein gwas ar begwn iasoer
A'n llyw hyd bellafion lloer.
Yn llys arwriaeth ein llên
Beth yw saer, beth yw seren?

Nid oedd fod a wyddai faint
Ei ddwyfol ddioddefaint;
Fab gwrol, duwiol ei Dad,
Rhed ei gri hyd ei gread;
A her i saint yr oes hon
Yw geiriau'r Iesu gwirion.

ANEIRIN TALFAN DAVIES
1909-1980

206 *Edrychais yn Dy Wyneb Neithiwr, Angau*

Edrychais yn dy wyneb neithiwr,
Angau,
a chael nad oedd
ond wyneb fy anwylyd,
ac amlinell dyner ei gwedd
yn gwareiddio crechwen
gwep watwarus
dy benglog swrth.

Ni fynnai hi imi afradloni dagrau,—
hi na fynnodd i neb dreiddio
i anferthrwydd ei dirgel glwyf;
ac angau pawb yn fwy
na'i hangau hi.

Fe'th welais fel yr oeddit, f'anwylyd,
cyn i'r Angau grafangu dy gnawd
o'th esgyrn brau, a minnau'n gwylio'r frwydr
ym mhob llinell o'th gorff
a'th wyneb hoff,
heb fedru codi llaw
i daro ergyd yn y gad.

D. H. CULPITT
1909-1982

207 *Hen Efail Thomas Lewis, Talyllychau*

Ni chyrch y plant fel cynt ar derfyn dydd
  I roddi chwyth i'th fegin ger y tân,
Ac ni ddaw ebol mwy i dasgu'n rhydd
  Pan wylltir ef â chawod gwreichion mân:
Tawodd dy glych a'u nodau gyda'r wawr,
  A'th fwg ni throella chwaith i las y nen,
Dy offer weithion yn ddi-hid ar lawr—
  Y rhwd a'r pryf yn bwyta'r dur a'r pren.
Mudwyd dy eingion tua'r greirfa draw
  Er cof am emyn dwys ystalm a gaed,
Pan driniai'r gof ei swch â chelfydd law
  Mewn chwys nes cofio am 'ddefnynnau gwaed'.
Heddiw ti gofi mewn mudandod fardd
A gofiodd dro am ing 'griddfannau'r ardd'.

O. M. LLOYD
1910-1980

208

Gofid

Nid yw gofid gaeafau—druaned
I'r hen â gweld poenau
Llygaid llanc ifanc yn cau:
Haf yw adeg gofidiau.

209

John Jones, Brynaber, Trawsfynydd
(Pencampwr Cŵn Defaid)

Fe giliodd o'i fugeilwaith;—ni chlyw'r cŵn
Uwchlaw'r cae chwibaniaith
A'u gyr yn ufudd i'w gwaith
Hyd gyrch astud gorchestwaith.

210

Cofeb Pedwar Milwr

Paid â rhoi i'r pedwar hyn—hir foliant,
Rhyfelwyr nid oeddyn'.
Yn y llwch heddwch iddyn',
A rho'r mawl i'r rhai a'i myn.

211

Gŵr a Gwraig

Efo'i gilydd fe'u gwelwyd—hyd eu hoes,
Ill dau ar eu haelwyd;
Yna law-yn-llaw yn llwyd
Efo'i gilydd fe'u galwyd.

212

Crist

I Fair ni roddaf eiriau—uchel iawn,
Ei chlod yw'r cadachau;
Y Brenin ar ei gliniau,
Efô yw'r un i'w fawrhau.

213

Brys

I beth y rhuthrwn drwy'r byd?—Gwirion yw
  Gyrru'n wyllt drwy fywyd.
 Daw blino brysio ryw bryd
 A daw sefyll disyfyd.

IDWAL LLOYD
1910-

214

Bro Fy Ngeni

Hen, hen yw bro fy ngeni
A rhyfedd hedd iddi hi.

Hyfwyn fu ei hafon fach
A rannodd ei chyfrinach
Â hogyn deg yn y dydd,
Bu'n ei dilyn drwy'r dolydd;
Gweld dan blyg ei helyg hi
Y gotiar a'r sigwti;
Treulio'r dydd trwy wylio'r dŵr,
Ei ogoniant a'i gynnwr',
A gwelwn fod grwn y gro
Yn llawn gronnell yn gryno.

E ddringwn ddâr a hongian
Ar frig i watwar y frân,
A dynwared aneirif
Ieir y twyn, y llwyn a'r llif,
A'u gwylio gyda'i gilydd
Adre'n dod o rwn y dydd.

Mwyn ei rhos ym min yr hwyr
A rhywiog liw i'r awyr;
Yr oedd yno farddoniaeth
Hesg a ffrwd, a miwsig ffraeth
Y llwyni cyll yn y cafn
Gaed yn ysgwyd yn ysgafn.

Rhoes gwanwyn irias gynnar
A luniai dwf blaen y dâr;
Dôi â'r adar i oedi
I dw'r allt yn gôr di-ri',
Ac i liwio'r gerddoriaeth
Dôi â'r gog a'i dyri gaeth.

Fe ddôi'r haf i'w ddiwair hynt
Â'i heulwen a'i dawelwynt
I oglais llwyn a thwyn â thes
A llonni'r lle â'i anwes;
Urddo'r coed a harddu'r cwm
O erlid dreigiau hirlwm.

Dôi'r hydre' i gun arlunio
Gwar y fron a brigau'r fro,
Taenu paent yn un pentwr
Ymhob cae ac ymhob cwr;
Dôi â'r adar i heidio
O dwf rhiw a choed y fro
I drwsio mynd dros y môr
I drumau'u hannedd dramor;
A synnwn at liw gwiwer
Yn ffoi'n syth fel cynffon sêr,
Neu liaws ffri'r deilios ffraeth
Mor hwylus ym marwolaeth!

Wedi'r hydre a'i odrin
I'r gwrych hael dôi'r garwach hin;
I lef uniaith gylfinir
Mydrai ystorm dros y tir,
A bu'r glaw'n ysgubo'r glyn
A chreu hwdwch o'r rhedyn.

Un a ŵyr nyddu'r hwyrnos
Roddai'r hud ar ferddwr rhos;
I ddôl rhoi gwisg ddihalog,
Hulio glyn â diwael glog,

Rhoi gemau'r barrug yma
Neu wych res o glychau'r iâ.

Hen, hen yw bro fy ngeni
A hon fyth fydd fy nef i.

PENNAR DAVIES
1911-

215

I Dri Brenin Cwlen

Y Doethion gwirion a ddaeth o'r Dwyrain,
Ai doeth oedd gadael
Y marweidd-dra trystiog mud
A cheisio Dymuniant yr holl genhedloedd
A Brenin breintiog y byd?

Yr un oedd eich doethineb gwallgof, gwyllt
Â braf ffolineb Abram gynt
A aeth allan heb wybod i ba le
Yr oedd yn myned.
Doeth a dewrwych oeddech, fel efe.

Yr un oedd eich ffolineb uchel, erch,
Â mawr ddoethineb Mab Duw
A'i gwacaodd ef ei hun
Ac a wnaethpwyd yn gnawd, drosom ni.
Ffôl a ffyddlon oeddech, fel Mab y Dyn.

Chwi a gawsoch y Mab a geisiasoch:
Rex regum et Dominus dominantium,
Y dechrau a'r diwedd, y bachgennyn byw.
A rhoesoch chwi iddo aur a thus a myrr—
I Fab y Dyn ac i Fab Duw.

Diniwed oedd
A gwan a distadl,
Yn wylo
Ar liniau'i fam,
A rhwng ei dwylo.

Diwedd eich taith oedd dechrau eich teithio.
Crwydro wedyn, a chwilio, a gorffwys,
Ganrif ar ôl canrif wyw.
A dal i grwydro eto, a'r byd yn rhyw led-gofio
Campweithiau Mab y Dyn a Mab Duw.

Yng Nghwlen, meddant, mae eich creiriau,
Yn gymysg bellach â chreiriau Cred.
Mentrwch allan, y Doethion, mentrwch, ewch.
Mae'r sêr yn amneidio a'r babanod yn wylo yng Nghwlen:
Ceisiwch, a chwi a gewch.

216 *Cathl i'r Almonwydden*

Caraf odreon Natur aml ei bronnau,
  A charaf 'r awron, ie, 'n fwy na chynt;
Cans syllais, dro, fel Brendan ar ei thonnau
  Ac fel Elias ar ei thân a'i gwynt;
Fel Math a Gwydion gwelais flodau'r twyni'n
  Rhyw syn-ymrithio'n ffurf Blodeuwedd feddw;
A chyda Daffne gwelais brennau'r llwyni'n
  Gymdeithion galar i bob gwan a gweddw.
      A gwelaf almonwydden
  Yn chwifio'i gwynder nwyfus tua'r nen,
Y goeden ddewrwych, hyf, y mwyn, chwerthinog bren.

Ymdorrodd ton o londer dros fy enaid:
  Gwelais y Llew yn llamu dros yr haul;
A throwyd gwaedd yn weddi, pob ochenaid
  Yn gân o foliant am y Drefn a'r Draul;

Trowyd yn salm o ddiolch am ymgeledd
  Gŵyn dorcalonnus Rachel am ei phlant;
Trowyd yn orohïan ddolef Heledd
  Am Bengwern hael, am dewyn ac am dant.
    Cans gwelais almonwydden
  A choron ôd gwynlathraidd ar ei phen,
Y goeden wylaidd, ffraeth, y llon, direidus bren.

Gwelais yr Oen a laddwyd gynnau'n prancio
  Dros orwel byd i farw i fyw drachefn.
Troes griddfan Paolo a Francesca'n strancio
  Sancteiddiol, siriol, dros y Draul a'r Drefn.
Profais ynghanol holl erwinder gaeaf
  Dyfu o'r cennin Pedr, flaguro o'r rhos,
Gydrodio'r haf, gyd-ddrachtio haul cynhaeaf,
  Gydwrando grwndi'r gwenyn cyn y nos.
    Cans gwelais almonwydden—
  Ac wele'n nheml yr hollfyd rwygo'r llen—
Y goeden smala, wydn, y swil, dig'wilydd bren.

Och, Iesu, daw pob atgof am dy boenau
  Fel alaw lawen i sirioli 'mryd,
A'r drewdod erch a gododd at dy ffroenau
  Fel peraroglau godidoca'r byd.
Cans gwelais Sarff yn hyfryd ymgordeddu
  O amgylch Pren y Bywyd uwch y lli
A chlywais dy Golomen yn gwireddu
  Â chân fytholwiw dy addewid di.
    Do, gwelais almonwydden
  A'i brig ymwthgar, braf a'i choron wen,
Y goeden eofn, lew, y pêr, balchlwythog bren.

Pa wyrth yw hon a weddnewidiodd gelain
  Yn wyllt orfoledd llaethwyn, berw a bras?
Onid y wyrth a roddodd hoen i'r elain
  A nwyf i'r wennol dan yr wybren las?

Onid y wyrth a droes y call yn ynfyd
A'r siomiant llwm yn lân, anfarwol gerdd?
Onid y wyrth a hudodd demlau'r cynfyd
Ar lathraidd lethrau dan y weilgi werdd?
Hawddamor, almonwydden:
Dyrchafa'r fflur i drechu gwawd a sen,
Y goeden 'guddia'i chraith, y byrbwyll, bywiol bren.

217 *Melltith Taliesin ar Heilyn ap Gwyn*

O ingoedd angeuol fy enaid briw,
Enaid Taliesin y Prydydd.
Colled ac arswyd a ffieidd-dra a loes,
Cernod a gwarth, gwenwyn a chleddyf,
Gwaed a phoer a llysnafedd:
O na fyddent i gyd yn angof gennym ni!

Ein melltith ni arnat, Heilyn ap Gwyn.
Tydi a ddrylliodd ein gwynfyd,
Tydi a adferodd ein hadfyd.

Ein melltith ni arnat.
Nofio yr oeddem gynnau mewn hedd ac anghofrwydd,
Yng ngwynfyd dychymyg,
Yn nefoedd yr awen,
Yn y fendigaid ddihangfa
Nad oes ynddi na gofid na gwae;
Ond agoraist y drws a'n gorfodi
I wynebu Cernyw ac Aber Henfelen
A holl erchyllterau'r gyflafan a fu.

Ein melltith arnat, Heilyn ap Gwyn.
Melltith ar yr ymchwil ddistrywgar,
Melltith ar yr ysfa am weled a phrofi
Bod a bywyd.
Oni ellir fod yn fodlon ar lendid
Y dwthwn na fu ei debyg
Ar holl gyfandiroedd daear?

Ein melltith arnat.
Paham y bu'n rhaid iti ddatgelu
Holl ddrewdod yr hagrwch y sydd,
A ninnau mor orawenus
Yn yr harddwch a allai fod?

Ein melltith arnat, Heilyn ap Gwyn.
Melltith ar y gwybod gwael:
Melltith ar y llaw
A fyn fodio a difodi:
Melltith ar y llygad
A fyn chwilio a chwalu:

Melltith ar bob praw a gwyddor
A'r llofrudd a rwygodd fru ei fam
I weld ei lun a'i liw.

Melltith arnat ti!
Canys dewisach na'th chwilgarwch mileinig
Yw'r tawch a'r tarth a enhudda
Eneidiau awenyddion y byd.

218 *Pan Oeddwn Fachgen*

Pan oeddwn fachgen yr oedd bro ryfeddol
yr ochr draw i'r mynydd:
yr haul yn sioncach yno, ym mlodau'i ddyddiau;
y lleuad yn fwynach, a'i gorchudd o gyfaredd
yn gorwedd yn ddiwair ar dwyn a dôl;
y nos fel sagrafen,
y wawr fel serch ieuanc,
y nawnddydd fel sglefrio ar y Môr o Wydr,
yr hwyr fel hoe wedi lladd gwair;
wynebau'r werin fel llestri tseina
a'u lleisiau fel ymson dyfroedd dirifedi
rhwng ffynnon a môr,
a'r bobl yn feibion a merched dihenydd,
yn dywysogion ac iarllesau yn y llys;

a holl linellau natur, meddwl, cymdeithas
a dawn ac ewyllys ac aberth
a'r achub a'r trueni a'r hedd,
holl linellau menter, hawl, tosturi,
yn cyfarfod draw ar wastad y llygad
mewn pwynt darfodedig, diddarfod
a elwid Nef:
a'r cyfan yr ochr draw i'r mynydd,
ym Merthyr, Troed-y-rhiw ac Aber-fan,
cyn imi groesi'r mynydd
a gweld.

219

Dau Enaid Nas Dihunir

(Er cof am y ddau lanc o Abergele)

Disgwyl am y wawr y mae'r llain yma
o'r ddaear.
Mae cyffro cudd yn tyner aflonyddu
ar adar mân a blodau brau
ac y mae holl nodd a nwyf y cread
yn ymchwyddo o'r newydd.
Wele'r wawr yn araf estyn
y bysedd rhosliw hynny
i dynnu niwl a chysgod
oddi ar dwyn a chwm a môr a maes
a pheri i'r blodau ymfalchïo
ac i hoywlef adar lanw
dôl a pherth a choedlan a marian môr
ag orohïan eu cân.
Codir y gorchudd oddi ar wyneb
yr ysblander
ac wele doriad dydd.

Gwawr, Eos, Aurora—
ailadroddir unwaith eto
yr hen ystrydeb a gydia'n ddi-feth
yng nglendid anian ac awen.

Yma, yn ystafell gefn ddisgwylgar
y tŷ galar,
croesawaf y wawr.

Gwaredir dynion
o'r ffugio marw a elwir cwsg,
ond ni ddihunir pawb.
Y mae dau wron nas dihunir byth.
Er pob camfarnu ar eu gwaith a'u tynged
sylla eu llygaid
ar godiad haul o'r uchelder
ac edwyn y calonnau gwir
y gwir nas diffoddir.

220 *Llef y Baban*

1

Rhyfedd oedd clywed llef gyntaf y baban—
canys llefain a wnaeth er gwaethaf yr hen goel
fod y baban hwn yn rhy sanctaidd i lefain—
ie, llefain a wnaeth fel pob baban byw.

Yn ei lef y mae pob baban yn llefain.
Dros bob baban y mae llef yr eiddilyn bach hwn.
'Uniganedig', 'Cyntafanedig'—ai dyma'r geni
sydd hefyd yn aileni hiliogaeth Efa ac Adda?

Yn ei lef y mae'r dragwyddol lef i'w chlywed,
llef y Chwythwr, y Deffrowr, y Bywhawr,
yn mynnu ein bod ni oll yn clywed yr Enw,
Enw'r holl enwau, 'Ydwyf yr hwn ydwyf'.

2

Crefftwr oedd Joseff, saer coed, nid un
o lafurwyr y tir, gŵr o linach Dafydd
(er bod peryg hawlio hynny yn nyddiau Herod Fawr),
saer na fynnai lunio croesbren Rhufeinig,

Israeliad a hiraethai am ddydd yr Eneiniog,
dydd rhyddhau caethion a phorthi tlodion
a gorseddu Meseia, y Cyfiawn a'r Trugarog.
Clywodd yn llef ei grwt waedd adfer Israel.

3

Gorweddai Miriam y fam mewn gollyngdod pêr,
dan ryfeddu a diolch a llawenhau
yng ngwyrth y geni a hyfrydwch y llef,
llef angen, llef bywyd, llef mabolaeth lân.
Ond mor frau y bywyd bach, mor frwnt y byd—
cofiai weld flynyddoedd ynghynt gorff gwaedlyd
rhyw lanc hardd ei wedd a gawsai ei ladd
am fentro pleidio hawliau tylwyth Hasmon.

4

Diflannodd yr atgof a chaeodd Miriam ei llygaid
i weld megis mewn breuddwyd y dieithriaid rhyfedd,
brenhinoedd a bugeiliaid yn ffoli ar y trysor,
yn canmol, yn anwylo, yn anrhegu'n afradlon.
Ac eto buasai sôn am frenhinoedd llwgr yn Jwda gynt,
y 'bugeiliaid' annheilwng a chwerw gollfarnwyd
gan y proffwydi digofus yn Jwda a Babilon
wedi cwymp Jerwsalem a chwalfa'r deyrnas ddrud.

5

Llanwyd y lle'n wyrthiol gan ddisgleirdeb mawr
sêr a chytserau lawer y nefoedd aruthr
ac un seren lwysloyw a unai'n rhyfeddol, meddir,
danbeidrwydd Iau a llewyrch llathraidd Sadwrn
mewn gorawen brin ei thro, ond diau iddynt i gyd
ddyfod â'u teyrnged, yr Arth Fawr a'r cawr o Heliwr
a'r Chwiorydd glân y mae hwnnw'n eu hela—
a holl ganhwyllau pefriol nen y nos.

6

Ond yn y cysgodion safai—penliniai, medd rhai,
y gwesteiwyr bodlon, heb eu gofyn, mud eu croeso,
yr ych a'r asyn ar goll yn eu breuddwydion
annelwig ond ystyrlon, bendigaid eu miri,
anwybod y bwystfilod yn synhwyro'r rhadau pell
ac yn blasu yn y gwair y gyweithas sydd i fod,
yr ych yn pori'r gwellt yng nghwmni'r llew,
yr asyn yn dwyn Tywysog Tangnefedd i Salem dref.

J. GWYN GRIFFITHS
1911-

221 *I'r Crwt a Ganai'r Piano*

(yng ngwersyll y ffoaduriaid o Latfia a Lithwania ac Esthonia yn Lubeck, yr Almaen, yn ôl tystiolaeth y Parchedig Walter Bottom.)

Mae'n uffern ar y ddaear yr ochr hon i'r bedd
wrth weld yr Arglwydd Satan yn bennaf yn y wledd.
Yma, mewn barics hen, lle'r heidiwyd torf
i'r gorlan lwyd, ddiobaith, cenaist ti i deyrnas Nef.
O cân, Feseia bychan yr Ewrop newydd!

Ceir ugain teulu'n gecrus mewn un neuadd,
diffeithwch durfing heb Ganaan dros ei orwel.
Tywyll eu llygaid gan hiraeth am henwlad;
mae'r trysor yno, ni bydd arall mwy.
Ond cenaist ti.
O cân, aderyn unadeiniog gwanwyn newydd!

Crochan y cenhedloedd chwâl yw hwn; lle hawdd
i gablu a chasáu, cyn dysgu caru dim.
Gorchfygaist ti'r amgylchfyd,
trewaist y piano a oedd fud
â chanig flêr, gyfewin.

Gwyn fyd na chlywid hi
tros Ewrop ddu, ei Dwyrain a'i Gorllewin.
O cân, ddysgwr bach dygn yr ysgol newydd!

Yn awr gyfyngaf dy Gaersalem sarn
ti brynaist faes, yn ernes am a fydd,
heb hidio'r sgrechian croch a'r rhegi hir
na'r muriau gwag a'r lloriau llwm.
Mynnaist ail-greu toredig ddarn o Handel,
mynych dy ddiscord a'th ailgynnig
a'th gywiro dyfal; ond ymlaen â hi . . .
O cân, watwarwr bach y bywyd adfeiliedig,
daw dwndwr y dadeni o'th biano di.

222 *Ar y Ffordd i'r Môr*

Ar y ffordd i'r môr
y dywedaist o gornel gynnes:
Ewch heibio fryniau mân a chaeau twt,
'rwyf yn teimlo'n well yn awr.
Dawns y newydd-loerau ar fy mron
a ddwg angof fel llysiau Helen
ar orwelion sy'n ffinio â'r bytholfyd llifol
heb gyfri'r mwg mwy fel chimaerau
fy hiraeth hurt.
Mae popeth yn llifo'n aberoedd simneiog
o ddail y ffawydd coch a'r amhosibl amherthnasol,
rhwydwaith y blagur-drochion dan fy nhraed,
trobwll y Byth Eto, rhaeadr fy nwydau ewynnog,
arllwysfor cusanau gwyrddlas.

Ar y ffordd i'r môr
cofiaf mor drist yr oeddem yn yr orsaf
pan guddiodd ei hwyneb ar fy mron.
'Roedd hi'n wylo a dywedais
Rhaid inni beidio â thynnu sylw
yma yn yr orsaf.

'Rwy'n mynd ymhell, 'rwy'n mynd am byth,
dros fôr, yng ngeiriau bardd yn bert,
dros fôr fe droes i farw.
Mae pawb yn edrych arnom, paid ag wylo,
gwrando ar dy Hector,
fy hardd Andromache ar lwyfan trên.
Mae'r ofnau'n llethu, a chwerw
yw gweld y gwanwyn ir.
Ni ddylai fod yn Fai;
a storm yr einioes ar dorri draw
ni ddylai Mai ddeilio mwy.

Ond af i'r môr a'r storm a'r gwynt,
gyda'r môr a'r machlud yr af allan
lle ni'm dilyn llygaid ffenestri pell.
O wynder y myrdd penglogau perl-dan-y-môr
a gemau a gwymon a gwymon a gemau yn gymysg
yn ddylif anapaestaidd dygyforiadau gwyrdd
fel naid o ddeiliog rwyll i chwerthin ceirios.
O ymollwng O noethni
yn angau'r ewyllys mewn ymsuddo i'r dwfn ddiddymdra
i hoen bachanalaidd y ddawns dan y don
a nwyfiant newydd-loerau yn nofio.
Cymerwch fi i'r esgyrnlu angylaidd
y plasau hud a'r dorau dŵr
labrinthau'r môr-forynion
temlau pob arial, pagodau'r nirfana dyfrllyd
i'r ildio olaf tu hwnt i'r ewyllys.
O sugnwch fy suddau
golchwch fi oddi ar y traeth
i lesmair Lethe lydanfraich.

GWILYM RHYS ROBERTS (GWILYM RHYS)
1911-

223

Er Cof am Geraint Edwards

Wedi'r braw gerllaw y Llyn
Arch-flaidd yr erchaf flwyddyn
A ddiwreiddiodd oreuddyn.

Troi'n llwch hawddgarwch Geraint,
A'r holl hwyl, heb arlliw haint.
Huno cyn barrug henaint.

Wrth reddf, yr athro addfwyn
Rannai win a grawn i'w ŵyn.
Gwae a wanodd eu gwanwyn.

Yn llachar fflam ei gariad
Dewr ei lafn ym mrwydr ei wlad:
Hir y cur am flaenwr cad.

Garw i'r byw fu agor bedd;
Dwyn o'i iechyd yn Nhachwedd
Un hoenus i'r oer annedd.

224

Y Dwylo

Bûm wrthi heddiw'r pnawn
  Yn prysur chwynnu,
Â'm dwylo yn y pridd
  Yn tynnu, tynnu.

A chofiais am fy nhad
  Ym mhridd Meirionnydd,
A'i ddwylo diwyd ef
  Mor llonydd, llonydd.

GWILYM R. TILSLEY
1911-

225

Cwm Carnedd
(Detholiad)

Daw'r bws i gludo'r rhai bach
Ar wib oll i'r dre, bellach;
Rhaid, medd Addysg, eu llusgo
I ysgol fras o'u gwael fro,
O'u hen Gwm i'r dref gymysg
Sy'n llawn o bob dawn a dysg.

Buan y llwydda bywyd
Y dre braf i droi eu bryd;
Mwynhau ei llecynnau coedd,
A stŵr hudol ei strydoedd,
Ei hiaith lithrig Seisnigaidd,
A'r coegni drwyddi a draidd.

Wedi dysg diwyd ysgol,
Nid â neb i'r wlad yn ôl;
Chwiliant am swydd sy rwyddach,
Mwy cydwedd â'u bysedd bach;
Swyddog trethi fydd Ifan,
Tua rhyw siop y try Siân.

Gwell na rhybela'r chwarel
Gwagswmera swyddfa swel,
Trafod rhif a chyfrifon,
Delio â ffeil, handlo ffôn,
A swagro'n llawn pwysigrwydd
Â phennau saff yn eu swydd.

Hwyr a byr yw eu bore,
Dwyawr neu dair,—un i de:
Ar gynnar awr, o'u gwae'n rhydd,
Torheulant ar heolydd,
I aros defod hwyrol
Cylchu'r cloc â Roc a Rôl.

Di-hid a gwawdlyd ydynt
O Gwm eu plentyndod gynt,
Ei fyd cul a'i fywyd cau,
A'i lwyth o sibolethau;
Yno ni thrigent unawr—
Y dref yw eu nef yn awr.

A gyrchai neb i garchar
Wedi gweld bywyd a gâr?
Rhy atgas ffeirio asffalt
Tar y ffordd am wtra a ffalt,
A newid lampau neon
Am gyntefig wledig lôn.

A phwy a adawai'n ffôl
Amrywiaeth drama'r heol,
A mynd i Gwm ei hendaid
A'i dwllwch a'i lwch a'i laid?
Yn ôl ni throant eilwaith
O firi'r 'Grande' i fro'r graith.

226

Fy Mam

Ni bu'n ddoeth ymhlith doethion,
Aur a dysg ni roed i hon;
Dewr ei henaid er hynny
Uwch ei thasg o gylch ei thŷ.

Ni chafodd glod na chyfoeth,
Na stad unbenesau doeth,
Ond hi oedd haul ei theulu,
A mwyn o fam inni fu.

Yr esmwyth hedd ni feddai
A gâr hil y segur rai:
O aberth a thrafferthion
Y dôi'r hedd fu'n hedd i hon.

Ni roddwyd gwychder iddi,
Ucha' sedd ni cheisiai hi;
Isel a thawel ei thôn,
Er ei chaled orchwylion.

Ni bu fraw pan ddistawodd,
Poen na phang i'r byd pan ffodd;
Ond i fab a'i hadnabu
Ni bydd a fydd fel a fu.

G. J. ROBERTS
1912-1969

227

Noddfa

Llercian yn yr oes feddw hon
Yn llaw'r rhyfygus doeth
A llwch lleuadau'n gramen ar ei wisg,
Ac yn llaw'r doeth rhyfygus
Sy'n pen-gymylu'i siawns yng ngwacter bod,
A diolch am fod cloch yng Nghonwy
I'm galw i mewn i glas y Brodyr Gwyn
Lle mae saith ganrif hen yn ffaglu'r ffydd—
Saith gannwyll wen
Yn llenwi'r gwacter
Ac yn lleibio'r llwch.

228

Yr Hen a'r Newydd a'r Hen

Penglog o furddun coch
dan gramen ei staen mwg
a'i dyllau llygaid gwag yn gleisiau i gyd,
a geirwon aeafau Cofentri,
gwynt a haul a glaw,
yn distaw fwyta gwarthrudd ei welïau—
tosturi'r glaw didostur,
sop y storm,
ysbwng finegr y tywydd.

Ni phlygir deulin yn ei gyntedd mwy
na sibrwd pader ar ei loriau gwag
ac ni ddring salm i do nad yw.
Ffrwydrwyd y Crist o'i gafell;
chwythwyd Duw o'i wâl;
daeth golch o wae
lle bu tangnefedd mawl.

Nepell
yn addurn asgellog ei dalcen gwydr
mae'r ffenics clwysty a ddaeth o lwch y fflam—
caws llyffant o leuaden Awst y fall,
gwlithyn gloyw o eirias groth y nos;
Mihangel a'i lafn yn noeth ar drothwy'r drws
a'r Diafol dan ei sawdl;
ei lansed ffenestri'n gwalbantu pyst yr haul,
a'u lliwiau'n cymen dymhori bywyd
o'i wawr i'w fachlud;
ei garreg fedydd grwban
fel camel â'i ben yn y tywod
yn Bethlehemu ei ofn
yn nieithrwch y ddinas fawr;
ei gapel crwn yn brism golau . . .

Ffylacterau'r ugeinfed ganrif,
blodau gwareiddiad plant y llid,
a'u hanacronistig Grist ymhwyth mewn brau edafedd—
y Crist gwlanennaidd, merchetaidd, mud
yn rhychwantu'r gangell yn ei wyrdd a'i felyn.
Onid hwn a wrthododd dyneiddwyr Ffrainc
am nad oedd na brwd nac oer,
am nad oedd na chawr na chorrach?

'Doedd yn y penglog murddun ddim o'r rhain—
dim ond croes friw ddiaddurn
a grewyd o gynddaredd Lwsiffer,
a'i gadael yn y lludw poeth
i oeri'n gydnerth dystiolaeth
o'r llid a fu.
Ond yn ei chysgod hi
mae aberth yn llethu'r oriau,
a'r Presenoldeb Dwyfol
eto'n y fan lle bu—
yr Ydwyf tragwyddol
yn y penglog coch.

229 *Y Gwanwyn*

Gwewyr y Gwanwyn fel llid mewn dolur
yn plycio'n boeth dan groen y gweirgloddiau,
yn llesmeiriol gnoi yn eu gwaed,
a bywyd yn ei ad-genhedlu ei hun
yn asbri cynnes trwy fogeiliau'r gweunydd
cyn rhwygo gefynnau ei gaethiwed,
diosg llieiniau ei farwolaeth,
plygu napcyn ei dranc,
ac ymwthio o'r pridd.

Ac wedi'r esgor mawr,
ymlafnio yng nghadachau ei fabandod,
pefrio'i fodlonrwydd melyn,
dandwn miragl ei gamp,
glafoerio'i chwerthin gwlithog ar y ddôl,
clystyru'i orchest loyw ym mherlau'r gwawn
a chicio'i fru i'r bedd.

Felly y mae bywyd yn byw;
felly y genir briallen.

230

Caerhun

(Bu gan y Rhufeinwyr wersyll milwrol yng Nghaerhun.)

Nyni a welsom eu hysblander hwy,
Addurn eu sandalau lledr
A'u helmau dur.
Gwelsom yr haul yn sgint ar eu gwaywffyn
Ac yn sglein ar eu llurigau.
Clywsom eu meirch yn gweryru
Ac olwynion eu cerbydau'n creinsio'r gro.
Llumanasant eu heryrod dros ein meysydd;
Bwytasant ein bwyd.

Aethant â'n perlau i Ddinas Rhufain;
Cloddiasant ein plwm a'n haur,
A lladrata'n copor o'r Gogarth Fawr.
Eu rhaib a bontiodd ein hafonydd
A'u gormes a balmantodd ein ffyrdd.
Onid oedd ysbail yn foeth
A lladrad yn gyfoeth?
A phwy oeddem ni
Daeogion gwefl-drwm
Wrthynt hwy?

Ond fel dod hindda wedi gormes drycin
Ac awyr las a heulwen wedi glaw
Daeth diwedd sydyn ar eu hymffrost hwy.
Clywsom eu sŵn yn mynd . . .
A llifodd Afon Conwy fel o'r blaen.

Gadawsom ninnau i'w gwersyll ddadfeilio
Yn y gwynt a'r glaw;
Cawsom eu cerrig nadd
Yn gilbyst i'n hadwyon
Ac yn lintelydd i'n beudái,
Ac nid oes bellach yng Nghaerhun
Ond caeau glas rhwng clwyd a thorlan,
A gwartheg yn cnoi cil ar fraster dôl.

A phan fu Rhufain farw yng Nghaerhun
Bu farw ym Mhrydain—
Bu farw hefyd
Yn Rhufain.

ELWYN EVANS
1912-

231

Iddewes

Wele yr Iddewes lân:
Deufin meddal, pannwl mân,
Llygaid gwyrdd yn cuddio'u tân.

Cyffro'r palmwydd mewn gardd ddirgel
Pan fo'r gwynt yn chwythu'n isel
Yw ei symud difrys, tawel.

Ond trwy strydoedd blin, di-wynt
Caersalem dref mae hi ar hynt
Lle bu ei thadau oesau 'nghynt.

Unlliw â'r nos ei thrymion aeliau
A llyfnion fel y sidan gorau:
Mae'i llygaid ar fy llygaid innau.

Mae pob gwybodaeth cenedl hen
Pe medrwn ddeall y rhyfedd lên
I'w studio yn ei hanner-gwên.

Ni bu harddach merch na hon
Erioed yn gwasgu at ei bron
Liw nos y Brenin Solomon,

A phe bai'i dwyfraich loywnoeth gref
Amdanaf yng Nghaersalem dref
Cawn wynfyd gwell na'i orau ef.

232

Dyn

Pan chwytho'r gwyddonydd olaf
  Ddynoliaeth yn dipiau mân
Os digwydd i ambell aderyn fyw
  Rhywbeth fel hyn fydd ei gân.

Hic iacet ein gelyn pennaf,
  Yr heliwr a'r blingwr mawr,
Arteithiwr anifeiliaid y maes
  Wedi'i arteithio'n awr.

Aildrefnodd y byd o beutu–
  Y dewin rhwng diafol a duw–
Ac i geisio gwella'r stecs a wnaeth
  Fe'n trodd ni yn ebyrth byw.

Carcharodd greaduriaid y goedwig
  Mewn drewllyd gewyll fil
A phoerodd i mewn i'w gwythiennau hwy
  Glefydau aflanaf ei hil.

Trwy winglyd gyrff afrifed
  Aeth ei gyllell waedlyd gref.
Ond nid trwy'n gwenwyno na'n darnio ni
  'Roedd mendio'i afiechyd ef.

'Roedd ei glwyfau'n rhy ddwfn i'w doctora
  Er gwaethaf doethineb dyn.
Hic iacet ein gelyn pennaf
  A'i elyn diwrthdro ei hun.

233

Merthyrdod

Paham y galwaf ar fy Nuw
Ac Yntau wedi ffoi mor bell?
Bu erchyllterau yn y byd o'r blaen
Cynddrwg â'r rhain:

Rahel yn wylo am ei phlant,
Iddewon yn y gynneu dân.
Ond ni bu adeg yn y byd o'r blaen
Pan nad esgynnodd gweddi o'r gell,
Pan nad ymbiliwyd ar y Nef
Am gymorth Duw neu am ei ddial Ef.
O flaen poenydwyr heno rhaid i Ddyn
Sefyll yn ei nerth ei hun.
Ni cheir merthyr heb y Ffydd.
Heno fe wasg y merthyr dan ei droed
Urddas merthyrdod hyd yn oed.

W. R. P. GEORGE
1912-

234

Siesta

'Roedd sŵn cenllysg eu traed,
clip-clap sandalau'r plant,
yn gawod atalnodau—
ar ôl i'r ysgol gau—
ar balmant Puerto Soler.

Pedwar o'r gloch oedd-hi,
bedwar o'r gloch y p'nawn yn union,
pan fwriodd y plant bychain meingoes
y siesta o lygaid eu mamau
wrth eistedd yn eu ffrociau du
ar fainc palmant yn Puerto Soler.

Chwi famau croen-olew, encilgar,—
dim ond clip-clap-clip sandalau'ch plant
ar balmant gwenithfaen Puerto Soler
sy'n bwrw allan syrthni'ch siesta,
fel plu'r gweunydd,
i ymdroelli tua'r haul.

235

Bustych

Dan gryman y lleuad newydd
neithiwr mor ddistaw fu'r bustych
ar y llain feillionog
gerllaw y tafod ffrwd
a leibia sawdl y clawdd cerrig.

O gwr ei gae edrycha ffarmwr
bore heddiw yn graffus ar ei stoc
a phwyso'r bustych, fesul un,
â chlorian ei lygaid gleision.

Fe lyfa bustach penwyn
dalcen bustach penddu—
fel petai'n ymglywed
mai yno y tery'r lladdwr-tirion
ei gymrawd cwbl-berffaith, pasgedig
pan ddêl dydd y daith i'r lladd-dy.

Yn adwy'r cae diallor
pan ddêl y dydd hwnnw
ac amser eu hymweliad,
bydd y lori da-byw
yn agor ei safn led y pen
i dderbyn holl fustych y cae i'w chrombil.

Yr unig arwydd o'r poeth-offrwm
fydd yr ager yn dianc
rhwng trawsbrennau y lori lawn
ar gwr y cae gwag.

236

Jan Palach

Nid mewn teipsgript,
nid â'i feiro
y croniclodd ef ei gerdd;

nid â gwaed calon atgof
ar bapur glân
y lluniodd ef ei linellau.

Cyflwynodd farwnad
o'i gnawd a'i esgyrn ugeinmlwydd
dan eneiniad petrol;
gwawr ddu oedd i'w gerdd ef,
gwae ei unig awdl
ac fe'i llofnododd ar goncrit
â'i ludw llosg ef ei hun.

Pan chwytho awelon rhyddid
o beithdiroedd Rwsia
tua Thsiecoslofacia,
fe welir
y pentwr marwydos hwn,
sy'n mud-losgi
yng nghalon ei genedl,
yn dadeni yn fflam
frawychus o ddisglair
eilwaith
yn Sgwâr Wenseslas.

237

Hanner Canrif Wedi'r Cadoediad
(Tachwedd 1968)

Piau'r beddau ym Modelwyddan—
y beddau rhwng yr eglwys a'r lôn bost,
beddau unffurf yr angau militaraidd,
rhestredig ar gerrig rhad
ac ar groesau heyrn,
beddau prennau ir y goedwig?

Cerfiedig yw'r rhif ar bob un
o feddau Bodelwyddan,
a llwch y rhif dan faen a chroes.

Y bedd hwn—pwy a'i piau?
Y groes hon neu'r garreg acw?
Ai milwr gwrthryfelgar,
rhyw derfysgwr o Ganada,
a gadwyd yng Nghinmel wedi'r cadoediad
a'i saethu yn fiwtinîr?

Y bedd hwn—nes at borth yr eglwys—
pwy a'i piau—mae cen y cerrig
yn cuddio'r rhif?
A syrthiodd ei berchen
i'w gell dan fflangell y ffliw
a ddisgynnodd ar gefn y gwersyll?

Sawl gwawr addawol,
sawl llanc dywedwst
yn rhwym wrth bostyn
a mwgwd dros ei lygaid
a ddrylliwyd
gan sydyn ergyd
yr eithaf cosb—
yma
a thros y môr?

Pa lwch sydd ar chwâl mewn pridd,
llwch a fu'n llanc rhydd
cyn ei roi dan glicied arch,
ond y llanc a'r arch bellach
yn llwch ac yn flawd lli yn y llaid?

Heddiw ar feddau Bodelwyddan
yn aros eu tro i'w trawsnewid
dygn yw dawns y lladdedigion dail.

Fe'u cadwyd hwy tan Glangaea'
cyn eu cwymp o'r coed.

238 *Yuri Gagarin*

Hwn oedd y cyntaf y gwyddom
amdano'n hwylio'n y nenfor—
y môr helaeth, amryliw,
anfesuradwy rhwng seren a seren.

Nid yw Icarws yn gredadwy—
rhan yw ef o freuddwyd bore ein hil
a ddiflanna 'ngwres yr haul,
fel dwy adain o gŵyr;
yr hyn a wyddom, wedi deffro,
mai hud a lledrith ydoedd.

Ond Gagarin a losgodd
ei lwybr i'm hymwybod,
fel seren wib a welais
yn ffurfafen y nos . . .

Ef oedd y cyntaf gweledig
i dorri cortyn yn ein pabell bridd,
ac i ddychwelyd o'i antur
at droed y gantri i adrodd
hanes ei weledigaeth wyryfol
o'r cosmos annherfynedig.

Yn ei gragen o ddur ac asbestos
nid oedd nepell rhyngddo ef
ac eneidiau'r meirwon, yn eu llongau rhithlun
yn croesi moroedd canrifoedd
a fu ac a fydd.

Moroedd y gwacter diderfyn
lle nad oes dim ond llwch sêr
yn eu dyfnder, dyfnder a dry
gyflymdra rocedol yn llonyddwch.
Ond heddiw pan hwyliodd Gagarin
ar ddi-droi'n-ôl daith i'r cosmos,

nid oedd neb a'i gwelodd na'i glywed
yn esgyn i'w orbit, ac nid oedd fflam
a stêm wrth droed y gantri,
ac nid oedd ar yr angau angen
yr un roced i'w wthio tua'r nen.

Nid oes neb a ŵyr
ymhle'n y nenfor
y bwriodd ei angor;
fe lewygwn—am a wn i—pe glaniai
yma, heb ei gragen ddur,
heno i adrodd ei hanes.

239 *Armstrong ac Aldrin ar y Lleuad*

(Fy ateb i gwestiwn fy merch fach, Louise-Gwen, wrth i ni wylio'r teledиad hanesyddol—'Ysbrydion ydyn nhw, Dad?')

Ysbrydion dihangdod dyn,
rhithiau ym mhair
dadeni dyn
ar ris isaf
yr ysgol sy'n esgyn
i anesmwyth drefedigaethau y cosmos.

Cerddwyr y camre cyntaf, petrus
ar y llwybr llaethog;

mae'n rhaid eu bod
yn ymddangos yn feddw gaib
yng ngolwg
amddiffynwyr Caer Arianrhod.

Rhagflaenwyr llwydolau
yr ecsodus
i anialwch y gofod,

pan fo'n byd
ar fedr disgyn—

fel colsyn
a aeth yn rhy boeth
i undyn ei ddal–

i lawr siafft
hen waith plwm
y Cread.

HARRI GWYNN
1913-1985

240

Y Ceiliog

Cân y ceiliog.
Estyn ei gorn gwddf
A rhwygo diasbad
Drwy'r bore bach.

Canu ac yna disgyn
A thorsythu
Gerbron yr ieir ffwndrus, newydd-ddeffro.

Ninnau,
Ym meddalwch y gwely,
Ar dynerwch y gobennydd,
Troellwn eilwaith i lawr
I bydew cwsg.

Toc,
Fe gân y ceiliog eto,
A'n deffro'n biwis–
Nyni, y gwadwyr.

241

Gyda'r Nos

Haul y gorwel carpiog
Yn taro'n wyn
Ar draws y morfa.

Dychwelyd y glaw;
Mawr yw ei ddwndwr
Ar y to.

Y mwg yn taro i lawr,
A'r gwynt
Yn ysgwyd y drws.

Grist Gwyn!
Yr hiraeth!

242 *Claddu fy Nain*

Glaw
Ar gaead arch yn chwarae'i fysedd
Ac yn gloywi llorpiau elor,
Nawn ym Mai.

Cerdded
Ffordd galed rhwng waliau cerrig
At feini trwm y fynwent.

Y fynwent
A gochodd ei gweflau
At yr achlysur.

Gollwng
Y gist felen i'r düwch.
Geiriau ffarwel y meirw,
Brynhawn mwll.

Gwahanu
A phwysau arch yn aros
Ar ysgwydd.

243

Llundain, 1944

Yr angau adeiniog metel
Yn rhuo ei ffordd
Tan wybrennydd haf.

Yr angau cadarn,
Yr angau twym
Yn ysu llwybr
I'w neithior.

Isod,
Yn y selerydd,
Ym mharlyrau y gwrachod lludw,
Y paratoi.

Yng nghynteddoedd y pryf copyn,
Yr aros.

Yng nghynhesrwydd hen anadl a chwys
Yr eneidiau'n ymwasgu
Gan ddisgwyl y priodfab.

Moment fflam y cyrraedd.
Yr uno,
Yr angerdd
A'r loddest.

Ac wedi gloddest,
Dim ar ôl
Ond y gwin a gollwyd
A'r briwsion gweddill.
Y bara
A'r gwin.

TREBOR ROBERTS
1913-1985

244

Tryweryn

Y BRODOR:

Dywed, ŵr, pa sud y daeth
I degwch ddamnedigaeth?
A ddaeth barn rhyw dduw arnom?
A oes a ŵyr faint ein siom?
Er hyn, frawd, ceir yn y fro
Wroldeb na ŵyr ildio.

Y BRADWR:

Chwi wŷr gwan y gwyllt fannau,
Chwi noddwyr crwm y cwm cau,
Beth yw hendref gyntefig
Heb raen ar na gwaun na gwig?
Er eich eiddil ymbiliau,
Y fro hon sydd i'n dyfrhau.

Y BRODOR:

Onid creulon estron wyt,
A bradwr ein bro ydwyt?
Ni cheri di'r moelni maith,
Y briddell a'r bereiddiaith;
Ac ni wyddost mai costus
Yw'r pryder mewn llawer llys.

Y BRADWR:

Ofer sôn am hwsmonaeth,
A rhygnu am Gymru gaeth;
Beth yw cwm hirllwm, oerllyd,
A hen bau allan o'r byd?
Nid daear hardd yw eich trig,
Ond goror o lwyd gerrig.

Y BRODOR:

A bryni di hyfryd wedd
Hen dyno a chlyd annedd?
Lliwiau'r tyle ddiwedd ha',
A'r rhosydd, pwy a'u prisia?
Mae purach aur na d'aur di—
Aur y gollen o'r gelli.

Y BRADWR:

Nid y waun o fewn dy dir,
Na hedd bronnydd a brynir;
Erys o hyd ofer sôn
Nad aur a brŷn y dewrion,
Ond y dynion sy'n honni,
'Rheini'n hawdd a brynwn ni.

Y BRODOR:

A dwylli di, hwyr y dydd,
Hen garwr y magwyrydd?
Cofia gryfder ei dderi,
Maent yno i'n herio ni;
Ac nid crin ei eithin o
Fel y daw i flodeuo.

Y BRADWR:

Mae a gâr y magwyrydd?
Mae'r henwr sy'n garwr gwŷdd?
Â gweniaith y bargeiniwn
Pan fo ysbryd byd dan bwn;
Ba ŵr sy lle bo arian
A geir heb newid ei gân?

Y BRODOR:

Hynod o fawr yw dy fyd,
A'i hafog yn fawr hefyd;
Boddi stad Hafod Fadog,
A rhuthro i gleisio'r glog;

Cronni dros feddau'r Crynwyr—
Hen lwch yr heddychol wŷr.

Y BRADWR:

Boddwn hen fan y beddau,
Rhown ddychryn dros briddyn brau;
Nid oes yw hi i wneud sant
Ond didwyll oes diwydiant;
Parod yw ein pwerau
I symud bywyd o'r bau.

Y BRODOR:

Aeth Hafodwen, lawen lys,
Yn Hafodwen ofidus;
Unig fydd Coed y Mynach,
A'r dychryn dros Benbryn Bach;
Diofal hendai difalch,
Addurn byd dan ddwrn y balch.

Y BRADWR:

Hawdd clymu a gwasgu'r gwan,
A'i droi'n wylofus druan;
A rhwydd mewn oes ddiwreiddyn
Yw smalio i dwyllo dyn;
Nid dewrion yw dynionach,
Nid diogel isel ach.

Y BRODOR:

Lle bu Eglwys lwys i lu,
Lle'r mawl fydd llawr y malu;
Ni ddaw yr hen weddïwyr
Â'u hymbiliau, gorau gwŷr;
A chleddir ôl addoli,
Dinod ran, y 'dau neu dri'.

Y BRADWR:

Ba waeth am yr 'hen bethau',
Eu rhin a'u hwyl sy'n prinhau;
Onid yw marsiandïaeth
Yn gwneud Cymru'n Gymru gaeth?
Gall roi her i'r gwychder gynt,
A gwae hir fel blin gorwynt.

Y BRODOR:

Lle bo creulon, estron hil
Hi a ladd genedl eiddil;
Ond er gwân pob drygioni
Gan elyn i'n herbyn ni,
Mae eto gyhyrog wŷr,
A hwy heddiw ein noddwyr.

245 *Glas y Dorlan*

Rhyfeddais, sefais yn syn—i'w wylio
Rhwng yr helyg melyn,
Yna'r lliw yn croesi'r llyn,—
Oedais, ond ni ddaeth wedyn.

E. GWYNDAF EVANS (GWYNDAF)
1913-1986

246 *Unwaith Eto*

Er eirlaw Chwefror oerlwm—
Mae dail ar goed Coed-y-Cwm.

Er garw lan a galanas
Ei huchel li, mae'r gloch las
Yn donnau dros Ben Dinas.

Er oerafwynt a'i ryfyg
Cei awyr haf ym Mhlas Crug.

Er gaeaf a niwl afiach
A hymian byw—mae ŵyn bach
A haul oriog yng Nghlarach.

Er oer ddydd a llwydrew'r ddôl—
Mae'r adar yng Nghwm Rheidol.

EMRYS EDWARDS
1913-

7

Y Comin

Tir du mawn troed y mynydd,
Tir clai nad agorai gwŷdd
Yn llaw Ebrill, rhwng llwybrau,
A gwelltyn gwyllt yn ei gau.

No-man's land, yn grand â grug,
Rhyw le siriol—a sarrug!

Ni bu'r wedd yn ei briddyn
Na llafur dall, ofer, dyn.
Ni ddôi'r iau i'w ddaear o,
Na'r gwanwyn â'r og yno.

Tom rwbel chwarel, a chwm,
Lôn, a chorlan, a charlwm
Â'i swyn oer yn synhwyro
Dafn o waed—a'i fynnu o.

Yno crŷn y cudyll crog,
A thrwy'r llain llithra'r llwynog
Â phluen ar ei enau
Ar ei ffordd yn ôl i'r ffau.

Man hud hen, a rhamant od,
Twyn â'i henaint yn hynod,
Lle clywir llef gyntefig
Hen bader ar odre'r wig.
Mae cur ym mwrlwm cerrynt
A ias hen gur yn sŵn gwynt.

Yn y meini mae henaint,
A herian mawr yn eu maint.

Trwy ffenestr wen talcen tŷ
Mi a'i gwyliwn o'm gwely
Yn hardd angerdd ieuengoed
A dyddiau gwell deuddeg oed . . .
Gweld celain fawr, fawr a fu
Yn goeden, a llygadu
Gwrid yr haf ar yr afon
Yng ngalanas las y lôn,
A chynhaea'r mwyar mêl
Yn duo'r henfro dawel.
Gwyliwn o glydwch gwely
Haid o frwd wenoliaid fry
Yn croch-drydar a chwarae . . .
A chlywn y wich lawn o wae
Lle cydiai llaw y cudyll
Yn angau rhwng cangau cyll.

Y pererin a flino
Ar sŵn stryd—gwyn fyd efô,
O roi cam tua'r comin
A glywo gerdd fel glaw gwin
Yn dod yn gawod i'r gwair
Ac yn disgyn hyd esgair . . .

Alaw hudol ehedydd
Dros y waun yn crwydro sydd;
Acrobat entrych, gwych gorff,
Hardd ei wiwgerdd a'i hoywgorff

Ar chwilrawd i'r uchelris
Â'r trydar pert ar drapîs!
Aeth angel brith, yng nghlyw bro
O'm gŵydd, a hir ymguddio,
Yn yr haul, fry, yn rhywle,
Dyrys y llais dros y lle—
Rhyw adlais o lais heb lun,
Nodau aur—heb aderyn!

Ond wele, â brys dilol,
Daeth, ryw ddydd, ar daith i'r ddôl
I ganol gwaun, hwyliog ŵr,
Ac i'r maes daeth gormeswr . . .
Dyn â'i lid yn ei lediaith,
Ystryw neis mewn estron iaith
I ddenu tâl trwy ddwyn tir
O fynydd y gylfinir.

Erthyl cydnerth, ail cadno,
Llawn cwrtais falais efô.
Daeth â'i lediaith oludog
I fyd gwyrdd hafod y gog;
Lord â'i hawl ar y dolydd,
Mynnai rent o gomin rhydd!
Rhentu glyn heb warant gwlad,
A gwaun, heb fath o gennad:
Cloi'r fawnog â phigog ffens,
Rhos helyg, heb fawr sialens!

Cafodd y goedwìg hefyd
Yn slei bach. Ni sylwai byd.

Neidiai ffos i newid ffin,
A'i gwyro, dan drwyn gwerin!
Cydio'n y cae, a dwyn cwr
O baith hen y bythynnwr;

Rheibiwr tir, a brawd Herod,
Troi aur prin gwerin i'w god.
Dyn anwir yn nhir fy nhaid,
Fandal yn nhir fy hendaid.

Dim ond brwyn, a llwyn llonydd
A'i drain, a arhosai'n rhydd.
Dduw annwyl, rhoist ddaioni
Holl ddyddiau f'oes. Moes i mi
Ar waetha'r her, a thrwy haint
Un dymuniad i'm henaint . . .
Fy Nuw, pan ddêl fy niwedd,
Boed yn ei dir fy hir hedd,
A'r dialar dawelwch
Dan len rhyw lathen o lwch!

MOSES GLYN JONES
1913-

248

Y Dewin
(Detholiad)

Daw arian welwloer i dir Anelog
â'i phwyntil cynnil ar wedd ddrycinog,
a rhoi'i hanwes i'r rhiniog a'r aelwyd
unwaith a welwyd â'i thylwyth hwyliog.

Yn awr fe'i gwelaf yn araf fugeilio
mieri anial y muriau yno;
tybed ai dyfod heibio â'i chariad
i'r llawr anynad mae'r lloerwen heno?

Heb yr un addurn rhydd ei bron iddo
a min ei gwefus i'r un maen 'gofio
yn ei anterth, cyn deintio o'r düwch
i gôl ei heddwch i'w gywilyddio.

I haint a chwerwedd rhydd baent ei chariad
ac i ddinodedd ei gweddnewidiad;
y mae hud ei symudiad yn aros
i sodli hirnos a'i du alarnad.

A daw i waered felodi arian
i oerwyll argoed tan wêr y lloergan,
a'r gwynt a gyfeilia'r gân â'i gyffro
oriog yn hidlo trwy gyni ydlan.

Y gân sydd well na thrydar y gelli
neu gân yr eos a dunos dani,
hi a leinw â goleuni ei gobaith
enaid oedd unwaith yn mud ddihoeni.

'Mae dewin dinam, diwair,—un hynaws
    heb wenwyn nac anair,
  mawr yw ef, mawr yw ei air—
  y dihenydd dianair.

'Ym mhellter yr amserau—â'i hudlath
    bu'n cenhedlu'r heuliau
  ac o fewn i ogofâu
  rhannai ynni gronynnau.

'Â'i law hir mae'n coluro—ymylon
    cymylau'r machludo,
  a daw'r nos lwyd i glwydo
  i lawr o'i geseiliau o.

'Ar ei fraich y mae'r sêr fry,—am ei wasg
    mae y wawr yn clymu,
  a sigl raff y siwglwr hy
  yw'r dyddiau'n cyfrodeddu.

'Y wiwer ganol gaea'
a yf win y dewin da,
mae'n cellwair ym môn collen
hefo hi gefn gaeaf hen;
ei deffro i gnoi y gneuen
o'i chwsg tan fwsog a chen,
a'i lapio'n ôl i hepian
yn glyd tan yr eira glân.

'Er hin Mawrth, er rhynnu mêr,
er gafael rhew y gofer,
mae'n hudo'r haul trwy'r moresg
i dynnu rhwd llwydni'r hesg,
a'r brithyll dewrwyllt oriog
i neidio o'r llyn cyn cân cog.

'Gweodd wasgod heb fotwm
i'r dyfrgi'n coethi'n y cwm,
diwyg ffwr rhwyfwr afon
i herio dig oerni'r don.

'Mae'n torri blys y lysard
a ddaw o'i glawdd i gil iard
yn ei obaith am hybu
yn y tes yn nhalcen tŷ,
cor, a chenwisg yn blisgyn
a wnaeth y dewin ei hun
ar y wal yn torheulo
a barn ar ei wyneb o.

Mae'n gwrando'r fuwch yn pori
ar waun a haf arni hi,
a sain yr adar rheini
â'u llach rhwng awyr a lli
o liw tonnau, yn ffliwtio
eu hoedl draw ar hudol dro.

'Hwn a egyr y gragen
yn y pridd o dan y pren,
a rhwysg ei 'ryfeddod prin'
ydyw rhwygiad yr egin.

'O'i law daeth blodau eithin,
hen aur crog yr erwau crin,
a'r ddeilen iraidd ddulas
ar lwyn yn yr awyr las.

'Eiddo'r afon ei stori
a'r nant ei chystrawen hi,
a'r iaith ddiweniaith union
yn eiddo'r wiw ddaear hon:
harddwch yw'r gwir ar ddüwch oer gweryd,
nid ofer einioes, a drudfawr ennyd
yw buan orfoledd bywyd, ac â
o wael orweddfa i olau'r hawddfyd.'

249 *Y Stondin*

Y mae dyddiau fel meirch mewn ffair
yn tindroi,
y wawr ar grwper y nos yn cenhedlu amser
a ninnau'r marchogion:

Mae Ein Tad yn y canol
mewn penbleth,
gwêl gyllell ar 'gyffro gên' ac ym môn egwyd
a llosgwrn;

Gwêl hefyd ddwylo'n cyffwrdd y rhawn golau
ar ferlen rywiog,
yn 'trwsio'r bedrain' ac yn sidanu'r mwng:
gwêl ac oeda.

250 *Cariad Mawr*

Nid oedd iddi degwch, crebachlyd ei hwyneb ac esgyrnog
a chroen y blynyddoedd wedi sychu yn draed brain rhychiog.
O Dyn-y-maes i Dan-y-graig a'r barrug ar y parc
o Dan-y-graig i Dyn-y-maes a'r lleuad yn boddi,
fel pendil cloc, i dwymo'i thraed cyn noswylio rhwng carthenni
  llugoer.

Aeth y trigain mlynedd fel dyfroedd . . .

Coch a melyn glas a du
  yw f'anwylyd,
chwant y cnawd sydd arni hi
  'n beryg' bywyd.
Os na altrith peth fel hyn
  cyn glangaea'
rosyn coch fe fydd yn wyn
  er fy ngwaetha'.

Ni ŵyr y rhosyn ddim o'r straen pan fo'r gwlith arno'n y bore cynta'
a'r pelydr tirion yn llaw y garddwr deallus, cyn crynhoi o'r cymylau
a phiso o bersoniaid sir Benfro i'w lygaid,
a machlud ffadin.

251 *Y Goleuni Hen*

Dau beth oedd sefydlog:
y sêr a'r farwolaeth, mae sicrwydd sêr, mae sicrwydd marwolaeth.

'Goleuni Gweun Parc y Blawd' ar rosydd piws Tynffynnon
lle ffrydiai goferion y Ffynnon Fyw rhwng canllawiau clychau,
a 'rhwyd yr heliwr' yn dynn amdanom.
Y pelydr arian ar y migwyn gwyrdd a nos i nos yn dangos gwybodaeth,
y goleuni hen.

Ond nis gwelsant: pelydr sêr ar y llwybrau
a'r enedigaeth ansicr.

Yr esgor cyntefig yng ngoleuni cannwyll cyn sicrwydd y farwolaeth;
dewiniaeth brych a chyfrinach bogail
o dan gysgod yr Ysgoldy.
Mae llonyddwch marwolaeth fel sicrwydd sêr,
llonyddwch y cerrig mawrion galarus.
Galar rhwng twmpathau grug yn diferu ar y drain
a Mai ar y moelydd a'r farwolaeth sicr.

Hen yw'r goleuni, hŷn na chri'r gylfinir
ac na diferion diliau mêl.
Hen yw marwolaeth a sicr
fel goleuni.

252 *Aderyn Penfelyn*

Llinos benfelen ar griafolen,
aderyn penfelyn ar goeden gelyn
a'r eira ar y Garn. Yntau'n irad am ei chariad ddechrau
y Garawys. Hen hiliogaeth mewn dillad lliwgar ym Mawrth;
yn lle bu'r gwaed ar y brig mae blaguryn: yn lle bu noethni, cydmaru.

Mae natur yn afradloni, hir fu'r gelynnen yn ennill ei phlwyf a hithau'r
griafolen, collasant eu haeron ugeiniau o weithiau cyn dyfod y bore
hwn;
cododd yr haul ugeinmil o weithiau er pan dorrodd plisgyn yr
arfaethedig
had a Duw a welodd mai da ydoedd.

Rhwygodd yr awyr â'i fwriad, aderyn cariadus ar goeden gelyn
rhwng Mawrth ac Ebrill
yn nyffryn
Nanhoron.

Torrodd plisgyn yr wyau glaswyn:
fore'r Pasg ym moethusrwydd y rhawn a'r plu melynion
y mae hiliogaeth newydd.
Cywion adar
ar fore'r atgyfodiad.

253 *Ysbrydion*

Eu codi? Pa bryd?
'Heno 'ma, dowch ymlaen,
buoch ym mro'r cysgodion yn ddigon hir.
Dyma nhw i ti:
un fuwch, un ci, un ceffyl broc.
Pan oeddent yma o'r blaen,
'roedd ganddi hi'r arferiad
o daflu un goes ôl allan
mewn cylch wrth gerdded,
tafliad yn ei holwyn meddai William;
pan fyddai'n niwl
'roedd blewyn brownddu Carlo
yn drewi am y gwelet ti o;
a cherddai Comet mor ofalus
â dawnsiwr bale trwy'r rhychau
wrth gladdu'r tatws.'

'Beth wyt ti'n 'i feddwl ohonynt?'
Wela' i mohonyn' nhw a chlywa' i mohonyn' nhw.
'Felly wir.
Efallai y caf innau lonydd ganddynt
ar ôl hyn.'

254 *Henaint*

Safai â'i bwys ar y giat
pan ddangosais fotymau rhosyn iddo.
'Roedd hi'n hydrefu'n fuan.
Edrychodd tros fy ysgwydd i fyny'r allt,
yn ôl ei arfer anwybyddodd fy sylw,
cododd goler ei gôt i fyny ac meddai
'Mae'r gwynt yn ddigon oer.'
Mentrais:
'Mae'r haul yn gynnes yng nghysgod y gwrych.'
Ond nid oedd tynnu arno i fod—
''Roedd hi'n farrug gwyn y bore ma'.'

Rhois gora iddi,
a thrannoeth 'roedd petalau rhosyn
yn waed
ar y pridd.

255

Hydref

Nid yw'r môr ymhell oddi yno:
â'r dail wedi disgyn
y mae'n nes—
a'i wanc i'w weld rhwng coesau'r ynn.

Bûm yno ddoe a gwelais—
yr un gofal,
yr un cariad
a'r un tristwch.
Maent yn heneiddio:
sawl gaeaf eto?

Lledorweddai ef ar y setl
â chysgodion y dyddiau'n pryfocio
ar wyneb tyner ei gof tenau.
A hithau,
y gofal yn ei bysedd
yn smwddio plygiadau'r cwilt ar ei 'sgwyddau
i gadw draw yr ias a hidlai i'r ystafell
fel spenna o'r anweledig.

Pletiodd yr awel hefyd
y tonnau yn y bae
a chymryd arni nad oedd dim yn bod.

ALUN LLYWELYN-WILLIAMS
1913-1988

256

Ar Ymweliad

Daeth heddwch i'w lwyr gyfannu erbyn hyn, mae'n siŵr,
a throi'r tŷ clwyfus yn gartre llawenydd drachefn;
pe gallwn ddychwelyd ryw gyfnos gaeaf
a cherdded eto drwy'r eira mud y lôn ddi-stŵr
i'r man lle bûm, byddai'n dro mewn amser a threfn
newydd, ac nid adwaenwn fyd mor ddieithr â'r haf.

Ac efallai mai breuddwyd ydoedd, pan gurais wrth ddrws
trahaus ers talwm: daeth y Barwn ei hun i'w agor
a rhythu'n gwrtais ar fy ngwisg milwr:
'*A, mon capitaine, mille pardons*, dewch i mewn ar ffrwst
rhag y lluwch: diriaid yw'r dyddiau, a hyd nes yr elo'r
aflwydd heibio, di-lun fai croeso'r moesgaraf gŵr.'

Y gwir a ddywedai: 'rwy'n cofio y pwysai'r tŷ
uwch cwm serth a dirgel gan binwydd tywyll, ar lethr glaer,
yn blasty heb hud hynafiaeth, o gerrig
llwydion nadd, cadarn fel ystum bendant un a fu
ar feini'n breuddwydio, nes gwirio'i freuddwyd yn gaer
a theml i'w galon gyfrin rhag y duwiau dig.

Cerddais dros drothwy gwesteiwr anfoddog felly.
'Clywais y bu,' ebr ef, 'yn y bryniau frwydr faith
mewn storom eira dridiau bwy gilydd:
gorffwys a fyn buddugwyr drycin a dyn, a llety
i'r lluddedig: ond, syr, gwae ni o'r graith
a gawsom ninnau, a'r fflangell wybrennol i'n ffydd.

Rhyfel nid erbyd heddiw mo'r diamddiffyn dlawd;
o'r awyr bell daw'r difrod dirybudd yn hyrddiau
o ddur a thân mwy deifiol na ffrewyll
Duw dialedd. A fynnech-chi weled cellwair ffawd
â phob hawddgarwch?' Trodd yn ddi-serch at y grisiau
a'm galw i'w ganlyn i fyny yn yr hanner gwyll.

Trwy'r ffenestri eang di-wydr, brathai'r dwyreinwynt
a chwydu plu'r eira ar garped a drych a chist:
ar gwrlid drudfawr y gwely, taenwyd
amdo anhygar y gogledd gwyn a pharlys y rhewynt.
Mor isel y deuai griddfan y gŵr i'm clyw: *'C'est triste!'*
Trist! O stafell i stafell chwyrlïai'r malltod llwyd.

Ond meddwn innau, 'Awn i'ch stafelloedd byw.' Mewn ing
edrychodd arnaf, a throi heb air, a'm tywys ymaith
yn ôl i'r grisiau noeth a'r neuadd. Mydrai
yn awr f'esgidiau ar y llawr coed drymder dreng,
ond ysgafn y camai ef mewn urddas·digydymaith,
unig, fel claf anhyblyg a fyn farweiddio'r clai.

Pan agorodd y drws di-sylw, llamodd y lleufer
llon i'n cofleidio, a'r gwres i'n hanwesu: o'i sedd
esmwyth ger y tân haelionus, cododd
gwraig yn syn, a gloywai arnom lygaid llawn pryder,
a 'Madam,' ebr f'hebryngydd, 'boed lawen dy wedd;
milwr sydd yma, dieithryn a gais, nid o'i fodd,

loches gennym i'w flinder.' Plygodd hithau'i phen
ond ni ddywedodd ddim. 'Rwy'n cofio bod delw'r Crist
ar y mur yn crogi trwy'r tawelwch:
yng ngolau'r fflam lamsachus, tywynnai, gwelwai'r pren
fel pe bai'r gwaed yn hercian o'r galon ysbeidiol, drist.
Ac yna gwelais y piano pert, a'r llyfrau'n drwch

blith draphlith ar ei do. Yn biwis, chwiliais eu chwaeth;
a gwenu; 'Rhamantydd ydych, Madam, mi wela' i'n awr;
Liszt—a Chopin: rhwng Ffrainc a Phwyl bu llawer
cynghrair, mi wn: ni pherthyn i fiwsig ffiniau caeth
dadrith ein daear ni.' A gwelais y dagrau mawr
yn ei llygaid hi'n cronni, fel llenwi llyn â sêr.

O'r ffŵl anhyfedr na welswn mo'u cyfrinach! Ef
a lefarodd gyntaf. 'Fy nghyfaill, maddeuwch i ni
ein moes ansyber; galarwyr ydym
am na ddaw'r cerddor mwy, byth mwy yn ôl tua thref;
ni fynnem rannu'n poen â neb.' Safem yn fud ein tri,
nes i'r gŵr droi at y piano fel pe'n herio'i rym.

Am ennyd, eisteddodd yno, ar wylaidd weddi
cyn cyrchu'r gerdd: yna llifodd y miwsig graslon
o'i law, yn breliwd a dawns a chân mor chwerw brudd,
mor llawen ddiofal a mwyn a llawn tosturi
nes suo'r sain yn gymundeb lle rhodiai angylion
gan freinio'n briw a gosod ein horiau caeth yn rhydd.

Ym Merlin—Awst 1945

257 *I. Lehrter Bahnhof*

Heledd ac Inge, pan fo'r ffaglau'n goch—
Inge, neu Heledd, sut? ein twyllo mae'r blynyddoedd—
wele'n cyfarfod, ar ryw gyd-blethiad o'r edafedd chwyrn,
y pell siwrneiwyr ar ddamwain dan y cloc.
Ar ddamwain tybed? O'r orsaf hon, 'does
na chychwyn taith, na'i therfyn, oni chaed
i'w briw lwyfannau derfyn pob teithio mwy.
Codwch eich tocyn tlawd i'r fan a fynnoch;
hir, hir yr aros sydd i'r dyrfa hon,
hir ei hamynedd a di-ystŵr,
canys y bwled dall a daflodd fy nghelain hurt
i'w phwd ar rwd y rheiliau,
rhoes adlam hefyd, drylliodd y gwydr crwm, rhwygodd y bysedd ymaith
a bwyntiai fynd a dod
urddasol fwstwr yr olwynion cras.

Aeth heibio'r corwynt—
ac o'r agen yn y wal, o'r crac yn y palmant,
gofera'r dŵr heb seinio cân y nant.

Difera'r nos o'n cylch.
Chi deithwyr anghofiedig, gan ddistawed ŷch,
casglaf ynghyd fy nychryn, a'i osod dro
yma ar odre bywyd, ei godi o'r llawr llaith,
a rhannu'ch disgwyl am yr orsaf feistr.
Llifed distawrwydd rhyngom; gwyliwn drachefn,
wedi'r di-fudd ganrifoedd,
y lafa'n treiglo'n ara' hyd yr hewl,
y taenu'r tywod tros feddrodau'r teyrn,
a molwn lendid yr aelwyd hon dan glafr y callod llwyd.
(Bu hynny 's lawer dydd, nid clir mo'r co'
ai'r un fu'n tynged ni bob tro;
ond cyn chwythu'r pontydd, buoch chithau ar ffo.)

Llym ydyw'r awel; Heledd, na chryn, nac wyla;
hwde dy hyder, ynghudd ar wely cyfleus y rwbel,
yn rhodd am flasu'r sigaret, am sugno'r siocled,
cei estyn dy serch i'r concwerwr unig.
Difera'r nos ddidostur.
Pa bryd y daw, pryd, pryd, y swyddog glas,
a'i wisg drwsiadus, a'i ddidoledig chwaeth,
i ganu'i gorn ac ailgychwynnu'r rhawt?
Dinas rodresgar, fras, 'fu hon erioed
ac addas i'w hadfeilio;
a glywaist tithau, Heledd—na, Inge archolledig—
chwerthin croch yr eryr eiddig,
a welaist ti, yn ei olygon hanner cau,
ragosodedig ddelw'n holl ddinasoedd brau?

258 *II. Zehlendorf*

Daethai'r angau i'r ardd gyhoeddus:
y bedd bas a welais i, y groes bitw o bren
rhwng y llwybr troed a glan y llyn
ar y penrhyn bychan lle tyfai'r coed pîn tal:
rhyfedd pe gwnaed ym Mharc y Rhath, yng Ngerddi Kensington,
yr ystum ofer a thruenus hyn.

Penlinia, Inge, a chusana'r pridd:
os mynni, taena'r blodau'n dyner ar y dewr:
na ddyro enw arno—
fe ffodd y plant o'r fan ers tro, rhyw degan briw
o gwch hwylbrennog trist a erys o'u chwaraeon hwy.

Cynefin yn ddiau, pan ddêl, yw'r angau
sy'n dringo'n dosturiol i'n gwely ar derfyn yr hirddydd,
sy'n disgwyl amdanom ar gyrrau eitha'n gwybod,
ar gopa uchaf Everest, yno i gyfarch ein grym:
a roes yn y dyddiau a fu,
hirgwsg a cherdd dragywydd i wyliwr y rhyd,
amddiffynnydd y ffin.

Och! ni lefarodd y cnaf, yma, wrth y groes anhysbys,
ai'r ofn ar ffo a drawodd hwn,
ai brwysg anobaith yr herio unig,
ai'r fflam ddifaol o danau Belsen a'i cnodd.
Nodwyd y bedd yn syml, ac uwch ei ben
ni fentra'r coed proffwydol addo
y daw drachefn y gwanwyn ar ei dro.

259 *III. Theater Des Westens*

Mae'n dal i fwrw. Rhywle yn y to
  gorlifa'r gronfa gudd ym mlaen rhyw grac,
a thrwy'r tywyllwch caeth, llithra'r diferion
  anhapus, cyson, i drochi'r carped llac.

Boed felly. Bodlonwn wylio Inge'n dawnsio,
  dawnsio lle cronnir llewych y trydan gerwin;
cryfach na'r ofn a lecha yng nghuriadau'r glaw
  yw'r miwsig sy'n magu hyder ei breichiau hydrin,

sy'n llywio gorfoledd pob disgybledig osgo.
  Yn ôl ei chamau chwimwth, fe dyf y meillion—
o'r baich wrth ei bron, boed lawen y fam drachefn,
  boed siriol y meddyg blin wrth ado'i gyfeillion!

Oblegid hir fu'r hyfforddiant, a thrwyadl ei dysg
  mewn llawer dinas hen; a llawer oes
fu'n llunio'i chain gelfyddyd, y grefft sy'n gnawd
  ar ymnyddiad y nodau, sy'n puro'r gyntefig loes.

Yma, mae gardd i'w thrin, haint i'w hynysu;
  wedi tyngu'r llw diymwad i'w huchel urdd,
mor ysgafn y rhodiwn ninnau'r llwyfan galed, y profwn
  o'r nerth yn y nwyfre, o'r grym yn yr egin gwyrdd.

260 *Pan Oeddwn Fachgen*

Trwy'r dydd a phob dydd ymlathrai'r môr, gan fwydo'i lesni;
ni frudiai'r haul stormydd yfory, ni wylai euogrwydd doe;
cerddais y cei yn y bore gwyn, a holi'r hwylbrenni,
stilio a chwilio dan dwrf y gwylanod cras;
a dacw fy Ngwennan Gorn, cnyw ewyn, gwanwr gweilgi.

Gorweddwn ym mlaen y cwch a throchi 'nwylo'n y dŵr;
nesâi annioddefol ddiweirdeb goleudy'r ynys
lle siglai a gwibiai'r pysgod dan y graig ddi-stŵr;
mor llawen y llamai'r hwyl i'r lasnef,
mor bert y suddai drachefn ym mhwll fy ngiau anturus!

Crogai y tir glas draw fel breuddwyd rhwng blew'r amrannau,
ni rifai cwysi'r môr fabol amserau fy rhawd;
garw, wedi'r dychwelyd, troedio'r ddaear ddi-syfl,
tramwy trymder y clai
a chlywed, o'i gell yn awr, farwol guriadau'r cnawd.

Dychwel heb ddychwel ydoedd; treuliodd yr heuliau hynny
i'w hwyr, hir fachlud; ond y golau'n y gwyll dros y bae,
hwnnw sy'n aros, fel gwyrth a gipiodd i'r meindwr gwyry
lygad cynhesol y byd:
megis cyn gwarchae arnaf gan wylwyr amser, tywynnu
y mae ar fordaith anorffen o hyd.

261 *Cofio'r Tridegau*

Yn y dyddiau dolurus hynny, gwyddem pwy
oedd y gelyn: y cyfalafwyr bras a boliog,
y gwleidydd lloerig, a'r gwyddonydd euog:
hawdd oedd adnabod awduron ein cancr a'n clwy.

Ar odre'r ddinas, disgynnai rhychau'r stryd
anorffen i rwbel y nos, a diflannai'r cariadon
cyfryngol yno bob yn ddau, fel cenhadon
petrus i bair y barbariaid, i ludw'r byd.

Mewn ofn disgwyliem y farn apocalyptig,
mewn ofn—ac mewn llawenydd. I hyn y'n ganwyd,
i hyder dinistr y delwau gau; fe'n breintiwyd
â dig, ac â thosturi dros y tlawd a'r unig.

'Welsom-ni ddim, bryd hynny,
mo'r Hwch Ddu'n llechu yn y goelcerth groch,
na'r diawl yn ysu am eneidiau'r moch.

262 *Gwerthu'r Dodrefn*

Dyma ni'n penderfynu gwerthu'r dodrefn.
'Doedd dim dewis, a dweud y gwir;
'all neb nacáu'r symudwr hwn pan ddêl.

Y gwely'n gyntaf? Hyn sy'n drist,
dysgu bod gorfoledd y cnawd yn pallu
ac mai diwedd pob serch yw cofleidio cwsg.

Y gist wedyn; yr hen gist dderw
sy'n trysori'r achau; mae'n bryd yn awr
eu cyflwyno'n ddiogel i'r nesaf a ddêl.

Ac yna'r cloc mawr. Bu'n cyfri'n hamserau'n
ffyddlon trwy'r drwg a'r da; ond lleidr ydyw—
pa les gofidio o'i fwrw ef o'r gornel fud?

263 *Y Lleuad a'r Tu Hwnt*

'Rown-i wedi anghofio
pa mor dawel ddibryder
y gall noson gaeaf fod,
mor llonydd y coed llymun
dan syfrdandod y lleuad,
mor llwyr goruchafiaeth
tangnefedd y gofod mud
ar ddwndwr y ddaear friw.
'Rown-i wedi anghofio.

Ai ennyd o angau ydoedd?
Y dwndwr sy'n ennill,
a'r distawrwydd yn darfod.
Dere i'r tŷ, ebr llais annwyl,
yn galw, galw i'r golau gwneud,
i'r gwres lle mae'r byd yn cronni
a'i lygad yn pefrio'n llafar hyglyw
gan orfoledd dyn yn trywanu'r gofod
o'r lleuad ei hun heno, yn bloeddio o blaned i blaned,
a sŵn ei draed, gallwn daeru,
i'w glywed yn crensian yn greulon
ronynnau llwch mudandod ei goncwest newydd.

D. GWYN EVANS
1914-

264 *Rhydcymerau 1976*

Henfro dirion y diwyd hwsmonaeth,
Yno beunydd bu dewr annibyniaeth,
A geiriau annwyl Cymreig weriniaeth,
Gwerthfawr olud eu tud a'u treftadaeth;
Ond i dir fy nhad y daeth—aliwn lu
Yma i dagu yr hen gymdogaeth.

Mae y Comisiwn yn fferm Cwm Isa',
I'w hynt o'i helynt try'r tenant ola'
O'i gwm mewn hiraeth, a'i gam yn ara',
A gwag ysgerbwd yw'r cwmwd yma;
Hirfaith elltydd diborfa—yw'r coed pîn
Lle bu y werin yn ennill bara.

Lle bu diflin roi min ar grymanau
Y rhesi pinwydd yn lle'r sopynnau;
Ni welir yno daro'r pladuriau
Na nithio grawn o wenith y grynnau;
Hefyd 'does gynaeafau—ar hyd llain
Na gŵr i gywain y gwair o'i gaeau.

Unig yw'r capel yn y tawelwch,
Lle hen addolwyr sy'n llawn eiddilwch;
Yno yn wylaidd un dyn ni welwch
Yn llunio'i weddi yn y llonyddwch;
Yn y lle 'does namyn llwch—mynwent fras
Y meini addas a man eu heddwch.

Ym mro hudol yr hen gymeriadau
Bu rhadlon ddynion, dibrin o ddoniau;
Yno bu gwŷr â gwreiddioldeb geiriau,
A melys ydoedd eu haml seiadau;
Ond daeth dydd y coedydd cau—ar oledd
A diwedd mawredd bro Rhydcymerau.

J. ARNOLD JONES
1914-

265 *Aderyn Clwyfedig*

Er ein nawdd, mor anniddig—y gwingai
Heb ei gangen lasfrig;
Y fraich ni fynnai yn frig,
Na'r un gadair yn goedwig.

266 *Gwylan*

(newydd gael ei lladd ar Stryd Fawr Y Rhyl)

Du ei phig gan waed a phoer,—'deryn strae
Yn y stryd yn llugoer;
Lleian lwys y lli'n lasoer;
Gwylan wen yn gelain oer.

JOHN PENRY JONES
1914-1989

267 *Pry'r Gannwyll*

Ni ddychwel drwy'r tawelwch—o olau'r
Aelwyd i'r tywyllwch:
Herio fflam â chorff o lwch
Oedd ei farwol ddifyrrwch.

D. TECWYN LLOYD
1914-

268 *Penbryn-copa*

Nid bod yno neb.

Mae'r ddau bigyn maen wedi cwympo ac o lawr y tŷ
Tyf masarnen gadarn o'r fan lle bu
Carreg aelwyd a ffender unwaith, a phan fo'r gwynt
Wedi troi i gyfeiriad Caereini a newid ei hynt
Gallwch fynd ar eich llw
Nad yr awel yn y dail, ond nhw—
Nhw yr hen bobol—sydd yn siarad yn fuan ac yn fân
Yn y gegin fach lle bu, ganrif yn ôl, gannwyll a thân . . .

Nid bod yno neb;
Na, neb.

Os ewch heibio ddiwedd Mawrth cyn i'r 'sbyrnied droi'n ôl
A mynd heibio'n ofalus gan osgoi cael y gwynt o'ch ôl,
Fe'u gwelwch nhw'n segur-sbrotian, y taclau hy'—
Rownd mur candryll yr ardd a meini chwâl yr hen dŷ,
Ac yn sydyn ddireswm, fel y bydd defaid yn gwneud,
Mae'r cwbl yn cyd-lamu i ffwrdd fel petai llais wedi dweud:
'Hei Tango, hei Fflos! Whist, whist, ffwrdd â chi!'
Llais rhywun o'r man lle bu'r hiniog, cri,—
Cri gŵr yn ei fan . . .

Nid bod yno neb.

Tybed, ped aech yno fin nos pan fo'r dydd yn byrhau,
Ac aros yn ddistaw wrth y mur pan fo'r golau'n prinhau—
Tybed, yn yr hydref fel yna, a glywech chi gân
A sgwrs a dadl a chwerthin a lleisiau plant mân
A sŵn symud cadair a bord, clinc llestri, cwymp stôl,
A chwithau, yn y cyffro, yn anghofio mai byw a ddaeth 'nôl
Drwy niwl yr hydre' yw'r cyfan—ac yn camu drwy'r mur
Â llawen gyfarch i'r teulu; yna'r cur
Am fod canrif yn drech, ac am

Nad oes neb yno:
Neb.

269 *Steddfod Maldwyn 1981*

('Roedd nifer ohonom yn lletya dros ŵyl 1937 yn 'sgubor fferm Cefn Gwyrgrug, Aberhosan. Ar gais taer f'ewyrth Bob, canodd Tai'r-felin inni un noson; hwn oedd y tro cyntaf iddo ailddechrau canu ar ôl colli ei wraig ac o hyn ymlaen, bu'n canu hyd ei farw ym 1951.)

'Run rhai yw'r sêr sy'n fflachio
  Heno uwch maes yr ŵyl
Â'r rheini ym mil naw tri saith
  Pan gawsom ninnau'n hwyl:

Ninnau, nad ydym heddiw
  Y llafnau oeddym gynt,
Yn ryffio byw drwy'r wythnos boeth
  Heb swllt, heb sôn am bunt.

Ond clywsom Bob Tai'r-felin
  Yn tiwnio dan y sêr
Ar lawr sied wair 'rôl swper brwd
  Wrth olau cannwyll wêr.

A Llwyd o'r Bryn yn adrodd
  Trasiedi'r iâr un ŵy,
A chwerthin mwy yn siŵr a wnaem
  Pe gallem chwerthin mwy.

Rywbryd cyn glas y cyfddydd
  Cysgasom ar y gwellt,
Oerodd y nos cyn wincio o'r wawr
  Trwy y cloëri dellt,—

Y wawr na thyr fyth eto
  Ar ŵyl mil naw tri saith
I alw Bob a Llwyd a Meic
  I'r maes o drwmgwsg maith.

Ond nid yw'r haul yn malio
  Na'r sêr yn hidio draen:
'Run pryd yw heddiw iddynt hwy
  Â'r ddoe fu yma o'i flaen.

W. RHYS NICHOLAS
1914-

270 *Cynhaeaf Gwair*

'Roedd iechyd yn y gweld:
gweld hen oleddau'n llithro draw
i lygad haul
ar fore newydd-godi:
gweld tes yn chwarae ar y ffriddoedd ffres
fel arial wedi torri'n rhydd
o galon lawen,

a'r gwenyn melyn yn y berllan wen
yn dod i'r carnifál:
gweld pilyn glân ar lwyn
yn galw'r fyddin oddi draw
ar ddydd y rhibin,
ac yna'r oriau danheddog yn gloywi'r pren
nes dyfod clonc y traed
ar gerrig gleision y rwm bord,
a'r lletwad aflonydd yn colli'r cyfrif.

'Roedd haf yn haf drwy gydol dydd,
a'r hir brynhawn
yn tynnu'r parc dan tŷ drwy iet y clos,
nes dyfod cymanfa'r picwyrch ar wal y cwrt,
y ffenestri gwynion yn tynnu'r awel
i'r cymun clòs,
baneri rhaflog y drain
yn cyhoeddi'r fendith,
a glaslanc yn gweld y wyrth.

271 *Yr Hen Lwybrau*

'Run yn oes oesoedd yw llwybrau'r cread,
Yr un yw'r patrwm a'r un yw'r gwead;
Yr un afonydd sy'n llyfu'r ceulannau,
Yr un cysgadrwydd mewn hen, hen lannau;
Yr un yw'r patrwm a'r un yw'r gwead,
'Run yn oes oesoedd yw llwybrau'r cread.

Yr un sane gwcw, yr un blodau menyn,
Yr un aflonyddwch pan ddelo'r gwenyn;
Ar ôl pob Gwanwyn daw tes yr hafau,
Ar ôl pob Hydref daw'r llwyd aeafau;
Yr un yw'r patrwm a'r un yw'r gwead,
'Run yn oes oesoedd yw llwybrau'r cread.

Yr un yw sawr y rhosynnau cochion,
Yr un yw'r nentydd sy'n torri'n drochion,

Mae cyffro'r brithyll ar ddŵr hen lynnoedd,
Ac ias y dirgelwch mewn hen ddyffrynnoedd;
Yr un yw'r patrwm a'r un yw'r gwead,
'Run yn oes oesoedd yw llwybrau'r cread.

Yr un yw'r haul sy'n gloywi'r pellterau,
Yr un yw lleuad yr oer eangderau;
I blant y ddaear daw'r hen ddihewyd,
A beunydd beunos nid oes dim newid;
Yr un yw'r patrwm a'r un yw'r gwead,
'Run yn oes oesoedd yw llwybrau'r cread.

GERAINT BOWEN
1915-

272

Awdl Foliant i Amaethwr

Gosteg y Bardd

Ac ef yw'r neb o'i febyd—fu'n gymar
  I'r ddaear werdd, ddiwyd;
 Y gŵr a arddo'r gweryd,
 A heuo faes; gwyn ei fyd.

Wynned ei fyd a fedo—y gronyn
  O'r grynnau a lyfno;
 Y gŵr a wêl gywiro
 Adduned yr oged, dro.

Dro ar ôl tro mae'n ymlid tres,—mae'n troi,
  Mae'n trin â'i feirch cynnes,
 Ysgafndroed is y gefndres,
 Beunydd ar dywydd neu des.

Law a thes, clywch sŵn tresi!—daw'r aradr
  Gyda'r hwyr o'r cwysi;
 Gwêl linell ei hasgell hi,
 A brain, lle'r oedd tinbrenni!

'Roedd bronnydd gwyrdd y bryniau—hyd orwel
    Yn dawel; a diau,
  Lle bu'r og a lle bu'r hau,
  Dôi'r oed i dorri'r ydau.

Mae ei ydau ym Medi—yn euraid
    Ar warrau'r llechweddi;
  Tonnau dŵr tan y deri,
  Grawn llawn fel graean y lli.

I gwr y lli gyr y llafn—ar hwian
    Yr awel benysgafn;
  A'i osgo fel blin ysgafn
  Ym min yr hwyr mewn rhyw hafn.

I dawel hafn lle dôi i lyfnu—y daeth
    Hen dymp yr aeddfedu;
  A thrymlwythog feichiog fu
  Bronnau erwau'r braenaru.

Trin ef fraenar tirion fronnydd;—cywain
    O'r caeau a'r meysydd;
  A llunio, mewn llawenydd,
  A chodi'i deisi, liw dydd.

O ddydd i ddydd ar y ddôl,—yn gefnog
    Uwch corniog ych carnol,
  Pan dry'r haf yn aeafol,
  A'r gaeaf yn haf yn ôl.

Cân y Ddaear

'Tyrd ataf yn ôl! Ti biau 'nolydd;
Fab fy neheulaw, bodlona f'awydd;
  Fy llwynau, fy llawenydd,—sydd erot,
Heb air rwy' eiddot hwyr a boreddydd.

'Fy nhrem annwyl, O mor fwyn yw'r mynydd,
Yr ir lafrfrwyn, y brwyn a'r wybrennydd,
  Pan fo olew lloer newydd—yn diwel
O'i gostrel, a'r awel yn yr yw-wydd!

'Fy addfwyn, beth mor fwyn â'r afonydd,
Cri yr awel sy'n cynnal y crëydd,
  A'i gyr ar ffo hyd fröydd,—a'r gwawl gwyn
A'i gwêl yn esgyn o'r llyn gwelw, llonydd?

'Gwêl ogoniant perarogl y gweunydd,
A'r myrr a'r aloes a roes y rhosydd;
  Eneiniwyd fy nhorlennydd;—torrwyd blwch
Y barrug a harddwch brig y wawrddydd.

'Moes in ymgaru,—rwy'n flin aflonydd,
Rwy'n glaf, mi'th geisiaf,—dan y ffigyswydd;
  Am orennau fy mronnydd—rho dy law,
A rho ddwylaw ar fy iraidd ddolydd.

'Ac yna fe wisgir meini'r mynydd,
A defaid cyfebron fydd ar fronnydd;
  Ac ar y creigiau ger crogwydd—bydd myllt,
Lle bu'r ewig wyllt yn llwybro gelltydd.

'A bydd mynnod lle bu'r niwl gawodydd,
A gwair a mêl fydd yng nghreigiau'r moelydd;
  Ger ffrydiau'r bannau lle bydd—diadell,
Daw blewyn manwellt i ebolion mynydd.

'O gwêl y bannau, bugeilia beunydd;
Rhwyma i gywiro eu magwyrydd;
  Dos i agor y ffosydd—i'r buchod,
Ac i godi'r hyrddod gyda'r wawrddydd.

'Clyw yn nhawelwch harddwch yr hirddydd
Rwnan dy beiriannau hyd wybrennydd;
  Cyfod gaerog hilogydd—a rhengau
Dy fydylau o irdwf y dolydd.

'I'th bladur rho fin wrth fôn y pinwydd,
A phraff fo'r ystod wrth ffêr fforestydd;
  A dwg cyn diwedd y dydd—haidd o'r ffrith,
Y rhyg a'r gwenith, a'r grug o weunydd.

'O mor llawnion ydyw fy mherllennydd,
A thrydar ffraeth yr adar a'r ffrwythydd;
  Tebyg yw 'ngwedd i foreddydd—yr ha',
A'm bronnau i hindda trwm brynhawnddydd.

'Taro dy luest ger traed olewydd,
I gôl eu heddwch tan y goleuddydd;
  Â gair tyngaf fel gwerydd—y byddaf
Eiddot haf a gaeaf yn dragywydd.'

Cân yr Angylion

'Dysg o ròl y tragwyddolion—yr hedd
    A roed i'r meidrolion;
  Yn nedwydd grefft tudwedd gron
  Na fawl ond y nefolion.

'I lon nefolion gorfoledd—calon
  Am ydau gwynion, llawnion, llynedd;
Am wair cras cadlas, cu huodledd—gras,
  Am das, am gowlas, am ymgeledd;

'Am li'r goleuni glanwedd,—am gronni
  Ei wres, a'i dorri ar rostiredd;
Am gwpláu'r hafau rhyfedd—a rhodau
  Y byw dymhorau, boed y mawredd.

'Am nant golchfa sarn y garnedd—gadarn,
A dyr a llachar neidio'r llechwedd;
Ei bwrlwm hirdrwm yn hedd—caeatgwm,
A'i llawen fwswm lliw enfysedd;

'Am ffrwythau a had gwastadedd—y wlad,
Cnu oen a dafad, cain edafedd;
Am amlhau â'r iau a'r wedd—yr hadau,
Dyger â rhaffau deg orhoffedd.

'Fab, rho fawl yn awr i'w mawredd;—mor fawr
O hyd, hwyr a gwawr, eu trugaredd;
Cofia groes Ei loes lwyswedd;—dyro'r groes,
Yr eli einioes, ar wal annedd.

'Lle gwlych y bustych bu eistedd—Mair wych;
Edrych a welych mewn gorfoledd,
Wrth gefngor yno'r oedd unwedd—yr Iôr,
Trysor ar ogor, swp o fregedd.

'Boed siant i'w basiant, a bysedd—ar dant
I'r mabsant ar gant dy lân gyntedd;
Mawrhau am feichiau Ei fuchedd—yntau
Groesan Ei boenau, angau di-hedd.

'Mewn llwch mae harddwch Ei hedd—didristwch,
A chyll ei hagrwch a'i holl lygredd;
Sawr dwys Baradwys ar wedd—ac ar gŵys,
Pren Ei grwys ar bwys llaw a bysedd.

'Gwêl Ei frau ynau glanwedd,—pan fo'n cau
Ar og a heglau eira'r gogledd;
Plyg gynfas fenthyg Ei fedd—ar gesyg;
Rho hyd y cemyg rwd y camwedd.

'Ef yw câr hawddgar a hedd—digymar
  A nawdd y ddaear yn ddiddiwedd;
Arni fe weli Ei wedd;—mae'n rhoddi
  I'r gwiw fieri Ei gyfaredd.

'Gwynfyd o febyd i fedd—yw bywyd;
  Clyd heb wyll adfyd ydyw'r llwydfedd.
Cei ddyfod i Nef, i'w dangnefedd—Ef,
  I fyw ato Ef, Ei etifedd.

'Câr Ef y neb o'i febyd—fu'n gymar
    I'r ddaear werdd, ddiwyd,
  Y gŵr a arddo'r gweryd,
  A heuo faes. Gwyn dy fyd.'

273 *Cwm Llynor*

Ym mhellennig Gwm Llynor
Y gwelodd ef ddirgel ddôr
A agorodd ar guriad
I frwynog oludog wlad,
I wynfa Moel yr Henfaes,
Ei nentydd, mynydd a maes.

Nofiai yn rhith y brithyll
Yn y cudd o dan y cyll;
Neidiai'r mud raeadrau mân;
Câi hwyl ym merddwr ceulan;
Gwrando ar og yr Hendwr
Yn mynd a dod 'min y dŵr.

Fe wibiai â nwyf hebog
A gwalch glas o gylch y glog;
Gweai yn rhith y gïach
A'r crëyr drwy'r awyr iach,
A chodai yn uchedydd
Yn gennad i doriad dydd.

Llywiai yn rhith tylluan
I dawel hollt taflod wlân,
A gwanai yn rhith gwennol
I loches y dres a'r drol,
A fry, i dŷ o dyweirch,
Y trawst mawr uwch trwst y meirch.

Lluniai yn rhith y llwynog
Ei noddfa wrth guddfa'r gog.
Ef oedd yr hwrdd foddiai'r haid,
Maharen y cymheiriaid,
Gwryw y llethrau geirwon,
Cynneddf a greddf daear gron.

Fe grogai yn rhith gwlithyn
Bore o haf ar y bryn,
Yn grog lle nythai grugiar
Ar y trum uwchlaw'r tir âr;
Wylo dafn, a threulio dydd
Yng ngwawn yr eang weunydd.

274

Dun Na Ngall
(Hydref 1980)

Enfys y gorllewinfor—anwesai
Ynysoedd y goror
Un noswaith berffaith, borffor
A thi a mi wrth y môr.

275

Wrth Glywed am Farw Enid Wyn Jones
mewn awyren, a hithau'n eistedd yn ymyl ei gŵr

Rhwng dŵr a'r eangderau,—lle nad oes
Llain o dir na beddau,
Dringo wnei di, yr Angau,—
Y Diawl, a gwahanu dau.

276 *Er Cof am Gyfaill Mebyd*

Lledrithiodd ar bell draethau—fy maboed
Yn ddengoed ddydd angau;
Clywn don drwy'r galon yn gwau
A gwaedd o'r unigeddau.

277 *Er Cof am Werinwr*
(John Jones, Blaen-cwm, Cynllwyd)

O groth y ddaear greithiog—y'i bwriwyd
Ar y Berwyn 'sgithrog;
Caled oedd fel clwydi og,
A mwyn fel gofer mawnog.

278 *Er Cof am Geraint Edwards, Llanuwchllyn*

A welwch chi'r griafolen—eiddil
Wrth Dyddynyronnen?
Gwaed a fu ar y goeden,
I'w phridd yr aeth dail ei phren.

Gwelwch ei gwyw wialen—a mwswg
Y meysydd a'r fignen,
Brwyn a hesg y bryniau hen,
Yn dorch ar y dywarchen.

279 *Beddfaen Llywelyn ein Llyw Olaf yn Abaty Cwm-hir*
(Englyn a ddarllenwyd wrth ddadorchuddio'r beddfaen yn Abaty Cwm-hir)

Y garegog wrogaeth—i gofio
Dy gyfiawn filwriaeth,
Dy anfarwol farwolaeth
Yn gwaedu dros Gymru gaeth.

T. LLEW JONES
1915-

80

I'r Ceiliog Du o Goed-y-Bryn

(Mae'r aderyn hwn, yn ôl barn arbenigwyr fel Mr. T. G. Walker ac eraill, ar ôl clywed recordiau o'i gân ynghyd â chân mwyalchod eraill, yn bencerdd holl fwyalchod Cymru!)

Canaf i gerdd ddihafal
'Deryn Du mewn derwen dal.
O'r llwyn, pa gywair llonnach
Na'i aur bib ben bore bach?

Hardded yn nhymor irddail
Byls ei diwn o blas y dail;
Lluniwr mawl fel llanw'r môr
I'r dduwies sy' ar ddeor.

Ple ceir mwynach, coethach cainc
Na'i awdl ef rhwng dail ifainc?
Draw'n y gwŷdd yng nghyfddydd ha'
Geilw'r wawr â'i glir aria.

Dyry ei alaw lawen,
Geriwb yr allt, o'i gaer bren;
Teilwng o'r llwyfan talaf.
Ei gerdd o, Garuso'r haf.

* * *

Wrth dy dasg cyn bod glasgoed,
Lediwr da orcestra'r coed,
Dy gân fu'n hudo y gwanwyn,
Â'th lais dilledaist y llwyn.

Weithian yng nghlyw cytgan côr
Molaf y cyntaf cantor;
Deyrn y gerdd draw'n y gwyrddail,
O drwbadŵr heb dy ail!

Gwn y daw gaea' i'n dôr,
Daw â'i ôd a'i rew didor;
Daw'r heth, a'r deri weithion
Heb eu dail, a thi heb dôn.

Ar hin oer a'r llawr yn wyn
Doi ataf yn gardotyn;
Doi i'r drws mewn pryder dro,
Heibio'n swil heb un solo.

Gyfaill, bryd hyn mi gofiaf,
Dy lais hwyr rhwng deilios haf;
Yn awr prinder y gweryd
Ceï orau 'mord, bynciwr mud,
Rhag i haf ddod i'r wig hen
Heb foliant dy bib felen.

281 *Yn Angladd Ifan Jenkins, Ffair Rhos*

(Claddwyd ef ym mynwent Ystrad Fflur, Tachwedd 7, 1959, yn yr un lle â Dafydd ap Gwilym a'r bardd gwlad Isgarn.)

Dydd Sadwrn, trist ddiwrnod,
Tua'r llan mae'r dyrfa'n dod;
O frö'r grug fe ddaw'r bugail,
Gedy'r hewlwr ei dwr dail:
O drin ei grefft daw'r hen Grydd
Tua'r llan at ro llonydd.

Ow'r Sadwrn trist! Arno try
Athrylith i'w hir wely.
Rhoi ffarwél i gawr Ffair Rhos,
Ys gwn a fu dasg anos?

Bu inni'n braff frenhinbren,
Ac er i'r Pry lygru'r pren
Yn rhy gynnar, mae'n aros
Y ffrwyth yng Ngherddi Ffair Rhos.

Awdur cerdd, nid ildia'r co'
Linell o'r gyfrol honno.
Ni ddaw i'r llwch trwy ddôr llan
Gynaeafau gwyn Ifan.

Heno cei, Fynachlog hen,
Roi i Driawd yr Awen
Ddwy lath dragwyddol, a hedd
Dy weryd i gydorwedd.

Heb rwysg dan yr 'Ywen Brudd'
Huned Ifan a Dafydd,
A boed bêr hyd fore'r Farn
Ei gwsg ynghyd ag Isgarn.

Ap Gwilym, pa gywely
A fai well, na'r hwn a fu,
Cyn gorchuddio'i wedd heddiw,
Fel tithau'n saer geiriau gwiw?

O ddyfod priddo Ifan
Is dôr y gell distaw'r gân.
Ger Ystrad Fflur a'i mur mall
Gorwedd tywysog arall.

282 *Er Cof*

(Er cof annwyl am Dilys, Argoed Isaf, Bryngwenith, a fu farw yn ddisyfyd yng Nghymanfa Ganu'r Urdd yn Llandysul, 1964, yn 8 oed.)

Dilys fy mechan annwyl
Mor iach yn llamu i'r Ŵyl;
Wrth fyned—deced â'r dydd
Ei gwên hi a'i gŵn newydd.

Hwyr y dydd ni throes o'r daith
Dilys i Argoed eilwaith;
O'r ysgariad ofnadwy!
Mae'r Angau mawr rhyngom mwy.

Distaw dan y glaw a'r gwlith
Yw y gân ym Mryngwenith,
Difai wyrth ei phrydferthwch
Yma'n y llan roed mewn llwch,
A gwae fi, mor ddrwg fy hwyl,
Blin heb fy nisgybl annwyl;
Harddach na blodau'r gerddi,—
Fy Nilys ddawnus oedd hi.

I'w hoergell aeth o Argoed
Ddiniweidrwydd wythmlwydd oed,
A gadael ar wag aelwyd
Yn ei lle yr hiraeth llwyd.

Awn ni'n hen, dirwyna'n hoes:
Dihoeni yw tynged einioes.
Daw barn ein hoedran arnom
A theimlo saeth aml i siom.

Erys hi fyth yn ifanc,
Llon ei phryd, llawen ei phranc,
Yn ein co', n dirion a del,
Nos da fy Nilys dawel!

283 *Deilen Grin*

Mewn cwter ar ddisberod,—tegan trist
Gwynt y rhew a'r gawod;
Ddoe yn hardd, heddiw'n ddi-nod,
Ddoe yn dirf, heddiw'n darfod.

284 *Meirioli*

Daeth awr ailactio'r stori—hyna' 'rioed,
Haenau'r rhew'n meirioli,
A thlws wyrth a welais i:
Glaw mân yn treiglo meini!

285

Yr Hen Gapel
(Wedi ei werthu i Sais)

'Fe'i try yn fwyty,' yw'r farn;—'o rhoddir
  Trwydded, fe'i gwna'n dafarn'.
 Mae'n hen adeilad cadarn,
 Seiliau ein ffydd sydd yn sarn.

R. J. ROWLANDS
1915-

286

Neithiwr yn Ffair Y Bala

Yn uwch na chleber ffair ymchwyddai'r llais
  A werthai ddelff a tsieni ar y stryd;
Fe ddaeth athrylith, yn llond croen o Sais
  (A Chymro deuair), ar ei sgawt i'n byd.
Troellai'r cwpanau eurog ger ei lamp,
  A llithro'r platiau rhwng ei fysedd chwim
Fel clown-gonsuriwr yn mynd trwy ei gamp,
  Ac eto eilwaith! 'Roedd y sioe am ddim.
Ennyd o floeddio ei ystrydeb rad,
  A'r pris yn gostwng â phob newydd lef;
A hen wynebau rhadlon o gefn gwlad
  Yn glust a llygad i'w ddoethineb ef.
Coedwig o freichiau, yna pawb â'i bac
Adref i olchi'r llwch a ffeindio'r crac.

287

Hagrwch

Dawn y cynllunwyr a fu'n creu'r trychineb,
A'r cyfalafwyr hwythau'n sodlu'r gost
Heb diwnio clust i wrando ple doethineb,—
Ond pwy yw'r gwâr yn wyneb bâr a bost!
Felly yr hylltod hwn o bentref-dodi
Sy'n llenwi'r ffrâm gynefin, lle na bu
Ond haenau gwyrdd o'r pridd yn atgyfodi
Yn fiwsig a chynghanedd ar bob tu.

Ein cyfran ni, daeogion, fydd dygymod
Â gweld ein tir dan draed y sipsiwn bras
Sy'n penwythnosa heb na pharch na chymod
Â sefydlogrwydd llyfn ein dyffryn glas.
Hagrwch ein hymddatodiad, fesul llain,
Yw colli iaith a thir, a phopeth cain.

288 *Amaethwr*

Fe'th welem o ddydd i ddydd
yn dy 'sgidiau trwm
mewn brwydr barhaus
â'r elfennau.

Aderyn drycin
draw acw
o wawr i wyll
ar dy ffridd bell,
y storm yn dy ddannedd
a'r ceunant yn ochain.

Unig, unig
a thon o wylanod
yn ewynnu amdanat
a'r gwanwyn ar dy sodlau
o hyd.

I beth yr ymgollaist cyhyd
yn dy fyd cul
a llafn y gaeaf
yn dy erbyn
bob tro?

Mae Mihangel yma,
Mihangel
â'i ras cymodlawn;

heno mi glywaf
y gwartheg boddhaus
yn cnoi, cnoi
yn y weirglodd
a daw arogl cynnes y cynhaeaf
i'm cyfarfod
o'r cowlasau.

Tithau heb ddim i'w ddweud.

289 *Yr Hanesydd Lleol*

(Evan Roberts: yr oedd ganddo golofn wythnosol yn dwyn y teitl 'Ysgrepan y Lloffwr' yn Y Seren, *ym Mhenllyn.)*

Gŵr cystuddiol
digoleg,
llwydaidd,
diwylliedig,
efo'i lyfr,
ei gof
a'i lên.

Ifan,
'rwy'n dal i gofio
clep dy Ysgrepan
ym mro Gymraeg y pumplwy hyn,
ysgrepan lawn o hanes
yn arllwys ei darllen
o wythnos i wythnos oedd,
dirwyn yn ddidoriad
hen stori a'i hystyron,
dal awen hen deuluoedd
ar edau dy chwilfrydedd.

'Roedd enwau hen furddunod
a hynt eu tenantiaeth
gennyt
yn hiliog inni;

caem gwrdd â dadwrdd diwydiant
yng nghyllideb dy bentre bach.

Eithr weithiau,
pan dynnit len y gorffennol,
drwy'r crac fel cacwn
dôi ambell sgolor i'th lorio,
a rhoi achos i godi gwrychyn,
a sŵn y ffrae yn sïo'n ffres
i ddalennau dy ddiwel inni.

Na hidia,
dy anrhydedd
fu cario cof y cerrig hen
a rhoi in' gyfri hanes.

A ddaw min a'i hedrwydd mwy?

290

Y Tyddyn

Mae tafell werdd o wanwyn
wedi ei gadael ar ôl
ym mhen y cwm,
ychydig erwau glân
a fwythwyd
yn llyfn
rhwng gwaliau llwyd,

ôl eu herydr hwy,
o'u tynged wareiddiedig
yn ailwisgo
hen blisgyn
brau o bridd,

ôl ogedu
hil gadarn
yn cribo'r had,
yn creu bro,

a'r annedd werinol
draw yn y pant,
troedle antur
chwerw-bêr dechrau byw
yn rhoi golau ar garreg aelwyd.

Hyd yr esgair mae hadau'r ysgall
yn wawn ar y gwynt,
hen wynt sych,
a thenant sâl
difrawder
yn difrodi
rhwymyn iaith
â'i gryman oer.

291

Ar Gerdyn Nadolig

Wrth fwrdd y wledd eisteddwn,—o ganol
Digonedd y codwn;
Heddiw nac anwybyddwn
Waedd y lleill am weddill hwn.

292

Ein Tir

Y goedwig lle bu ogedu,—a dŵr
Lle bu dôl yn glasu,
A sŵn ein hymddatod sy
Yn hedd yr ymlonyddu.

RONALD GRIFFITH
1916-1977

293

Ruth

Enw Ruth fo mewn aur weithian—yn hanes
Ffyddloniaid y Winllan,
Am roi y ddigymar Ann
Ar gof i Gymru gyfan.

GRUFFUDD PARRY
1916-

294

Gwenan

(Bu farw Gwenan Owen Jones yn bedair ar hugain oed ar enedigaeth plentyn yn Ebrill 1986)

Ddoe
Gwên pefr llygad
Bywyd am fywyd cynnar bod am ddyfod
Crisial amser llif twf bore.

Heddiw
Oer anhyblyg lonydd
Anghyrraedd anghyffwrdd pellteroedd
Cyniwair atgofion mwyn marw.

Neithiwr
Fflam y sêr o entrych i orwel
Fflach gwynlliw lloergan ehangder.

Heno
Lludw llwch pridd
Diddim ddiddymdra daear.

Yfory
Bu.

W. LESLIE RICHARDS
1916-1989

295

Cadwynau

Caethion ydym
Yn llyffetheiriau ein cadwynau cudd;
Caethion atgofion ac ofnau,
Blysiau neu bleser;
Hwy yw'r cadwynau sy'n ein hualu
A'n clymu
Fel geifr yn pori wrth byst.

Gwelwn o'n blaen y golau,
A gwyddom eiddiled ein gau-dduwiau,
Ond ni allwn ymryddhau.
Fel y tyn y gwyfyn at gannwyll
A rhuddo gwawn ei adain yn y fflam,
Felly ninnau
Yn gwegian ar frig y dibyn dwys
A phwysau'n cadwynau
Trwm wrth ein traed.

Ynom mae nwyd yr anifail
Yn drech na'r Ysbryd Glân a'r Goleuni,—
Y rheibus nwyfus anifail
Fu'n llercian yn nhywyll-leoedd
Fforestydd y cynddydd caeth;
Ei ewinedd ar annel
A'i ddannedd yn noeth
Ar drywydd cyntefig brae.

Gloddest a gwledda,
Caru a choncwerio
Oedd nod ei fyw a nwyd ei fywyd;
Felly ninnau,
Mynnwn ein mwyniant
A phydru ym medd ein heddiw,
Heb obaith yn afiaith nefoedd
Nac ofn rhag uffern a'i gwae.

RHYDWEN WILLIAMS
1916-

296

Nadolig

(I Huw)

Mae'n Nadolig eto . . .
Tawdd fel pelen eira fy nghalon yn fy nghorff,
hon a fu'n eiddo i ddegau (y Nadolig a'u geilw i gof)
hon a fu'n chwerthin a chwarae iddynt hwy, hudoles a slaf,
a hwythau'n dyfalu ai nef, annwn, siwgr neu sarff
oedd o'i mewn . . . Mae'n Nadolig eto.

Pigaf gneuen rhwng deuddant . . . Hwyl, hogyn!
Duw a'th roddodd a phum golau, dy gaer o graceri.
Wyt Adda ac Adda'r Ail; rhwng y sgiw a'r sgwleri
mae d'Eden a'th Fethlehem. O'u ffynhonnau, ŷf!
Pigaf innau'r gneuen sych . . . O, na fedrwn goelio
fod Santa Clos dan y clogyn!

Ond ni wedda i'm ffydd na'm hymennydd mwy
ffug; ni hed fy nychymyg i ar chwa
i'r ogofâu. Ogof wyf. Rhewfysedd yn dripian
oriau, gwacter fel tafod yn sipian,
oriau a gwacter heb goffrau, môr-ladron, Aladin, da-da.
Dim—ond y belen eira'n toddi. Eiliad neu ddwy

ni bydd . . . Hogyn, mae'n Nadolig eto!
Wyt Dduw. Dywedi: 'Bydded goleuni, pinc, brown, gwyrdd,
ambr, melyn a glas';
a goleuni a fydd. Eiddot ti yw'r bydoedd—mewn bocs!
Minnau, ni welaf Gwlifer yn gaeth na Sinderela'n ei rhacs;
cerddaf luwch-eira'r Nadoligau. Ailgeisiaf yr ias.
Ond cracia di'r craceri, Huw bach! . . . Mae'n Nadolig eto.

297

Y Llewpart

Gwelais ef ryw brynhawn tu ôl i'r barrau
yn llyfu ei got a'i gwt, a'i dawelwch ffyrnig
yn llenwi'r llygaid, a'i sadrwydd sumetrig
fel dyffryn o gnawd ar ei hyd.

Ei ben yn glasurol brydferth; ni fedrwn
ond rhyfeddu at amlinell y mileindra,
y cyntefigrwydd cymen yn llinellau'r gewynnau gwych.

Goroesodd hwn y gwareiddiadau heb golli min ei ewinedd
nac ildio'i arglwyddiaeth anifeilaidd
i ymddiried mewn dyn . . .

Toc, daeth hogyn heibio—
llond bwced o gig, y gwala goch, yn ei law;
a'r hen greadur anferth, newynog yn agor ei geg am damaid,
yna'n estyn pawen mewn diolchgarwch
fel bonheddwr i'r bôn.

Nid dig yw'r goedwig i gyd.

298 *Y Babŵn*

Eisteddai yn ei gell yn llygadrythu,
unig fel astronawt yn y gofod,
gyfandiroedd o'i fyd,
a'r wynebau o'i gwmpas mor wag â'r sêr iddo ef.

Heb ing, heb angen—dim ond
y chwain melltigedig dan ei gesail—
yn pigo ei damaid ar hyd y llawr ymysg ei dom ei hun,
a rhyfeddu am hydoedd at ei fysedd a'i fogail a'i organau
fel pe bai gogoniant pob rhywogaeth—
ein hanatomi a'n gweithgareddau a'r dernyn ola' o gnawd—
yn eiddo i neb ond ef.

Edrychais arno. Ei ben—
potyn ar ei hanner ar dröell y crochenydd,
a'r clai yn wylo mewn dau lygad digri
am fysedd o rywle i orffen ei geg a'i glustiau.

Daeth arogl heibio'i drwyn,
arogl o'r gwair a'r cagl,
a'i ddeffro i'w ffolennau ei hun,
a'i yrru fel rhoced a'i dîn ar dân
yn orbid sbeitlyd Rhyw.
A phan welais ei wyneb—O dristwch chwerthinllyd—
gwelais yr holl aparatws nerfus
a siwrneiodd erioed hen fapiau celf a chân
yn un cnotyn anobeithiol,
yn byw i ddiawl o ddim
ar wahân i'r orchest derfynol fawr
o bigo trwyn.

299 *Moduro*

Neithiwr, wrth yrru fel ffŵl o'r Fflint i'r Ffrith,
  Neidiodd ei bwndel blewog o ddwrn y nos;
Di-rym i lamu i'r dde na chwipio i'r chwith,
  Fe'i daliwyd gan y dwylo biau'r ffordd a'r ffos.
Llifodd y golau'n fôr o glawdd i glawdd,
  Dwy leuad wedi syrthio'n grwn o'r nen,
Gan lyncu'r chwil eiddilwch—ein hoedl nid yw hawdd!—
  Ei lyncu'n llwyr a llachar o'r balf i'r pen.
Trigain milltir yr awr! Rhy hwyr bryd hyn!
  Car a chwningen a'u silindrau i gyd yn crynu,
A'r noson euog yn crio hen wragedd-a-ffyn,
  A chnawd ac asgwrn a nerf yn tynnu, tynnu!
Yn nes . . . yn nes . . . yn nes—a'r corffilyn yn llenwi'r llawr
A'r ddau lygad bach wrth ddiffodd yn boddi'r lampau mawr.

300 *Kitch*

'Heddiw, y mae Cymru yn dlawd iawn wedi colli un a'i carodd yn rhy dda.'
—Dr Kate Roberts, yn *Y Faner*

Mae 'na gariad i'w gael
  Nad yw'n ddigonol,
Onid yw, doed a ddelo,
  Yn gariad gormodol.

Cariad mwy creulon
  Na phoen a phangau,
Sy'n dechrau'n angerdd
  A diweddu'n angau.

O, felly ceraist
  A'n dysgu ni
I garu'n wirion
  'Run pethau â thi.

Caru llên a thraddod,
  Meddwl a moes,
A gwneuthur ohonynt
  Ein credo a'n croes.

Caru'n hiaith a'n cenedl,
  Eu brwydr a'u bri,
Am fod hynny'n gyfystyr
  Â'th garu di.

Caru bro a'i pharabl,
  Y gwŷr a'r gwragedd,
Am mai hwy oedd rhamant
  Dy 'Feini Gwagedd'.

Caru 'Cwm Glo'
  Lle bu'r rhithiau'n rhythu;
Caru'r Gors lle bu 'sŵn
  Y gwynt sydd yn chwythu'.

Caru nes ceisio
  Rhin anfeidroldeb
I'th ddenu'n ôl heno
  O dragwyddoldeb.

A chrefu hefyd,
  Er mwyn ein dydd,
Y clasuron o'r clai
  A'r breuddwydion o'r pridd.

301 *Yn Nheyrnas Diniweidrwydd*

Yn nheyrnas diniweidrwydd
  Mae'r sêr yn fythol syn;
Mae miwsig yn yr awel,
  A bro tu hwnt i'r bryn.
Yn nheyrnas diniweidrwydd,
  Mae'r nef yn un â'r rhos;
Mawreddog ydyw'r mynydd,
  A santaidd ydyw'r nos.

Yn nheyrnas diniweidrwydd
  Mae rhywbeth gwych ar droed;
Bugeiliaid ac angylion
  A ddaw i gadw oed.
Mae dyn o hyd yn Eden,
  A'i fyd, di-ofid yw;
Mae'r preseb yno'n allor,
  A'r Baban yno'n dduw.

Yn nheyrnas diniweidrwydd
  Mae pawb o'r un un ach;
Pob bychan fel pe'n frenin,
  Pob brenin fel un bach.
Mae'r ych a'r ebol-asyn,
  Y syml a'r doeth yn un;
A'r thus a'r myrr a'r hatling
  Heb arwydd p'un yw p'un.

Yn nheyrnas diniweidrwydd
  Mae pibydd i bob perth;
Ac nid oes eisiau yno,
  Am nad oes dim ar werth.
Mae'r drysau i gyd ar agor,
  A'r aur i gyd yn rhydd;
Mae perlau ym mhob cragen,
  A gwyrthiau ym mhob gwŷdd.

Yn nheyrnas diniweidrwydd
  Mae'r llew yn llyfu'r oen;
Ni pherchir neb am linach,
  Na'i grogi am liw ei groen.
Mae popeth gwir yn glodwiw,
  A phopeth gwiw yn wir;
Gogoniant Duw yw'r awyr,
  Tangnefedd dyn yw'r tir.

Yn nheyrnas diniweidrwydd–
  Gwyn fyd pob plentyn bach
Sy'n berchen llygaid llawen
  A phâr o fochau iach!
Yn nheyrnas diniweidrwydd–
  Gwae hwnnw, wrth y pyrth:
Rhy hen i brofi'r syndod,
  Rhy gall i weld y wyrth!

302

Cân

O fyd, i bwy y canaf
ar linynnau'r einioes;
fy ngeiriau'n ddim ond anadl
yn gwneud staen ar baen ein byw?
Canaf i'r ŵy a orwedd
yn yr hesg ar Gadwgan;
ŵy iâr-yr-hesg ar Gadwgan
ar ffrwydro'n adenydd dros y Cwm.

O ddyn, am bwy y sgrifennaf
ar femrwn o gnawd,
a dim ond inc y galon
a'r ewinedd i dorri gair?
Sgrifennaf am y mynydd marw
a mandreli'r cenedlaethau'n ei ais;
y mynydd marw a'i nadredd a'i adar
ar gyfodi drachefn.

O Dduw, pwy a fawrygaf
yng nghapel di-do ein dydd;
y capel lle y mae'r sêr a'r rhosynnau
yn ganhwyllau'r allor hen?
Mawrygaf afon a lŷn wrth ei glannau,
pren fel darn o Eden wedi dod yn ôl;
a merch sy'n gerfiad o'r gorffennol
a'r dyfodol yn ei chôl.

O f'enaid, i bwy y plethaf
salm o'r brigau a'r brwyn;
un weithred ganmoladwy, pe medrwn,
o'm breuder brwd?
Fe'i plethaf i'r Gair anhraethadwy
a drig yn y gwlithyn a'r graig;
Y Gair sy ar draws ffurfafen Cymru . . .
nes fy llethu wrth wneud.

303 *Mynydd Lliw*

Llafar yw'r gwir,
  Llefaru geiriau
yw arllwys y trysor o'r llestri
pridd a phorthi'r preiddiau—
fel'na y daw
ernes o'i fawredd Ef a'i Deyrnas i fod.

Sŵn tipiadau'r cloc,
ddydd ar ôl dydd,
hen diwn eu hundonedd;
ond daw i rai trwy ffydd syniad o'r tragwyddol,
diddanwch breuddwyd am y byd a ddaw
wrth weld aderyn yn y nen
yn cerfio'r awelon â'i adenydd
neu'r ddeilen ddiango'n prifio ar y pren;
i'r rhai hyn y mae pob dim creëdig,
yr oenen a'r falwoden fach,
y gath ar y ffendar a'r sarff yn ei gwâl,

lle bynnag y bo llam bywyd yn ei amlygu'i hun,
yno, y mae ymyriad y Mawredd,
y gweledig a'r anweledig yn cofleidio,
y tragwyddol mewn amser yn trigo.

Cerddwch y llwybr gwlithog
dan fwâu rhosynnog yr ardd,
heibio'r goeden feichiog yn y berllan fach,
yno, yn anadl y blodau, y mae'r Presenoldeb
yn ymgomio â ni
mor reial â'r siwrne gynt i Emaus;
ond yr un mor wir a'r un mor wyrthiol,
treiddia'r tragwyddol
lle y mae'r siafftiau a'r pistonau a'r pŵer,
nadau'r ffatri, dwndwr y ffas,
y syched a'r saim—
y mae'r dystiolaeth ar daen yno
mor hardd â'r enfys sy'n pontio nef a daear.

Pwy a ddianc oddi wrtho felly,
y gwehydd yn y gwawn,
y ffoadur yn y ffrwd,
a'r brenin ar y bryniau?
Pan dybiwn ei fod E'n absennol
neu'n ymguddio y tu ôl i'r twyn a'r clogwyni,
chwibana arnom yn y chwaon
a bydd ôl ei droed
lle y sanga'r berdysyn a'r eryr.

Ar eingion ei gariad y lluniodd Ef bob cnawd,
crëwr ein deunydd,
crefftwr ein doniau,
pan neidiodd y gwreichion cyntaf i'r gwagle
a'u rhewi'n sêr yn eu rhodau,
llewych ymhob llestr
fel ffynnon o galon y goleuni.
Gwelwch!

Chwardd ei lygaid arnom
yn ffenestri'r dail
a'i ogoniant yw'r wên
ym mhaenau serth y prydferthwch.

Y mae ffyrdd a phriffyrdd y Perffaith
yn galw arnom yn y gwylaidd,
tramwyfa'r ysbryd, y bererindod
tua breuddwydion Duw;
yno, crŷn y corsennau fel tyrfa'n curo dwylo
pan yw Ef o gwmpas—
lleisiau Côr y Bont a Chôr Pendyrus,
Menuhin yn nyddu patrymau'r *Rhamant* yn G
yn llawen ar y llinynnau,
celfyddyd sy'n fara'r angylion
i felysu dagrau;
ie, dagrau Aberfan, Mecsico, Ethiopia,
a thynnu'r chwerwder allan
o boen y byd.

Nes yw'r Presenoldeb
na gwythïen fawr y gwddw;
cerdd o'n hamgylch
yn nes nag anadl einioes,
fel—(dyma ni eto, *fel fel fel,*
hyd at syrffed);
ond analogaidd yw pob gwybodaeth
amdano.

Ar lwyfan hyn o feidroldeb,
y Presenoldeb hwn a fedd y brif ran;
Ef yw'r act a'r actor
sy'n difyrru'r gynulleidfa gosmig,
masg i bob ymddangosiad
a'i eiriau'n dyngedfennol eu hystyr,
heb ystyr o gwbl ar dro;
a'r cwbl a wyddom yw,

cyn wired â'r wawr a chyn sicred â'r sêr,
y *mae* cyfathrach rhyngom;
cyfathrach fel y cerddor a'i sgôr a'i sgêm
cyn i'r gerddorfa seinio
yn hymian i ffwrdd y simffoni . . .

Ond fe gasglwn gregyn,
ambell gyffyrddiad o'r gynghanedd
sydd mewn darlun neu delyneg
neu hen gyfeillgarwch,
broc môr ar draeth hen brofiadau,
rhyw eiryn o wirionedd,
nithiad o ddaioni
neu sblas o baent a aeth yn brydferthwch;
gwŷdd, mynydd, môr,
rhywun a garwn, rhywun a gofiwn,
adlewyrchiadau,
teilchion,
temigion,
awgrymiadau—
Rhywun o gwmpas yn rhywle!

'Ni wyddom fawr ddim am dduwiau,'
meddai un o'r poëtau gynt,
dim ond bod mynydd i'w ddringo,
nid y mynydd rhwng y gorffennol a'r presennol,
ond gorsedd hollalluogrwydd,
priod le'r Presenoldeb hollbresennol
lle yr eistedd yn effro a pheryglus
a'i ddirgelwch uwchlaw ein chwilfrydedd;
ac ar y llethr olaf un i'w gopa,
oedwn,
tariwn,
disgwyliwn . . .
am fod y seraffiaid yno'n sefyll,
chwe adain i bob un,
â dwy yn cuddio'r wyneb,

ac â dwy yn cuddio'r traed,
ac â dwy yn ehedeg;
ac yn llefain y naill wrth y llall,
Sanct, Sanct, Sanct
yw Arglwydd y lluoedd,
yr holl ddaear sydd lawn o'i ogoniant.

D. JACOB DAVIES
1917-1974

304

Hiroshima

Bu'r bys ar y botwm,
ffrwydrodd yr wybren yn fflam.
Egr yr ysgwyd
dan gyfarth y purdan poeth.

Rhuthrodd corwynt cam
a daeth sgrech o'r sach gregyn
o dan adain dindro'r awyren.

Clochdar y dodwy isod oedd
a chwyrl y chwalu
yn esgyn a disgyn draw.
Croen crin, cras yn tisian ei brotest
a manwellt gwallt yn ffagl i'r ffwrn.

O gropyn eithin ei dŷ
daeth dyn yn gricsyn crwca
i chwilio blawd-lludw ei blant.

Wedi ysbaid,
tawodd pob diasbedain
ac ar daen megis cwmwl du,
a difrod o dan ei hofran,
cododd carreg fedd o fwg.

DYFNALLT MORGAN
1917-

305

Y Llen

Ia, echdo cas a'i gladdu,
Yn fynwant y Twyna'!
Ma sywr o fod pum mlynadd ar ician
O war claddu hi:
Welas i ddim o'r garrag
Wath o'dd y pridd
I gyd weti c'el i dwlu ar i ben a.
Fuas i 'na? Wel do, w,
Achos o'n i'n dicwdd bod lawr co'n aros gyta ffrindia
O nos wenar 'yd 'eddi;
Wyt ti'n gwpod fel wi'n lico
Mynd 'nôl i'r 'en le 'nawr ac yn y man!

Tro 'yn,
O'n i weti meddwl mynd lawr i Gardydd
Bora Satwrn, yn yrbyn y matsh yn y pryn'awn.
Ond clywas am yr anglodd . . .
Ia, ia, cyn douddag 'twel—
Wath ma'r torrwrs bedda i gyd yn yr Union 'nawr
A wna nw ddim ar d'wetydd Satwrn.

Allwn i byth pito mynd
I anglodd yr 'en foi.
Buws a'n biwr iawn i fi flynydda 'nôl
Pan es i'n grwtyn ato fa yn y talcan glo
A buas i'n wilia lot sha fa . . .
O'dd lot co?
Be' ti'n wilia, 'chan—
Preifet yw 'i 'eddi 'ta nw, 'ed!
Am un-ar-ddeg 'to'dd neb
Wrth gât y fynwant ond 'êrs,
Dou gar a fi.

Na, 'do'dd y plant ddim yn gwpod pwy o'n i
O bopol y byd: ond taw sôn,
O'n nw ddim yn napod y gweinitog chwaith:
O's dim gweinitog weti bod 'ta'i gapal e'
Os blynydda,
A goffod nw yrfyn wetyn ar 'wn, 'twel.

Dêr, ges i waith i ddiall a,
Rwy Gwmr'eg dwfwn a 'wnnw yn i lwnc i gyd!
(Glywas i nw'n gweud
Taw lan sha'r north ma'i galon a o 'yd,
Ond i fod a'n meddwl caiff a dicyn o stwff
Useful lawr sha'r sowth 'na;
Ma 'obbi gyta fa o sgryfynnu
I brogrammes Cwmr'eg y wireless.)
Ges i grap itha da arno fa, sachni, o beth wetws a
Ar i weddi ar lan y bedd: diolch
Wnas a am gartrefi cryfyddol mywn o's 'ddreng'
(Na'r gair wetws a, wi'n cretu, ta beth yw a.)

Ond wotsho'r plant o'n i,
A meddwl!
'Na le'r o'dd Glatys a Susie,
A'u gwrwod gwrddon' nw yn yr A.T.S.—
A reini weti c'el gwaith ar y Tradin' Estate 'nawr;
A Isaac a'i wraig—
Merch o Ireland a fe weti troi'n Gathlic gyta 'i . . .
A dim un o'onyn' nw'n diall Cwmr'eg.
Ond wi'n canmol nw am g'el anglodd Cwmr'eg iddo fa,
A o'n nw weti catw'r 'en foi'n itha' teidi 'yd y diwadd 'ed.
(I galon a 'eth yn ddiswmwth.)
Do, do, nison' nw i d'letsw'dd reit i wala; weti'r cyfan
Dim ond ta'cu o'dd a iddyn' nw, a peth arall,
O'dd a m'es o'u byd nw'n deg.
Wyt titha a finna'n gwpod rwpath am 'yn,
Wath dyw'n plant ni ddim yn wilia'r 'en iaith, otyn' nw?

On' bachan!
Allwn i ddim 'elp meddwl 'ed.
'Dyw'r 'en foi ddim tamad yn bellach off 'nawr
(Wrthyn' nw!)
Nag o'dd a cyn mynd:
A gweud y gwir, walla fod a'n nes,
Wath ma Glatys a Susie'n regilar yn y 'Spooks' bob wsnoth
Ac yn c'el rwy brofiata ryfeddol, o'n i'n clywad.

Dêr, fel ma pethach weti altro!
Fuas i lan yn yr 'en gapal nithwr;
Pan gladdws a'i wraig
'Ro'dd y teulu 'na i gyd nos Sul
Yn catw i penna lawr a dim yn coti i ganu—
Neb yn i sêt a nithwr!
A'r deiacon o'dd yn cymryd yr ail gwrdd yn llefan
(Ond fylna fuws a 'rio'd,
—Weti amsar y diwyciad, 'ta beth.
O'n i'n c'el gwaith pito wyrthin
Wrth gofio'r rali o'n ni'r plant yn c'el ar i ben a)
Ac yn gweud bod 'i'n 'with gweld teulu'n marw m'es.
Ia, wetas i wrth ym 'unan, inni'n retag lawr
Crefydd y Paddies—ond
Smo teuluo'dd yn marw m'es gyta nw!

Rwy brygethwr o'r wlad o'dd 'ta nw nithwr,
Itha' 'wyl 'ta fe 'ed
Ond bod 'annar y capal ddim yn i ddiall a.
All'san i feddwl
Bydda fa'n well iddyn' nw droi'n Sisnag,
Wath 'na iaith yr Ysgol Sul os blynydda:
Ond donkeys ŷn' nw, 'twel.
O! wi'n napod nw'n dda! Wi'n cofio Jones
Yn myn' o co ician mlynadd yn ôl.
'Mwy o arian a wya'n y wlad', medda'r capal.
Ia, a mwy o sens 'ed!
Gall 'ytnod sant neud dim byd â llond sêt fawr o ddonkeys.

Ond 'na fe!
Fi sy'n cico 'nawr. Falna ma dyn yn timlo
Ar ôl bod co, 'twel.
Falna fasa ti, 'ed, yn yn lle i.
O'dd a'n ddicon i droi arno i i weld Dai Glo Talpa wrth y pipe organ
Yn shiclo'i sgwdda fel ta rityll yn i law a
Ac yn ysgus wara â'i dr'ed
Wrth drio gwneud Voluntary m'es o dôn plant bach—
A finna'n gwpod ma'r Bass Coupler o'dd m'es 'ta fa.
Pwr dab bach!
'Dyw a'n twyllo neb ond i 'unan—
A weti'r cyfan,
Pwy arall gan' nw am ddecpunt y flwyddyn?

Ond canu Moab gwplodd pythach i fi—
Er cof am yr 'en foi, 'twel.
Dêr, fasa 'run man iddyn' nw atal a'n llonydd.
Wi'n cofio'r amsar
Pan o'dd clywad y gallery'n canu'r trytydd pynnill
Yn 'ala ti feddwl
Bot ti *yn* y nefo'dd yn barod, 'achan . . .
'Do'dd dim enad byw
Ar y gallery nithwr,
A screchan teulu'r llawr rwpath yn debyg i'r sŵn
O'dd 'ta'r wogs 'na yn yr Aifft!
Sôn am gythral y canu! Mae'n w'eth 'eptho fa, cret ti fi!

Ond 'ma beth o'n i'n mynd i weud—
Mae'n ryfeddod
Bo nw weti catw'r achos i fynd o gwpwl;
Ar ôl colli cimint o aelota;
'Eth y cascliata lawr i rwla
Ac 'eth arian gwyrthu'r Manse yn ddim.
Ond weta i wrtho ti beth safiws nw—
Y Ryfal!
Cas y dynon i gyd, a lot o'r merchad, waith
Yn y ffactyri newydd 'na;

A d'eth lot 'nôl o'dd weti mynd i gatw draw achos bo nw'n shabby!
Shabby wir! Nid nw o'dd yn shabby—
Ond y ladidas 'eth o co fel llicod yn gatal llong!
Paid gweyd 'tho i, 'sdim isha reini 'nôl.
Goffod i bopol fel ti a fi
Ddod i Loegar i wilo am waith,
Peth arall
O'dd symud i gapal ticyn mwy stansh yn yr un dre'.

Ma'r 'en ffyddloniaid mor stansh â nw 'eddi:
'Sdim llawar o'onyn nw—ond
Ma arian yn i pocad nw—a dillad diwetydd da pawb.
A peth arall i ti—
Ma nw'n mynd i g'el gweinitog, na, wi ddim yn gwpod
I enw fa, ond 'do's dim degree 'ta fa,
Geson' nw ddicon o'r students 'ma
Amsar ryfal, a'r polis yn dod i wrando arnyn' nw, a 'nawr
Ma'r deiaconiaid yn meddwl
Bod 'i'n well i nw g'el rywun allan' nw drafod; a wir,
Wi o'r un farn â nw!
Wsmo ti'n meddwl bod rai o'r youngsters 'ma'n apt i fynd dros ben llestri?
'Na beth ma'r 'en ddonkeys yn gweld,
(Ma nw ddicon ciwt pan ddaw 'i i'r point)
A 'na'i gyd ma nw mo'yn 'nawr
Yw rywun dicon o ddyn i gatw ml'en yr 'en draddodiata
'Mywn o's ddreng'—ys gweto milord;
Bob dydd Sul, 'ta beth,
'Ytnod os na caiff a neb
I ddod i gwrdda'r wsnoth. 'Sdim iws dishgwl gormod.

Ma nw'n lwcus
Bod a ddim yn briod, a nwtha â dim tŷ iddo fa;
A ma nw'n gweud 'tho i
Bydd 'i'n ddicon tyn i g'el lodgin' iddo fa 'ed.
Ond ta p'un—
Caiff a ddim trwpwl 'ta'r mynwod,

Wath ma crotesi ifanc y capel i gyd wedi prioti.
Ond caiff a ddim lle 'ta nw
Achos ma nw bron i gyd yn byw 'ta'u rieni—
Ond amball un sy' wedi prioti key worker.
Ond glywas i,
Cyn dod o co,
Bod rooms to let gyta un o'r ladidas 'na wetas i wrthot ti.
Ma'n dda
Bod reini—
Yn diwadd.

Wel, mawr dda iddyn' nw.
Licswn i fod weti sefyll i'r Gymanfa 'eno
(—Bora a pryn'awn, wetast ti? Na, dim os blynydda!
A dim ond Tommy Solfa, bachan local, sy' 'ta nw'n arwan 'leni,
Ar i last legs 'achan!)
Ond allswn i byth dachra 'fory
Ar ôl trafaelu trw'r nos.

Walla a'i lawr i'r Cwrdda Sefytlu mish Awst:
Ma 'ta nw rwpath o 'yd, w, sy' ddim 'ta'r Seison 'ma!
Eswn i ddim yn acos—'ma
Oni bai bod raid
Roi rwy shampl i'r plant witha,
A'r ciwrat yn cymryd shwt diddordab gyta nw yn yr Youth Club.
Ond o'dd rwpath yn ots nag arfar lawr co 'leni 'ed.
Wi'n gweld a'n dicwdd os blynydda,
Ond tro 'yn glicodd y peth yn ym meddwl i . . .
Wyt ti'n gwpod
Fel ma cyrtens yr 'Ippodrome yn cau . . . yn ddistaw bach . . .
Ar ddiwadd y perfformans?
Wel falna mae 'co!
Wi'n gweld llai o'r 'en scenery bob tro . . .
A wi'n c'el y teimlad
Bo fi'n c'el yng ngwascu m'es gyta'r crowd.

A 'nawr, ma'r 'en stager dwytha' weti mynd;
Licswn i fod weti i weld a cyn y diwadd,
Wath o'dd a'n llawn gwybotath o'r 'en betha.
O'dd a'n gweld isha cyfarfotydd y Cymrigiddion yn ofnatw
Pan gwplws reini.)
Wetws a gricyn wrtho i am y wlad
Pan o'dd a'n grwtyn—cyn dod i'r gwitha.
Buws a'n myn' 'nôl co am wsnoth
Bob 'af, am flynydda—
Nes i'r 'en deulu gwyrthu lan, a myn' i Lundan . . .

Ia, echdo gladdwd a,
On' ma 'ta fi rwy feddwl
Bod a weti marw . . . fisho'dd yn ôl.

Bachan, o'n i'n gweld yn y papur 'eddi
Bod pethach yn goleuo sha Rwsia 'na!
'En bryd 'ed!
'Sdim sens bod 'annar y byd ddim yn gwpod
Shwt ma 'annar arall y byd yn byw.

Ia wel! Back to the grind 'fory . . .

Hei, gewn ni gwrdd yn y matsh dy' Satwrn . . .
. . . Os byddwn ni byw.

J. EIRIAN DAVIES
1918-

306 *1962*

(Blwyddyn marw Llwyd o'r Bryn, Bob Owen a Dr. Tom Richards)

I gegin gefn y genedl daeth y beili-bwm
Eleni, a chymryd peth o'r celfi gorau;
Bellach pa ryfedd fod y lle mor llwm, mor llwm
A'r gwacter yn dieithrio rhwng y ffenestri a'r dorau?
Mynd â'r celfi gwerinol plaen, rhai glân fel y pin,
A rhyw dwtsh gwahanol iddynt o ran eu gwneuthuriad
(Fel pe na bai eu bath eisoes yn ddigon prin
I wneud i'r galon golli curiad).
Y ddresel o Gefnddwysarn, o bethau gwledig yn llawn
—Y pethau sy'n ddiddorol fel pob dim a oroeso'r
Canrifoedd; a'r ddwy gist drystiog â'u hanes yn hen iawn,
Y naill wedi dod o Daliesin a'r llall o Groesor.
Y Beili Angau, a ddaethost yma fel chwalwr
Am iti glywed bod y genedl wedi mynd yn fethdalwr?

307 *Penbleth*

Mae fy Methel yn dŷ i Dduw rhwng ffatrïoedd a thipiau
Lle mae gwythïen yr iaith yn teneuo o gnoc i gnoc,
Bellach aeth ein crefydd a'n hen draddodiad yn dipiau
A bydd y peiriau newydd wedi moldio rhai eraill toc;
Teimlaf hwrdd cenedlaethau yn fy ngwaed yn ymdopi,
A chorniaf y llanw'n chwyrn er mwyn fy mhraidd,
Rhag ein metamorffeiddio'n bwt yn llyfrau copi
Plant yn chwilfrydig anturio turio am eu gwraidd.
Ac eto, arnaf fi y clecia'r rhieni ddolennau
Eu ffrewyll noeth sy'n gnotiog o gasineb ac o gics—
Rhieni na wnaethant farc, onid marc ffolennau
Fel bochau mawr ar gelfi tai-tafarn a thai-fflics;
A dysgais fod byw yn benbleth i'r sawl a ymdaflo
I gadw'n genedl y gymdeithas sy'n rhyddhau ac yn rhaflo.

308 *Y Ddwy Farwolaeth*

(I gofio Gwenallt)

Tybed a ddoist ti'r ochor draw o hyd i Lasarus
—Y rhyfeddod hwnnw a gafodd ddwbwl-gofnod am ei dranc?
Fuoch chi'n clebran â'ch gilydd? Ofynnaist ti'r cwestiynau
Y buost gynt yn eu gofyn yma fel rhyw Gristion o granc?

Wrth gwrs, does dim rhaid iti ofyn rhai ohonyn nhw bellach
—'Run am gofio byw cyn marw, ac am weld yr Iesu wrth fynd o'r byd.
Am yr amdo dros y traed a'r dwylo a'r napcyn am yr wyneb,
—Mae dy angau dy hunan wedi ateb y rhain i gyd.

Ddoi di ddim 'nôl i'th aelwyd eto, fel y daeth Lasarus,
Er balched y byddai'r ddwy o'th weld yr ail waith,
Ond fe wyddom hefyd y bydd yn rhaid iti farw unwaith yn rhagor,
—Nid yn yr ystyr y bydd dwy amdo a dau ddrewdod a dwy daith.

Mae'r marw cyntaf, naturiol heibio. Dy gorff bach a grebachodd
Yn ddim; aeth yn llwch ar ei farwol hynt.
Daw'r ail farw—yn derfynol a dychrynllyd
Gyda marw'r iaith a gynhyrfaist wrth ganu gynt.

309 *Ar Ddamwain*

Bresych!
Ni fu iddynt erioed
Na rhin na rhamant
Yn fy ngolwg.

Gwir y carwn weld glendid eu calonnau carlwm
Mewn siacedi o dinsel coch a gwyrdd yn y siopau,
A llygaid truenus y mecryll marw
Yn rhythu'n ddiddirnad arnynt
O'r llysnafedd, ar farmor
Cerrig beddau'r ffenestri.

Bresych!
'Roeddynt ar galendr y Creu
Pan flagurodd y ddaear egin,
Pan ddaeth llysiau i hadu
A phrennau i ddwyn ffrwyth.

Ond ymhen tipyn
Creodd Duw ddyn
Ar ei lun ac ar ei ddelw'i hunan.
A'r dyn a blannwyd yn yr ardd
Ac a dyfodd i'w gwymp.

Damwain, medd y meddyg
Ar ôl fy namwain;
Dyn, campwaith y Creu
Wedi disgyn yn drwsgwl ar ei ben,
Crawen ei benglog cyn freued ag ŵy-byddwch-ofalus o'r nyth
Yn grac egr ar lawr,
A'r gwaed yn yr ymennydd
Yn llifo'n fwrlwm tew, tawel
Fel ffynnon o olew mewn crindir cras.

Bûm yn hongian yn hir ar y bachyn
Rhwng terfynau gwybod ac anwybod.

Dywedodd y meddyg nad dyn a fyddwn mwy ond bresychen!

Peidiwch â'm plannu yng ngwely
Bresych yr ardd,
Gadewch y pridd am dipyn eto.

Rhowch ef yn y gadair wrth y tân,
Meddai'r meddyg,
Rhowch obennydd bob ochr iddo
Ac un wrth ei gefn.
Bwydwch ef,
A sychwch ei ddrefl pan fydd yn diferu'n lafoer wleb
O hafan ei wefus,—

A pheidiwch â disgwyl gormod o ymateb.

O'r gore, plannwch eich bresychen israddol
Mewn cadair gysurus yn ymyl y tân,
Agoraf innau lenni fy nghrys
I ddangos fy mron wen garlwm.

Cedwch olwg gyson ar hwn
A syrthiodd mor isel
Wrth chware rhwng y nadredd a'r ysgolion
Ar glawr bywyd
Ac ar dafliad damweiniol
A lithrodd dros sarff felltigaid
A disgyn yn ôl
I fasnach y llysiau.

Pa ddynol ddirnad sy ar y fath ddigwydd?
Ble'r oedd y Cynhaliwr helaeth?
A fyrhaodd ei fraich?

Rhaid i mi droi am oleuni
At broffwyd caethglud ein cenedl.

Yr oedd yr Anfeidrol
Yn nhywyllwch ei anallu.
Dyna'r ateb.
Neu yn iaith-bob-dydd carreg y drws
'Doedd Duw ddim gartre.

Petai etifeddion technolegol
Cyflafan Hedd Wyn
Heb droi Duw yn syniad
A'i wthio dros y gorwel
I'w gladdu ym medd cyfleus gwacter ystyr
Odid na fyddai yma o hyd
I gadw golwg arnom
A'n budd yn uwch na'n bod.

Ond ar ddydd y ddamwain
'Doedd e ddim gartre
I edrych ar ôl ei bethau.

Fy naeargryn fach argyfyngus fy hun,
Trychinebau dŵr a thân, corwynt a rhew a newyn,
—A thipiau slwdj, a beddau trwch plant Aberfan
. . . Am fod Duw wedi mynd oddi cartre.

A minnau yn un o'r rhai a fu'n ffidlan
Â chlicied y ffydd
I agor y drws iddo fynd.

310 *Aros a Mynd*

I ble mae Moel Famau'n mynd?

Weithiau,
Dan bryder niwlen y bore,
Ofnaf
Nad yw yno.

O'i gweld wedyn
Ym mhellter y prynhawn,
Teimlaf mai yn ei chwman y mae,
Yn benisel,
A'i phloryn
Fymryn yn is.

Daeth yr haul heibio heddiw
A gosod ei gusan
Ar y llechweddau llachar
I'm herio mewn dadl dwyllodrus,
Gan honni
Fod y mynydd, fel erioed,
Yn lliwgar ei frethyn
Ac yn llond ei groen.

Ond, a yw'n llai?

Os yw,
Ar y Saeson y mae'r bai am eu bod
Yn mynnu cymudo rhwng Cilcain a Lerpwl.

Hwynt-hwy sy'n dwyn llond llygad o'r mynydd
Bob dydd,
Ddydd ar ôl dydd ar y daith
I'w dinas,
Ac yna'i golli'n llwch hiraethus
Rhwng celfi swyddfa, ysgol ac ysbyty
Cyn i lanhawyr yr hwyr ddod
I'w sgubo i'r biniau sbwriel.

Dyna ble mae Moel Famau'n mynd.

311 *Gwyddau*

Clywais eich cleber plygeiniol
O Gae Pyrs.

Codais.

Wrth agor y llenni
I haul y bore bach
Safwn yn ddibilyn
Mor ungroen â chwithau.

Llygadu draw dros gyfeiriau'r gwlith
A'ch gweld.

'Gŵydd o flaen gŵydd,
Gŵydd ar ôl gŵydd,
A rhwng pob dwy ŵydd, gŵydd.'
Ni wn sawl gŵydd oedd yno
Gan luosoced eich catrawd.

'Roedd niwlen denau fel nwy amdanoch
Wrth ichi gamu'n filwriaethus
I step y Gestapo
Gan ddifa pob blewyn eiddil o laswellt
A safai o'ch blaen.
Bron na chlywn becial Belsen
Yn codi o'ch cylleuau
Wrth i'r chwant droi'n drachwant
Wedi cythlwng y nos.

Melltithiais fy neffro
O gwsg esmwyth
I hunllef ddiorffwys ein byw beunyddiol.

Ac yna'n ôl i'r gwely
Yn ysu am rwbio swifen o'ch saim
Ar fy nghydwybod ddolurus.

Rhoi fy mhen ar obennydd
A chlywed o ddyfnder y plu
Adlais
O wawch gyntefig eich hynafiaid
I'm rhybuddio
Mai pethau echdoe a ddoe
O hyd ac o hyd
Yw stwffin gobenyddion heddiw.

Ba waeth ai huno
Ai dihuno—
Does dim dianc rhag eich clegar.

312

Colli Dau Flaenor

(Er cof am Joseph Jones a Wilfred Lawrence Lloyd)

Gofid ar ofid! Mor rhyfedd—y daw
Gwŷr duwiol i'w diwedd;
Â dau flaenor bwydo'r bedd—
Dau flaenor mewn dwy flynedd.

313 *Yr Un Nadolig Hwnnw*

Ni wyddwn fod y glo ar ben
Ac ni chlywais, tan wedyn, iddo ddiarchebu'r papurau.

Cododd ei bensiwn a mynd,
Gan adael ei gwpwrdd yn wag a'i aelwyd yn oer.

Sut y gwyddai
Fod cylch ei fywyd crwn yn gyfan?

Beth bynnag,
'Roedd yr hen saer-gwlad
Wedi trefnu ei fasged,
Ei thaflu ar ei ysgwydd
A dilyn diddychwel daith.

Dai bach Maespant
I blant Sbyty gynt;
Dafi'r Saer, trwy flynyddoedd plaen ei lafur;
Ac fel blaenor anfoddog wedyn
Yng nghaethiwed Sêt Fawr y capel,
Defis y Llain.

I mi, Dyta ydoedd.

Gadawsai, dridiau ynghynt,
Am Fathri
I fwrw Nadolig
Yn naws eglwysig
Bro Ddewi.

Wedi noswyl gynnar,
O flinder darllen
Cysgodd â'i lyfr agored ar ei fron
—Cyfrol a gyraeddasai
Yn barsel-anrheg awr bost y bore.

Cysgodd, a'i gael y bore wedyn
Yn farw.

Fy nhad llengar,
A'r tinc telynegol yn anadl bywyd ei gerdd.

Un o hil yr Ysgol Farddol.

Gallech roi plwmen
Ar dalcen ei englyn unodl
A'i gael yn union.

Gŵr y geiriau—a'r Gair.

Gadawodd ar ei ôl
Ddeubeth
A fu mor efeillgar
Ymysg ei drysorau.

Barddoniaeth
Yma ac acw
Ar dameidiau o gydau symént,
A Beibl.

Y Llyfr llwyd
Â'i gas fel crofen hen gosyn
Dan draul trafod trwm y blynyddoedd.
Bu'n hylaw, wrth ei benelin,
Pan loywai'n haul
A phan wylai'n law
Wrth ffenest fach ei fywyd.

Rhyfedd oedd colli tad
Ar y Nadolig.
Fel petai'r Angau wedi gwasgu arnaf ei gysgod
Ar noson oleua plant y llawr.

Nid ymwelydd rhadlon o Siôn Corn mewn gwisg goch
A wnaeth i loriau oriau'r hwyr riddfan
Ond tresmaswr haerllug.
Gelyn mewn lifrai galarus
A fu ar gerdded y noson honno.

Dod
A dwyn fy nhad
O hosan gysurus fy mywyd.

Gwerinwr cywir ei fesur mewn coed ac mewn cân;
Pen-areithiwr y pryd ar lwyfannau bro,
A'r esboniwr i arwain o ddryswch yr Ysgol Sul.

Un doniol.
Un duwiol.

Y Dafydd a roed imi'n dad.

Bellach aeth chwarter canrif heibio.

Daliaf o hyd i wylo
Gan gredu mai ef oedd yr anrheg ddruta
A gafodd Iesu Grist yn Ei hosan
Yr un Nadolig hwnnw.

MEGAN LLOYD-ELLIS
1918-1987

314

Gaeaf

arbeded rhywun fi
rhag rhuthro'n noeth i ddannedd
ei ryferthwy,
herio mae crafanc y graig o bob tu,
a'i rhythu
yn fferru fy ngwaed;

lloerig yw'r llawr dan fy nhraed,
collodd y gwynt ei gyfeiriad;
nid oes sicrwydd mewn dim ond niwl a nos.

mae'r hydref ar browl
a nerth ei esgeiriau'n bwrw 'sgaffaldiau ar led;
clywaf ei beswch yng nghegin y coed
a'i duchan yn tynnu'r ynn yn gareiau;
daw adar y ddrycin i aros;
ofer yw chwys yng nglyn y darogan
a'r hesg yn goresgyn y seiliau o lathen i lathen.

pwy a'm harbed rhag yr hirlwm,
pwy a'm gwaredo'n y dyddiau du?

DAFYDD OWEN
1919-

315 *Mewn Mynwent Ddu yn Rhuthun Town*

Mewn mynwent ddu yn Rhuthun Town
  mae Hart a Brown yn braenu,
ac ôl y rhaff ar wddf y ddau
  yn araf gau a gwasgu—
dau lanc diniwed yn ddi-barch,
  heb waelod arch yn wely.

Dau lanc a garai'r plant a'u bloedd,
  yr haf a'r glynnoedd gwledig:
a garai fri Edeyrnion fro,
  a rhodio yn garedig—
fe'u rhegwyd gan eu ffrindiau llon
  a'u gado'n ddirmygedig.

Ni wyddai'r ddeddf a'i dirfawr rwysg,
  a'r deddfwyr brwysg o'r bröydd,

fod trymach gwae na'r penyd gwawr
  a hofran uwch y llofrudd–
gwae'r rhai na haedda (Duw fo'u rhan)
  y llan a'r hendy llonydd.

Bob bore, cerddent gyda haid
  prif bechaduriaid daear,
cysgodion yn yr hanner gwyll
  ar erchyll iard y carchar:
cerddent heb ofn, fel pe dan hud,
  y ddau yn fud, yn fyddar.

Â'u dwylo'n gwaedu wrth eu gwaith,
  â'u hiraeth am Edeyrnion,
gwelent y rhaff yn dorch uwchben
  a chysgod crocbren creulon;
cofient y dorf, y ddeddf, a'i her,
  a dwyster y ffug-dystion.

Cofient yr hwyr pan welsant ddyn
  drwy'r rhedyn tal yn rhodio,
yn ffoi i gysgod lletaf perth
  y llechwedd serth a syrthio;
rhedasant ato yn gytûn,
  ond nid oedd undyn yno.

Ond wele god ar lawr, yn dynn
  o aur a gwyn goronau!
Fe safai'r ddau mewn braw a brys,
  yn ddilys eu meddyliau;
ond wedi'r syllu, daeth yn ôl
  y swynol demtasiynau.

'Dieithryn, gwyddom,' meddai'r naill
  'yw'r cyfaill 'fu â'r cyfoeth;
nis gwelwn mwy, a'r aur a gawn
  yn uniawn, na fydd annoeth!'

(Gwae'r ddau na welsent gysgod lli
trueni fore trannoeth).

'Ar hwyl ein nos ni bydd a dyr,
a difyr yw y dafarn!'
A chyn bo hir, 'roedd aur yn dod
o'r god am ddiod gadarn.
(Ni wyddai'r ddau am ferch oedd fud,
ac ergyd cyllell hirgarn).

Fe lifai'r aur yn gyson stôr
i foddio'r ysfa feddwol,
ac fel tân gwyllt, bu'r sôn yn gwau
drwy'r mannau annymunol,
a daeth yr heddlu, wedi'r si,
heb oedi tua'r 'Bedol'.

'Roedd Hart a Brown uwchben y wledd
yn gorwedd, ddeulanc gwirion;
canmolai un, gan chwifio'r god,
y diwrnod yn Edeyrnion;
siaradai'r llall am blant a'u bloedd,
yr haf a'r glynnoedd gleision.

Fe welai pawb yn agosáu
angau i'r ddau ieuengwr;
'Euog!' oedd dedfryd torf ddi-ri',—
heb arni sêl un Barnwr!
Nid oedd a goeliai'r hanes syn
am redyn tal a rhedwr.

A chan y ddeddf a'i dirfawr rwysg,
a'r deddfwyr brwysg o'r bröydd,
fe'u caed yn euog, gerbron gwlad,
o afrad ffyrdd y llofrudd,
ac fe'u dedfrydwyd (Duw fo'u rhan)
i'r llan a'r hendy llonydd.

Bob bore, cerddent gyda haid
  prif bechaduriaid daear;
er dagrau mam a chariad coll,
  ac archoll bryntni'r carchar,
cerddent heb ofn, fel pe dan hud,
  y ddau yn fud, yn fyddar.

Fe ddaeth yr haul yn brydlon frau
  i gyrrau pell y gorwel
yr olaf dydd, a chofiai'r rhai
  a rynnai yn yr awel,
fod dau yn mynd, drwy'r hanner gwyll,
  i'r pentref tywyll, tawel.

Dywedai'r ddau cyn gado'r dydd:
  'Ni bydd tros byth i'n beddau
laswelltyn gwan, am roi ynghrog
  ddieuog rai. Boed gorau
Duw i'n hanwyliaid, cywir gred,
  a'i nodded drwy'r blynyddau.'

'Roedd taro'r awr fel taran draw
  yn gwanu â braw y galon,
a llithrodd gweddi ar ran dau
  o enau aflan ddynion—
y ddau na flinai ddatgan clod
  y diwrnod yn Edeyrnion.

Ymhen blynyddoedd, rhoed ar goedd
  gyffes yn ingoedd angau,
ac fe ddiffygiodd natur rwydd
  'nôl arwydd yr hen eiriau—
glaswelltyn gwan na blodyn cu
  ni bu tros byth i'r beddau.

Chwi lanciau dewr a merched glân
  sy'n gwrando'r gân 'rwy'n ganu,

o ffordd aflendid mynnwch ffoi,
  rhag iddo droi a'ch drygu,
a'ch cael, ar gam, yn Rhuthun Town,
  fel Hart a Brown, yn braenu.

316 *Blynyddoedd*

'Y mae'r blynyddoedd yn cuddio, ond nid ydynt yn claddu'.
('Y Coed Bach', T. H. Parry-Williams)

Chwi'r giwed ddiffaith sydd ym mhennau'r ceffyle,
  a'r drol yn dwyn llofrudd a sant bob yn ail,
minnau, giamstar y dyffryn, cocyn hitio'r tyle,
  a ffwlcyn ffwndrus eich tafell a'ch tail,—

oni thybiais, droeon, i'ch olwynion grensian
  pob dim a'm herlidiodd, yn blentyn a gŵr:
minnau'n llacio a mynd, i sŵn slaes a slensian,
  heb gamp a heb gwymp hyd at lan y dŵr?

Ond er siarffaidd gymysgu'r myfyr a'r smalio,
  aml y'm twmblir hyd drwmbal y drol,
a'r hyn a guddiasoch dros dro yn halio
  pob cywilydd o'i gongl i ddadswigo'r brol.

Ond rhyw bnawn anwyliaid, a'r llith yn dawel,
  a chwi'n tybio eich bod wrthi'n fy nhrolio i'r tân,
bydd y drol yn wag, a rhyw su yn yr awel,
  a hwnnw'n chwyddo yn orfoledd glân,—

myfi fydd yn cyrchu fy stad addawedig,
  yn troi tua thref y dragwyddol wawr,
a chwi'n rhoncian ymaith yn derfynol siomedig
  heb hyd yn oed ran yn y cuddio mawr.

317 *Maen Nhw'n Tyrru i Lawr o'r Mynyddoedd*

Maen nhw'n tyrru i lawr o'r mynyddoedd moelion
  i ganol y pleser a gynnal y plwy,
—y canrifoedd di-lol yn eu sgidiau hoelion,
  y rhai y darfu am eu siarad mwy.

Â'r sgwrs yn mynd heb ei gwell, mi fydd rhywun
  yn gofalu eu bod yno, yn gyson eu gwadd,–
yno fel crefydd, rhyw ddiddiffodd fywyn
  a ddichon adfywio ac a ddichon ladd.

Maen nhw'n tyrru o'r mynyddoedd, o'u cynhaeaf pladur,
  i lawr i adlodd ein chwaraefa ni,
heb fwriad i friwio na dyn na chreadur,
  ond eu bod nhw yno fel rhyw gwmwl tystion di-ri'.

Â ninnau'n mingamu trin yr iaith aliwn,
  (addasedig ryngwladwyr y ffyrdd a'r ffair),
mae'r canrifoedd yno yn fud fataliwn
  yn y cefn yn rhywle, yn gwrando pob gair.

Hen deidiau a neiniau yn tyrru yn gynnes
  i lawr o'r mynyddoedd, ambell ddyn â'i lond
o'r diafol ei hun, ambell ast o ddynes,
  ond bod rhyw wydnwch i'w plith sy'n ein fferru'n stond.

Maen nhw'n tyrru i lawr o'r mynyddoedd yn gafod
  heb gael eu dallu â sglein ein dysg,
ac mae rhyw surni rhyfedd yn dal ar y tafod
  am fod dail eu meddygaeth o hyd yn ein mysg.

Mi ddoem ni i ben yn ddigon atebol
  â'r Cymry cyfoes a'u gwrthryfel i gyd,
a chael ein diwallu â diwylliant undebol
  pe medrem ni dewi y canrifoedd mud.

318

Ar Bnawn Llun

(wedi gweld ffermwr a ymddeolodd i'r dref)

Wythnos eto ymhell o'm cynefin,–
dafad rhwng tai,
hen geffyl 'tebol i waith
yn gogor droi.

Wythnos arall i ddifaru newid talar
a ffeirio'r cynnydd oriog am y cannoedd oriau.

Pawb yma'n glòs i'w buarth,
a chefnder y dydd a gwrddwn yn wlith diferyd
ar gaeau Hafod y Gog
yn mwstro'n drwsgwl i'r sgwâr bob canol bore
mor sychlyd â chnu Gedeon.

Pnawn arall hir hyd y sioe ffenestrog
yn dyheu am yr hyn sydd o bridd.
Dim cân yn sŵn yr olwynion
a'r clochdar coch yn ymestyn yn daer
o gyrraedd y cylch byddarol.

Colli gwreiddiau mewn siambar o dref
wedi gwybod llecyn a llain pob oen ac anner,
yn ddieithr i gadlas ac ydlan,
yn atodiad i'r ffair.

(Dichon y daw hi'n haws dygymod
wedi'r cneifio a'r cynaeafu.)

I'r sawl a besgodd ar dorthau'r haul
gwael o borthiant yw'r tafelli llygeidiog,
ac i'r sawl a adnabu'r tangnefedd
sydd dan fargod y Sul
daw llonydd pnawn Iau fel gŵr â chleddau.

Yn ei le ac yn ei bryd daw'r diwrnod
dihiraeth, dihirlwm,
pan sleifiaf drwy lidiart y mynydd
yn un o'r hapus dyrfa
sydd â'i hwyneb tua'r wlad.

MEDWYN JONES
1920–

319

Llanelidan

Heb ofal maith, diffaith dir,
Heb anwyldeb, anialdir.

Mae dwyster fel gosberau
Ar faenol bêr f'annwyl bau,
A thrymder swrth yr amdo—
Ing fel briw yng ngafael bro,
Lle bu'r taeog gymdogion
Yn ddiddig ar frig y fron.

Dim ond Llan anghyfannedd
Lle bu'r byw a llwybr y bedd.
Ardal fu'n llawn diddordeb
Heb un hwyl i dderbyn neb;
Distawrwydd didosturi
Angau, lle bu lleisiau'n lli.

Clyw'r clecian fel cân encôr;
Twrw octif y tractor;
Anghenfil flinga'i wynfyd
O dalar aur dôl yr ŷd.
Ei hwch o swch a roes o
A'i ddwrn ar glawdd i'w ddarnio:
Ei ebill ddur fyrbwyll, ddig
Ysgydwa einioes coedwig.
Treisio wedyn 'run ffunud
Faes a gardd fy oes i gyd.
Dyfal sŵn trwm rŵn di-drai
Ei fatog ar hafotai;
Bwrw'i wawd ar Siambar Wen
Ac ysigo y Segwen.
Gwrando'r cnoi, a grwndi'r cnaf
Yn nhŷ cownt fy mhoen cyntaf!

320

Ystad fy nhad a 'nheidiau,
Talar y cnwd, dilyw'r cnau,
Lle dôi'r rhod yn lladradaidd
I lyfu'n rhost lafn yr haidd,
Heno'n drist a'i phen yn drwm;
Cytgae lle bu caeatgwm.

Yma, doethion cymdeithas
Fu'n sisial grisial eu gras;
I daer glust tywalltai'r glêr
Wrtaith Cyfarfod Chwarter;
Llith cymdeithas oedd Sasiwn
Ac ennaint i saint ei sŵn.

I wagle gyrr yr Eglwys
Heno 'mhell ei hunsain mwys.
Cân y gloch, ond acen glir
Ei halawon ni chlywir;
Seinied nes diasbedain—
Nid oes sŵn heb glust i sain.
Siam a ffars rheswm a ffaith,
Oriog afr ydyw'r gyfraith;
Cans rheol duwiau'r golud
Sydd heno'n arteithio'n tud,
A deddfau heyrn y teyrn tal
Yn lardio seiliau ardal.

Pwy biau fapio bywyd,
Cynlluniau byw, canllaw'n byd?
Oes duw uwch gormes daear
A fyn i Sais fwy na'i siâr?
A yw efe'n ei wych fan
Mewn ne' opiwm yn hepian?

Gwaria'r cyflog a'th loge
Ym miri dwl Môr y De,

Ac yf dy heulog hafau
Ar boeth radell dy bell bau . . .
Mae yn fy nghôl well golud,
Mwy coeth na'th gyfoeth i gyd.

A welaist ti las y dydd
A'i ogoniant ar gynnydd?

Wyndra disgleiriol Hendref,
Neu Bwll Naid dan baill y nef?

Yr hethdod ar y Brithdir
A rhew tew yn smentio'r tir?

Baent yr haul ar Bant yr Onn,
Neu Orffennaf Cae'r Ffynnon?

Neu Gae Haidd yn ymguddio
Efo Rhys rhwng brigau'r fro?

Werinwyr a'r gwirionedd
Yn impio'r gamp ar eu gwedd?

Wynebau rhwd cryfion bro,
Eithriad, os bu, eu llithro?

Weision godidog Iesu,
Wylaidd dorf yng ngwledd ei Dŷ?

Ro'ent oludoedd brwnt dlodi
Yn stôr ar dy allor di,
Yn gyfoeth heb flas gofid—
Yn llog heb ddim arlliw llid.

Heb ofal maith, diffaith dir,
Heb anwyldeb, anialdir.

R. GOODMAN JONES
1920-

320 *Er Cof Am Ani Williams*

Mae gan ein Tad genhadon,—rhai â gwaedd
A argyhoeddant ddynion;
Distaw yw rhai o'i dystion,
Un ddistaw, ddistaw oedd hon.

JOHN RODERICK REES
1920-

321 *Hen Ddwylo*

Mor llonydd ŷnt hwy, mor llonydd,
Yn bachu am grapach eu ffyn,
Â'u sianeli glas yn llifo
Trwy'r diffeithwch gwyn.

I'w cledrau, ni rydd y gwanwyn
Ei atgyfodus gyrn,
Bellach aeth pob ymrwyfo
Yn llwch mewn yrn;

Yn llwch, fel y llaw fach gynnes
A'i daliai mewn dyddiau du,
Cyn chwalu o'r chwythwm olaf
Y gwely plu.

Weithiau i'r rhychau mudan,
Rhwng cribellau'r esgyrn crin,
Daw ffrwd o waed blagurog
Fel cynnar win.

322

Brenin Gwalia

(Cân i Farch Cob Cymreig)

Dy gôt llaeth-a-chwrw'n felfed-goronog,
Cryman y war yn fwa melltennog
  Ac asgwrn fel astell o dan y ben-lin.

Sidan y siwrlen uwch egwyd gosgeiddig,
Coeth gymesuredd penllinyn bonheddig,
  Deupen talïaidd yn llumanau byw.

Y cloriau cytbwys a goledd y balfais,
Cylch yr asennau'n barelu'n llednais
  A ddengys deithi dy linach di.

Camu'n ysgafndroed i'r cylch fel telyneg
A mynd-at-dy-dor ar urddasol redeg
  A'r carnau cedyrn ar osgo-dal-dŵr.

Tân dy gyndadau yn sbardun rhythmig
Yn d'osod di yn anghyffwrdd unig
  Sioe ar ôl sioe i ledio'r rhes.

Bu datsain dy garnau ar gerrig Llundain
Yn sioe ryngwladol y merlod mirain
  A choeth y cynhaliaist-ti urddas dy ach.

Pedwarugeinmil yn curo'u brwdfrydedd
A'th bob ysgogiad yn llathru o fonedd,
  Frenin hil werin y bryniau pell.

323

Cyffes

Am nad oes anadl yn y maen
  A werchyd sgwâr y pentref llwm,
Ac am fod tawch y drin yn haen
  Dros 'orwel pell' a'r beichiau'n drwm;

Am fod y weddw dan ei chroes
  A'i helwch brau ar goll yn Ffrainc,
A'r llanc fu doe yn lleddfu'i loes
  Ar wŷs y gynnau'n gado'i fainc;

Am lunio ar ddelw tanc a gwn
  Deganau i ddiddanu plant,
A throsi dur yr aflwydd hwn
  Yn glai breuddwydion ar eu mant;

Ni theimlais, Ewrob, gyffro coch
  Y rhyfelgyrchoedd yn fy nhraed,
Ond deigryn tawel ar fy moch—
  Fod eto wylo, eto waed.

324

Glannau

'Roedd ein haelwyd yn ynys ddiddan
pan oedd hi o gwmpas ei phethau,
cyn i'r Erydwr mawr
gnewian y glannau
o filfedd i filfedd.

Aeth ei llestr i'r môr agored
toc wedi oed yr addewid;
daeth rhyngom gulfor
a ledai beunydd.
'Roedd hi 'dan hwyliau aflonydd'
a'r estyll yn braenu,
yn cyniwair fel y *Marie Celeste*
dros yr ehangder mawr
ac weithiau braidd-gyffwrdd â glan.

Y pryf yn y rhuddin hen
a heli ei byw yn y briwiau.

Nhad ar ei wely olaf
yng nghrafangau'r cancr;
hithau yn ddiamgyffred
am y pared poenus,
hi a fu'n nyrs i bawb
yn gwylad pob ymadawiad du
yn ein teulu ni;
ei hangorion yn llacio eisoes
a'r glannau'n pellhau
ac yntau yn trafaelu angau.

'Dai, ble ŷch-chi Dai?'

'Ma' Dai wedi marw
(Nhad oedd Dai),

Fi sy 'ma.'

Ni ddeil angor ei doe
Wrth y pethau cynefin.

'Antur enbyd ydyw hon.'

Llong hwyliau oedd hi
o weithdy troad y ganrif
cyn dyfod ager
i esmwytho ysgwydd a meddalu llaw.

Bellach
ar drugaredd y gwyntoedd
a'r cerrynt croes;
weithiau'n crafangu glan,
y graig yn rhoi
a'r tywod yn llithro,
broc môr.

Ymrwyfo, rhwyfo i rywle,
codi o'i chadair,
cynhyrfu, simsanu, syrthio:
dau fyd, dwy lan
a rhyngom y môr,
weithiau'n ferw, weithiau'n falm
a glanio didario ar dro.

Y prynhawn hwnnw,
ar ganiad y ffôn,
synhwyro bod y dadfeilio ar daith
ac erydu'r blynyddoedd
wedi gwahanu'r ddwylan.

Arhosaf yma
i warchod y porthladd
a disgwyl y dychwelyd prin
i'r glannau hen,
y glannau ysbeidiol, bregus
sy'n aros
o gyfandir dyfal y gofal gynt.

Dyddiau, nosweithiau Trapistaidd.
Disgwyl am fflach y goleudy
ar ryw benrhyn pell,
i oleuo'n cyfathrach;
disgwyl a dim yn digwydd.

* * *

Dyma'r hen ast:
tynnu llaw yn beiriannol drosti;
dyma hafan, dyma lan
dros dro. Darn o gnawd
diriaethol, byseddol, byw.

'Dere Daisy fach'
yn brathu'r distawrwydd
a'r hen ast yn gwybod,
yn ei chusanu fel plentyn,
yn pawennu'n dyner
ac aros hydoedd
a'i dwydroed flaen yn ei chôl.

Cymundeb dilafar
Y dwylo gwythiennog, gwyw.

Y crebwyll digwmpawd
nôl gartref
yn hafan ei gorhoffedd,
creaduriaid gwâr:
o'r cerrynt creulon
o raean y rhydwelyau
o silt y senilfor:
hwnnw a holltodd y ddwylan.

Mae'r seiat drosodd;
plygu eilwaith
yn farc cwestiwn at y tân,
i'r mudandod mawr
a'i thraed yn ffosiliau ar y mat.

Gwely a chadair,
cadair a gwely,
pendilio parhaus
am saith mlynedd.
Dwy therapi wen ar y garthen
yn dafodau tirion
yn gotiau esmwyth,
yn belenni agos;
cathod cymdogol yr ystafell gystudd,
dwylan gynefin i gwrs y lli.

'Trw bach, dere'r hen fuwch',
codi llaw ar ei gyrr ddychmygol,
y llaw na all mwyach
ffrydio llaeth ewynnog
rhwng bys a bawd.

Rhoed iddi 'gilfach a glan'.

*   *   *

Ryw ddydd annisgwyl
rhoes ei throed ar y Graig,
o'r 'dyfroedd mawr a'r tonnau'.
O ddydd i ddydd
ac o nos i nos
ffrwydrad eneidiol mawr;
canu emyn ar emyn,
y cof a gollwyd yn cofio
oedfaon ieuenctid
a'r emynau nas dilewyd
o dapiau'r ymennydd.

Eu hadrodd nhw yn rhibin-di-res
un ar ôl y llall, o hyd ac o hyd;
'Pa le? Pa fodd dechreuaf? . . .'
'Wele cawsom y Meseia . . .'
'Iesu, Iesu, 'rwyt ti'n ddigon . . .'
yn golchi i'r lan
yn angerdd mawr.

Unwaith eto
yn yr ysgol gân
a'r gymanfa
yng nghwmni Pantycelyn ac Ann
a'r porthmon o Gaio.

Hen eiriau cynefin
ond bu raid i mi chwilio'r mynegai
i adnabod David Charles
ar ei gwefus hi:
'O Arglwydd da argraffa
Dy wirioneddau gwiw . . .'

Daear gadarn
dan ei thraed
yn y cofio hwn,
cyn i'r nawfed ton
ei sgubo i ddifancoll;
hi, yr aethai marsiandïaeth
ei byw beunyddiol
yn angof dan yr howld.

Daeth yn ôl i minnau
ei mawl soniarus gynt
uwch y badell lestri,
cyn y dyddiau blin,
a'r llais soprano
yn cwafrio yn y beudy.

Darn o'r tirlun gynt
yn ymrithio o'r mwrllwch
ar radar y cof.

Yn ddirybudd
un bore
caewyd cloriau emynau'r cof;
gadael glan a throi eto
i fudandod y môr.

Wedi i'r geiriau
gymryd aden
tariai'r hen donau cyfarwydd;
wedi uwd, wedi taenu'r gwely,

yn glyd fel plentyn,
hymian persain o'r llofft:
seiniau Caliban ei bychanfyd
ar lannau hud
ynysoedd yr is-ymwybod.

Llyfiad swil ar y graean
cyn llithro eilwaith o'm gafael.

* * *

Glanio ryw fore
Yn Lloegr fach y scŵl bôrd
ar ynys y plant;
mae bron pawb wedi marw
oedd arni hi.

Ffrwd o Saesneg
ar ei gwefus
fel yr hen wraig yn Y Bala:
'Who are you?
Where have you been?
I don't know you?'

Hen ysgol wyngalch
y ffenestri uchel
wedi cau allan
yr heddiw cynefin.
Glywch-chi siant y lleisiau
ar rigol hen lwybrau
yn pwnio, yn pwnio
i'r cof
a byw
am bedwar ugain mlynedd
yn nyfnder ymwybod hen wraig?

Rhyfedd ei dilyn
hyd y glannau anghyfiaith hyn
a'r gwreiddiau pell
rhwng cerrig y traeth
yn fonologau hir.

Wyneb yn wên
am orig fer
ac islais o chwerthin meddal.
Pa ryw ddigrifwch ddoe
Sy'n ymgripio i'r cof?

'Jac y padi'n mynd i'r dre,
Iâr a cheiliog gydag e,
Canodd y ceiliog go-go-go,
Canodd y padi tali-ho.'

Mae hi'n ddifyr ar lannau Cymraeg
ynys y plant.

* * *

Ar y glannau hyn
nid oes cyfathrach:
wedi'r cur
wele Folokai.
Mae hi'n gorwedd
heb air nac ystum
yn y dryswig
ger y môr tawel.
Y llaw anwes yn llonydd,
sgrôl yr ysgol yn lân,
emyn a thôn
nid ŷnt mwy yn ei thir.
Yn ddiymadferth
ar y lan arall
gwyliaf yr oedi

'ar fin y distyll'
a gwybod
na ddychwel y llong.

Mi geisiaf estyn dwylo dros y môr.

'Mae Wil Glangors wedi marw'
'O wir'.
Dau air.
Minnau'n cofio ei stori
amdanynt bob calangaeaf
yn holi ei gilydd
'Wyt ti yn yr hen le eleni?'
Cwestiwn yn codi gwên,
a'r ddau yn eu hen lefydd
er hanner canrif
'Mae Wil wedi mynd'

'O wir'.

Mae sŵn y môr yn y gragen.

'Wyt ti'n cofio
pan oet ti'n groten o forwyn
yn Bryn—beth oedd e nawr?—
a'r feistres galed
yn dy lusgo wrth dy wallt
i lawr stâr storws?'

Dim ateb.

'Dai, odych chi yna, Dai?'
'Mae Dai wedi marw, Jane fach'.

Llithrai'r llong
o afael y glannau
i ru y môr
ar y penrhyn hwnnw.

Stafell yr ymennydd sy dywyll heno.

'Roedd Ebrill wedi cysgu'n hwyr
a thridiau'r deryn du
heb gyrraedd.
Ni chanai'r gog
'yng nghoed y ffridd'
ond 'roedd eira annhymig
yn ewyn gwyn
ar lannau'r gwanwyn
y noswyl honno.

'A'r môr nid oedd mwyach'.

HARRI WEBB
1920-

325 *Colli Iaith*

Colli iaith a cholli urddas,
Colli awen, colli barddas;
Colli coron aur cymdeithas
Ac yn eu lle cael bratiaith fas.

Colli'r hen alawon persain,
Colli tannau'r delyn gywrain;
Colli'r corau'n diasbedain
Ac yn eu lle cael clebar brain.

Colli crefydd, colli enaid,
Colli ffydd yr hen wroniaid;
Colli popeth glân a thelaid
Ac yn eu lle cael baw a llaid.

Colli tir a cholli tyddyn,
Colli Elan a Thryweryn;
Colli Claerwen a Llanwddyn
A'r wlad i gyd dan ddŵr llyn.

Cael yn ôl o borth marwolaeth
Gân a ffydd a bri yr heniaith;
Cael yn ôl yr hen dreftadaeth
A Chymru'n dechrau ar ei hymdaith.

TOMI PRICE
1921-

326 *Yr Ardd*

Cyfri'r wermod yn flodyn,—dyna fu
Eden fach y bwthyn:
Ffei roddi ar ei phriddyn
Ryw baun o haf erbyn hyn.

327 *Er Cof am fy Mam*

Yn fyw iawn yn fy nghof i—er y bedd,
A thra bwyf y byddi;
'Does dim yn gyfan imi
Yn y byd hwn hebot ti.

ITHEL ROWLANDS
1921-

328 *Y Frongoch yn yr Eira*

Nesáu ar goesau gosod—wna Robin
Yn rheibus am gardod.
Unig flodeuyn manod,
Dafn o waed yn y dwfn ôd.

329

Y Dryw

Hen go bach y cilfachau,—a phinsied
Cynffonsyth yn ddiau
Yw'r un gwylaidd brown golau
A'i dŷ i gyd wedi'i gau.

330

Glas y Dorlan

Ergydliw ar gaeadlyn—hy y teifl
Tylwyth Teg y dyffryn
O gyfrinach cilfachyn
Garreg las dros gaerog lyn.

331

Y Draenog

Y twr bach yn mentro byd—o'i hirgwsg
Ar fergoes prin-symud
Ond rhag gelyn, mewn munud,
Â i'w ffau bigiadau-i-gyd.

332

Mamog

Yn gynnwrf wedi'r geni—y rhewodd
Ar drawiad bugeilgi,
Yn ddi-ofn, er ei ofni,
Yn maeddu'i her: mam oedd hi.

RAY EVANS
1923-

333

Y Lili

'Roedd ofn y lili arnom,
Gynt, yn yr ardd, 'roedd arswyd ei cholyn
melyn milain:
Rhagddi rhedem
i gyhudd caredig
cloddiau brawddegau brau.

Ac oni bai
am gysgod gwyrddion geiriau,
a bwrlwm cyson y parablu grisial
ar ein gwefusau crasboeth,
fe'n llosgid ni, yn ddelwau bychain cols,
o dan ei llygad llachar.

Yn ddiweddarach, dysgasom sut
i dynnu llinyn ein sillafau pitw
dros gorff y lili lonydd;
a mesur terfynau lle nad oes
na byd na lled,
cyn dodi'r lili'n dwt, fel gwiber ddiwryg,
rhwng cloriau geiriau gwydr.

Diolch i'r drefn am eiriau;
byddar erioed ni buont
i rai mewn cyfyng-gyngor.
Hwynt-hwy yw'r efel arian
sy'n cipio o goelcerth cnawd
yr alaeth brwnt a ysa'r esgyrn mudan:
a thaenant eu tosturi
yn groen lliniarus, dirfing
am ein hiraeth
cignoeth.

Diolch i'r drefn am eiriau.
Ond gwylia di,
nid yw ein geiriau ir
yn arfogaeth rhag y lili.

Rhyw ddydd, mewn breuddwyd anial,
fe ddryllia'r lili lonydd
gloriau petryal
ein geiriau gwydr.
Yn ddiymadferth dan ei llygad llachar,

fe deimlwn dorchau ei pherffeithrwydd poeth
yn gwasgu'r cnawd dywedwst,
yn malu ein mudandod
hyd at yr asgwrn olaf.

334 *Dewi Sant*

(Y cerflun yn Neuadd y Ddinas, Caerdydd)

Nid yn dy grysbais arw, a llau dy amheuon
Yn ysu dy gnawd,
Nid yn dy newyn a'th syched y llusgwyd di allan o'r garreg,
Ond yn dalïedd dy wisg, yn fwynaidd dy lygaid,
A daear Llanddewi Brefi
Yn annwyl o dan dy draed.

Y garreg hon. Bu hithau yn chwilboeth o nwydau,
Yn lafa aflonydd, cyn magu yng ngweithdy'r canrifoedd
Bwyll, a chaledêdd a pharchusrwydd.

'Llyma,' medd hi wrth y trethdalwyr twymgalon, 'eich nawddsant.
Fi yw ei dyst, a heddiw ei ddygwyl. Molwch ef! Molwch ef!'

Caled yw carreg, ac oer, fel y mae amgueddfa yn oer,
Fel y mae dy fuchedd ddilychwin yn oer
O dan wydr difrawder.
'Yma, â ffagl ei ffydd, ailenynnodd y fflam a ddiffoddwyd
Yn llygad ei feistr. Yma, fel rhyw Uri Geller, fe barodd i'r ddaear
ddawnsio.
Ac yma, rhwng brecwast a chinio, fe siwglodd yn hynaws ag Angau.
Nid rhyw recsyn drewllyd o sant, yn tshwps o dan chwys ei
ddioddefaint
Mo'r Dewi hwn,' medd y garreg lefn.

Nid yn dalïedd dy wisg nac yn fwynaidd dy lygaid
Y llamaist ti allan o'r garreg i grud y cread.
Y garreg eiriasboeth yn gweiddi yng ngwewyr y geni, 'Bydd wych,
fy mab!
Pan rydd blys am wraig ei fysedd trythyll ar glun,

Ymprydia! Ymprydia!
Pan glymo'r poen yn dy fol dy goluddion yn ddou ddwbwl a phlet,
Ymprydia, ymprydia eto!
Cymer y fflangell ffiaidd
A whada dy chwantau a'th flysiau nes bod 'u hened nhw ma's,
A thithe fel houl ar bared,' medd y garreg arw.

Mae'r ynys o heulwen ynghanol storm dy eni
Yn oer
O dan wydr difrawder.
Di-gân pig ehedydd,
Llonydd adenydd
Ieir bach yr haf,
A rhewodd y rhosynnau yn yr haul.
Ond yn ei blaen yr â'r sioe. Mae'r trethdalwyr twymgalon yn aros.
Plycia di'r llinyn heno. Pâr i ddaear prifddinas ddawnsio
Dan dy sodlau cignoeth, i fiwsig Llanddewi Brefi.
Yfory, adroddir dy fuchedd gan y garreg lefn.

J. R. JONES
1923-

335 *Atgofion*

Gweld Star a Brown yn bowio ar y ffridd
  A 'nhad â'i ddwylo'n gadarn ar y lein,
Eu bacsau tew yn rhowlio peli pridd,
  A hoywder teirblwydd yn eu stremp a'u sglein,
Pan ddeuai'r hwyr i ymlid y prynhawn
  Eu tywys tua'r ffald heb unrhyw frys,
At fansier oedd o geirch a siaff yn llawn
  Cyn tynnu'r 'sgrafell drwy'r cramennau chwys.
Felly y dychwelodd y blynyddoedd gynt
  Yn bictiwr ffres i'r cof ar nawn o Fai,
Wrth yrru'r tractor tua bwlch Cae Gwynt
  A gweld ei garnau'n turio yn y clai.
A 'nhad wrth roi ei law i'r prynwr clên
Yn gwerthu mwy na phâr o gesig hen.

GWYN ERFYL JONES (GWYN ERFYL)
1924-

336 *Cân*

Pnawn o Awst a llyn mewn mynydd.
Tithau a minnau a'r plant
yn yr hesg heb sgidiau;
o'n cwmpas y tes yn plygu'r bryn a'r brwyn
a dawns aflonydd-lonydd gwas-y-neidr.

Llyn fy mhlentyndod
a llyn diwaelod 'nôl cred y fro—

ei ddiwaelodrwydd du yn her
a'i sipian yn yr hesg yn ias
ers talwm.

Heddiw, i'n plant o swbwrbia'r ddinas
dim ond llyn crwn, gwyn
heb ddyfnder na hunllef na gwefr
ond gwefr un gwas-y-neidr
a gwybed yn cracio'r gwydr . . .

Mynd yn ôl i'r car
ac o lwybr y mynydd i'r briffordd chwim.
Ond am yr ychydig eiliadau hynny
nid oedd arnom eisiau dim.

337 *Melyn*

Melyn
yw eithin
yn brathu'r glesni ar gloddiau Llŷn,
neu'n gorongylch o fendith lleuad
uwch ysgub y naw nos olau.

Melyn, melyn
yr ofergoel hen
a ddaliai'r dyfodol am eiliad
yn flodyn menyn
a'i ias o liw o dan fy ngên.

A chyn noswylio—
yn ddinas neon
a ddawnsiai'n gellweirus am ennyd
yn huddugl y simne yn yr hen le tân.

Melyn oedd menyn Mam.

Cwmwl melyn
oedd Meinir yn yr oriau mân
ar sgwâr Caerfyrddin,
ar eiliad ddiedifar yn hanes fy ngwlad,
pan blethodd ei breichiau
a'i thresi o aur am wddf ei thad.

Ac i ti—
y fodrwy sydd bellach, fel finnau,
yn rhan o'th gnawd,
fel adduned bregus o'm cariad i.

338 *Yr Ymwelydd*

Hiraethus wyn oedd y lliain
  fore Sul yng nghapel Pen-dre'
a'r bara a'r gwin yn eu gwely
  yn fwa rhwng daear a ne'.

Adnod, myfyrdod, emyn,
  a chriw'n hen gyfarwydd â'u rhin;
ias yr hen stori'n ystwyrian
  yn niddosrwydd y seddau pîn.

Ond arall fu'r siffrwd a chwalodd
  hen echel syber y lle.
Daeth gwennol i'r oedfa gymun
  yn fore i gapel Pen-dre'.

Chwyrlïo ar goll yng ngharchar
  sgwâr y cynteddoedd fry,
yna setlo'n syfrdan grynedig
  ar silff un o ffenestri'r tŷ.

Codi'n ddistaw rhag damsang
  ar wedduster cyfarwydd y dydd,
a'i dal i gyfeiliant gwewyr
  un o emynau'r ffydd.

Oedi rhwng yr eangderau a'r deml
  ac yna—ei gollwng i'w hynt
i gerfio hanes yr alwad
  ar lwybrau cyfarwydd y gwynt.

Hi unwaith eto yn ôl yn ei byd
—y radar a'r sain sy'n atsain
rywle yng nghelloedd y co';
y gwaed anwel a'i hawlia
pan ddaw rhythmau yr haf yn eu tro
yn diwn dan y bondo
a newyn cegrwth y cywion bach.
Hi yn ôl ar donfedd
ei hen gynefin.

Ond weithiau fe'i dryllir hithau
gan ddrysni dieco'r daith
neu'r lludded a ddaw i ddwy adain
pan na fydd na throedle na gorffwys
uwch gwae a sugn
y moroedd maith.

A ni—
nythaid yr adnod a'r anthem?
Cawn ninnau ein gwŷs i grwydro'r canrifoedd
gan y geiriau a gariodd gynt yn eu plygion
atseiniau aberth a morthwylio'r groes,
y gri a gystrawennodd ei stori ar ether yr oesoedd
yn donfedd i'r llef ddistaw, fain
a chân yr angylion.

Rhyfedd yr hiraeth a'r chwithdod
  a'r cyffro rhwng daear a ne'
pan glywyd curiad adenydd
  un wennol yng nghapel Pen-dre'.

W. D. JONES
1924-

339 *Gogledd Iwerddon*

Tyfodd yn bren cyntefig—ei ruddin
  O wreiddiau llygredig;
 Gwaeda'i ddail yn gawod ddig,
 A'r gwaed yn magu'r goedwig.

JOHN STODDART
1924-

340 *Dafydd Jôs—Hen Godwr Canu*

Tuedd i lusgo—
dyna fyddai cŵyn ein gwybodusion cerddorol;
mae'n wir fod ei gân fel ei gam afrosgo
yn araf a phwyllog,
fel y gweddai i ŵr y pridd
a gadwai amser wrth gloc anghlywadwy ei Dduw.

Ei droed dde,
dan ddylanwad rhyw fetronôm cudd yn ei goluddion,
yn morthwylio'n ddidostur
garped patrymog y Sêt Fawr
a edliwiai i'r blwch o gapel
ei ddylni di-liw;
ei lyfr tonau yn fatwn llipa
yng ngafael ei ddyrnau cnotiog
yn pwyo'r awyr
heb amharu dim ar donfeddi'r Creawdwr.

Go brin mai hyrddiadau rhithmig
y gerddoriaeth a'i gyrrai
i bastynu'n bistonaidd fel hyn:
ymdeimlo â phall, efallai,
yn ei allu a'i egni lleisiol,
rhyw ddiniwed gredo
fod ergydio a drymio'n drwm
a didrugaredd fel hyn
yn angerddoli'r moliant.
Ai tybed fod y Brenin Mawr fel Baal
yn drwm ei glyw? Pwy a ŵyr?

Un o ddifrif ydoedd, p'run bynnag.
Pefriai defnynnau o chwys ar ei dalcen—
nid o waed, mae'n wir—
ond clywn ar brydiau wewyr Gethsemane
yn y lleisio cras;
dro arall fe ddisgynnai rhosynnau Saron
yn gawod o betalau dros y pulpud
a'r carped;
ac weithiau,
dôi'r Dafydd Jôs arall,
y pererin o borthmon, i'n plith,
ac o Fryn Nebo draw
cyrchai Tomos Wilias tuag atom
yn daer a hyderus
ar ei ddwy aden lachar,

gan dreiddio drwy sidan y cwmwl tystion
fel nodwydd belydraidd
i'n clymu'n gaeth gan 'hiraeth am weled y Gŵr'
yn un clwstwr clòs.

ANEURIN JENKINS-JONES
1925-1981

341

Cwm Yr Eglwys

(Sir Benfro)

Na phlygain, ond plygain y llanw,
Na gosber, ond gosber y trai;
Na Chredo, ond credo'r beddau,
Na chyffes a eddyf un bai;
Na dim ond un piniwn â'i ddeutroed yn ston'
Yn gwarchae rhag ildio ei un-caer i'r don.

Pan bererindoto'r Gogleddwynt
O Enlli'n ewynllwyd ei sang,
A'i leddf dystiolaethu yn gwasgu
Y tonnau i fwrw eu pang,
Bydd ochain edifar yn nolef y môr,
(Ond gor-gywilyddio a'i ceidw o'r ddôr).

Pan ddychwel y gwynt o Lyn Rhosyn
Â llesmair thuseri'n ei ffroen
Bydd gosteg; ac eilwaith fe ddychwel
I'r seintwar ganiadaeth yr Oen.
Bydd cordio rhwng cri *Miserere* y môr
A balch harmonïau *Te Deum* y côr.

Fe ddaw i'r pen-piniwn gwarcheidiol
Sŵn plygain a gosber a siant,
A sain hen Gymraeg y padera
A glybu ym mharabl Sant;
Bryd hynny bydd tragwyddoldebau yn fud,
A Duw yng Nghwm 'r Eglwys, a'i dangnef i gyd.

DERWYN JONES
1925-

342 *Er Cof*

(am Huw Kyffin, Llysfaen. Gwasgarwyd ei lwch ar y Marian, ger ei gartref.)

Nid amarch, ein cydymaith,—hau dy lwch
Hyd lechwedd a diffaith;
Hau'r gweddill, wedi'r goddaith,
Ar wynt glân y marian maith.

Trech na difancoll y trum—wyt, gyfaill,
Mewn atgofion gennym;
Dy ddull hoff, dy ddeall llym,
Dy iaith wastad a'th ystum.

Dir y dyheu ar dy wedd—am einioes
Uwch mynwent a llygredd;
Dy ddewis, yn dy ddiwedd,
Dewis bod lle nad oes bedd.

343 *Er Cof am John Roberts, Llidiardau*

(Amaethwr 95 oed a gollodd ei olwg beth amser cyn ei farw.)

I'w Lanycil yn acen—yr heniaith
Rhoed Meirionwr cymen;
Anwylodd, wawl a niwlen,
Sawyr a hud ei sir hen.

I'w anifail anafus—meddyg oedd,
Meddai gamp dyn hysbys;
Craff ei lygaid wrth reidus,
Di-feth cyffyrddiad ei fys.

Mwyn a doeth gwmni dethol—a fwynhâi
Ar fin hwyr cymdogol;
Na hud ffals newyddfyd ffôl
Hoffai win y gorffennol.

Ei wledig ddiddig ddyddiau—a fu dirf
A dewr, er pob croesau;
Llariaidd mewn tywyll oriau,
A'u diwedd oedd awr dyddhau.

344 *Yr Hen Arweinydd*

(Siopwr wrth ei alwedigaeth ond digrifwas wrth reddf)

Ceraist rialtwch ein cyngherddau gwledig
A'r mân 'steddfodau a'th anwylodd gynt,
Meddwdod llwyfannau a wnâi'n angofiedig
Ddiflastod siop a dirwest casglu'r bunt.
Ymestyn am osteg, ffugio moesymgrymu,
Seboni'r dorf, a'i chadeiryddion bas
A ddotiai mor ddiatal dy rigymu
A'th glod digymell iddynt hwy a'u tras.
Ond gwn i tithau, fel holl lu dy linach,
Brofi mudandod ysig munud awr,
A rhoddwn lawer heddiw am gyfrinach
Dwysterau llachar dy fyfyrdod mawr
Ar y dwyreinwynt hwnnw, a ddaw'n ei bryd,
A'i barlys ar bob bwrlwm ffraeth drwy'r byd.

345 *Ymson Syr John Morris-Jones*
ar ôl darllen Barddas, *Rhagfyr 1977*

'Awgrym Barddas *oedd y dylid ailgyhoeddi y rhan sy'n ymwneud â'r cynganeddion a'r mesurau ar ôl eu (sic) gwella yng ngoleuni'r wybodaeth ddiweddaraf.'*
(Am Cerdd Dafod, *J. M-J.)*

Rhoddwyd hawl i feirdd tila
I roddi dysg i feirdd da,
Hefyd, gwŷr sy'n fodiau i gyd,
Hil foddiog heb gelfyddyd;
Llebanod croes eich oes chwi—
Oes anturus yn torri
Canolfur pob mesur mwy
I'w impio'n ôl ei mympwy,

Heb weld nad cynghanedd bur
Yw labrinth criw'r 'vers librwyr'.

'Garw', 'enw', 'sobr', geiriau un sill
Di-os, sy'n un—a deusill!
Onid hyn fu cyfle tw
Enaid y cwpled hwnnw
Ganwaith a lafargenais,
O dôi'r hwyl, nes hollti'r ais?
'Twrw mawr tarw a mul
Yn cwffio hefo ceffyl.'

Heddiw, feirdd, mae'r Sain ddi-fudd
Wan, wan, fel hyn ar gynnydd;
Llusg ar Lusg sydd yn amlhau,
Gwarant beirdd digyhyrau.
Hyfdra hurt eu hanfedr hwy
A'u hafiaith a â'n fwyfwy;
Doniau ieuanc, Tudnoaidd,
Beirdd bôn gwrych, beirdd heb un gwraidd;
Briwiant glust seinber awen,
Clywch eu pranc! Sŵn clychau pren!

Gwlad glaf gwlad heb Gerdd Dafod,
Uthr o glaf yw hithau'r Glod:
Achwynir na ddaw chwaneg
O wasg hen Rhydychen deg.

Nid i'r ffôl mae'r gyfrol gu
I'w milain ddatgymalu
Gan aidd di-ddysg newyddoes,
Cans yn ei dysg dysg nid oes.
Enbyd o beth bwyd ei beirdd,
Pastai anferth pastynfeirdd.

O ba werth rhoi'r gyfrol bur
I gleiriach a bwnglerwyr?

Gwyrid barn pe rhoid arni
Nawdd y sêl a neddais i
Fy hunan, â chrefft fanwl,
I rwyddhau'r ffordd i ryw ffŵl,
Hyderus o gadeiriog
I wneud cerdd deunodau cog,
A'i morio hi'n Homeraidd
I fyd brol pob 'steddfod, braidd.

Llafur oes oedd fy llyfr i,
Gweddus i'w ailgyhoeddi
Fel yr oedd i'r dyfal rai
Rydd ofal dros gerdd ddifai.
Ei 'wella'n', wir! Pwy all? Neb.
Eto ni bydd gwrthateb.

346

O. V. Jones, 1907-1986
(Arbenigwr mewn obstetreg a gynaeoleg)

Poen biau deupen bywyd,—ac o'r boen
Gwŷr â balm a'n cyfyd;
Llafur ein cyfaill hefyd
Fu rhoi balm ar glwyfau'r byd.

Adnod? Na, hiwmor llednais—iddo ef;
Parchai ddawn a dyfais:
Artaith gâi'r cyffwrdd cwrtais,
Lleddfai fraw â'r llaw a'r llais.

Gŵr addfwyn pan fai griddfan;—ystyriai'n
Dosturiol, ddiffwdan:
Ni weddai dim anniddan,
'Roedd cri pob geni yn gân.

Â'i lydan wên deimladwy,—rhyw Sara
Gâi'r siriol gynhorthwy;
'Roedd had i'r amhlantadwy
Yn wyrth i fam. Pwy wyrth fwy?

Hen gamp y meddygon gynt—yn gronicl
  Graenus a wnaeth erddynt;
 I'r gwael annhiriog eu hynt
 Gwreiddiol physygwyr oeddynt.

Bendithiwyd rhif afrifed—ag ail oes
  Drwy gain glwy ei lansed;
 Rhoes i wragedd Gwynedd ged
 A ddeil yn fythol ddyled.

GARETH ALBAN DAVIES
1926-

347 Y Cyfamod

(Cyflwynedig i Eifion a Wyn ar farwolaeth ddisyfyd eu tad, y Parch. E. P. Roberts, Llansadwrn, Môn.)

Doe, gwelais y dufeirch bras
yn tynnu'r arch yn llen
dros lwyfan llachar dydd o haf
yn Ffrainc,
ac angau'n cyfamodi'r heulwen
yn y strydoedd cefn:
 Doe, ironi mud y symud,
 y gwichian olwyn fel byd ar echel,
 a'r corff yn creu llonyddwch yn ei arch.

  Ond doe, i mi, gwres yr haul
  i gerdded megis angof
  dros fy llaw.

Heddiw, gwelais eto lun yr arch
a llachar ydyw'r angau yn fy llygaid:
 Ironi'r dychwelyd mud,
 y gwichian olwyn fel cyllell yn fy nghefn,
 a'm corff yn llosgi'n llonydd dan fy llaw.

Cludodd y dufeirch f'angau yma
o Fôn.

348 *Caer Bwlch-y-Clawdd*

O fewn i furiau'r gaer carasom ni,
gylch ynghylch.
Ar ymchwydd y borfa lom
bwriet fel bwa tynn
saethau dy gariad fry:
safent fel cyllyll yn fy llygaid i.

A'r mynydd crwn,
haen am haen,
a'i groen o entrych glas,
yn troi fel olwyn Gatrin fawr
yn unigeddau gwag y dydd gwyn.

Priodol, efallai, fuasai'n gosod ni
yng nghylchoedd llydan y lloer a'r haul,
a'n dathlu yno gyda'r llu chwedlonol,
Hero, Leandrys, Tristan, Esyllt, Siôn a Siân.
Ond nis mynasem ni.
Roedd clawdd y gaer o'n cylch
yn cau amdanom dwt derfynau dyn,
ein hoelio yno ar darian Brython
yn ddarn o ysbail amser.

Gogoneddus oedd geometri'r mynydd crwn,
gylch ynghylch,
a than belen haul
a pharasôl yr wybren las,
y mud ymdreiddio:
gwelwn y sêr ym mhydew dwfn dy lygaid di,
ac yfory'n troi yn rhod y cnawd.

349 *Tylwyth*

Chi'r meirwon yng Nghell-y-Gaer
a'ch cofion dan y tyweirch du
yn moelyd tir y gwndwn ger Tŷ Mawr
a chyrchu'r da i odro o'r ffridd;
a chithau'r meirw bach,
dan bridd bro Myrddin a Llanrhystud lwyd,
gwerin Beca'n tynnu'ch cap i'r meistr tir
a chnoi y gweiryn cwta
wrth fostio am yr orchest yn y ffair:
cyniweiriwch oll fel cynrhon yn y pen,
yn fyw fawreddog yn yr heddiw hwn.
Ni bu symud braich na theimlodd asgwrn gwyn
y gewyn coll yn gwingo:
ni bu llygaid yn y drych
na neidiodd llygaid eraill i'w penglog fawr.
Wyf glodfawr, wych nes taflu'r meirw'u tyweirch
o'u beddau cul:
wyf druan, drist nes treiglo'r glaw
trwy ogof rwth i'r llaid.

A gwelaf mwyach yn y 'fory hwn
hynt fy meirwon i.
Carlamant yn aelodau'r plant
a rhythu yn eu llygaid hwy,
nes, heibio i bant y bedd,
dygant fy nhragwyddoldeb yn eu dwrn,
mor ddiysgog a didaro â'r marw hwn
sy'n mwytho 'fory â'm cnawd toreithiog, du.

350 *Er Cof am J.R.R.*

F'ellyll bach, ffarwél.
Grëwr y chwerthin gwyn,
cynhaliwr miri, corddwr sbri,
rhoit dy dristwch i'r drych.

Ni welais yn rhaniad disglair dy wallt
ond ffordd wen, union,
a'th blygion oedd imi'n anhyblyg syth.
Gwlithaist y gwawn ar f'oriau gwyn,
bedyddiaist fi â gorfoledd.
F'ellyll bach,
ni welais i'r wyneb yn y drych.

Dysgaist imi chwarae.
Gyrraist fy chwerthin yn deilchion
rhwng gwib a chwymp y belen fach,
a gweaist honno'n wennol chwim
drwy wyll glas y lôn gefn.
Fel clown mewn ffair
troit din dros ben,
ac i gyfeiliant dy chwerthin herciog
ffrwydrai dy wyneb yn f'wyneb i.
Ni welais y sorod yng ngwin y llygad.

Tywysaist fi dros lethrau'r Cwm,
fyr-gam, bras-gam,
a dangos imi ffeuau'r cadno,
y llwybrau rhwng y rhedyn,
gweriniaeth lwyd y morgrug dan y cerrig.
A rhwng pigau'r dail
gwelais geometri'r pentrefi mud!
Sibrydaist am y saith llyn,
am ryfeddodau Dunbath
a saith wg y cewri ar ffordd y plwyf.
Hongiennaist fy mraw uwch pwll y Ton
lle suddai'r rhaff i'r du.
Ni welais y baich ym môn y rhaff.

Dyma ti heddiw yn dy fedd,
d'arch yn gryno,
dy chwerthin yn gegrwth oer.
A mor berffaith y dydd!

Y gweiriau'n glwm rhwng bedd a bedd,
y cachgi-bwm a'r fuwch-goch-gota
yn bwhwman rhwng y blodau.
Wybren borffor,
ond lle bo cymylau boliog yn ymwthio
fel gwragedd mwythdew i'r môr.
Heddiw mae d'enaid rhydd
yn canu clychau'r maes,
rhoi sgwt i'r corryn bach
sy'n gweu anghofrwydd dros yr enwau nadd,
yn goglais y pryfyn praff.
Ni welaist mo'r deigryn ym môn y dail.

Dychwelaist, f'ellyll bach,
at sain utgorn y mynydd mawr,
at adar trythyll ar foreau gwyn.
Rhoddaist dy chwerthin yn ôl
i'r ddaear drugarog.
Cofia fi.

351 *Y Ddawns*

Gwelais ddwy 'sgyfarnog yn yr ŷd
yn cwffio ac ymlid:
pedair hirglust yn cyniwair,
dau gorff gosgeiddig yn cydio
a neilltuo, cyffwrdd
a bwhwman,
fel dwy dywysen lawn o'r ŷd
yn ysgwyd yn nawns y gwynt.
Roedd y traed cnotiog, y bonion praff,
a'u gwreiddiau'n balf yn y tir.

Hon oedd y ddawns gyntefig,
y cydio rhwng grawn a gro,
y cwlwm rhwng gwŷs a gwaed.

Heibio a throsodd
golchai'r tonnau ŷd
nes sefyll yr ewyn disglair
ar y ffroenau tal,
a rhywle, rhywle,
offrymu'r had
i hap a llawnder y bru.
Hon oedd y ddawns gyntefig.

Trwy'r sêr llygadrwth, hen
gwelaf y ddwy 'sgyfarnog
ar lawr doe ac echdoe
yn tuthio a hercian
dan loer lawn Medi
a maith orffwylledd Mawrth–
mae eu hymlid
yn heddiw a thragywydd
yng ngwâl, gwely, a gwely gordd,
ac yng nghilfachau'r haidd.

A chludant,
rhwng pob pawen felfed,
noddant,
rhwng pob saethdrem wyllt,
fod:
dim ond bod;
ysgafn, heini, dwl,
ansylweddol fel cân adar,
bwrlwm pistyll,
neu'r ddawns gyntefig ar y ddôl.

352 *Wells*

'Rwyt ti'n cofio'r elyrch,' meddai mam.
'Y te gyda Gïa yn y caffe bach,
y mefus coch, a'r tyrfe.
Rwyt ti'n cofio'r tyrfe!'

Ro'wn i'n cofio'r tyrfe,
a'r wasgfa yn y caffe bach,
yn hanner cofio ystum alarch
uwch dŵr y clas,
a'r tyrau tal
a oedd yn bertach na Bethesda, Ton.
Ond 'do'wn i ddim yn cofio Gïa.
'Rwyt ti'n cofio Gïa!'
meddai mam drachefn.

Bûm yno heddiw
yn pwyllog ailystyried
y bensaernïaeth Othig,
Persileidd-dra'r elyrch,
a chilwg amser ar y meini hyn.
Dim sôn am Gïa
nac am y plentyn a fwydai'r elyrch.
Roedd lle doe yn wag,
a'r elyrch fel engyl gwyngalch
ar ei fedd.

353

Dau Gyfnod

Saith fflach yn yr awyr gron,
saith frathiad yn y gwlith,
ac erbyn gorffen toriad,
saith lain o lesni ar lawr.
A'm tad-cu ar flaen y rhes,
ei symud cyson, llyfn
yn symbylu egni'r lleill,
tra oedd gair o bladur i bladur
yn cydio pawb
mewn cadwyn o ddynoliaeth.

Ar hanner dydd, yr hoe,
seidr a mercheta ym môn y clawdd,
cylch o chwerthin wrth y ffridd.

Yna ailgychwyn
a thorri'n llyfn trwy leiniau'r dydd
nes i flinder cyfnos
ddirwyn y pladuriau penisel
i gysgod tŷ.

Ond heddiw
yn arena fawr gwlad Llŷn
y gŵr unig yn *balo*'i wair,
y peiriant ag ergyd gyson
yn treisio'r cnwd,
ei bwnio'n becyn,
a'i fwrw'n betryal ar y cae.
Heb dyst ond haul pellennig
a chlochdar iâr,
heb air ond yr hyn
y medro ffermwr ddywedyd wrth ei dractor.
Ac o'i gylch i gyd
syfrdandod llosg-fynyddoedd!

T. GLYNNE DAVIES
1926-1988

354 *Brawddegau wrth Gofio Hiraethog*

noswyl haf oedd hi
yr oeddent i gyd yno
o yr wyf yn eu cofio meddaf wrthych

hen bobol nad ydynt yr awr ddeifiol hon
ond gwefusau carpiog yn y gwynt
a'r lleill
y calonnau aeddfetgoch
a'u chwerthin yn deilchion yn y brwyn
a'r gwallt ar chwâl

ble mae'r lleisiau llaeth a fu'n llifo
trwy'r briws a'r bwtri a'r beudy

a'r chwerthin yn deilchion yn y brwyn

ble mae'r llygaid crynion
a ddiflannai mewn cwmwl o chwerthin

gweddïais am gael bod yn un o'r merlod
ar fynydd yr oerfa am byth
byddai'n andros o oer yn y gaea wrth gwrs
meddai jo gan chwerthin
rhyfedd bod ei lais y munud hwnnw fel cloch

noswyl haf oedd hi
yr oeddent i gyd yno
ymdroellai'r gwynt yn ddiog drwy'r ŷd

o yr wyf yn eu cofio meddaf wrthych

355 *Plant Tregwmwl*

Dowch yn eich Du dros foncen Tregwmwl,
Yn feinlas eich gwefus a'ch llygad fel pridd;
Ond am heddiw cawn fod yn angylion
Yn nofio trwy awyr ein breuddwydion,
Yn carlamu trwy redyn ein fforestydd pell,
Cleisio ein cluniau ar feini'r planedau tywyll.

Sniffian a chwerthin a llefain,
Cropian trwy fforestydd y cadeiriau,
Nofio trwy foroedd o asiffeta a'r wermod lwyd.

Bataliwn ar ôl bataliwn o fabanod yn martsio
Trwy ddiffeithwch yr olwynion rhydlyd a'r taranau sbeitlyd,
Llygaid bach syn yn gwylio'r brwyn o'r gawell,
Traed bach yn dilyn y pibydd a'i gân,
Ymlaen dros yr hen greigiau a'r un hen dywod
At yr un hen Graig.

Dowch yn eich Du dros foncen Tregwmwl,
Yn feinlas eich gwefus a'ch llygad fel pridd;
Dowch gyda'ch gêr electronig a'ch gwifrau
I brofi nad yw pridd yn ddim ond pridd.

Llwythwch y sêr i ferfa eich labordai,
Trowch hwy'n ganrifoedd o foroedd tân
A gwasgu'r byd i oerni brau eich testiwb.

Rhythwch i'n llygaid a gwnewch ni'n esgyrn,
Trowch ni'n gabôl o ddamweiniol gnawd—
Yn chwarennau, gwythiennau a serwm.

Ond am heddiw cawn sniffian a chwerthin a llefain,
Adnabod llais yn y gwynt, dwrdio yn y daran,
Gweld tylwyth teg yn dawnsio yn y gafod;
Am heno caiff y lleuad fod yn fugail
A'r sêr yn ddefaid,
Cyn inni gyrraedd y Graig lle mae breuddwyd yn darfod.

356 *Y Weddw*

Rhyngom mae terfyn y bedd,
Fforestydd a fforestydd a fforestydd o flynyddoedd,
Coedwigoedd o wawn a chaneuon a briwiau.

Sut y gwnest ti a fu'n golsyn o gariad,
Yn galon goch yn fy mreichiau,
Droi'n wraig od mewn padell o dŷ,
Yn froga aflawen ar dy gadair glustog?

Corsydd o ysbrydion flynyddoedd
Sy'n gorchuddio dy fwswgl-feddyliau.

Cefaist gerbyd o gnawd arian,
A gwisg o freuddwydion sidan,
Ac fe'u troaist yn arch ac yn amdo.

Gwraig od, mewn padell o dŷ,
Yn gwrando ar y glaw.

Llwybrau'r haf, a'th chwerthin fel y gwlith,
Blynyddoedd y mwyar a'r rhedyn a'r llus,
Mynyddoedd o chwerthin yn dy lygaid du.

Awyr yn ysgafn wlanog dros y ffrith,
Ŵyn yn gymylau carpiog ar y waun,
Dy win i gyd yng ngwinllan dy wefusau.

Blynyddoedd yr hebog a'r gylfinir ddwys,
Y twmpathau calch a'r nythod cudd,
Dy lygaid yn sguthanod direidus.

Amser yr eirin perthi a'r afalau surion,
Plu'r gweunydd yn dawnsio yn farfog,
Dy wallt yn wawn ar y gwndwn.

Gwraig od, mewn padell o dŷ,
Yn gwrando ar y glaw.

357

Yr Hwsmon

(Mewn ysbyty)

Mae rhywun yn cau allan y sêr a'r blodau melyn,
Rhywun yn lladd y llyffant yn y gwair,
Ac y mae'r haidd blewog yn diflannu.

Yr hen ŵr yn ei grud yn hepian
A'r tân eithin yn diffodd
Ar fynydd ei feddyliau.

Mae'n dal yn afal o hogyn
Yn loetran yn y pwdin-gaeau,
Llygaid brown yn gwylio'r ehedydd
Sy'n dringo'i risiau hyrdi-gyrdi i'r haul.

Mae rhywun yn cau allan y sêr, y tail a'r manus,
Yn chwalu'r nythod cornchwiglod yn y braenar.

Hen ŵr yn ei lofft antiseptig,
Hen ŵr a phadell ei flynyddoedd
Yn berwi yn sych,
Ei drigain mlynedd yn gwsnio dan eu llygaid.

Dyma fe'n dal pen y gaseg wybedog
Yn y fawnog fynwentaidd,
Ond y mae rhyw fysedd rhynllyd
Yn gwasgu ei law fach goch,
Yn rhwygo'i enaid o'i gorff gerfydd ei esgyrn.

Pwy sy'n cau allan y sêr a'r blodau melyn,
Yn chwalu cerrig oes-oesoedd y ffynnon,
Yn creinsian y grawn yn y granar,
Yn llosgi'r had yn y pridd?

Mae'r hen ŵr yn ei leuad o lofft
Yn gweld y tân eithin yn diffodd
Ar fynydd ei feddyliau.

Be wyddan *nhw* am yr afal o hogyn
Sy'n dal i loetran yn y pwdin-gaeau?

Maen nhw ar goll yn eu cymylau concrid,
Nhw sy'n chwilota am ddrysni gwifrau
Dan y gwallt gwyn.

Nhw sydd yn gwichian gyda'u stethoscopau
Ar hyd y lloriau pren llithrig
Yn arddu gwaun ei feddwl
Gyda'u rhibidi-res o dabledau.

Mae'r hen ŵr yn ei leuad o lofft
Yn gweld y tân eithin yn diffodd
Ar fynydd ei feddyliau.

358

Adfeilion
(Detholiad)

Yn nyfnder heno, f'anwylyd,
O! Gwthia dy enaid
I stafell fy nghysgu
Lle mae fy ffroenau'n anadlu dy enw.

A'r fflam
Yn barus-fwyta'r gannwyll
I'r byw.
Cudd fi yn llwyr yn nhawelwch dy gysgod.
Na ad imi fod
Yn unig,
A'm calon yn gignoeth
Noeth.

Y mae fy ngharia
Fel taran gymylog ar orwelion fy hiraeth.

Ni chlywaf siffrwd y gwynt yn yr ŷd,
Yr oen yn y berllan,
Y sgrech yn y nos;
Ni fedraf dreulio lleuad yr haf
A'i briwsion,
Y sêr,
Heb gofio fy ngharia,
Fel y byddai'n drist
Ar orwelion ulw fy hiraeth.

Fy ngharia nid yw ond rhyw ers-talwm-lygaid
Yn pwyo'r distawrwydd rhwng cledrau fy nwylo;
Bu unwaith yn sownd wrth goflaid o gnawd,
Ac y mae fy nghalon, ond nid fy llygaid, yn cofio.

Oherwydd bod y meini gwasgarog yn dyheu
Am eu mamau, y bryniau melynion,
A'r dyffrynnoedd y treiglwn ar hyd-ddynt
Fel llewys llydain y mynyddoedd godidog;
Ymostyngwn, fy nghariad gelain a minnau,
I gofio'r graig yr ŷm friwsion ohoni.

359

Cân y Chwalwr
(O'r bryddest 'Y Ddawns')

O awr i awr, o gam i gam,
Fe'ch trown chwithau yn esgyrnau:
Chwi sydd heddiw yn llafnau ir,
Chwi sydd heddiw yn golomennod.

Oni welsoch mewn drych y llygaid yn pylu?
Oni welsoch y cwysi meinion ar eich wynebau?

Chwi sydd yn golomennod aeddfed
Yn torsythu ar hyd eich heolydd llwch,
Gan deimlo'r glesni yn eich calonnau,
Y cochni yn eich gruddiau,
Yr aur heulog yn eich gwallt.

Ystyriwch y blonegau crebachlyd araf,
Yr yswigod cnawd sy'n camu'n fyrwynt ar hyd y pelmynt,
Yn gefngrwm, yn greithiog, yn felyngroen.

Chwi sydd yn magu angylion,
Chwi sydd yn bugeilio'r llygaid bach ymbilgar,
A wyddoch beth sydd gennych dan y cwrlid glas?
Y baban mwyn yn ei bram du, gwichlyd,
Yn sipian ei fawd mor drafferthus?
Bydd hwn yn fwli Belsenaidd, melltigedig,
Yn cicio'r cyrff sydd fel clustogau ysgarlad
Ar lwybrau anial y pyllau gwae.

Y corff braf sy'n cropian mor sigledig
Dros y carped tyllog;
Bydd hwn yn ysbryd hir-wyneb ryw ddiwrnod
Yn gwibio mewn picwarch o awyren
Trwy we pry cop y rocedau gwibiog.

A'r cowboi balch bywiog acw,
Heddiw yn gyrru Indiaid Cochion ei ofnau
Ar garlam chwyslyd dros orwel ei freuddwydion,
Yfory yn glarc bach diniwed, plorynnog
Yn llechu tu ôl i feisicl o sbectol.

Chwi sydd yn dal eich clust i'r dôn
Heb ddal eich calon wrthi;
Chwi sydd yn hwylio ar hyd eich tipyn blynyddoedd
Heb weld mai unig ystyr y dôn yw ei diwedd.

Ryw ddydd bydd y dôn wedi cyrraedd ei nodau olaf,
A chwithau'n gorwedd yn oer flinedig mewn cist,
Yn syllu ar gaead na fedrwch byth mo'i weld,
Mewn distawrwydd na fedrwch byth mo'i glywed.

Bydd galarwyr yn udo eu hemynau drosoch
Ac yn gwaedu eu calonnau drosoch.

Ac yna bydd croes fach dlawd yn eich gwarchod
Yn ffyddlon yn y glaw, y cesair a'r eira,
A bydd y glaswellt yn ffyddlon hefyd.

Nid oedd hi ond dawns, wedi'r cwbwl;
Rhyw orig o droi a throsi;
Rhyw ysbaid o chwyrlïo diystyr.

Dawns.

360 *Pan Ewch yn Ganol Oed*

Mae'r afon yn y meddwl
Pan ewch yn ganol oed,
A'r bont yn demel sanctaidd
Yn ôl pregeth Sigmund Freud.

Annilys lygaid sbectol
Sy'n gweld y bont yn frics
A blethwyd wrth ei gilydd
Yn 1636.

Nid dŵr Ysbyty Ifan
Sy'n llifo'n llwyd i'r môr
Fel y mynnai athro ysgol
Yn 1934.

Na! Llifo dros y graean
Heno ar ddirfawr frys
Mae serch a droes yn ddagrau
A niwl a droes yn chwys.

Memrwn-wynebau hiraeth
Sy'n stwyrian yn y co,
A'u lleisiau noeth yn tincial
Yng ngwaelod isa'r gro.

A phan oer-sefwch yno
Yn ddeugain, fwy neu lai,
Yn destun sbort a phiti
I'r dirmygedig rai,

Mae'r llif yn dal i durio
Ar sentimental daith
Yn oer trwy'r gwythiennau
A chaledu yno'n graith.

A'r dre fach lwyd, â'i strydoedd
Nad oedd ond clebran noeth
Yn synagog o ddinas
Yn llawn ysbrydion doeth.

Rhyw ddwyfil sydd yno'n trigo
Yn ôl rheswm noeth a'r *guide,*
Rhai yno'n byw o ddewis,
Ond mwy yn byw o raid.

A rhag ei glaw a'i gwacter
Ar ffo mae pawb bob awr:
Yr hapus i'r Red Lion,
A'r doeth i'r Capel Mawr.

Dibris yr hen gôr meibion,
Di-donic y solffa,
A chyrliog lanciau modern
Sy'n damio'r doniau da.

Ond dyna chi yn ddeugain
Yn cofio'r carpiog lu
A lwgai mewn cynghanedd
Ar loriau noeth y tŷ,

A greai ddiarhebion
Fod *plum and apple jam*
O reidrwydd economaidd
Yn well na choes o *lamb*

A chofio'r cymeriadau:
Blackbird ac Ann Lliw Glas,
A Thwm Blac Hors yn crynu
Wrth ganu'r perffaith fas.

Geraniums, asiffeta,
Y wermod lwyd a'r sêr,
Lamp oel a'i hwyrol ddrewi
A channwyll, boeth ei gwêr.

Roedd meddyg yn yr Henar',
  Saer coed i lawr y stryd:
Beth arall oedd ar ddynoliaeth
  Ei eisiau yn y byd,

Ond gweld y clytiau'n deifio
  O flaen y tanllwyth braf
I ddweud bod bywyd newydd
  I loywi yn yr haf?

A'r wlad! Wel trigo yno
  Mae Duw a chroth a Christ,
Y dagrau sydd yn caglu,
  Y chwerthin sydd mor drist.

Cewch snapio llun y machlud
  A'i gael yn grand mewn lliw
Heb gipio dim o iasau
  Ysbrydion Nant y Rhiw.

Mae pydredd yn y daflod
  A'r rhewl yn welltog sgwâr,
Mae tractor yn y stabal,
  A'r fuddai'n gartre'r iâr.

Mae creithiau'r gwynt a'r hyrddlaw
  Yn ddyfnach nag a fu
Ar drawst a charreg ateb
  A meini noeth y tŷ.

Ond pan ewch yno eto
  A chwithau'n ganol oed
Yr iasau sydd ar gerdded
  Yw iasau fu yno erioed.

Yr ŷd sydd yno heddiw
  Yw'r ŷd fu yno ddoe
Yn farfog yn ei felyn
  Fel cynffon caseg sioe.

A chwithau ar y mynydd
Â'ch corff yn ddim ond cist
O ddagrau sydd yn caglu,
O chwerthin sydd mor drist.

361 *Cân Herod*

A phwy yn y byd fyddai'n dewis bod yn frenin?
Mi dd'weda'i wrthych chi: pawb,

Mae pawb am fod yn frenin. Ystyriwch fi.
Lladdais fabanod yn fy ymchwil am Hwn:

Jiwbois bach gwallt cyrliog yn glafoerian
Ar hyd eu ffrociau, ac yn sugno'u dymis,

Do'n Tad. A wnês i hynny o ran hwyl?
A fedrwn wynebu hyd yn oed un pâr o'r llygaid

Hynny eto, hyd yn oed yn fy mreuddwydion?
Na fedrwn, debyg iawn! Ond ystyriwch hyn;

Gallai unrhyw un o'r diawliaid bach drygionus
Gymryd fy nghoron a'i defnyddio'n boti.

Ac y mae babanod mor annwyl! Debyg iawn mi gytunaf.
Ond 'dydyn nhw ddim yn aros yn fabanod am byth.

Y Jiwbois bach hynny, yn sipian eu bodiau;
O fewn dim, wel gallai unrhyw un ohonyn nhw

Gymryd cleddyf a'i wthio trwy fy mherfedd
Jest i fod yn Herod ei hunan–

Ac efallai yn un llawer gwaeth na fi.
O leiaf, bobl annwyl, cyflawnais y weithred yn lân,

Gofalu nad oedd anadl yn yr un cyn troi at y nesa.
Ac, wrth reswm, yr oedd y Baban Hwn!

Sut y gwyddwn i, pan ddywedodd fy nghynghorwyr sandalog
Ei fod wedi cyrraedd, sut y gwyddwn i

Na chymerai sweip ataf fi? Oblegid
Yr oedd y *grym* gennyf i—ac os na wyddoch

Beth yw ystyr grym; ystyr grym yw dychryn.
Ystyriwch y tipyn grym sydd gennych chwi:

Yr unig rym sydd gennych chwi yw rheolaeth
Ar wraig fach ddiniwed neu ar gwpwl o deipars oeliog

Mewn swyddfa sy'n drwch o lwch, a gwyddoch
Fel y gall y grym hwnnw eich dychryn,

Eich dychryn yn gandryll o'ch co.
Bwriwch bod y grym eithafol gennych gyfeillion!

Y grym a oedd gennyf fi yng ngwlad Canaan,
Ac yn Lidice ac yn Budapest a Buchenwald.

Yr amgylchiadau, gyfeillion, sy'n rheoli'ch gweithredoedd.

BERNARD EVANS
1926-

362 *Cerdd ar Farwolaeth fy Mrawd*

Mae dagrau'n dallu rhywun fel y gwna disgleirdeb haul
Bore o Orffennaf—mis dy eni—
Ar hyd llwybrau cul y goedwig;
A dirgelwch cysgodion du y pinwydd ar ymylon fy atgofion
Am gadernid cymdeithasol y deri yng nghoed y Parc.

'Roedd y golau yno yn dyner,
Yn batrymog ar wyneb y dyfroedd llafarog
Uwch y cerrig amryliw,
Lle llechai'r brithyll sydyn yn y Pwll Mawr.
Sawr y mwsogl a'r rhedyn yn drwm
Yn ffroenau brodyr ac oerni'r dŵr
Yn brathu bysedd y traed,
Pan oedd llawenydd di-hid ein hienctid
Yn clymu'r ddau ohonom yn dynn yn niogelwch
Hafau ein hapusrwydd.

Cadarn dy gariad, a ni'n dau yn glyd
O fewn y golau lledrithiol.

Heddiw,
Mae disgleirdeb caled heulwen wedi glaw
Yn dallu'r llygaid,
Cysgodion hapusrwydd yn hofran
Ac yn ymbellhau
Gan adael atgof a hiraeth
Am gadernid y diogelwch,
Lle tyfem yn llwyn o dderw ifainc
O gwmpas cadarnle sicrwydd brau ein boreau.

363 *Rhybudd*

O Efnisien, f'eilun,
Ti â'th wallt lliw oren yn bigog o gwmpas dy ben,
Ti â'th weiddi croch, dy regfeydd undonog, unsillafog,
A'th siantau litwrgïaidd, aflafar, cableddus:
Ti ymysg dy debyg ar arosfeydd y stadia
Yn holi dilysrwydd cartiau achau
Meibion esgud timau dy wrthwynebwyr,
Aros di.

Aros di fy mab, heintus dy orffwylltra,
Aros di.

Daw dydd y byddi di yn colli hoen ac asbri
Dy wrthryfel.

Aros di,
Daw diwedd ar dy driciau.

Eisoes dechreuwyd ar y dasg,
Fe'th wasgwyd di'n dynn am ymgeledd
Ymysg dy debyg
Ar anialwch yr arosfeydd.

Aros di,
Daw Gwydion a'i ddisgynyddion ym mhurdeb gwyn
Eu dewiniaeth wyddonol,
A'th lorio di.

'Does dim dihangfa rhagddynt—y dethol rai.
Tafla di dy ganiau,
Disodla ddelwau'r chwarae teg,
Dyro ddiasbad o grombil dy gynddeiriogrwydd;
Fe wasgan' nhwytha'n ôl,
A'th amddifadu o geiniogau prin y dôl
Mewn cwrt a sesiwn,
A'th yrru ar ffo rhag dicter eu parchusrwydd.

Daw tro ar fyd,
Cynlluniwyd i dreiddio drwy batrymau holl enynnau dy hil.
Holltir pob un genyn,
Teflir atat ti a'th blant, sydd eto i ddod,
Ddicter cynnwys eu caniau.
Fe drawsnewidir craidd genetigol dy fodolaeth
A throi dy epil di yn ddim ond ŵyn bach ifainc llywaeth.
Adeiledir pyst, codir y gwifrau pigog
O gyffuriau, a difa dy holl wylltineb.
Crëir criw o ddynion bychain, parchus
Yn eu siwtiau streip i dderbyn rhan
Y caethwas, cynheiliaid diwylliant prin
Y dethol rai.

Gwaedda di, crochlefa, ymffrostia
Yn lliw oren dy brotest.
Cyn hir mi fydd rhy hwyr,
A thry rhuadau'r dorf yn ddim ond eco pell
Ar dâp magnetig
Yn ddeunydd rhybudd i'r ychydig rai
A lithra drwy rwyd rhagarfaethau'r rhain.

O Efnisien, f'eilun,
Pa gerdded y sy arnat?

EINION EVANS
1926-

364

Ennis

Anwylyd nid wy'n wylo
â gor-wae a thi'n y gro.
Heno, ferch, wyt wyn dy fyd,
heb feichiau, heb afiechyd.
Trwy risialfor clodforedd
mwynhâ dy nofio mewn hedd.

O gofio cur gaeaf caeth
meiriolwyrth oedd marwolaeth.
Y dwthwn hwn daeth i ni
arwydd o'r maglau'n torri,
a myn dy fam a minnau
nad oes a all ein dwysáu.

Buost yn fwy na'n bywyd,
yn y bôn ti oedd ein byd.
Aeddfed dy ddoniau buddfawr,
ond mwy oedd dy enaid mawr.
Da yw aria o ferroes,—
nid ei hyd yw hanfod oes.

Ni wybu dy allu di
reolau cymedroli;
am hyn anelaist ymhell,
nid am dda ond am ddeuwell.
O raid brasgemaist ar ôl
rhagorach na'r rhagorol.

Â'i hyrddwynt, daeth i'r hirddydd,
nychdod i dduo dy ddydd;
o wynebu anobaith
ar fôr dwfn rhy hir fu'r daith.
Tonnau eigionau dy gur
dystiai am fyd didostur.

Pan fyddo'r storm yn ormod
a byw mor ddiflas â bod,
dyn biau gadwyn bywyd
a'r hawl i'w thorri cyn pryd.
Arwydd o wawr a rhyddhad
i hedd yw hunanladdiad.

Profiadau dy angau di
a edrydd am wrhydri,
a'r ffarwel heb ffarwelio
yw'r cur sy'n meddiannu'r co'.
Dy arfaeth ydoedd darfod,
llwyddo i beidio â bod.

Dyner un, croesaist yn rhwydd
o ddagrau i ddiddigrwydd,
o ddyddiau dy ddioddef
a drain oes i Dir y Nef.
Uwch yr ofn yn hardd a chry'
tywyswyd di at Iesu.

Trwy ras Ei Drefn nid dros dro
y tawelwyd dy wylo,
a rhoed yn dringar wedyn
ennaint Duw ar fethiant dyn.
I ffydd mor gelfydd yw'r gwaith
o bereiddio dy bruddiaith.

Cenais am huno cynnar,
am drasiedi colli câr.
Gwn am sugn-draeth dy gyni,
ond er hyn, tyrd, esgyn di
o oes fer, fy Ennis fach,
i ieuangoed ehangach.

JOHN FITZGERALD
1927-

365

Sacramentum Vitae

Nid unwaith, fy Nuw, na dwywaith y gwneuthum hyn,
  Yn was bach ger dy fron, dan law dy nerth,
  A thrafod tân dy bresenoldeb, cân dy werth,
Fel pe na bai ddim ond gwin a bara gwyn.
Tewi a wnei di, er dringo pren ar fryn
  I'th ysu'n offrwm llosg ar allor serth;
  Tewi, rhag i air dy gariad ysigo'r berth
A llethu dyn gan arswyd troednoeth syn.

Nid gofyn prawf yr wyf dy fod ar waith
  Mewn briwsion a diferion distadl, trwy'r cyfan oll,
    Yn creu, yn cynnal, yn iacháu fy myd;
Dy weld na'th glywed ni feiddiwn ofyn chwaith
  I'm dal rhag i'th roddion hyn fy nwyn ar goll:
    Ond arnat ynddynt, trwyddynt, tyn fy mryd.

366

Calan 1960

Gwag yw'r bydysawd, ond bod sêr
yn cyrchu drwyddo;
gwacter anfeidrol, ond bod yma a thraw
ryw heidiau sêr, yn ymbellhau o hyd
oddi wrth ei gilydd, fesul cwmwl gwych
yn treigl-droelli'n nwy ar dân drwy nos
ddiwaelod.

Nyni, ddynionach, ar ein pelen fach o fyd
o gylch un haul yn hedfan, seren lai
ar ymyl cenfaint sêr
sy'n rhuthro dros ba ddibyn i ba fôr?
Nid troi'n ein hunfan chwaith a wnawn, ond troi
tu mewn i dröell, yn dro tu mewn i dro,
a'r chwyrligwgan yn chwyrlïo ymlaen,
o ble ymlaen i ble?

Gwagedd o wagedd, nid oes dim a saif;
na safbwynt heblaw'r symud: 'hir yw byth'.
Ac eto ni sy'n deall, ni
sy'n gosod rhif ar ofod, mesur ar y sêr,
a threfn ar lithro amser, heb weld dim
byd newydd dan yr haul.

(Yma, chwedl ninnau, ac yn awr,
fe ddarfu am y llynedd, pum deg naw,
ar ddechrau'r flwyddyn newydd, chwe deg dim.
Gollyngwyd i gyfancoll gof am Ŵr
a roddodd fod i'r sêr cyn cyfrif, ac a fu
yn ddechrau cyfrif yn y flwyddyn un).

367

Y Gwynt

Gwyn dy fyd-di y gwynt yn nyffryn Tywi
rhwng brwyn a bronnydd a brig clogwyni,
uwch caer a chastell ac am aur gelli,

dros borfa defaid a thrwy bentrefi
yn rhadlon gyniwair i'r man y mynni:
Gwyn dy fyd-di y gwynt yn nyffryn Tywi.

Gwyn dy fyd-di y gwynt ym mröydd Cymru
o Fôn i Fynwy, heb dennyn i'th dynnu,
a'u hadar a'u plant hyd dy hynt yn parablu,
nad yw gwifrau ffôn a chyrn teledu
ond gwefr amryliw ar donfedd dy ganu:
Gwyn dy fyd-di y gwynt ym mröydd Cymru.

Gwyn dy fyd-di y gwynt yng nghwm Tryweryn:
Yno, dy hunan, cei grychu dŵr llyn.

368 *Duw Cudd, Duw Ffydd*

Ymbalfalaf am dy drywydd oer
er bod ffroenau fy nwylo'n feddw chwil
gan fwrlwm y llesmair gwyrddlaith yn y cof
a gwyd yn anwedd am bob ystum byd
i fflachio'n sidan wrth dasgiadau pryd a gwedd,
dan lewygu o hyd am bob rhyw sbloet ysblander
a fydd abl ennyd i ddiwallu llygad
cyn ymlithro i bant gyda'r ffrwd
heb adael ond y mwsogl aroglus
i gramennu am gerrig y rhyd.

Clustfeiniaf am hynt dy oleuni chwimwth
er fy mod yn ddall fy nghlyw
gan dipiadau brathog y cloc sydd wrthi o hyd
yn pwnio aur gwyllt i grwybrau'r cof
gan daenellu cân y wawr, liw haf, ar oledd
ar hyd a lled rhaeadrau cêl y coed;
gan blufio cân y wig, liw hydref, o'i gwrid ymachlud,
a'u blingo nhw dros nos, bob tant, ond y pinwydd byddar;
ni bydd taw, liw gaeaf, ar barabl yr afon.
Ni cheir gosteg ar y lleisiau symudliw
sy'n pefrio'n wasgaredig dan dy undod gwyddfod gwyn.

Wrth groen fy mysedd pendil wyf
ar graig dy wyneb, heb dy weld.
Ymlynaf wrthyt nerth fy nghorff
yn ddeilen dan bwysau oriog y gwynt
yn llithro, cydio, llithro.

369 *Torri Trwodd*

Gŵr yn ymgropian dros gerrig cyfyngder
hyd orifyny blinder afonig
nes cyrraedd cwr ehangder uchaf y cwm,
a sefyll allan yn llawen i'r haul.

Dall, a ymbalfalai liw dydd am ffordd
heb na ffydd na hyder ond ar ffon,
yn cael tynnu cen, toddi llen, llenwi llygad â lliw,
ac adnabod wyneb annwyl.

Mudan gan ing anyngan,
yn fud wedyn, wedi derbyn cân
i'w lwyr oleuo
tu hwnt i gyrraedd gair.

R. GERAINT GRUFFYDD
1928-

370 *Er Cof am Jean Vanauken*

Aeth Jean ymaith oddi wrthym
I'r fan lle mae'i thrysor a'i chalon
Lle saif ei Brawd a'i Brenin
Ynghanol ei lachar lu.
Llawn, llawn yw ei llawenydd yno,
Y mae'r Olwg yn llenwi'i chalon
A dagrau'i diolch yn disgyn
Dros lendid newydd ei gwedd.

Ond gwag ydyw'n bywyd hebddi, gwag
I Van ac i ninnau a'i carodd.
Pan fodd yr anghofiwn yn hir
Wên eglur ei hwyneb?
(A'r groes gudd yn y galon.)
Hi ydoedd cannwyll ein cwmni,
Halen ein diflas bridd,
Roedd ei chariad yn aelwyd gynnes,
Ei ffydd yn fwyd ar ein ffordd.

Boed ein lle gyda hi yn ein diwedd
Yn y wledd loyw, yn y cylch cyfan:
Onid tirion fydd ei chroeso i'r cylch ac i'r wledd?

Ond diwaelod o hyd ydyw moroedd ein hiraeth.

T. GWYNN JONES
1928-

371

Yfory

(ar ôl darllen y dylai pawb fynd dan y ford pan
ddaw'r bom, a chodi mur o lyfrau o'i amgylch)

Dim ond tri munud yn anrheg o rybudd,
    tri munud i gymuno
    gwasgu llaw
    a ffarwelio
cyn chwalu clymau'r teulu,
mor sydyn o rwydd
    â rhoi cyllell trwy fara.

Dim ond taith bom arteithiol
dros wrychoedd y gwledydd
a chloddiau cyfandiroedd
cyn chwydu ei chawodydd
        dros glawdd pob gardd.

Tri munud cwta yn rhodd o rybudd
drwy gorn y radio
a'r myrddiwn sianelau,
      a gwlad gyfan
      yn hwteru ei ffordd
      trwy eiliadau ei diddymdra,
a chlychau'r eglwys yn seinio cnul
      y dod
         a'r mynd.
Y manna o dri munud
      i gofio
         a thrysori
         gwin oes gyfan
            a maeth y cenedlaethau,
gweld y cyfan yn llygaid y cof
yn bytiau deg eiliad
fel y newyddion naw
      yn rym panoramig
      cyn eiliadau'r pelydru.

Eiliadau'n unig
         i anwylo gwraig
         a chofleidio plantos
         a chofio am nain yn ei chadair olwyn,
tawelu'r panig,
a thadol ffugio
            y dewrder terfynol.

Yn hwrli-bwrli'r munudau
ni wyddom
ai gweddus gwaedd
         ai gweddi.
Hel pawb ynghyd fel bwndel o garpiau
dan fwrdd y gegin
lle byddai'r ci yn swatio,

a selio'r gagendorau â'r Beibl
    'Gweledigaeth Angau' ac 'Uffern'
    'Theomemphus'
    a 'Thaith y Pererin'
a chau'r rhimynnau golau
  â'r *Faner* a'r *Cymro*
  a *Chymru'r Plant.*

Gwyn ei fyd a fedd lyfrgell pan syrth y gawod;
canys hi a'i hamgylcha
â doethineb y canrifoedd,
goleuni y meddwl
a gobaith dyn.

Yn eiliadau'r aros
canwn emynau
  am galon lân yn llawn daioni
  a thawel hymian
  am alwad tyner lais
i ladd sŵn y calonnau
yn pistoneiddio dan yr estyll cadarn
yn ffau'r diniwed,
tra bo helgwn angau
    yn ffroeni eu ffordd
    o gwmwl i gwmwl.

Disgwyl
  ac aros
tra bo'r bwli angau
yn chwerthin ei ffordd
    trwy gil y drws
    a drafft y ffenestr
i eistedd wrth fwrdd y wledd,
nes i'r hisian a'r ffrwydro
gipio ein hanadl o lais
yn y carchar geiriau;

a rhwng y rhimyn bylchau
rhwng y Llyfr Emynau
a'r Beibl
rhwng Cywydd y Farn Fawr
a'r Tangnefeddwyr
daw'r glaw i mewn,
cawod
heb sŵn y gawod,
diferion
heb sŵn diferu,
a'r niwl o law yn brechu'r cnawd.

Ac ni bydd mwyach
ond tomen o lyfrau
o gylch byrddau gweigion ein gwlad,
yn gaer o ddiwylliant
am anialwch llwch y llawr,
yn Fryn Celli Ddu
uwch cwlwm teulu o esgyrn,
yn Bentre Ifan
uwch gwlad gwmanog o gnawd.

Ac ni bydd trennydd
wedi'r yfory hwn.

JAMES NICHOLAS
1928-

372 *Dyfnder a Eilw ar Ddyfnder . . .*
(I'm Cariad)

I

Hi yw'r llyn, a'i ddŵr llonydd
Yn wydr o hyd yn llygad yr haul.

Yno ar ei wyneb
Ni welir olion
Un crych bwaog cras
Nac ôl un gwae, awel, na gwynt.

Ar ei hyd y rhodiaf,
A holi ar ei ymylon:
'A ŵyr un ei ddyfnder ef?'

Yna, o'i flaen yn aflonydd
Oedi'n hir wedyn,
Ond ni welaf don awelog
Na chrych ar ei wedd,
Ac wele daflu'r galon
Hyd lyfnder y dyfnder du
Oni suddai o'r golwg i nos ei ddirgelwch.

Allan y daw o'r llyn dwfn
Y cynnwrf tua'r canol,
A chodi'n gylch wedyn
Ac estyn ei grych gwastad
Dros y llyn hyd ris y lle
Y daw'r brwyn i dorri brig
Y don ar dir.

Yno cylch ar gylch a gwyd
Ac estyn dros y llyn, gynt mor llonydd,
Codi o'r gwaelod lle cydia'r galon
O gylch llawr dirgelwch y llyn.

A'r galon yno o'r golwg,
Daliaf o hyd i holi:
'A ŵyr un ei ddyfnder ef?'

II

Minnau yw'r ogof ym min yr eigion,
Ger y dŵr, yn agored i wynt
A glaw, a'r ewynnog li.

Ynof fi y gwelir y fan
Lle daw tröell y don
Yn dwrf ar dir,
A chlywir uchel hewian
Crug y môr ar y cerrig mân.

A rhagor, yng ngenau'r ogof
Y gwelir y golau
Egwan yn diflannu
I seler y dyfnder du.

Allan ei hun o flaen y llanw'n unig
Hi saif yn gryf wrth safn y graig,
Yn galw ar y dirgelwch
Sy'n seler y dyfnder du.

F'anwylyd, clywaf hi'n holi,
Yn holi'n dalog o flaen yr ogof:
'A ŵyr un ei dyfnder hi?'

Yno y saif, gan glywed y sain . . .
Galwad ar alwad yn rhowlio
O graig i graig, a rhyw wyrth
Yn bwrw yn ôl i wyneb yr un anwylaf
Y gri o'r graig . . .
Yn ôl y daw galwad golud y galon,

Yn ôl o'r ogof anolau
O wyll nos lle ânt oll yn un . . .
A galwad ar alwad yn rhowlio
O giliau'r galon yn aneglur i'w gilydd
Ym meithder y dyfnder du . . .

A deil i sefyll, yn dlws, ifanc,
O flaen yr ogof i alw yno
O giliau'r galon:
'A ŵyr un ei dyfnder hi?'

373

Swper Olaf yr Haf

Mae ôl brad am ael y bryn,
Rhwygwyd y dail o'r brigyn,
A chwip milain ddwyreinwynt
A'u chwâl hwy ar eu chwil hynt
Yn felyn-glaf dan grafanc
Hen law drom tymhorol dranc.

Ni ddaw'r tes hyd fyrddau'r tir,
Haul a gilia, a gwelir
Ar leiniau ir liain nef
O lwydrew a niwl hydref;
Yn rhodd ar hwn rhydd yr haf
I'r hil ei Swper Olaf.

Estyn ei law yn wastad
Wna'r pengarddwr, rhoddwr rhad;
Rhoi y llus i'r erwau llwm,
Rhoi o'i arlwy i'r hirlwm
Rhoi holl win y perllannau,
A rhoi cnwd hen brennau'r cnau.

Wele wrid ei liwiau rhos
Ar y cyren a'r ceirios

A chwpan llawn y grawnwin;
Hwn yw'r gwaed, yfwn o'r gwin,
A rhoi diolch ar dywallt
Ei wawr rhudd dros gangau'r allt.

O erw haf torrir hefyd
Seigiau bras ysgubau'r ŷd,—
Rhan o'r rhodd o rynnau'r hau
Yw bara'r ysguboriau;
Hwn yw ei gorff, caiff y gwan
Beunydd Gymundeb anian.

Ym marw haf y mae awr hy'
Gorfoledd gwledd ei gladdu;
Yng nghist hwn mae angau'i stôr—
Egin fydd yn ei agor;
Daw i'r pridd wedi rhaib brad
Hedyn yr atgyfodiad.

374

Y Creyr Glas

Hen wyliwr godre'r geulan,—a'i olwg
Yn ddrychiolaeth syfrdan;
Ei war crwm fel tro cryman,
A'i bwysau ar goesau gwan.

W. J. ARWYN EVANS
1929-

375

Y Ffin

Rhwng tŷ a thŷ,
Yma'n swbwrbia,
Mae barben o dawedogrwydd;
Am y ffens a'i frawd
Sarrug a disiarad
Mudan ydyw cymydog.

Ac ar y trên,
Bob bore, yr un yw'r pared
Rhwng dyn a'i gyd-ddyn;
Pobun yn ddywedwst o ddweud,
A'i bapur yn wahanfur o'i flaen
Rhwng y breichiau o bileri.

Ac eto,
Wrth y ddesg yn y ddinas,
Gyda'r radio yn ddrudwy
A'r sateleitiau yn golomennod,
Gyda'r rhain a'r ffôn rhychwentir y byd a'i ffiniau;
Ar draws yr India, dros yr Andes—
Nid oes ball ar barabl pobl.

Ond rywfodd,
Gartref yn y maestrefi,
Mae perth yr ardd
Yn rhy uchel i ddyn gyfathrachu.

BOBI JONES
1929-

376 *Gwanwyn Nant Dywelan*

Euthum i mewn iddo cyn ei ddeall,
Ei wybod cyn gwybod amdano. Fel mwg
O'm cwmpas 'roedd y golau'n cynnull
Drwy'r dail a'r adar a'r borfa'n bendramwnwg
Fel oen diwair
Yn y rhyddid cyntaf y tarddasom ohono
Ac O, neidiais innau ar drywydd
Y sioncrwydd oedd yn y gwair,
Y bywyd ac ansawdd bywyd oedd yn y nant newydd.

Mae'r flwyddyn wedi cael tröedigaeth.
Oes; y mae egni ym mhob man. Mae'n hollti'r byd.
Ef yw'r Dirgelwch diderfyn sy'n cysuro bod.
I lawr ar lan yr afon mae'r llyffantod
A llyg-y-dŵr yn ymsymud
Tu hwnt i dda a drwg—o'r ffordd yr af!—
Gan daenu'u traed tyner ar gelain y gaeaf.

Aeth y gaeaf at ei dadau.
Bu'n llym; bu'n fyw. Ac wele'r rhain:
Y byw a goncrodd y byw, ac angau angau
Ar y weirglodd fythol hon
Sy'n Groes i'r flwyddyn.
Daeth y gwanwyn drwy geg y bore
A'i dafod yn atseinio'n daer ar betalau'r dwyrain
Fel sgidiau milwr yn dyfod adre.

Trist a hapus yw symud.
Gwelais frigau gwyn yn ymwthio'n slei
Fel llygaid plant o'u cuddfannau.
Gwelais wir wefr y gwynt wrth anwylo briallen
Mor dyner â gweddi, a'r un mor gymen.
Gwelais raeadr lawn fronnog ffyslyd
Yn llamu drwodd i ystyr bod
Heb wrthrych, o'r tu mewn yn oddrychol,
Yr un gyflawn, y cyfarfod, y cyfanrwydd.

Bydd ystyr yn yr awel bellach, a bod wrth ei phrofi,
Ac i lawr wrth yr afon y mae tair cenhinen-Pedr
Felen, felen, wedi cloi'r heulwen yn eu calon
A hen olwg ddireidus arnynt fel merched ysgol
Mewn cornel wedi cael cyfrinach.

377 *Portread o Lafurwr*

Purdeb ei chwys a'm golchodd. Rhamantwr llaith
Wy'n clodfori gŵr wrth waith mewn gwair.

Ni lŷn dim sâl wrth ei bâl o ben
Uwch tyweirch hen: twpsyn trwm yn pigo cig
O esgyrn llwm y pridd, yn was i sen
A sarhad y tywydd; ond heb ddal dig
Try'n ôl ei benliniau cnotiog i'w gwaith drachefn.
Allan yn y niwl fel bwbach brain
Yn y cae erfin, yn hurt dan y glaw
Pren, plyg mewn ufudd-dod cnapiog fel pe na bai
Neb ond ef yn ddigon isel i gosi rhaw
Na neb ond yr hanner-pan yn ffit i'r drefn
Daeogaidd. Ni chudd ei fysedd budr
Rhag llygaid petalog yr ymwelydd o'r dref,
Canys symudiadau'i gorff yw symudiadau mydr
Y tlodi sydd yn y cae. Ac onid ef
Biau'r gosb, biau'r dioddef? Y mae rhaid
Y dyddiau gwag wedi codi clawdd
O gwmpas ei dynged. Wrth bwêr y llaid
Y ffitia weiren ei egni, a gyrrir nawdd
Bwyd-a-gwres ar ei hyd trwy'r dydd. Ac yn yr hwyr
Bydd e'n iawn os caiff swllt neu ddau i chwarae â gwn yn y ffair—
I bawb ei briod nef. Ac am hwn, ni ŵyr

Mai trwy Lafur a thrwy Angau yr adenillir Duw
Wedi Eden, ac mai Llafur yn ei racs yw brenin byw.

378 *Preselau*

Dodwn barch ar fynyddoedd am eu bod yn berchen,
Yn estyniad i'n corff. Cyffyrddiad eu ffyrdd
Tawel a'n cydiodd wrthynt. Dyma'u perchentyaeth.
Yn ein haelodau mae brodiau'r grug a'r rhedyn ysbrydol
Yn wraidd a draidd i ecstasi pen neu droed.

Gan gadw-mi-gei ein hanes y cawsom bob gobaith.
Cynilwyd ynom y mynyddoedd yn ddyletswydd, yn hawl.

Rhaid ufuddhau a gwrando traddodiad y chwibanogl
Yn goroesi arian y gweunydd ar ei chân grisial,
Yn gwaedu banciau'r rhostir aur hyd y godir.

Mor dlws yr ymddengys y bryniau dan sawdl estron.
Mewn perygl, anwylach hawddgarach yw'r rhiwiau hyn.
Pan haeddwn ein rhyddid tybed a fydd golwg mor gyflawn
Ar y cyffiniau lle y mae'r gorffennol
Yn llercian, yn bwhwman o hyd?

Ond yno, yn ymyl, nawf y grifft diwydiannol
A'i unig wreiddiau yw gwreiddiau cornwydydd corff.
Os yw pob concwest yn farwolaeth, o leiaf i'r concwerwr,
Rhaid mai ei farw ef yw'r blas cas sydd yn ein pentrefi:
Drwyddo ef druan y cawsom ei ran o'r haint.

A nycha felly'r trumiau am eu bod yn uchel?
Uchel yw urddas yr awyr. Mor uchel â dyfnder
Y tyweirch, a cherddwn yn wyrdd eu ffyrdd tawel.
Gwareiddiwn ein dwylo taeog yn eu gwreiddiau
Melys; ac iachach fyth fydd ein gwaith o warchod moelydd.

379 *Cymro Di-Gymraeg*

Yng nghegin gefn ei dŷ mae'n cadw cenedl,
Lletywr rhad na chyst ond lle i'w wely
Ac yn y parlwr ef ei hun sy'n byw, yn Sais ail-law
A'i ffenestri'n lled agored tua'r byd. Ba waeth
Os yw ei ben yn bwn, a chur y tu ôl
I'w glustiau? Y mae'r gwynt yn iach ysgubol,
Ac nid oes lysiau ar ôl i'w diwreiddio mwy
O'i ardd, dim ond cancr y llwybrau concrit.

Gwyn fyd yr alltud 'gaiff ymestyn mewn parlwr
A llygadu'r bydysawd maith o lwybrau llaethog–
Llwybrau llaeth a mêl.
Gallai, fe allai aros byth a syllu arnynt,

A llyfu diwylliant lleng heb feddu'r un,
Llwybrau llyfn. Pam mae ei wddf
Wedi ei nyddu ar un ochr i'w gwylied hwy
Fel pwped yn hongian ar hoel ar ôl y gyngerdd,
A'i geg ar led, a lleufer yn y llygaid? Paham?

380 *Gwlychu Gwely 1967*

(Bachgen saith mlwydd oed yn Viet-nam)

Ffordd wreiddiol o atal Marx oedd amddifadu
Y crwt pitw hwn o'i organau rhywiol. Jeli pinc
Yw'r parti bach yn fforch ei goesau pert;
Ond ni ddaw neb i ddathlu yno fyth.
Beth oedd yn ffansi'r Americanwr
Wrth anelu ei ddryll mor loyw? Diau y syniai
Mai ciwt fyddai ychwanegu coch Viet-nam
At ddu a gwyn Alabama. Ac oni ellid darbwyllo
Ceilliau'r bychan o hynny, yna—wff! wff! wff!—
I ffwrdd â nhw, megis llygaid Llŷr,
I chwilio'u democratiaeth iawn mewn llwch.
Neu ai breuddwydio, dichon, heb sbïo,—y bu
Mewn hofrennydd, am glydwch hwnt i'r gorwel
Lle y mwynheir y Philadelphia Rangers y pnawn
A gwraig swbwrban dawel gyda'r hwyr
Yn harmoni'r hormonau;
Cans dyma'r ffordd i heddwch? Ni fydd mastwrbiad
Yn mennu ar lencyndod hwn; diau na fyn
Grochlefain yn wrywaidd i Lenin mwy. Caiff dyfu
Yn y byd rhydd bellach, wedi cyfrannu ei ddimeiau
I seiliau Wall St. a Manhattan wen.
Caiff biso hefyd ei waed mewn gwely
Ac ymddiheuro am y mès, gyda pheth poen.

381 *Traeth y De (Aberystwyth)*

Mi alla-i ddeall esgyrn. Un ac un
Wedi eu pilio a'u troi mor olchion-wyn
Gan gyhyrau gorffwyll ei fol. A hyd yn oed
Boncyffion anghyffredin: byddai cnoi eu gafael

Hydwyth yn nannedd ambell nos
Yn rhoi rhyw flas llysieuig. Mi alla-i ddeall
Y cymhelliad i dreulio'r rhain cyn bwrw
Eu gwchil ar draeth. Ond sgidiau! Un ac un,
Dwsinau o bob ffurf a maint a gwneuthuriad.
Pa rin fu yn y rhain? Ac a fu'r môr,
Neu rith ar waelod môr, O ddychryn,
Yn gwisgo'r lledrau hyn, ac yno'n lordian?
Pa ddawnsio? Pa arddangos traed?
Ymhlith cimychiaid, crancod haid, a'u criw
A fu rhyw don sy'n ddigon swil fel arfer
Yn dangos sglein ei sodlau, ac yno'n cicio
Llawenydd y rhain yng ngolwg gwymon dwfn?
'Mae meddwl felly am y môr mawr hwn
Yn dodi sgidiau mân, a mentro allan
Yn y gwyll i brancio, mae hyn yn arwydd
O'r sbort sy ar waelod galar: mewn labrinthau
Sy'n llanw o ddagrau glas a thryloyw iawn
Gwelwyd sgidiau trwsgl, di-bâr yn bwrw'r llawr.
Ond beth ddigwyddodd neithiwr? Mewn bwcedaid o sêr
Tu ôl i aeliau'r lleuad, cans dyma'r dŵr
Yn ysgwyd sgidiau o'i draed; ac yna'n droednoeth
Yn pownsio allan i daro'r traeth yn hyderus.
Roedd yna siantio, roedd yna ymestyn,
A llawer siglo llyweth. Ymhlith y cerrig llwyd,
Fel gwiwer ddaeth i fynwent, wedi diota
(Onid yma rywle y waltsiodd Cantre'r Gwaelod?)
Cafwyd perlewygus noson lle y taflwyd
Ymysg y teiars, tuniau ac esgyrn—sgidiau.

382

Y Fam

Hunllef Arthur

(Detholiad)

A'r llynedd, flwyddyn gron i'r diwrnod hwn,
Y claddai'i fam. Hi oedd y pared olaf
I godi, wrth ymostwng, rhyngddo a'r gwyll
A ddeuai ar ei warthaf o'r dyfodol.

Gwyddai ymlaen llaw fod yn rhaid i hyn
Ddigwydd ryw ben, ond byth nis gwyddai chwaith
Yn iawn. Mae'r peth yn amlwg ddod i bawb.
Does neb yn dadlau y dylem eithrio neb;

'Ac ar y rhestr y bu dy enw di
Yn ddigon clir ers tro. Ond Ow! rwy'n ddig
Fod y ddirwedd ysig isel hon o drefn
A ofnwn wedi'i chyflawni ac felly'n wir.

'Ysgon y cerddi o gylch fy nghalon heb
Ffoi oddi wrthi byth, yn grwth dy gwmni.
Mor frau dy gamre mân ond mynnant oedi
Ac adlais huawdl eu miwsig yn fy nhoi.

'Beth oedd dy ddawn i mi? Tydi a'm câi
A minnau'n ddistadl—yn rhyfedd. Ti a'm canfu
A minnau'n ddigon salw—yn loyw odidog
Yn ŵy wedi dodwy i ti yn nyth dy haeledd.

'Ni hawliaist gennyf ddim ond cael fy ngweld.
D'uchelgais oedd fy ngwrando, cael dy wrando,
A hynny'n nef. Ni fynnaist gennyf byth
Ond orig gybydd. Na rown-i ganrif heno.

'Mwyach dy holl werthfawredd a eglurwyd:
Dy feunyddioldeb anwel, dyma fe
Wedi'i oleuo'n dlws—dy fynych rinwedd
A ostynget ti o dan dy fat, yn goelcerth.

'Cwympodd ynghyd ar ôl diweddu d'oes
Dy dlysni o'r dechrau, idyl breuddwyd fy nhad,
A'i addoli ef ohonot ti (mor hawdd),
A'r methu llwyr i gynnal math o gynnen.

'Ac ni chynhenni nawr: rwyt fwy na bodlon
Ar hynny o anadl a ddognwyd yn dy ffrâm
Gota'i hysgyfaint. Bodloni hefyd draw
Ar hyn o drac drwy bara i droedio 'mron.

'Prin y geill gwraig ymaflyd mewn prydferthwch
Yn gyfan gwbl nes ei bod hi'n hen.
Disgyn yr atodiadau eraill i'r llawr,—
Yr hyder, cymhlethdodau'i hegni ar gil
Drwy'i gair a'i golwg, ieuenctid amherthnasol,—
A'i gado yno yn ei goddef gweddaidd
Yn wraig a heliodd hyd flynyddoedd bras
Eu mêl claddedig, ac a flinasai ar adain
Ond a led-gloffai'n ôl i'r cwch yn felys
I buro'n gwrando ni a'n cyflafareddu
Â'i rhin wrth-heintus, â'i chronfa o bersawredd.

'Syml yw rhai: ni feddant ond perthynas
Hardd â phobun a ymwnâ â nhw. Does dim
Doniau nodedig ganddynt, dim arabedd
Tafod na doethder chwaith, ac ni fyn neb
Gofrestru iddynt fod erioed. Eu rhodd
Oedd byw eu gras mewn teulu, dyna'r cwbl
Nes bod eu melyster yn drysu'n lân drwy bob
Cwmnïaeth yng ngŵydd y tân o gylch y bwrdd.

'A thydi, fy mam, nid oeddet fawr o neb.
Fe wnest ti noddfa ohonot ti dy hun
Lle yr aem i ddweud pob newydd (nid oedd gwneud
Yn gyflawn heb y dweud a rannwyd) am
Na allet ti byth amau is-gymhellion
Na chlywed dim â malais. Roedd llefaru
Yn awel iach drwy dy geinciau, fel ehedeg
Yn haid ddiniwed drwot o angylion gair
A gyrraidd frig o garu'n gnwd o wrando.

'Ffactor go chwith i chwyddo'n traserch triw
Tuag at anwylyd yw iddi ymwisgo yng ngŵn
Yr angau.
        Ai mwy atyniadol yw?
A barodd hynny weld ei hwyneb tlws
Yn dlysach?
        A rydd hithau chwaneg nawr
O'i hoffter inni?
          Diau y'i gwna yn haws.
Ac ar ei thraws mi daenwyd cysgod: i ni
Daeth ei phenglog onglog hi yn wrthrych hiraeth
A'i hoerfel ddwylo'n llawn o winrawn serch.

'Telyneg yw'r rhai syml: pan fyddont hwy
Yn dad neu'n fam, nid ydynt fawr ddim mwy
Na thad neu fam. Cronnant o fewn eu nwyd
Rwyd anfeirniadol. Beirniadant hwy bob dim
Sy'n methu â maddau. Dodant hwy y mab
Annheilwng ar ei bedestal arbennig.
Beth bynnag 'wnelwn i yr oedd hi'n iawn:
Pan gymgymerwn, pan faglwn ar fy nhraws
Fe gâi ryw reswm gwir ddi-ffael. Doedd neb
Yn bod heblaw ei mab. Trawsffurfiai hi
Ei hoffedd yn ymddiried, serch yn ffydd
Ddi-haedd ar gownt creadur cam. Ond dyna
Ei ffordd o delynegol diwnio'i haelwyd.

'Pan fydd rhai syml yn daid neu'n nain, gwae chwi
A awgryma fod yr ŵyr yn or-bryfoclyd
Neu'n llai ymrous i'w ddyletswydd nag ysydd
I fod. Rhyfyg y syml a genfydd angel
Ymhobman, ac a ŵyr y ceinder a geir
Drwy gylchu'r teulu ordeiniedig oll
O fewn y fraich a dreuliwyd gan anghofrwydd
O draul. A phan ddaw'n bryd i wagio'r breichiau
A gadael brechdan, ffwrn, ystafell fach
A ffrindiau a mynd, hithau yn fwlch i'r bwlch

A estynna bopeth, at enaid sy'n adnabod
Y llwybr yn barod, yna elfennaidd yw'r mynd,
Ymddiheurgar o amharod i beri trafferth,
Anesmwyth braidd wrth fod yn ganolbwynt sylw.

'Difesur bur yw'r syml. Hwy sy'n rhyddhau
Ein dryswch oesol rhag pwysigrwydd gau:
Hwy sy'n rhoi dysg i'n gwanc a'n rhwysg. Eu sêl
Sy'n llwyr danseilio'n hyder bydol-ddoeth.

'Bellach, fe beidiaist ti â bod yn weddw.
Ni wyddwn ar y pryd mor ddrud o gamp
Ynghanol anian ddynol, gyda'r seirff
Hynafol yn ymwau drwy'r clustiau beunydd,
Oedd i ddau fod gwahanol ddod ynghyd
Mewn cytgord nad oedd byth un dryll ar draws.

'I mi nid oeddech chwi ond dau gyffredin,
Yn hulio aelwyd fel pawb bach drwy'r byd.
Yn blentyn tybiwn i mai dyna'r drefn
Ym mhobman, sef i fiwsig heddwch gloi
Yn glwm am bopeth, ac i serch di-drai
Dreiddio drwy bob ymgomio, ac mai rhwydd
Oedd canfod tŷ lle'r oedd rhieni'n un
Gytgan ddi-ail o sain cynghanedd syn.
Ni sylweddolwn ddim o'ch campwaith chwi,
Mor ddawns gytûn, mor rholiog ffri'ch athrylith.

'Ar ôl ei ffarwel ef ni allem mwy
Gystadlu â'i ymroi, â'r mul unplygrwydd
O blygu calon iti. Ni yw'r meibion,
Ac megis meibion, rhoddem it ffyddlondeb
Rhesymol. Ond ei afresymeg ef
Oedd peidio â chyfrif neb yn hafal iti.
Fe ddodai bob pen-llad ar d'allor di;
A llosgai'i lygaid mewn boddhad heb dwll
Pan ddeuet ti. Pan aeth, nid oedd ar gael

I gelu'r adwy hon ond mân is-gynnyrch
I'w wres difaol ef. Pan lanwyd d'oes
Gan y diffyg addoli a'th doesai gynt, gan donnau
Ei angof amdanat, diymadferthedd oeddem
Yn methu o hyd â dod yn dylwyth triw.

'Tra byddet mwy ar ôl yn troi i'th gegin
Neu wrthi'n twtio'r lolfa ni ddôi neb,
Dim un, a fyddai'n llwyr ddi-ben wirioni
Heb gyfri cost, heb osod terfyn, arnat.
Nid popeth oeddet ti i neb, nid ti
Oedd canol bwynt pob golwg. O fewn egwyl
O weddwdod yma, ail i bobun fyddet
Heblaw i'r un absennol, i ti'n bresennol.

'O'r bedd cyflwynaist imi hyn o fodrwy
Briodasol, dolen fedrus a'th unasai
Wrth ei addoliad, a glymasai dy draed
I rodio'n drefn o gylch ei fynwes ef.
Drwy'r bachyn euraid crwn, ymwthiaf i
Drachefn i mewn i'r cwlwm moethus hwn
A'm cael fy hun mewn tangnef gyda chwi'ch
Dau. O'i fewn gorweddaf, a'i gau o gwmpas
Clustiau wrth wrando ar symffoni na dderfydd:
Mewn caer o fiwsig heno'n atsain hoen.

'Di-ail yw'r ddolen hon. Fy hoffter i
Yw ymwthio yn ei gafael, fel pe bawn
Yn ôl i'r groth yn dod drachefn, i'w llyn
Lle suddaf yn yr aur, a lle y caea
Ei hylif dros fy nghof, a lle y boddaf.
Gwisgaf i hon fel yr awn i'n fore gynt
I mewn i'ch gwely, sleifio rhyngoch eich dau
Gan deimlo'ch gwres ynghyd y naill a'r llall
A gwthio rhyngoch 'lawr yn driongl lun,
A'ch aur cytûn o'm cwmpas. Felly, hon
A'm cynnail yn ei chorlan, gan ei chanllaw.

'Does gennym ddim llefelyth faint yw'n cariad
Nes iddo gael ei iro gan y bedd.
Coeliwn allu ei gynnwys. Bwriwn amcan
Y cawn glais, debyg; ond o gynnal gwar
Goroeswn gur. Ni syniwn fel y dryllir
Yn rhwyll drwy dyfiant cêl, cyd-ddeilio gweddus.

'Pe gwyddem gynt mor rheidus oedd ein caru
Diau y dywedsem wrthi. Dylsai wybod,
A hithau fel pob hen mor hawdd i'w hepgor
Ac yn ei chyfri'i hun yn wastraff sylw.

'Pe datguddiesid ynghynt ein hiraeth wedyn,
Ynfyd y datganasem, y cyhoeddasem
O ben ei pharlwr iddi annherfynoldeb
Ei hing anwylo; ond didro swildod defod
Ac urddas arferoldeb a'n tawodd ni.
Ymatal rhag cyffesu ydyw'r cywair
Derbyniol, claddu hynny rhagom ein hun.

'Ond dengys clwyfo felly faint o serch
Sydd gennym at y gweddill bach ar ôl
A garwn mor atalgar i bob gwedd;
Gwylltineb cudd ein hanwes, udo tywyll
Y cymedroldeb poenus isel hwn
Na chyfaddefwn byth mohono iddynt.

'Yn ifanc, achlysurol a phrin braidd
Yw marw. Er ei fod mor ffiaidd frwnt,
Erys yn garcus bell o hyd, heb fod
Yn hy. Ac os gall dyn ymaflyd beth
Mewn myth ymddallu, cael mai deffro yw'r drefn
Bob gwawr, fe'i twylla'i hun mai normal yw
Byw. Hwn yw'r byd, a llwybr drwy sawyr cras
Yr awyr las (ac ambell gwmwl tila)
Yw codi'r bore. Yn ddiarwybod iddo

Cyn y cyrraedd dyn ei hanner cant fe fydd
Hen ffrindiau fesul un yn ffoi oddi wrtho,
Ac yn y fan fe wêl y cwbl fel dryll
Yn gogor droi o gylch ei dalcen, hyrddio
Dan sgidiau, pawb wedi'u llethu, llwythau mawrion
Angau yn llond yr wybren byth. Bob llaw
Does dim ond persawr croen a oerodd, fawr
Ond cynrhon can yn cylchu pydredd twym,
Gan ado'u hôl ar lecyn ac ar bethau:
Y norm i'r rhelyw nawr fydd bod mewn bedd.

'Eithr bellach, nid llwyr ddychryn yw'r rhai llwyd:
Mae gormod o rai annwyl yn eu plith.

'Gwybuaswn am y Ffydd a rannem ni
Â'r rhai a fu o'n blaen, yr eciwmeniaeth
Anwel rhyngom a mawrion go gawodog
Y diwygiadau a ddarfu; ond 'chofiwn ddim
O'r Cariad hefyd. Ti, fy mam, a'm llywiodd
I'r gronfa hon o serch sydd byth amdanom,
Yn dinau drosom beunydd. Bob rhyw gyfwng
Rwyt yno, yn fy nghadw, yn fy nghofio.
Pan wan-anghofiaf di, ni chili ddim;
Lledi o dan fy nhraed dy garped rhad
O gofleidiadau, ti nas gwarafunodd.
Cyflwynaist fi i wybod cariad llathraidd
Sy'n llithr i lawr o'r gofod drosom ni.'

EMRYS ROBERTS
1929-

383 *Dimetrodon*

Meddyliwch am nerth . . .

Dychmygwch am niwt
Wedi ei chwythu i fyny'n fawr,
A rhoi hwyl llong o'r lli
I gyd ar ei gefn—
Dyna ryw syniad
Am Dimetrodon yr oes anwar.

(Efallai y daeth madfall y dŵr
Swil o'r anghenfil hwn.)

Fferrai cywion y fforest
O weld ei gorff, ac ogof galed ei geg
Yn drap i'w sobri, a'r streipiau sebra
Yn arwydd o berygl.

Cynffon a phen fel rhyw neidr enfawr
Yn stelcian yn y tyfiant:
Un cyfrwys,
Dalec cyntefig.

Swm o lysnafedd yn symud
Gyda'i asgell hynod fel cerflun modern;
Dôm trydanol ei faint—
Dimetrodon yn hela i fyw
Weiniaid y llawr heb niweidio llurig
Ei groen, a thasgai'r haul
Ar gen disglair ei gorff
Fel sglein tarianau ar ochr llongau lleng
O filwyr a rwyfai i ryfela.

A'i brae wedi brwydr
Yn gylch gwaed ar gwr diogelwch y goedwig.

384

Ar Wyliau

Rhoddodd ei phwys ar y ddwy ffon,
ac mor rhwydd, o ddeall mai Cymry oeddem,
y parablai'n ferw am y chwerwedd
a barhâi o hyd yng nghalon eu cwm
wedi'r brad yng Nglencoe.

Ac wedi'i gadael
pendronais, a thybio—
ymhle y gwelais ei thebyg?

Cyllell trwof fu cofio
am alanas wedi deugain mlynedd,
ac fel y rhegai gwraig dros ei phedwar ugain
a'i hofel heb y to,
ac fel ei bywyd hi'n deilchion mwy,
a minnau'n gwrando'n y mwg
ar ei chrio wedi'r cyrch o'r awyr.

Fe welais adfeilion
ei hoes lem yn Lerpwl y slymiau;
torrai ei llef trwy'r llwch
fel mur yn ochain
ar ôl i'r fflam oren uchel
leibio'r wal a bwrw ei haelwyd
yn llawr gwag—dryllio'r gegin.

Tawelodd,
a gwyrodd i achub potel o gwrw
brown o'r brics,
a sleifio â hi yn ei siôl fain,
o'r golwg
gan ddal i felltithio'r gelyn.

385 *Guernica*

Er y beddau,
a hen bentre'r arabedd yn bentwr o rwbel,
llewyrchai'n llachar trwy feddwl yr artist
lun llawn o oleuni a lliw.

Ond o un i un diflannodd,
wedi'r dyfal ail-lunio,
sumbolau'r gobaith o gynfas Picasso.

A bwriodd wyneb i waered,
fel un mewn digofaint, y gelfyddyd o beintio;
nid y cynnwrf a ddeuai o grefft
canrifoedd oedd y grym
i greu cofeb i'r dinistr.

Mwy sinistr cyfleu'n syml
y dwylo diniwed a welwyd
yn ceisio herio teirant—
tarw o elyn brown—
fel y buasai plentyn â brws.

Yn y düwch y mae y gwae i mi,
pan drodd y dychymyg mawr
y trueiniaid a fu'n sbort i awyrennau'n
farch a drywanwyd,
a dull hwn fel cyffyrddiad llaw
cyntefig yr helwyr ar fur eu hogofâu.

A ragwelodd Dachau'r galar
a Belsen
yn y domen o gyrff a ystumiwyd?
A'i beintiad o'r Basgiaid yn bentwr
o gnawd o'u llorio â gwn,
wedi eu llurgunio,
fel darlun gan rywun a fu'n Buchenwald?

Neu lun o adfail bywyd
mewn seilam?

Do, dilewyd y mwynhad o liw,
a dim ond lamp bach oedd ar ôl—
crebachodd yr haul
yn un bwlb trydan gwan
i herio'r gwyll.

386 *Sêr*

Rhodres yr hwyr dros yr Aifft
a henwr unig
a welai ystyr bod
yn nhröell un clwstwr bach.

Gwyliai uchod ar nos glir
gylchdro'n sglein
a grisiau arian ac eglur
ger Seren y Gogledd
yn gwyro'n raddol i'r gorwel
fel wyneb ar ddiflannu
i'r môr ymhell.

Ond aros gan wawdio'r nos a wnâi
siwrnai y golau'n dân
ac ni sarnai gelyn du
ei wawl a'i rym o yn sumbol o'r meirw
a'u goruchafiaeth ar farwolaeth fry.

Y sêr hyn
oedd serennedd
a chysur henwr.

387 *Ystlum*

O hil 'sgeler bore'r byd
A'r eco anferth, adar y cynfyd,
A had y fampir ydwyt,
Ffantom ar daith o waith Picasso wyt.

Yn d'ôl deui, law dywyll,
I broffwydo'n gwae wrth sgriblo'n y gwyll.

Hers ar aden, a hen nwyd
I'th gorff anhygoel fel pe'i croeshoeliwyd;
Ar led am darged dirgel
A bwyd mae braich fel sgerbwd ambarél;
Adenydd o wlad Annwn
A'u croen fel inc, darnau crin o falŵn.

Du yw gŵn ysbryd o'i go,
A'i naid anwar o fur nad yw yno;
Dagr a wân yw grym dy gri,
Ti yw'r ellyll hanner pan sy'n troelli
Rhag y wrach ym mrigau'r wig,
Troi'n ôl wedyn at yr anweledig.

Ton marwolaeth a saethi,
Tonnau'n cloi nerth, tu hwnt i'n clyw ni;
Y sŵn a dry bry'n gorff brau
Yw pŵer rhythmig lastig dy glustiau;
Er tric prae slic ni leihâ
Dy allu, o'i encil cysgod a'i llynca.

Ond 'rwyt heno'n huno'n wan,
Ni lam drwy waed sioc fflamau o drydan;
Gweni'n dawel o'r helynt,
Hen fwgan y gwyll, fel baban â gwynt;
Nid oes i'th hongian na dig
Na fawr o wae—pwt o groen gafrewig.

388

Glyn

(I gofio am Glyn Emberton, 26 oed o Lanerfyl, a fu farw trwy ddamwain ym mis Awst, 1982.)

Rhoed gwên megis toriad gwawr—yn yr arch,
Ac ym mhridd y dulawr
Goelcerth o hiwmor gwerthfawr—
Aeth o'n mysg dy chwerthin mawr.

Daeth gaea'n fflam y ddamwain,—a rhewynt,
Lle bu'r awel firain,
I Lanerfyl yn oerfain,
Yn waed ar fin pladur fain.

O lawenydd y'th luniwyd,—a'r di-frad
Frwdfrydedd a loriwyd;
Distaw, yn llaw'r treisiwr llwyd,
Yw'r direidi a rwydwyd.

'Roedd y rhaib mor ddirybudd.—O'i ddwyn ef,
Ddyn ifanc ysblennydd,
Bu'r haf eleni mor brudd,
Ac Awst yn faich o gystudd.

Er y dolur i'w deulu,—er eu nos
Daeth rhyw nerth i'w helpu,
Hedd i'w dal trwy ddyddiau du
Braw a chroes,—braich yr Iesu.

Ardal yn torri'i chalon,—arian byw'r
Pentre'n y bedd creulon;
Ond er dwys ddyfnder y don,
Teg yw haf ein hatgofion.

Carai'n cwm naws ei gwmni,—ac afiaith
Ei gyfarch a'i asbri;
Mwyn oedd, ac ni choeliem ni
Yma y gallem ei golli.

Prin yw'n daear o'r cariad—'wybu ef,
A'n byd sy'n amddifad
O'r pŵer pur. Pwy a wad
Werth ei annwyl chwerthiniad?

Wrth wylio'r wawr yn torri—fe welaf
Eilwaith lygaid heini
Di-glwy, a byth mwy i mi
Un yw Glyn â'r goleuni.

GWILYM REES HUGHES
1930-

389

Penhwyad

Di-stŵr
Di-stŵr yw'r merddwr mud
Lle nydda'r brithyll brith
Ei fflach o ddawns
Wrth droed yr haul.

Ond yn y dwfn,
Yn y sgum a'r llaid
Mae cysgod llygliw'n llercian.
Rhytha'n hir o'i wâl hesg
Ar y cyffro llathr,
Megina,
Tagella'n y gwyll
Nes gleidio'n rhydd
Yn llyfn fel llafn o'i ffau;
Yna,
Ar asgell aur esgyn
Yn araf
        o fodfedd
          i fodfedd
              fry
I gylch y ddawns . . .

Cyn sleifio'n ôl drachefn i'r dwfn
A'i fin ar dân;
Yn ufudd i'w anian hen.

MEIRION EVANS
1931-

390

Y Llun

Dim ond edrych ar y llun sydd raid
a daw drewdod chwerw hen chwys
yn ôl yn newydd i'r ffroenau.
Bydd grym y cyhyrau i'w weled
yn gryndod o dan sglein olew'r pengliniau.

Yn y canol, fel erioed,
Tomi Turners Row,
ei ysgwyddau'n golofnau
a'i freichiau'n groes ar fryn ei frest.
Dyma fe'r arwr,
holltwr y pellterau
a llyfwr y llinellau calch.
A dyma nhw'r dynion—
nyni ydyw'r dynion sy'n dal
ar bob gair o'r bregeth ecstatig
ac yn arllwys yr olew yn helaeth
yn addoliad gorffwyll teml y corff.
Nyni ydyw'r dynion sy'n cau
ein dyrnau am y gwydrau slei
yng nghymun ein buddugoliaeth
ac yn bwrw ein bas i faswedd ein hemyn.

Dim ond edrych ar y llun,
a daw yn ôl aroglau melys y blodau
a gwelwder y cnawd cŵyr
yn y parlwr llaith yn Turners Row.
Edrych ar y llun
a chlywed eto ddychryn
sgrechian soprano bechgyn
yn hollti hedd y deml—
'Mae'r Iesu yn derbyn plant bychain o hyd . . .'

391

Medal

Ar ddiwrnod rhydd o Fai ym mhedwar pump
rwy'n cofio hon yn anrhydedd ar blât
ac yn llanw'i lle ar y bwrdd
o flaen y gadair wag,
ei rhubanau brenhinol
yn gig coch
ar y lliain gwyn
o dan y ffurfafen las
mewn te parti mas ar y comin.
A ninnau'r plant yn ein hetiau clown
yn ymladd am le wrth ford y rhialtwch—
plant rhy ifanc i alaru
ond yn ddigon hen i ddathlu
a chanu clod fy Nwncwl John
am ladd y Jyrmans diawl i gyd.
Ei ganmol am ei gamp acrobataidd
yn troi i'r maes yn fedelwr dewr
a throi tua thre yn fedal aur.

A dyma hi—
cofarwydd yr hen arwriaeth
yn gorwedd gyda'r truagreddau
a'r bric-a-brac o dan y bwrdd.
Y mae'r anrhydedd yn drwch arni
a'i haur yn ddim ond aloi rhad
gan effaith alcemi'r blynyddoedd,
ei rhubanau brenhinol yn fwyd gwyfynnod
a'r lliwiau ymerodrol yn llwydo a madru
fel sbarion gwledd.

Yn Ionawr eleni,
o dan gysgod y gawod gesair,
aeth un o'r clowniaid i rubanu'r weiren ddur
sydd yn cau tir comin Greenham
ac i blannu bwledi'r blodau yn y barilau.

Ac o fwrllwch ei chell
rhwng y llymeidiau uwd
dywed geiriau'r gân newydd
fod y parti ar ben
ers tro byd.

DAFYDD ROWLANDS
1931-

392 *Wrth Fynd o Nyth ein Dwylo*

Wrth fynd o nyth ein dwylo
mor annhebyg wyt
i'r pen glud yn yr adwy'n llithro
i'r cledrau rwber rhwng y coesau gwan;
mor annhebyg i'r bwndel glasgoch
a fu'n rhwygo'r coridorau
a diasbedain ar barwydydd.

Wrth fynd o nyth ein dwylo'n
bum mlwydd oed,
a'r cinio'n arian tawdd yn y dyrnau bach,
i aer y sialc
a hunlle'r tyfu yn rhigymau'r plant,
mae'r llafn eto yn y llinyn
sy'n clymu'r cyrff.

Wrth fynd o nyth ein dwylo
fe dyf yr hedyn hwn o ymbellhau
yn llydan ar olwyn y lleuadau,
ond amdanom mae braich hwiangerddi'r nos,
a chusan y bore'n dwym ar y talcen sebon.
Wrth fynd o nyth ein dwylo,
cei ddod yn ôl—i de.

393 *Paid â Gofyn, fy Mab*

Paid â gofyn, fy mab, yn dy bedwar haf
o ble y daethost;
mae hynny mor hawdd â rhoi dy law ar fol dy fam.
Gofyn, yn hytrach, paham y daethost;
paham,
    yn rhyferthwy gwyllt y gwely,
    yn storom y clustogau,
        y digwyddaist;
paham,
    yn wlyb ar weflau,
    yn boethder coeth mewn cusan,
        y dihengaist.
Paid â gofyn o ble ond paham.

Gorwedd, fy mab, yn dy gorff cyfan,
a dos i'r byd sy'n blu
yng ngobennydd dy freuddwydion bach—
lle mae plant yn iach,
    lle mae bwyd yn felysion ar y llwyni llawn,
      lle mae dydd yn chwarae a chwrso difyr y defaid,
        lle mae'r
deffro braf yn arbed y brifo.
Cwsg, fy mab, yn dy gorff cyfan.

Paid â gofyn, fy mab, yn dy bedwar gaeaf,
paham nad yw'r byd a weli yn teledu'i boen
'run fath â'r wlad sy'n foethus
dan amrannau gwyn y lloer gynnes
sy'n hongian ar dy ffenest.
Paid â gofyn yn dy gwsg.

394 *Jerwsalem*

Modurwn mewn ffwr i ffeiriau'r Pasg,
a thrwy byrth ein tabernaclau bras
awn, yn feddwol orfoleddus, i Jerwsalem ein canu.

Diferwn ein lleisiau dros bigau'r drain,
ac yn ymchwydd goludog yr organau
eiliwn y gân am y gŵr
sy'n rhwygo llen a rhagfur y gwahanu
o groes yr anthem yn Jerwsalem ein canu.

Jerwsalem—
lle mae staen y gwaed yn gwrido
wrth wylo gofidus y wal,
lle mae ar groen y meini
frech afiechyd y bwledi,
a'r afreswm hanner-pan
fu'n chwydu'r poen yn fryniau malurion
i'r ffyrdd a fu'n syber gan harddwch y traed—
Jerwsalem yr angau.

Modurwn yn ôl o sŵn yr hosanna
i'r deisen denau,
a melyster y llestri gorau ar ein byrddau gwyn.
Yn siarad mân y cwpanau,
toddwn fel mwg i ddiwetydd ein byw normal,
wedi gwthio'n ddwfn
i gof boliog stôl y piano
yr atgof, mewn dalennau clo,
am Jerwsalem ein canu.

395 *Dangosaf Iti Lendid*

Dere, fy mab,
  i weld rhesymau dy genhedlu,
  a deall paham y digwyddaist.
  Dangosaf iti lendid yr anadl sydd ynot,
  dangosaf iti'r byd
  sy'n erwau drud rhwng dy draed.

Dere, fy mab,
  dangosaf iti'r defaid
  sy'n cadw, mewn cusanau, y Gwryd yn gymen,

y fuwch a'r llo yng Nghefen Llan,
bysedd-y-cŵn a chlychau'r gog,
a llaeth-y-gaseg ar glawdd yn Rhyd-y-fro;

dangosaf iti sut mae llunio'n gain
chwibanogl o frigau'r sycamorwydd mawr
yng nghoed dihafal John Bifan,
chwilio nythod ar lethrau'r Barli Bach,
a nofio'n noeth yn yr afon;

dangosaf iti'r perthi tew
ar bwys ffarm Ifan a'r ficerdy llwyd,
lle mae'r mwyar yn lleng
a chnau y gastanwydden yn llonydd ar y llawr;

dangosaf iti'r llusi'n drwch
ar dwmpathau mân y mwsog ar y mynydd;

dangosaf iti'r broga
yn lleithder y gwyll,
ac olion y gwaith dan y gwair;

dangosaf iti'r tŷ lle ganed Gwenallt.

Dere, fy mab,
  yn llaw dy dad,
  a dangosaf iti'r glendid
  sydd yn llygaid glas dy fam.

396 *Ffatri'n y Rhigos*

Âi'r merched i ffatri'n y Rhigos
mewn bws â seddau pren,
ond nid i gynhyrchu botymau
na rhwydau at wallt y pen.

Mae'r cof yn ynganu
Coventry;
—meini papur yng nghrafangau'r fflam,
—mwg hyll y gweddillion
yn codi
o rwbel y cyrff.
Rwyf innau'n cofio Coventry;
mae rhywun yn cofio
Cologne.

Rwy'n cofio Abertawe
yn waed ar gwmwl y nos;
daeth y lleuad
yn nes at y lloriau,
y seleri'n agored i'r haul.
Rwy'n cofio'r dydd
—yn dawel;
mae rhywun yn cofio'r nos
o drais
ar ddinas Dresden.

Âi'r merched i ffatri'n y Rhigos
bob bore am bump o'r gloch,
ond wyddwn i ddim mai Angau
oedd gyrrwr y bws bach coch.

397 *Awst y Chweched*

(Ar Awst 6, 1890, yn Efrog Newydd, defnyddiwyd y Gadair Drydan am y tro cyntaf.)

Roedd hi'n braf yn Efrog Newydd,
a thrydan yr haul yn crynu
yn nerfau'r glaswelltyn byw.

Roedd hi'n oer
ym mreichiau'r gader
yn lleder y strapiau
llydan,
a'r electrodau'n gwasgu ar y corff.

Pa fath eiliadau oedd eiliadau'r aros
am wefr sydyn
        y gwifrau,
eiliadau'r disgwyl
        llam dwy fil
o foltau
yn y celloedd cnawd?

Saethwyd y mellt
        i'r gwelltyn dyn,
ac ysu'r bywyd o'i boen.

Roedd hi'n haf yn Efrog Newydd,
a thrydan yr haul yn crynu
yn nerfau'r glaswelltyn byw.

398 *Schutzstaffeln—45326*

(Today, in the language of figures, the number 45326 must from now on be accepted as the ultimate in the definition of cold horror and evil. For that was the SS number bestowed upon Adolf Eichmann.

. . . the smaller children usually cried, but when their mothers comforted them, they became calm and entered the gas chambers carrying their toys . . .

Comer Clark—The Savage Truth*)*

Dysger y rhif fel adnod;
        nid er mwyn y magu dial
        a'r dicter sy'n codi o'r cyfog
        yn y cof;
dysger ffigurau y rhif oer,
        er mwyn gweld yn Buchenwald
        yr ysgerbydau byw
        a luniwyd yn ymennydd dyn.

Dysger y rhif i'r hafau dymunol
        lle mae'r plant yn casglu'r haul
        ar gnawd braf yr heli;

dysger y rhif,
        er mwyn gweld yn Auschwitz
        ddifa'r teganau yn y siambrau nwy.

Dysger y rhif i'r hydrefau
        pan fydd sawr y pydru dail
        yn atgof am rodfeydd yng ngwyll y coed;
dysger y rhif,
        er mwyn gweld yn Belsen
        haenau'r cyrff yn bydredd yn y baw.

Dysger y rhif i'r gaeafau gwyn
        yn chwerthin glân yr eira
        rhwng y brigau noeth;
dysger y rhif,
        er mwyn gweld yr esgyrn bach yn Dachau
        yn foel i dafod yr awelon.

Dysger y rhif i lawenydd y gwanwyn
        pan fydd neidio di-nam yr ŵyn
        yn gyffro yng nglas y meysydd;
dysger y rhif,
        er mwyn gweld ôl bysedd
        y bwystfil sydd ynom.

Dysger y rhif fel adnod:
        pedwar, pump, tri, dau, chwech;
        ac yn edifeirwch hallt y dweud hyll
        gweld
        difa'r teganau yn y siambrau nwy.

399 *Ewyllys i'r Meibion*

Gwnewch fel y mynnoch â'r eiddo mân
a'r teganau sydd gennyf—
        nid oes mewn pren namyn twll i'r pryf,
        nid yw gwead y metel ond arlwy
        ar dafod araf y rhwd;

daw'r gwyfyn i blygion y brethynnau,
y corryn i lwch y cerrig,
a'r lludw oer i'r lle-tân.

Gwncwch fel y mynnoch â'r meini—
y meini lle mae lliw'r ymestyn
ar raff y chwarae, y chwerthin
dan halen y dagrau chwerw,
yn baent hael ar bapur y petalau;
y meini sy'n ddwys gan baderau nos,
sy'n ddoniol gan alaw hwiangerdd
yn llygad diwedd y dydd;
y meini gwag yn hiraeth y gwyll am haul.

Gwnewch fel y mynnoch ag olion y mwynder—
ni fyddant dro ond dail ein haf
yn madru yn eu hydref.

Dewch i erchwyn ysgwydd y mynydd hwn lle mae anadl oesol
y gwynt yn cynnal gwyrth y wennol, lle mae doe yn
glaf yn y cerrig, lle mae'r pridd yn hen. Yma'n y grug
a gwendid y gwair yngenwch yr ewyllys, ac o lawysgrif y
bryniau isel, o femrwn y llethrau hyn, lleferwch batrwm
yr achau sydd ynoch, yr enwau sy'n ddwfn yn sgwâr y filltir
hon.

Mae'r esgyrn dan groen y glaswellt, a'r llwch is y meini llwyd.

Lle bu briwsion eich brechdanau haf
mae ffyrdd, a lliw gwyrdd
eu gwair yn gymen,
o gylch y clwb golff.
Lle bu gwaed ein mwyara'n goch ar ddraen
mae blychau sment y ffatri blant,
ac yno'n stamp
ar dafod y cynnyrch—
Jac yr Undeb.

Lle bu'r melinau alcam yn sŵn ar lan afon
        mae afluniaidd dyfiant
        y llwyni
        yn tagu'r cysgodion teg.
Lle bu'r gegin agored ar lwyfan
        mae dyn slic a'i gliceti-clic
        yn llefaru ffortiwn i ffedog.

Ac mae'r esgyrn dan groen y glaswellt,
y llwch is y meini llwyd.

Yn haenau dwfn y penglogau mae gwaelod eich gwreiddyn chi;
nid oes gennyf ond y gwybod hwn a'r eiddo mân. Gwnewch fel
y mynnoch â'r eiddo mân, ond trysorwch y gwybod hwn—y
gwybod sy'n gweld yn niwloedd y doeau annelwig olud yr
heddiw hwn—
    yr heddiw sy'n drais ar ysgwydd yr ifanc,
      sy'n plygu'r plant i'r lloriau,
      sy'n llusgo'r gwallt i gell;
    yr heddiw hwn yng nghynnwrf yr iaith heini,
        yng ngwefr y cyffro gwâr,
        yng ngwanwyn y blodau gwyn;
    yr heddiw hwn ar dafod aflonydd y ddraig,
        ar salmau taer y gitarau,
        ar dafol anesmwyth y llys.

Ac nid yw'r heddiw hwn ond fflam newydd yr hen dân:
    tân yr atgof am Gatraeth a'r gwaed yn ceulo
    ar darianau can,
      y gwres sy'n ddial am oerni Cynddylan a
      gweddw'r neuaddau gwag,
        fflam eirias o lwch Cilmeri, y mellt
        o Lanfair-ym-Muallt,
        y nwy cudd yng nghalon y golosg.
Ac ar luman y fflamau mae enwau'r achau sydd ynoch.
I chwithau, fy meibion, y gwybod hwn—y gwybod bod ynoch
yr anian

sy'n hen yng nghwynfan y gwynt ar Fynydd y Gwair,
sy'n hen fel hen emynau yn Llanfair-ar-y-Bryn,
hen fel rhithmau'r adnod yn Llan y rhaeadr hir,
fel brwydr y môr ym Mhenrhyn Gŵyr,
y llanw ym Mhenrhyn Llŷn.
Teganau yn unig sydd gennyf, bric a brac ein byw brau;
rhennwch y da fel y mynnoch.
Ond wedi gwneud,
dewch i erchwyn ysgwydd y mynydd hwn
i ddeall yr ewyllys.

BRYAN MARTIN DAVIES
1933-

400

Pownd Crugiau

Fel mewn darlun gan Cézanne,
roedd golau
yn ferw yn dy ddŵr,
glesni
yn gynnwrf yn dy wair a'th ddail,
tes
yn tasgu yn dy awyr chwil,
a merched mewn capiau gwynion
yn gorwedd ynot.

Yn Awst,
roedd aur eu bronnau'n dwym
uwchben eu cyffro gwyn rhwng dy freichiau,
a'u hymchwydd ifanc yn ymdroi mewn dŵr
fel hen ddifyrrwch cudd
yn haenau'r cof.

Y blynyddoedd symudliw
fel dy donnau aflonydd
sy rhyngom ein dau,

ac nid oes dim
ond llinyn fy nyheu
i'n cydio ac i'n clymu wrth ein gilydd,
mwy na phetawn
yn syllu ar ddarlun,
a thithau
gyda'th ferched mewn capiau gwynion
yn ddim ond rhith o baent ac olew
ar gynfas.

401 *Ynom Mae y Clawdd*

Ynom mae y Clawdd a phob ymwybod,
y tir hwn a godwyd
rhyngom a'r gwastadedd blin,
y pridd pêr a'r cerrig Cymreig
sy'n ceulo'n gaer yng nghelloedd y cof,
ac sy'n crynu fel grym yng ngwthiadau'r gwaed.
Ar ei lechwedd ac ar ei geuedd
fe ddeilia'r deri a'r ynn
fel penderfyniadau gwyrdd
yn naear ein dihewyd,
a'r masarn hefyd
sy'n ymestyn ac yn lledu'n llawn
fel bloedd,
fel buddugoliaeth
yn llysoedd ein hewyllys brwd.
Tu draw i'r brig,
llathraidd yw cangau'r llwyfen
a dyf fel llafnau noeth
sy'n hawlio haul,
hwythau hefyd a ymdreiddiant
fel y gwna geiriau,
weithiau,
hyd at fêr.

Ynom mae y Clawdd a phob ymwybod,
y tir hwn a godwyd
rhyngom a'r gwastadedd blin.

402

Eco'r Haiku

1
Glaw ar ffenest yn glynu.
Atgofion, fel llygaid, sy'n rhythu
o'r nos.

2
Brigau noeth y pren sy'n crafu'r gorwel
fel bardd.
Ble mae'r geiriau sy'n crynu
tu hwnt i seriadau'r sêr?

3
Merched plastig yn cerdded yn y glaw.
Melyn oer, coch gloyw, du gwlyb.
O ddail llynedd,
deillio mae delwedd.

4
Briw wedi storm yw brigau'r ynn,
fel dyheadau.
Heno, o'u llosgi,
gwresogant f'aelwyd.

5
Merch yn edrych yn y drych.
Yn unig,
gafaelaf yng nghrib y grefft.

6
Cwningen fel ar wifren yng ngolau'r car.
Neithiwr, roedd delwedd yn dawnsio ar dro'r cof
cyn diflannu i wrychoedd y nos.

7
Wynebau yn mynd a dod
fel tonnau ar y stryd.
Ar draeth dychymyg heno
        bydd ewyniadau.

403 *Yr Awyrenfa*

Disgynasom o'r awyr gwyn
i dir milwyr
ac ar y tarmac du,
ymsythai dau drist,
dau ddi-wên, dau ddieiriau
i'n croesawu.
Ganwyd hwy â gynnau
yn eu dyrnau dreng,
ac ar eu pres a'u lledr,
disgleiriai'r dig
sy'n gwarchod ffiniau
eu meddyliau mud.

Yn oerni'r awyrenfa
fe welsom yr wynebau iâ;
'pasport a fisa,
dadbaciwch eich bagia',
pam ddaethoch chi yma?'
Fe welsom
        y rhew yn y llygaid drwgdybus,
        y barrug ar y wifren o geg.

Tollwyr,
milwyr,
gweinyddwyr,
a'r gaeaf Seiberaidd eisoes
yn gwynnu yn eu gwaed,
a hithau ond eto'n Fedi,
yma, yn Warsaw.

404

Milwyr

A'r nos yn disgyn,
daw o'r gwersylloedd cudd
y sgwadiau llwyd,
de, chwith,
de, chwith,
de, chwith,
i warchod y mudandod.

Bidogau o ddynion ar barêd,
gynnau o ddynion ar annel,
brathiadau
a saethiadau eu sicrwydd
yn lladd pob cwestiwn cyn ei ofyn,
a'u traed ar y pelmynt,
yn mydru yn y galon
brydyddiaeth braw.

Yng Nghaffe'r Ceirios,
llyncir y fodca,
ym mar y Polonia,
llyncir y fodca,
yng ngwesty'r Fforwm,
llyncir y fodca;
heb eiriau.

Trwy nos y ddinas
gorymdeithiant,
diogelwyr y drefn,
ceidwaid y cadernid,
chwith, de,
chwith, de,
chwith, de,
bob nos y deuant,
y sgwadiau llwyd,
i geisio diffodd â'u harfau
hen seriadau anorchfygol y sêr.

405

Er Cof am Wenynwraig

(Mrs. Robert Jones, Garth, Glan Conwy)

I ble'r aeth y mêl o'r Garth,
yr hylif melyn
a liniarodd flinderau am oes?
I ble'r aeth y mêl?

Yno,
    roedd un a wybu felyster,
a ddeallodd gyfrinach hen
y murmuron isel rhwng petalau,
a allodd ddirnad
iaith haf yn nyfnder y cychod crwn,
ac a arllwysodd
        brysurdeb gwenyn a blodau
i gostrelau ei chrefft.

Yno,
    roedd un a loywodd ei dyddiau
â chŵyr ei chyfeillgarwch,
a dywalltodd ei chymwynasau
o ddiliau ei daioni,
ac a roddodd yn rhydd
    o ffrwd ei gwarineb melys.

I ble'r aeth y mêl o'r Garth,
yr hylif melyn
a liniarodd flinderau am oes?
I ble'r aeth y mêl?

406

Gêm Bêl-droed

(Wrecsam)

Fel gwaed mewn gwythiennau,
llifa'r dylif denim yn y strydoedd unffurf,
yng nghorpesylau gwyn a choch
y sgarffiau clwm a'r hetiau gwlân
i galon y dref.

Mewn hylif brwd,
arllwysant,
o'r Cefn ac Acre-fair,
o Ben-y-cae a'r Rhos,
o Frymbo a Brychtyn a Llay
i ysgyfaint y Cae Ras.

Yma, ar nos Fercher ddiferched,
mae gwaed ac anadl y parthau hyn
yn curo ac yn crynu,
yng ngrym dwyawr y corff torfol,
ac egni'r unllais croch
yn gyrru'r bêl, fel ystyr,
i rwyd y deall.

Ac wedi'r gêm,
y troi i'r nos;
fel gwaed mewn gwythiennau,
llifa'r dylif denim yn y strydoedd unffurf,
o galon y dref,
o ysgyfaint y Cae Ras,
i bellafion y fro.

Ac wedi nerth y perthyn,
Wrecsam Rule, O.K.?

ELWYN ROBERTS
1933-

407

O Ben y Gaer

Caeau
sy'n glytwaith o atgofion;
cloddiau
fel llinellau ffawd
ar gledr llaw gyfarwydd.
Rhwydwaith y groth
lle'm ffurfiwyd,
lle sugnais heb wybod
faeth o wythi'r pridd.

Sychodd fy mogail
yn grimp
ond yn reddfol, dychwelaf
fel gwennol i'r un bondo,
fel eog i afon ei eni.

Yr afon betrusgar
yn feddw ar y Morfa;
ei dŵr swrth
ar wely o laid
yn ddrych;
yn lapio'r hesg am urddas ei helyrch.

Distawrwydd grisial
a noddir gan si gwenyn
a thrydar teulu'r eithin,
chwap y saeth o'r dwfn
ar darged brau
ac ambell fref hiraethus.
Y distawrwydd hen,
amheuthun
sy'n datod clymau'r meddwl
i ryddhau'r enaid.

Llygaid atgof . . .
gwelaf yng nghae'r Bont
fataliwn o styciau euraid,
cnwd deiliog yng nghae'r Beddau
ac adladd ar y Weirglodd.

Teimlaf
yn fy nghynefin
gymdeithas y rhai
na hunasant er i'r pridd eu dal.

DIC JONES
1934-

408

Cynhaeaf
(Detholiad)

Pan ddelo'r adar i gynnar ganu
Eu halaw dirion i'm hail-hyderu,
A phan ddaw'r amser i'r hin dyneru,
I braidd eni ŵyn, i briddyn wynnu,
Af innau i gyfannu—cylch y rhod,
Yn ôl i osod a'r ddôl yn glasu.

A rhof fy ngofal i ddyfal ddofi
Gerwinder cyson gywreinder cwysi,
I roi yn addod ei chyfran iddi
O'r wledd y llynedd a roes i'm llonni;
Y ddôl a'm cynhaliodd i—â'i lluniaeth,
I hadu'i holyniaeth hyd eleni.

Bu hen werydu uwchben yr hadau,
Yn y mân bridd y mae tom hen breiddiau,
Ac yno o hyd rhydd sofl hen gnydau
I eginyn ifanc egni hen hafau,
Cynhaeaf cynaeafau—sydd yno,
Yn aros cyffro y gwres i'w goffrau.

Bu hen gyfebron yn ei ffrwythloni
Â'u hachles cynnes, ac yna'n geni
Eu lloi a'u hŵyn yng nghysgod ei llwyni
Yn gnydau gweiniaid, gan eu digoni
Â llaeth ei chynhaliaeth hi,—nes dôi'n rhan
I fychan egwan ei hun feichiogi.

Lle bu 'nhadau gynt yn rhwymyn trymwaith
Yn cerdded tolciau ar ddiwyd dalcwaith,
Mae'r pridd yn ir gan hen gerti'r gwrtaith,
Ac yn llifeirio gan eu llafurwaith,
Ac mae cloddiau goreugwaith—eu dwylo
Eto yn tystio i'w saff artistwaith.

Tybiaf y clywaf yn sgrech aflafar
Y gwylain a'r brain sydd ar y braenar,
Gyson bladuriau hen ddoeau'r ddaear,
Yn troi'u hystodau lle'r oedd trwst adar
Yn hinon yr haf cynnar,—a gwrando
Eu llyfn welleifio'n fy llyfnu llafar.

Ac yn fy ffroenau yn donnau danaf,
O dreigl y pridd daw arogl pereiddiaf
Crinwair yn hedfan pan dorrid gwanaf
Yn sglein y gawod ar nos G'langaeaf,
A hir res o fuchod braf,—drwyn am drwyn,
Wrth awen ei haerwy'n tarthu'n araf.

O'm gorsedd uchel dychmygaf weled
Eu lloi chwaraegar yn llwch yr oged,
A graen bwyd mâl ar gwarteri caled
Eidion ieuanc a buwch a dyniawed,
A thew yn eu caethiwed—y bustych
Ar ddilyw gorwych o'r ddôl agored.

'Rwy'n gweled eto gwmni cymdogol
Y fedel araf a'i dwylo heriol,

Yn codi teisi yr hen grefft oesol
O'i rhwym ysgubau'n batrymus gabol,
Ac ar bob min werinol—yr hen iaith,
Yn nillad gwaith ei hafiaith cartrefol.

Gweld campwaith cywreinwaith helmwr cryno,
Bôn-i-linyn wrth araf benlinio,
A chloi saernïaeth uchel siwrneio
Ei gylchau haidd yn ddiogelwch iddo,
Yn gaer o gnwd rhag oer gno'r gaeafwynt,
A newyn dwyreinwynt pan drywano.

Gwaddol eu hirder sy'n glasu f'erwau
A hil eu hŵyn sy'n llenwi 'nghorlannau,
Ffrwyth eu hir ganfod yw fy ngwybodau,
Twf eu dilyniant yw fy ydlannau,
A'u helaethwych haul hwythau,—o'i stôr maeth,
Yn eu holyniaeth a'm cynnal innau.

409

Gwanwyn

(Detholiad)

Ym môn y clais gwelais gyrff
Ŵyn barugog eu breugyrff.
Toll lawdrwm dant y llwydrew,
Teganau trist gwynt y rhew.

Dau hyll geudwll llygadwag
I wyll nos yn syllu'n wag,
A'r hen frain fry ar y rhos
Am eu hawr yn ymaros.

Yr amddifad ddafad ddof
A'i hing heb fynd yn angof,
A'i chader yn diferu
Gan faich y sugno na fu.

Fe flingaf flew eu hangau
A gwisgo'u crwyn am ŵyn iau,
I laesu, nes daw'n lasach,
Eisiau bwyd rhyw Esau bach.

Ond y mae ŵyn hyd y maes,
Ŵyn arianfyw'n yr henfaes,
Yn bendithio'n gynffonwyllt
Y tap gwin â'u topi gwyllt.

Heini pob oen ohonynt
Yn dechrau'i gampau'n y gwynt,—
Dwynaid a sbonc drydanol
Gan ffroengrych edrych o'i ôl,
A gwallt-gyrliog wyllt garlam
O follt i ymyl ei fam.

Gwn y daw mewn deunawmis
Yr oen ym mhoen ei bum mis,
I dirion goed yr hen gae
Ar ei encil i'r uncae.

A gwn y dwg un gwannaidd,
O drwyn a brid yr hen braidd,
I ddeintio'n ei ffordd yntau
Y ddaear werdd i'w hirhau.

410 *Delyth (fy merch) yn Ddeunaw Oed*

Deunaw oed yn ei hyder,—deunaw oed
Yn ei holl ysblander,
Dy ddeunaw oed boed yn bêr,
Yn baradwys ddibryder.

Deunaw—y marc dewinol,—dod i oed
Y dyheu tragwyddol,
Deunaw oed, y deniadol,
Deunaw oed nad yw'n dod 'nôl.

Deunaw oed,—dyna adeg,—deunaw oed
  Ni wêl ond yr anrheg,
 Deunaw oed dy i'engoed teg,
 Deunaw oed yn ehedeg.

Echdoe'n faban ein hanwes,—ymhen dim
  Yn damaid o lances,
 Yna'r aeth y dyddiau'n rhes,
 Ddoe'n ddeunaw, heddiw'n ddynes.

Deunaw oed yw ein hedyn,—deunaw oed
  Gado nyth y 'deryn,
 Deunaw oed yn mynd yn hŷn,
 Deunaw oed yn iau wedyn.

Deunaw oed ein cariad ni,—deunaw oed
  Ein hir ddisgwyl wrthi,
 Deunaw oed yn dynodi
 Deunaw oed fy henoed i.

411

'S Dim Ots

'Does dim ots 'r un ffagotsen
Yn awr am ffasiynau hen—
Dim ots beth yw hyd y mwng,
Gorau arf yw arf hirfwng,
Man a man dyn â menyw,
'S dim ots cans ein system yw.
'S dim ots fod y brestiau mâs
Neu i'w canfod drwy'r canfas,
A dim ots fod merched mwy
Â gwaelodion gweladwy.

'Does dim ots fod Methodsus
Yn y bar yn codi'u bys,
Na'r eglwysi'n gweiddi'r sgôr
Yn y Bingo yn Bangor,
'S dim ots mo'r dam am Famon
Na Duw'r saint gyda'r oes hon.

'S dim ots fod pryddestau mwy
Yn Lladin annealladwy—
Llinell faith a llinell fer
A gair unig ar hanner,
'S dim ots mai dots wedi'u hau
Yw eu bali sumbolau!
Daliwch i hepgor dwli
Ffordd haws y bois ffwrdd-â-hi
Wŷr uniongred yr hengrefft,
'S dim ots am gracpots y grefft.

'S dim ots am brotestio maith
Rhieni dros yr heniaith,
'S dim ots mo'r dam fod mamau
Yn gweld ysgolion ar gau,
A lwc owts yr heddlu cudd
Yn y genedl ar gynnydd.

'S dim ots am fynegbyst mwy—
Ar y dewr rhodder dirwy,
Oni thâl ar unwaith hi,
Da iawn,—y jâl amdani.

'S dim ots beth yw blas 'y mwyd,
Ba les ysfa blasusfwyd?
Bara ryber, a rwbish
O de na safai mewn dish.
Cidni bêns mewn cwdyn bach
I'w cwcia sy'n lot cwicach,
A'r ffa'r un fath â'r carots
Eu tâst mwy, ond 'does dim ots.
Y wraig yn mynd i'r rhewgell
Ffwl sbîd am y ffowls o bell,
Ac yn gorfod rhostio tri
O'r drywod wedi'u rhewi.
'S dim ots, cans mae hast mi wn,
A Mari heb un morw'n.

Aeth yn fyd, fyth na fydwy',
Na 's dim ots fod dim ots mwy.

412

Parc yr Arfau

Daear hud yw'r erw hon,
Cartre cewri'r tair coron,
Lawntre werdd gan olion traed
Ac ehofndra'u hysgafndraed.

Cae irlas y tîm sgarlad
A ffiol hwyl hoff y wlad,
Lle mae'r anthem a'r emyn,
Gwaedd 'Hwrê!' â gweddi'r un.
Meca'r gêm yw cyrrau gwyrdd
Stadiwm y llawr gwastadwyrdd.

Daear werdd wedi'i hirhau
Â gwlith buddugoliaethau,
Nas gwywa naws y gaeaf
Na'i hirder yn nhrymder haf.
Aitsh wen ar ddeupen y ddôl
A chennin ar ei chanol,
A chwerwedd llawer chwarae
Yn fyw'n y cof yn y cae.

Moled un wlad ei milwyr
A dewrion doe â'r dwrn dur
Yn dwgyd trefedigaeth
Rhyw ddiniwed giwed gaeth,
Ac arall rin ei gwirod—
Pan fo gwerin Dewi'n dod
Mân us yw pob dim a wnaeth
Ym mrwydrau'i hymerodraeth,
Yma'n y gwynt mae hen go',
A hen sgôr eisiau'i sgwario.

Ow'r ias, pan welir isod
O'r twnnel dirgel yn dod
Grysau coch i groeso cân,
Hanes hysbys y sosban,
Ac arianfin gôr enfawr
Yn wal am faes y Slam Fawr!

Y mae'r gân sy'n twymo'r gwaed
Yn ein huno'n ein henwaed,
A chytgan y cylch hetgoch
Yn werth cais i'r rhithiau coch.

Byr gord gan y pibiwr gwyn
A phêl uchel i gychwyn,
Ac ar un naid mae'n gwŷr ni
Fel un dyn draw odani.
Wyth danllyd ddraig, wyth graig gre'
Nas syfl un dim o'u safle,
A nerth eu gwth yn darth gwyn
O'u mysg yn cyflym esgyn—
Eisiau'r bêl i'r maswr bach
Na bu oenig buanach,
Oni red fel llucheden
Yr asgell i'r llinell wen.

Ond ow'r boen—mae meistr y bib
Yn ein herbyn â'i hirbib!
A'i ateb—cic, myn cebyst,
Yn enw pawb, dan ein pyst!
O Dduw, y Sais diddeall!
O, iolyn dwl, ow'r clown dall!

Y ddwystand fawr yn ddistaw
Ac ar deras diflas daw,
Nes tyr yr agos drosiad
Yn si hir, ddwys o ryddhad.

Oerfawrth ar Barc yr Arfau—
Sawl gwaith bu i'r 'heniaith barhau'.
Rhwydd y cariodd y cewri,
Curo Ffrainc a'r refferî.
Mae'u henwog gamp mwy'n y co',
A'r nawn 'yr own i yno'.

413

Miserere

Na'm gofid mae gofid gwaeth—mi a wn,
Ym mynwes dynoliaeth,
Ond nid yw lon galon gaeth
Am un arall mewn hiraeth.

Mae gwaeth llwyth ar dylwyth dyn—i'w wanhau,
Na'm un i o dipyn;
Mae rhyw wae mwy ar rywun,
Ond chwerwaf ing f'ing fy hun.

Llidiog gymylau llwydion—yn un cylch
Yn cau eu pryderon,
A'u gwasgu du'n don ar don
Yn trymhau'r twr amheuon.

Aeth hwyl pob gorchwyl dros go',—nid yw byw'n
Ddim byd ond mynd drwyddo,
Wedi'r haf daw gaeaf dro,
I beth yr wy'n gobeithio?

Mor agos yw'r nos yn awr,—a byw gŵn
Ei bwganod enfawr
Yn hela gweiniaid dulawr,
Mor bell yw llinell y wawr.

Pa les cwmnïaeth wresog,—na geiriau
Cyfeillgarwch oriog?
Ni ŵyr neb na Thir Na N'og
Na gwae mud ei gymydog.

Diau bydd tywydd tawel,—a gwanwyn
Gwynnach wedi'r oerfel,
Eithr y galon hon ni wêl
Y graig aur ar y gorwel.

Ymlaen, er na wn ymhle,—mae gemog
Gwmwl hardd ei odre,
Uwch y niwl a düwch ne',
Darn o'r haul draw yn rhywle.

414

Cywydd Coffa i Dydfor

Y mae chwerthin yn brinnach
Heno, boe, gryn dipyn bach,
Y mae poen dy gwymp ynom
A cholyn y sydyn siom,
Mae clwyfau dy angau di
'N rhy wael i unrhyw eli.

Oet frenin gwerin dy gwm,
Oet ei heulwen ers talwm,
Oet was ac oet dywysog
A'i lys ym mhannwl y glog,
Daw'r don at ei godre du—
Ond ti ydoedd Cwm Tydu.

Yn y düwch distewi
Wnaeth trydar dy Adar di,
Ti gynnau oet eu gwanwyn,
Eu llais yn irder y llwyn,
Pa gân, a'r gaea'n y gwŷdd,
A'r gaeaf yn dragywydd?

Oet frawd fy nghyntaf frydio,
Oet drech na'm hawen bob tro,
A thrwy y sir ni thau'r sôn
Am yr odlwr amhrydlon,

Oet ŵr rwff, oet ar wahân,
Oet dyner, oet dy hunan.

Oet yn ail dy wit i neb,
Oet dderyn, oet ddihareb,
Bonheddig, ddysgedig ŵr
O'r henoes, oet werinwr,
Oet gyfaill plant y gofwy,
Oet eu mab, ac nid wyt, mwy.

Oet eon, oet galon gêl,
Oet ŵr hybarch, oet rebel,
Oet wàg mawr, oet gymeriad,
Oet wres y tŷ, oet dristâd,
Oet ddyn y grefft, oet ddawn gre',
Oet y galon, oet Gilie.

415

Galarnad

Trwy bennod ein trybini—gwn y'n dwg
Ni'n dau ryw dosturi
Yn y man; ond mwy, i mi,
Glyn galar fydd Glangwili.

Mae'n galar am ein gilydd,—am weled
Cymylu o'r wawr newydd,
Galar dau am gilio o'r dydd,
A galar am gywilydd.

Dygwyd ein Esyllt egwan,—man na chaiff
Mwy na chôl na chusan,
Beth sy'n fwy trist na Thristan
Yn ceisio cysuro Siân?

Ei hanaf yn ei hwyneb—yn gystudd
O gwestiwn diateb;
Yn ei chri i ni, er neb,
Anwylder dibynoldeb.

Nef ac anaf fu'i geni,—caredig
  Gur ydoedd ei cholli
 A didostur dosturi
 Ei diwedd diddiwedd hi.

Amdo wen fel madonna,—yn storom
  Y distawrwydd eitha',
 Ar ei bron cenhadon ha',
 A'i grudd oer fel gardd eira.

O dan y blodau heno—mae hen rym
  Mwyn yr haf yn gweithio,
 A chysur yn blaguro
 Lle mae'i lludw'n cadw'r co'.

Yn nagrau'r gwlith bydd hithau—yn yr haul
  Wedi'r elom ninnau,
 Yma'n y pridd mwy'n parhau,
 A'i blawd yn harddu'r blodau.

Nid yw yfory yn difa hiraeth,
Nac ymwroli'n nacáu marwolaeth;
Fe ddeil pangfeydd ei alaeth—tra bo co',
Ei dawn i wylo yw gwerth dynoliaeth.

R. GERALLT JONES
1934-

416

Coed

y mae coed fel angylion

yr oedd criw o gwmpas fy nghartref
ac ynddynt adar yn nythu'n ddu
a'u siarad yn suro'r nos
  er na wrandewais

yr oedd coed o gwmpas fy nghartref
a'u brigau'n ddewr heb ddail
a'r awyr yn goch o ddicter a gwaed angau
        er nad edrychais

mae coed yn amddiffyn cartref,
yn ymgasglu'n dorf warcheidiol gefn nos
ac yn gwadu hawl y gwynt

ac yn fy ngwely
        er na sylwais
yr oeddwn innau'n gwybod hynny.

417 *Cynhebrwng yn Llŷn*

O gopa'r Garn
gwelid patrwm.

Caeau bychain, gwrychoedd eithin,
cwilt daearyddol taclus
a ffridd y rhedyn a'r llus
yn cydoddef, er yn anfoddog,
y cynllwyn.

Ac felly gyda'n cymdeithas.
Patrymog oedd pob perthynas,
ffrwyth blynyddoedd bwygilydd
o docio gofalus a chloddio a chau,
o wybod lled pob adwy,
o wybod, fel yr oedd angen,
pryd i gloi'r llidiart.

Yna fe ddaeth angau,
hen losgfynydd daearyddiaeth dyn.
Ni allwn ond gwylio'i lafa'n dylifo,
ei gyntefigrwydd di-siâp yn treiddio,

gwrychoedd gwâr ar chwâl
a phopeth yn finiog, yn gorneli
heddiw fel yr oedd ar y dechrau,
cyn dyfod trefn.

Safwn wedyn yn noeth
gan syllu'n wyllt ar ein gilydd;
dim giatiau i'w cau,
tir y naill yng nghaeau'r llall
gan mor ddigyfaddawd y môr
diddethol a lifodd i mewn.

Yfory, ailadeiledir y gwrychoedd,
cau'r bylchau
a drennydd daw patrwm newydd
diogel;
cerddwn yn weddus trwy'r adwy briodol.
Ond heddiw ffrwydrodd llosgfynydd
ac edrychwn
            ym myw llygaid ein gilydd
yn noeth.

418 *Llwybr yr Afon*

Mae'r llwybr wedi tyfu'n gyfarwydd,
Pob tro ac anwastadrwydd,
Pob deilen, mewn ffordd o siarad,
Yn mesur acen a churiad
Fy nhaith. Taith fer o ruthr y dŵr
Dan bont y pentref yn ôl i'r merddwr
Llathraidd dywyll dan y coed crwm.
Ond ynddi mae siâp fy nghysawd
Erbyn hyn yn gwisgo gïau a chnawd.
Rhwng y brigau, yn y gogledd Ursa Maior,
Heuliau tân, pontydd goleuni, yn agor
Drysau, coridorau'n ôl i Sycharth, Abermenai, i bell
Gywyddau gaeaf yn neuaddau'r castell,

Llewyrch bregus y torchau, a'r fflamau'n wres;
Fel y ffrwydrodd seren Bethlehem unwaith hefyd ei neges
Anhygoel o bellter llaid ac anhrefn y cynfyd anwar.
A'r brigau eu hunain, maent hwythau'n fyd gwâr,
Yn fap dianwadal, yn dŷ
Diadfail. Maent yn bwrpas. Mae'r llu
Diamser yn warant perthynas i minnau.
Ond wedyn, heibio i'r pwll dyfnaf, ar graig gynnau,
Gwelais ddau lonydd, annisgwyl yn syllu, nid ar y disglair sêr,
Ond ar feidrol gnawd, a'r gannwyll wêr,
Fel gynt i'r bardd, yn ddewisach cwmni,
Pa mor farwol bynnag, na'r sêr dirifedi.

419 *Pistyll*

Elfen dros elfen. Ymhlyg? Na, o haenen
i haenen hen, caeth yw amynedd craig;
mudandod yw ei hanfod; ynghudd ynddi mae cneuen
y creu cyntaf, yn farw neu'n disgwyl byw,
  fel mewn bru di-had neu fedd gwraig.

Ond am ddŵr, mae'n rhydd. Y rhaeadr a red
dros lwynau'r graig; a'r dafnau sy'n torri
ar ei llyfnder islaw, ailunir beunydd eu gweddau afrifed;
mae'r dŵr yn chwarae mig â hi, mae'n ei phlagio,
  mae'n chwerthin; mae'n drech na'r cwymp drosti.

Fel gŵr a gwraig, ymnyddu'n ddiflino a wnânt
heb obaith uno; tragwyddol anghyflawn
eu hymdrech hwythau, tragwyddol rwystredig eu chwant.
Os maith taerineb dŵr, hirymarhous pob craig
  heb ildio fyth i'r cena powld ei chyfrinach lawn.

T. JAMES JONES
1934-

Dwy o Gerddi Ianws

420

Gwener

Mi a'i dywedaf eto:
ynom y mae'r hin.
Pan fo cyffro caru ar gadw yn y galon,
neu gof y fuddugoliaeth yn y gwaed,
bydd y dydd aflanaf yn llamu
gan oleuni a chân adar.
A gwelir galar yn rhewi nentydd Awst.

Eto, ni bu dydd fel hwn
ers saith gan mlynedd.
Hon yw'r hin na welsom
ni, y rhai byw, mo'i thebyg.

Y mae'r pridd yn sur,
yn sur i'w goluddion.
Y coed yn diferu llygredd
a'r perthi'n hongian gan haint.
Ysgerbydau o greaduriaid sy'n pori
pla'r madru yn y borfa.
Afonydd crawn rhwng dolydd dolur
a'u glannau yn gornwydydd;
gwenwyn yng ngholyn y gwynt,
a chrach y cymylau
yn yr wybren felen, fawlyd.

Nid oes burdeb ond purdeb yr eigion,
ond fel môr Mab yr Ynad Coch,
ni ddaw i wedduso'r cynhebrwng.

421

Sul

Dydd dychwel haul.
Bore heddiw, mi gefais gyda'r llaeth
gorryn yn ymguddio rhwng y poteli.
Ac ar dalcen dwyrain y tŷ, y mae'r cocŵn
a fu'n glynu trwy alanastra'r gaeaf,
yno byth.

Eto, i'r mwyafrif nid yw heddiw namyn
un ymhlith y miloedd dyddiau
a dynnwyd o goffor tynged.
Y mae'r gwylanod a'r brain yn gleber i gyd
a'r adar duon yn cwafrio'u nawn i'r gwynt.
I farchnadfa'r llain a'r llannerch fe ddisgyn
yr adar to a'r un bioden i siopa'r Sul.
A phed awn i wreiddyn pethau,
mi welwn bridd yn fyw gan bryfed.

Nid yw'r dwthwn dieithr a ledodd dros y tir
fel parddu, yn mennu dim ar y mwyafrif.
Ac nid yw'r gwir—fod bryn a thraeth
a choed a pherth yn llai croesawgar imi
erbyn hyn—yn wir i'r tir dieuog.
'Roedd eraill yma o'n blaen ni.
Daethom ninnau a'u cymathu yn nyni.
Bu ein hiaith yn forwyn i benaethiaid
a'n hil yn haeddu marw drosti.
Onid iawn yw i ninnau 'nawr gymryd ein cymathu?
Ni chlywai neb ond nyni boen y drin,
a byr o boen a fyddai.
Can gwanwyn eto, a bydd yr holl golledion
dan gloeon hen glai hanes,
ynghyd â'n cywilydd.
Cenedl arall a geiriau newydd a gân
gerdd i ddydd dychwel yr haul.

422

Llwch

(Detholiad)

Ma' 'da finne lun,
a dim ond llun.

Rhoi'r ford-whare-cardie
ar lwyfan y lawnt.
'I gwisgo â llien-les
a'i gosod â'r llestri-gore.
Ro'dd e wedi dod sha thre
i wella . . .

Cellwer.

Wherthin
wedi'i rewi yng ngwên houl Gorffennaf.
Pedwar yn whare drama dywyll
y cyrra'dd cloff,
gan droi'r drasiedi'n romp yn yr ardd
i gadw'r bumed ddiniwed yn ddi-ofn.
Codi perth o wherthin amdani
—ma' dy dad wedi cyrra'dd
i wella!

Cyrra'dd mewn ambiwlans yn 'i byjamas.
Cyrr'add y grat a'r sigarét a'r ddyshgled-de.
Cyrr'add cymdeithion
'fu'n cario pair Arthur drw'r Cwm,
ond sylwes i ddim mor isel y fflam.
Cyrra'dd cyfeillion
yng nghymundeb y fflagon
i sôn am ryw sŵn yn y gwynt.

Cwtsho ar 'i lin i adfer nabod
ond clywed 'i gôl yn od o galed.
Clywed gwynt sbyty ym mhlygion y siwt
'o'dd yn hongian amdano fel cysgod.

Ca'l 'yn hala i'r gwely
cyn i'r dryw bach glwydo'n y berth,
rhag iddyn nhw orfod sensro sibrwd y gwylad . . .

Ca'l 'yn hala fel parsel Nadolig bach cynnar
at dylw'th Aberystwyth a'r môr.
Ca'l yn llwytho â maldod ar y promenâd.
Hwpo ceinioge i beirianne'r pier
heb wbod am dranno'th y ffair.
Mynd a dod ar asynnod swci
heb glywed yr asgwrn yn crafu'r cyfrwy.
Codi cestyll fel tywysoges
heb fecso am deid yn dod miwn.

Arian yn llifo fel tywod drw' fyse'
yn Woolworths a Pollecoffs y dre—
sgarff sidan i Mam,
cyfflincs mynd-i'r-cwrdd
iddo fe.

Joyo mas draw . . .
Claddu
'nhra'd yn y tywod twym.

Wedon nhw ddim
'i bod hi'n eira Awst yn y Cwm.
Wedon nhw ddim
bod y gwynt yn 'i gronni
ac yn 'i golofni'n lluwch
y tu hwnt i'r berth
ar y Llethr-ddu,
y tu hwnt i ddirnad croten fach deirblwydd.

Yn ddisymwth,
ro'dd deryn dierth ar y tra'th.
Pioden unig
yn dwyn 'i neges sinistr,
yn damshgel ar y cestyll . . .

Wedyn, do'dd dim nabod.

Wedyn . . .
Cofio tymor mynd â blode bob yn eilsul.
Cofio'i enwi yng nghatalog 'y mhader.
Cofio gosod llun y cyrra'dd yn 'i ffrâm.
Gweld 'i wyneb ond ffaelu cofio'i lais.

Cofio aelwyd heb ddyn arni . . .

Unweth,
pan o'dd Rhagfyr
yn sgubo'i eira lawr y Cwm,
ro'dd croten wythmlwydd wedi'i chloi
yng nghawdel hunlle'
'i fod e'n dala i dringo 'mhlith y bedde
y tu hwnt i'r berth.
Crafangu,
cwmpo mas â'r ffenest.
Ysu am 'i weld e'n nesu
at y tŷ a'r tân . . .

Dihuno.

Clywed 'y nhra'd yn o'r
ond wedes i ddim.
Mam a merch yn esgus cysgu
ac yn breuddwyd'o
am ddyn eira.

Os yw'r Cwm dan eira heno,
ma'r Llethr-ddu yn wyn.

423 *Y Tyst*

Ef oedd Pobun—y deubwyll ar drywydd diben.
Ef gyntaf a enwodd wanwyn yn y clawdd yn ddeffro saffrwm
A'i gawodydd mêl yn llygaid Ebrill.

Ef a welodd ddamhegion fil yr haf ym mhlygion y glaswelltyn.
Galwodd ei gysgod yn ffigysbren.
Ef a enwodd hydref yn gnwd o wenith
A'i weld fel hiraeth ar felfed y rhosyn.
Ef oedd ferthyr cyntaf wylo pan welodd gerdded gaeaf gardd.
A rhoed y llywodraeth ar ysgwydd garddwr.

Ef oedd gaer eiddilwch rhag traha'r bwystfil
A'i orwedd llawn ym mwlch corlan yn rhan o'r enwi.
Gosododd ddydd fel cywydd mawl ar alaw salm a bugail
Wrth fynd â bref y preiddiau at ffynhonnau a phorfeydd
A goleuo glyn hwyrol eu taith yn daith i'r haul, tua thre.
Diwyllio oedd diwydiant ei ddydd a lledu gwarineb gwlân.
A rhoed y llywodraeth ar ysgwydd bugail.

Cnawd oedd heb gywilydd yn nydd enwi ymgeledd.
Nwyd oedd, hyd at yr asgwrn am achub cyfathrach o'r llwch.
Ef oedd was i'r perthyn pur a pherchen y difesur.
Ef oedd awen crochenydd a ddug o'r ffwrn berl o bridd,
A medelwr llon pob chwant yn rhwymo'r cnydau rhamant.
Ef oedd y fellten lân yn daearu'i hedyn o drydan.
Ef oedd arwr ymrafael, â'i chnawd hi'n ochenaid hael,
A dau yn rhannu'r un dydd yn nhawelwch ei gilydd.

Ef oedd ddewin ieuengaf y ddaear
Yn bwrw'i gymar dan ei gyfaredd
Gan ddwyn ei forwyn yn fam.
A rhoed y llywodraeth ar ysgwydd
Llywydd y cnawdoli llawen.

Ond yr oedd pren,
A'i sefyll yn llwyfan i sarff y ddysg felys—
Ni byddwch feirw ddim—a'r tyst a ddallwyd.
Byddwch megis duwiau—a'i glyw a aeth yn glai.

A ddaw'r Garddwr i gadw
Y deubwyll ar drywydd diben?

A ddaw'r Bugail i arbed
Y deubwyll rhag y dibyn?
A ddaw'r Carwr i adfer
Y deubwyll at ei debyg?

IOLO WYN WILLIAMS
1934-
a
HARRI WILLIAMS
1934-

424

Mair

Er y graslon ffrwythloni,—a'r rhyfedd
Wyryfol feichiogi,
Rhoes tymor ei hesgor hi
Ddioddef gwragedd iddi.

GERALD MORGAN
1935-

425

Labyrinth

Y mae'r Labyrinth o hyd yn bod—
heddiw, yn ninas flêr Heraclion.
Troediais y llwybrau troellog,
sethrais y llwch, synhwyrais lygaid
yn y drysau, y ffenestri'n ddall.

Cloffai'r fam-gu'n gam, yn frân i gyd,
at y grisiau, heibio'r cactws heigiog;
tywynnai'r ffrwythau lemwn yn y coed;
igam-ogamai'r heolydd yn ddryslyd gul,
a llanwai gwynt o Affrica fy ffroenau.

Gartref troediaf eto labyrinth y blynyddoedd,
heb edafedd, heb gleddyf,
a'r Tarw'n disgwyl.

MARGARET BOWEN REES
1935-

426

Dau Wanwyn Gwyn

Sefyll ar fin y clogwyn ym Mhen-caer,
Yr ewyn fel eira islaw a'r awyr yn las:
Gwylio mewn gwefr a phryder lencyn o wylan bach
Yn sgïo ar lechwedd yr awyr.

Sefyll ar fin y dibyn yn Davos,
Yr eira fel ewyn islaw a'r awyr yn las:
Gwylio mewn gwefr a phryder lencyn o wylan bach
Yn 'hedeg ar gwmwl yr eira.

Dau wanwyn gwyn.

T. ARFON WILLIAMS
1935-

427

Mis Bach

Mae'n wir na chaf faith areithiau i'w dweud,
Ond Awdur yr Oesau
Ddyry i mi'n Ei ddramâu
Ran fechan rhwng cromfachau.

428

Mis Mai

Oesoedd bu'n bwrw'i phrentisiaeth, er hyn
Ar riniog dynoliaeth
Colli galwyni o laeth
Mae Mai heb ddim amheuaeth.

429

Y Goeden Nadolig

Yn enw Cariad, paid â'i gadel yn hagr
I wgu'n y gornel;
Dwy owns neu lai o dinsel
Wna'r wrach ddu'n briodferch ddel.

430

Adduned Blwyddyn Newydd

Y baban na fu'i lanach a anwyd
Yn Ionor yn holliach
A lorir fel hen gleiriach
O eisiau bwyd ym Mis Bach.

431

Gwenoliaid

(Rhwng polion teleffôn)

Heidio maent fel nodau mud a swatio'n
Grosietau disymud,
Ond clywaf ymhen ennyd
Y gwifrau'n gwafrau i gyd.

432

Ewin

Caf bwyntio'n ymfodlonus at eraill,
A'u taro'n ddirmygus;
Y mae hon ar flaen fy mys
Yn fforchio yn dra pharchus.

433

Fel yr Wyf

Digrif yw'r godidowgrwydd honnaf i
Cans pan fyn yr Arglwydd
Dynnu'r wisg mae'n gweld yn rhwydd
Hagrwch fy nghyntefigrwydd.

434

Ewyn

Pan chwery chwa oddi uchod â'r môr
Mae hen angenfilod
Y dwfn i'r wyneb yn dod
I'w haileni'n wylanod.

JOHN GWILYM JONES
1936-

435

Damwain mewn Car

Dan gawod fân Medi ym Mhowys
cwyd y mwg a'r gosteg ar ysgyrion o gar crwca
a phicellau ffens drwy'i ffenestr.
Rhed y rhwd berw i'r ffos drwy'r glafoerion olew;
ac yng nghalon y llonyddwch
siaced o gnawd yn gwlwm,
disglair gan gonffeti gwydr.
Mae godre'r syrthni'n glwstwr o goesau mewn gwyll;
sach afrosgo mewn cawell sydyn o ddur
yn griddfan dan olion byw.

O rwyg yr ysgwydd mwyda'r budreddi diog
yn gŵyr coch, yn dalpiau:
ymleda'r gwlyb drwy'r crys fel blagur tywyll.
Mae yno law,
a'r nerfau dall yn gysgod crafangau yn ei bysedd.

Ond y lle sy'n llawn wyneb:
mae rhych loyw drwy'r llygad
a'r bochgern liw-burum,
a'i thafell gig fel clai gwridog.
Calon gloff sy'n ffrwtian yn un o'r ffroenau,
a lle bu'r didostur ddur yn llarpio
mae rhwyg o'r safn, a'r wefl fel teth
yn cyfogi'n hesb.

Nid oes a ddaw bellach o'r dagell
ond y carth soeglyd
yn driagl o ddi-flas ddolur a malurion dannedd.

Y diymadferthedd
yn drewi o chwys a chwyd
ac yn ceulo'n betalau ysgarlad:
bywyd yn diferu'n garrai hyd golofn yr olwyn,
y pridd yn datod yn araf:
tra treigla'r dafnau eiliadau yn chwerw i'r llawr
sudda a llithra'r llwyth i'r gwendid felfed.

VERNON JONES
1936-

436

Anialwch

Pan giliodd yn wargam
O arogl y gweiriau,
Rhoed pladur a chryman
Ar bared y creiriau.

Aeth yntau'n bendrwm
I gornel ei dadau,
A daeth cnwd o ysgall
I dagu'r hadau.

Wedi priddo Dafydd
Fe ddarfu pob trafod
Yn ydlan ei dadau
Ar hendir yr Hafod.

O gludo'r tyddynnwr
Ar ysgwyddau galar,
Aeth lleiniau'r tyddyn
Yn erwau heb dalar.

GWYN THOMAS
1936-

437 *Darn a Llawer o 'Au' Ynddo*

Yn gysáct ar y meinciau mesurwch y dernynnau
A gweithiwch yr haearn i ffitio'n gymalau;
Chwithau, sodrwch hwy'n dynn, yn gusan o glòs;
Sgriwiwch yn batrymig, gynlluniedig y platiau;
Chwithau, cysylltwch gymhlethdod y gwifrau.

Ac yna ewch. Ewch y cyflogedig unedau
I'ch tai ac i'ch strydoedd a'ch parciau,
Mwynhewch werthoedd eich ceiniogau,
Ewch at eich merched a'ch potiau.

Ymennydd a glymodd eich oriau, eich llafur
Bach a'ch sylw yn loyw beiriannau,
Botymau a switsiau sy'n cyfieithu egni elfennau.

Y gwyddorau, diolch am eich gwybodaethau,
Am ganlyniadau eich cyfrin astudiaethau,
Eich cyfraniadau arbennig, diolch i chwithau.

Awyrennau.
Llym, disglair i hollti'r heulwen yn fflachiadau
Ac i flingo'r nos o'i hofnau.

Bomiau.
A'u dinistr yn allu o fegatonau,
Gwarchodlu glwth ein gogoneddus safonau.

Angau.

438 *Hiroshima*

Dyma'r amser y mae dyn yn rhannu ymwybod
Y byd sydd y tu allan i'w deimladau ei hun.
Torrwyd yr awyr gan angau, holltwyd y ffurfafen,

Fe ffrwydrodd casineb trwy adeiladwaith y teimladau
Ac ymddangosodd agen yn yr hen fyd.
Mae'n rhy hwyr o ddydd i fwynhau aelwyd gysurus yr hunan,
Mae wynebau eraill, bodolaeth arall
Y tu hwnt i'r ffenestri.
Mae bywydau estron wedi suddo i'r gwaed,
Yn araf i'r gwaed o'r awyr;
Maent yno yn radio egni, yn llwch syrthiedig.
Mae'r awyr yn llawn o lwch.
Maent wedi treiddio i'n cyrff fel cariadon,
Wedi mynd yn rhan ohonom heb i ni wybod.

Yn y golofn fwg a grynhôdd wedi rhwygo'r ddaear
Yr oedd cariad yn codi i'r awyr.
Yn ysgerbwd yr hen lew, yr hen ryfel,
Yr oedd cariad yn suo fel gwenyn.
Allan o'r bwytawr y daeth bwyd
Ac o'r cryf y daeth allan felystra,
Y mae'r awyr yn llawn o gariad.

439 *Damwain*

Mae'r gwaed yn goch ar y modur gwyn
Ac Arwyn yn wastraff ar hyd y ffordd.
Ar y metel yn grafion mae darnau o groen;
O gwmpas, picellau gwydyr a gwythiennau,
Rhychau o siwt a chnawd,
Cerrig wal, a'r car arnynt fel sgrech
Wedi'i fferru; aroglau rwber a phetrol.
Ac y mae'r meclin yn llithrig gan einioes.

Rhwygwyd hwn hyd y tar macadam
A'r haearn a'r maen—
Y bachgen byw.
Tywalltwyd y llanc ar y ddaear.
Daeth adnabod i ben yn y deugain llath hyn
Ar ddiwrnod o haul gwanwyn.
Dieithrwyd Arwyn gan angau.

'Clywsom,' meddai'r llais, 'fod damwain wedi digwydd heddiw
Ar y ffordd yn y fan-a'r-fan
Pan aeth cerbyd hwn-a-hwn o'r lle-a'r-lle
I wrthdrawiad â'r clawdd.'

Clywsom ninnau hefyd,
A gwelsom.

440 *Gogi*

Dydd Iau, ichwi gael deall, yw diwrnod y 'gogi',
Sef yw hynny—trwy ddatblygiad ieithyddol
Anindoewropeaidd—
'Lorri',
Ac at hynny, yn y cyswllt hwn,
'Lorri ludw'.
Ychydig wedi wyth
Bydd meilord yn ystwyth
Gan orfoledd,
Yn ebychiadau llygadrwth
O edmygedd,
Yn llond cót o lawenydd.

Ac wele'r behemoth
Yn llywethau ei feteloedd
Wysg ei gefn
Yn treiglo, heb brysuro, drwy'r strydoedd
Ac yn agor dorau ofnadwy ei ben
Ar gynnwys buniau,
Gan rygnu yng nghryfder ei wddf
Ac yng ngrym ei grombil.
Mwg a ddaw allan o'i ffroenau,
O blethiadau haearn ei ardderchowgrwydd.
O'i flaen y tywyllwch ymranna
A'r bore sy'n brysio i roi'i draed yn ei sgidia',
Ac wrth ei disian ef y tywynna goleuni:
Mewn gair, 'gogi'.

Ffon gyswllt ei forddwydydd wedi llacio?
Gêr y grymusterau'n cau cydio?
Echel ôl ei nerth wedi'i sigo?
Nage,
Pynctiar wrth Woolwo'th
Ataliodd foreol rawd y behemoth
Un dydd Iau.
'Roedd ei absenoldeb dirfawr
Yn faich anhraethol hyd y stryd,
Ac i ddywededig berchennog y cót hefyd.

Yn wyneb dagrau a gweiddi
Nid un o'r pethau hawsaf ydi
Esbonio diffyg ar orymdaith y 'gogi'.
Ac o flwydd a thrimis o ddiniweidrwydd
Trowyd arna'i guwch nad yw'n rhwydd
Imi mewn un modd ei ddehongli
Ond fel, 'Ble mae y blydi lorri?'

441

Ac Oblegid eich Plant

(Gweler Efengyl Luc xxiii, 27-31)

Plant,
Plant bach yn chwarae–
John a Joanne;
Ac Andrew y baban,
Y baban bach gyda hwy.

Rhyngddynt, rhwng y tri ohonynt,
Yr oedd yno ddeng mlynedd
A chwech wythnos o einioes:
John a Joanne
Ac Andrew, y baban.

A daeth rhai
Yn haearn a gwydyr a phlastig eu modur
Yn cario gynnau,
Bwledi, gwifrau bomiau,

Powdwr du
A'u dwylo eisoes yn goch gan angau;
A daeth rhai i ddileu plant:
John a Joanne
Ac Andrew, y baban.

Yna aethant
Yn ôl i'r concrit a'r gwydyr,
I'r ddinas archolledig
I fwyta, i gysgu, i fyw
Fel pe na bai yn eu calonnau
Angau John, angau Joanne,
Angau Andrew, y baban bach;
Plant.

Ac uwch galar y tyrfaoedd,
Uwch y rhai a oedd
Yn plygu dros y marw
Yr oeddynt hwy yno eto
Yn chwifio baneri eu cynddaredd,
Y rheini sy'n medru bwyta,
Yn medru cysgu, yn medru byw
Ar ôl lladd plant.

442 *'Y Sêr yn eu Tynerwch'*

Diwrnod melyn o haf aeddfed
A hwnnw yn dirwyn i'w derfyn
Yn egnïon y creigiau duon
A draw ar y môr disglair.
Ac yna gorffwys o dywyllwch tyner
Yn taenu murmuron dros y byd
Ac yn llacio oglau'r gwyddfid yn yr ardd.

A dyma'r fam yn mynd â'i baban
Allan, am y tro cyntaf, i'r nos,
Ar yr awr pan oedd yr awyr yn dechrau sbecian
Yn fân, fân, fywiog.

A dyma'r bach yn sbïo, sbïo ar ryfeddod y ffurfafen
Ac yna'n dechrau chwerthin,
Byrlymu sêr a gyrglo goleuadau.
Roedd yr ardd fel pe bai'n llawn o swigod llawenydd
A'r rheini'n codi'n lliwiau; llewychiadau
Yn bownsio'n wreichion o gwmpas y nos.

Roedd hi'n un o'r adegau hynny
Lle byddai Luc wedi dweud am y fam,
Fel y dwedodd o am Fair,
'Hi a gadwodd y pethau hyn oll
gan eu hystyried yn ei chalon.'

A phan oedd hi'n druan, yn hen
A'i chymalau wedi eu clymu gan y cryd
A'i mab, y baban hwnnw,
Yn alcoholig yn Awstralia,
Trwy niwl ei phresennol,
Trwy ddagrau pethau deuai
Cof am yr ardd honno, am nos o haf
Ac am chwerthin dan y sêr.

443

Croesi Traeth

Yr oedd hi, y diwrnod hwnnw,
Yn ail o Fedi.
A dyma ni, fel teulu,
Yn penderfynu mynd i lan y môr.

Yr oedd hi, y diwrnod hwnnw,
Yn heulog ond fymryn yn wyntog.
Dros y traeth mawr, gwag
Ysgydwai'r gwynt loywderau'r haul,
Chwibanai ei felyn dros y tywod,
A disgleiriai'r dŵr ar ei drai pell.

A dyma ddechrau gwneud y pethau
Y bydd pobol yn eu gwneud ar draethau—
Rhawio tywod;
Rhoi'r babi i eistedd yn ei ryfeddod
Hallt; codi cestyll; cicio pêl.
Mi aeth yr hogiau, o gydwybod,
Hyd yn oed i ymdrochi, yn garcus.
Ond yr oedd hi, y diwrnod hwnnw,
Yn rhy oer i aros yn hir yn y dŵr.
Safwn innau yn edrych.

Daethant o'r môr yn sgleinio a rhincian
A chwerthin a sblasio;
Ac wedyn dyma nhw'n rhedeg o 'mlaen i
Ar draws y traeth maith
At eu mam, at eu chwaer,
At ddiddosrwydd a thyweli.

Dilynais innau o bell.
Ond wrth groesi'r traeth, tua'r canol,
Dyma fo'n fy nharo i'n ysgytwol
Mai un waith y mae hyn yn digwydd;
'Ddaw'r weithred hon byth, byth yn ôl.
Mae'r eiliadau sydd newydd fynd heibio
Mor dynn â'r Oes Haearn o fewn tragwyddoldeb:
Peth fel'ma ydi ein marwoldeb.
A theimlais braidd yn chwith yn fan'no—
'Ddigwyddith y peth hwn byth eto.

Ond dal i gerdded a wneuthum
A chyn bo hir fe ddeuthum yn ôl
At y teulu,
At y sychu stryffaglus a'r newid,
At sŵn y presennol.
A rhwng y tyllu tywod
A chrensian drwy frechdan domato
A cheisio cysuro'r babi
Fe aeth y chwithdod hwnnw heibio.

Yr oeddwn i, fel yr oedd hi'n digwydd,
Y diwrnod hwnnw yn cael fy mhen-blwydd
Yn ddeugain ac un.

Y mae hen ddihareb Rwsiaidd sy'n dweud,
'Nid croesi cae yw byw.'
Cywir: croesi traeth ydyw.

444

Arwydd

Llyfrau yn y tân.
Y mae enbydrwydd y llosgi
Fel erioed, fel erioed, yn arwydd.
Yn y nos, o gwmpas, y mae llygaid disglair
Yn llawn o angerdd dinistr.

Daeth eto y dioddefaint hwnnw
Y mae hanes yn waedlyd ohono,
Daeth eto yr ildio i ddistryw.
Mae cŵn-lladd y fall
Allan ym meysydd y ddynoliaeth
A'r gwanwyn creulon ynghanol yr ŵyn.
Ac ar ein clyw daw chwerthin gwallgof
A wylofain rhai bychain.
Y mae'r wawr dywyll yn drwm yn y dwyrain.

Yfory,
Pobol yn y tân.

DAFYDD WILLIAMS
1937-

445

Sigl-ei-gwt

Hwsmon cyson ei ffonnod—ar y gyr,
A'i gorff yn llawn cryndod;
Diwyd iawn ei fynd a dod
Yw'r bychan yrrwr buchod.

PRYS MORGAN
1937-

446 *Tân Gwyllt*

Ar hanner cwrdd gweddi cenhadol yr oem-ni,
Pelydrau sgarlad diwedydd mis Mai
Yn euro pennau moel a brith,
Yn plygu yn dawel wrth waith y Deyrnas.
Yn sydyn
Llais o'r beddau tu allan:
'Tân, Tân! Mae tân yn y fynwent!'
Rhuthro diseremoni
Ar hyd y fynwent a'i marmor rodfeydd,
Y naill a'i rawbal, y llall a'i sgubell,
Ac yno
Ym mhen draw'r erw wen
Dyna'r tafodau coch yn llio'r cerrig,
Carped muchudd symudol fel olew petrol
Yn llifo dros grindir melynell y gaeaf.
'Mae pawb wrthi'n diffodd
Fel taen nhw'n lladd nadredd,'
Meddai un o'r aelodau,
'Yn lle
Gadel i'r carped rowlio'n ei flaen,
A'r tân i droi'n goelcerth,
A gwireddu'n hystrydeb,
A llosgi'n ulw y cyrff a'u marmor,
Y celfi a'r capel a'r cwbwl,
A chodi'r baich oddi ar ein gwar,
I ni gael dechrau o'r dechrau.'
Ond
Meddai'r gweddill ohonon-ni
Wrth sefyll yn ôl wedi gorffen y gwaith,
'Roedd rhaid lladd y fflamau ar unwaith
Rhag tynnu sylw'r cymdogion.'
Yn ôl
Wedyn i'r festri â ni,

A chynnau golau trydan erbyn hyn,
Ailblygu glin wrth waith y Deyrnas,
A gorffen cwrdd gweddi cenhadol.

447 *Yr Eglwys Newydd, Caerdydd*

Ysgymun-bynciau'r ysgol
Oedd Crefydd, Cymraeg a Rhyw.
Roedd Rhyw yn fater sibrwd
Dan ddesg tu hwnt i glyw,
Ond am Gymraeg a Chrefydd,
Roedd 'rhain yn wersi gwag,
Pob un â'i bôs-croeseiriau
Neu nofel yn ddi-nag.

Edrychwn drwy'r ffenestri
Yn ystod gwersi'r haf
At resi hir o boplys,
Dwy ale ddeiliog, braf,
Yn amgylchynu'r ysgol
Rhag gweled ffyrdd y byd,
Y tai a'r llan a'r fynwent
Yn anweladwy i gyd.

Ond pan ddôi gwersi'r hydref
Fe gwympai'r gorchudd bant,
Cawn weld drwy chwipiau'r poplys
Y beddau gwynion gant,
A gwylio cloddio'r clochydd
A'r domen bridd yn goch,
Y fintai ddu'n ymlusgo
I drawiad cnul y gloch.

A thrannoeth yn y llwydrew
Fe fyddai'n fedydd plant
Neu'n dyrru at briodas
Ac yna'n angladd sant,

Peth angau a pheth einioes,
Yn wers o sail i sail,
A minnau'n dwys fyfyrio
Camp dysgu cwymp y dail.

GWYNNE WILLIAMS
1937-

448

Yr Hen Ŵr a'i Gaseg

Anodd
a'i fegin mor fregus
yw gweithio'r cryman
er bod yr heulwen
yn drochion
dros stwbwl y fynwent
ond cyn i'r cymylau duon
ddod â glaw i'r gwair
a llwch i'r pridd
rhaid brysio
i'w dorri a'i gario adre
i nerthu coesau
yr ebol simsan sy'n tasgu
yn y weirglodd wlithog
tu ôl i amrant stalwyn yr hendre
pan glyw'r hen ŵr a'i gaseg
yn mynd linc lonc
tua'r fynwent.

449

Rhew Mawr 1963

Ni welais flodeuyn yn tyfu
nac aderyn yn canu
ers 'dwn i ddim pryd,
canys ni thycia
na chloc na chalandar ddim—
mae popeth yn un.

'Does dim ond ambell
ddrws newydd
yn eira'r fynwent
yn dangos ein bod ni'n
fyw.

450

Genesis

Yn y gwyll
ymgryma'r gath
a llyfu ei holl ofid
oni ddôi gwrid rhudd
i grwydro
hyd
eithaf teth
ei thafod hi.

Gwich unig,
ochenaid . . .
ynghanol y canghennau
wincia'r lleuad cŵyr
a lledu calch,
neu'n araf, tywynna,
fel y teifl pryf tân
oleuni ei lwynau
wrth iddo wthio
drwy ddail.

Ac wele,
ias,
a thros ei thor gwlyb
pêl o flew newydd a hen
yn palfalu'n ddall.

Tawelwch—
dim ond deilen
yn disgyn.

451

Clychau

o dŵr marmor dy gorff
mae dwy gloch arian
yn fy ngalw
i ddiosg f'esgidiau llychlyd
a phenlinio

lle mae arogl dy eiriau
yn dringo o thuser
dy wefusau
i fygu fy nghlustiau

lle ewynna afonydd o fêl
drwy ddiliau fy meddwl
pan sigla gwenyn dy fysedd
drwy goedwig fy ngwar

lle todda ein hocheneidiau
yn simffoni fud
pan glwyda ceiliogod fy nwylo
ar gregyn dy fronnau taer

lle bratha drain ein sbardunau
i'r byw a'r bothau
gan danio'r meirch
i garlamu

gylch eu dysgl gron
lle mae dwy gloch arian
o dŵr marmor dy gorff
yn fy ngalw i . . .

452

Fy Mam

Mae hi
    wedi mynd
        mi wn.

Ond y mae hud
y machlud
weithiau
  fel gemau
        i'w weld
yn enfysu'r môr
        ymhell
wedi i wrymiau haul
    welwi a mynd
ac y mae
      maeth
holl haelioni trwm haf,
yn aros am hir
yn niliau'r mêl
ac yng nghnawd y mes.

Dyma pam
        a hi'n
aeaf mwy
y mae hi
      fy mam
er mynd
yma o hyd
yn enfysu'r mêr
yn llygaid fy mab.

453

Nos Galan

Heno
mae dannedd
gwydr y gwynt
yn cnoi'r cnawd;

y sêr yn brathu
crafu'r croen;
rhynna'r frân ar frig;
haearn yw'r lleuad.

Arian
yw'r anadl
o ffroenau'r llwynog
yn ffau'r waun;
llonydd
yw'r llygoden yn ei nyth heno
yn cnoi ei gwanc a'i newyn;
lle bu pawen y gwningen
    angau
a'i ôl a welir
yn glynu'n goch wrth y gwlân gwyn.

Mae marc
a dim mwy i'w weld
lle bu deilen yr afallen heno;
ac ar y foel
a weli di y griafolen—
mor chwerw a hen
    yw ei chraith?

Ond mae'r wadd er hyn
yn glyd
ym mru y ddaear heno,
braf ydyw'r hun a brofa'r draenog
wrth orwedd mewn croth o wair;
sugna'r dderwen a hadau'r gwenith
yr hen deth.

A than y croen dur
heno
mae calon y ffrwd yn curo.

454 *Gwenallt*

Dur
    ffwrneisi'r De
a gwres y Groes

wedi caledu
tymheru'r min
oedd y llafn
a fynnodd i wella
holl
glwyfau
ei Gymru glaf.

I mewn
i eitha'r mêr
gwthiodd
drwyn ei gyllell
i odro ohono
gollwng
y gwenwyn
a dagai enaid ei genedl
a thorri ymaith wrymiau
cornwydydd y cancr
onid oedd y corff
oedd doe'n grin
fel breuddwydion gwrach
hyd y wlad lom
cyn loywed wedyn
â llafn
ei gyllell ei hun.

455

Y Crythor
(Darlun Marc Chagall)

Eira
yn cuddio'r fro. Fry
ar doeau hen y sgwâr
dawnsia gŵr.
Yn ei law, crwth
o liw cŵyr. O hon
dena ei fwa hir
nodau na fu erioed
yn canu i neb cyn hyn.

Dawnsia hen ŵr!

Onid yw'n haws i ni
yn nhlodi'r tai
weld ar y to
er y barrug a'i wanc
addewid
y bore gwyrdd?

Dawnsia hen ŵr!

Nid yw'n nos i neb
yn heulwen dy alaw
a daw y dail
newydd i oleuo
canhwyllau'r
canghennau hyll.

Dawnsia hen ŵr!

Dy dôn sy'n wyrth
a ddena'r golomen
i hedd
yr almonwydden
yn ôl
i wneud ei nyth.

Dawnsia hen ŵr!

Daw o'th wadnau sŵn iaith
a wea sgarff
o las ac aur
o goch a gwyrdd
am ust y clustiau
sy'n dod i gysgodi
dan enfys dy gân.

Draw
uwch tlodi'r tai
edrych

ti a weli
hyd eira toeau'r sgwâr
fe ddawnsia gŵr
a'i fwa
        a'i osgo
a'i fiwsig
        a'i fysedd
yn euro'r fro.

Ai ofer hyn?
                Dawnsia frawd!

R. O. WILLIAMS
1937-

456

Murddun

O weld aflêr fieri—a'r distryw,
Daw estron a'th godi;
O weld tân dy aelwyd di
Wele esgus i'th losgi.

GILBERT RUDDOCK
1938-

457

Diwedd

Gweld dy ddiwedd ym morg yr ysbyty.
Croes fach arian
yn unig addurn
ar arffed y ffenestr uwch dy ben.

Dau ddyn bach od mewn cotiau gwyn
yn hofran-weinyddu.
Rhywbeth fel pêl o bapur brown
wedi ei wthio i'th geg.

Er mwyn bod yn siŵr
(anodd oedd credu),
mynd i ochr arall dy wely
i gael golwg gwell.
Dagrau yn ddellt,
ond ni ddeuai wylo
oherwydd y ddau ddyn bach od
yn eu cotiau gwyn.

Rhoi llaw ar dy ben
yn dyner,
          yn betrus,
ond hwnnw yn drwm
fel pêl haearn.

Gweld dy ddiwedd yng nghapel y gorffwys,
yn sidan dy arch,
ynghanol moethusrwydd Tŷ Hebrwng.
Arogldarth yn yr awyr
a goleuadau mwyn.
Teimlo y gellid siarad â thi,
teimlo na ellid dy adael.
Dymuno cusanu dy wyneb llyfn,
ond ofni amharu ar waith yr eneinydd.
Ond gellid dweud wrth y lleill
dy fod yn edrych yn hyfryd.

*   *   *

Gweld dy arch dan groes-flodau hardd
a methu canu'r emynau'n iawn
gan boethed y dagrau.

Gweld dy arch yng nghapel y fynwent
yn aros i'r haul ar y llenni ymrannu
cyn cychwyn y daith at y tân.

* * *

Gweld dy ddiwedd yn swyddfa'r Cofrestrydd
pan ddywedodd teipyddes,
'Dewch â'i cherdyn-adnabod i mewn,
ac mi gloaf ei ffeil.'

458

Galarnad

Ar ôl fy Nhad, Ernest C. Ruddock
Electrical and Radio Engineer

Mae fy heuliau wedi diffodd
a'm tanau oll yn lludw llwyd.
Fferrwyd fy afonydd,
a'r helfa'n pydru yn y rhwyd.

Nid oes lliw ynghanol lliw
na llewyrch mwy yn llif goleuni.
Mae'r lampau'n wag
a'r lleuad heb ei geni.

Nid oes cân yn adain gwynt
na mwyniant chwaith ar fron y tir.
Nid oes tegwch yn yr hyll
na byr yn y tywyllwch hir.

Chwerw chwerw ydyw'r gwin,
a thrwm fel plwm yw'r cwpan.
Yfais ei waelodion
a dychryn rhag ei anian.

Er gwaethaf f'annheilyngdod mawr,
yr oeddit yn fy ngharu'n bur,
a dyna'r dirgryniadau
sy'n drydan drwy ddiffrwythdra'r cur.

459

Pridd

Er cof am fodryb annwyl

Yn awr y mae pridd ei bedd
yn iraidd ar fy mysedd
a daeth aduniad o'r diwedd.

Bu gryf y gadwyn gariad
a'n hunodd ni rhwng mam a thad.
Ni thorrwyd hi gan absenoldeb
na phresenoldeb brau
na chan or-gredu nac amau,
er y bu gwahaniad
o fath nad yw'n cyfrif
mewn amser a'i lif.

Drwy len y dagrau pefria'r enfys
sy'n cysylltu tir a nef â'i gwefus,
a'r pellter yn bopeth heb fod yn ddim.

Gogoniant i'r pridd am y profiad
o gadarnhad y dychweliad—
pridd y trengi mewn bywyd a'r ddarfodedigaeth,
pridd y sicrwydd drud, pridd yr hoen mewn marwolaeth.
Pridd iraidd ar fy mysedd
wrth y bedd.

Hardd y cyfannu
wedi gwagio'r bru
rhwng byw a byw.
Amlygwyd perthnasedd y pridd dirmygedig—
pridd llawn newydd had,
pridd cymun aduniad.

460

Blodau

Gwyn a choch—
o'u rhoi gyda'i gilydd
daw ing ar ei rawd
(medd yr hen air)
i gyfoethog a thlawd.

Coch a gwyn—
y gwaed ar ffriw Urien
a'i gnawd fel yr ewyn.

Gwyn a choch—
gwŷr Iorc a gwŷr Lancastr
a'n tynnodd i'w llanastr
â'u banllefain croch.

Coch a gwyn—
croes ar gerbydau
a'r rhwymo am glwyfau
yng ngeirw pell frwydrau
Saeson ac Ellmyn.

Coch yw cariad cariadon
a'r cas rhwng gelynion.
Gwyn yw tirionwch
a sgerbydau'r diffeithwch.

Wrth goffáu gwaith Cilmeri
gwyn a choch oedd y lliwiau
wrth y graig yng Nghaerdydd.

Gerlont hen gyni,
prydferthwch hen dristwch,
torch yr hen urddas a blodau'r hen ffydd
yn herio grym anffawd,
yn pylu bloeddgarwch
y castell a'i wawd.

461 *'Run For Your Life'*

(Ysgrifennwyd ar draws croesfan cerddwyr yng Nghaerdydd)

Acha slant
ar wyneb hewl
sgrifennwyd smaldod
yn sgrech.

Crochlais yn pwysleisio
angen cyflymdra
yn y jwngl hwn,
lle mae gwyrddni brau,
sŵn adar anghynnes,
a bwystfilod ar boptu.

Ymochelwch,
chwi'r hen a'r methedig
a phawb sydd angen arweiniad—
nid dyma'ch byd.

Pan ddaw'r arwydd,
wedi gwasgu botwm amddiffyn,
rhaid bod yn chwim
i gyrraedd noddfa.
Prin iawn yw'r amser i'r gorau ohonom.
Felly mae'r drefn.

Darllenwch y sgrech!
Rhaid rhedeg!

462 *Gwasanaeth Offeren y Meirw*
Saunders Lewis
Medi 5ed, 1985

Ai'r Pabydd hwn,
rhwng estyll arch,
yn seiniau'r Lladiniaith
ac anadl y thuser grog—
ai hwn ydoedd?

Ai hwn,
y corffyn brau
yn siffrwd yr offeiriadaeth wen,
a fentrodd mor heini i'w dynged ddrud
gan fwrw ei goelbren ar Dduw
a ffoli ar yr hyfrydwch digyffelyb?

Ai hwn
a enynnodd anesmwythyd
yn llenyddiaeth a gwleidyddiaeth gwlad?
Ai hwn a ledaenodd y goleuni glân?
Ai hwn oedd yn ddisglair,
yn dreiddgar,
ac a wrthodwyd?
Ai hwn a gadwodd y ffydd
ac a fu'n goelcerth
drwy'r drycinoedd oll?

Ai hwn,
y corff bychan anwel
gerllaw'r allor?

Ai hwn a gyneuodd y tanau
sy'n llosgi byth?
Ai hwn a amgaewyd yma?

Ie,
y Cymro hwn.
Yma y gorwedd yn ein plith
wedi enbydrwydd byd.

Oni seriwyd ei enw
ar ein meddyliau a'n calonnau?
Onid ef fu'n ein hymlid a'n caru
drwy lif y canrifoedd?
Oni lamodd atom
dros ffiniau pob gwahaniaeth a dieithrwch?
Oni roddodd inni nerth
ac undod ac uchelnod er pob rhyw chwerwder?
Oni welodd ein dechrau a'n diwedd,
ein tranc a'n parhad?
Oni fu ei hunan
yn aberth er ein mwyn?

Cyflwynodd inni ogoniant y dreftadaeth
a rhoddi rhuddin i'w hamddiffyn rhag y moch.
Goleuodd inni gadwyn bod.
Mewn arch nid oes iddo garchar,
a dathlwn ei fywyd o'r newydd y dwthwn hwn,
y marchog diledryw
dan faner ei wlad,
y Cymro hwn
a lafuriodd mor ddyfal yng ngwinllan ei ofal,
a'i loches yng nghalon Crist.

DONALD EVANS
1940-

463

Tarw

Do, profasom ein dau
fy nghyfaill, fy nghyfoed llygadfyw,
yr un cyffroadau erioed
o ddyddiau canfod nythod
yn y llwyni eithin
i'n horiau rhamant â'n heilunod cromiwm
ar hyd ffyrdd yr hwyr,
yr eilun llyfn
　　　　a droes
yn fwystfil haearn arnat
yn anterth diafol ei nwyd
un nos o hydref
ar drofa wineugoch Pen-lôn
o dan berth o afalau sur bach.

'Rwy'n dal i'w weld yn trywanu'r berth
fel tarw'n ei ryferthwy
ac yna'n bugunad ar draws y ffordd
a'i gyrn braisg yn goch o bridd,

yr ewyn du'n byrlymu o'i ffroenau dur
a'r olwyn flaen
          yn chwyrnellu fry
fel carn ynfyd
yn pwyo, pwyo'r bywyd
o'th benglog hollt.

Yno, ar drofa Pen-lôn,
o dan berth o afalau sur bach,
y bu melltith fy nadrith
ar nos fermiliwn o hydref,
gwelais ddarnau o'th ymennydd
yn dolchau coch ar hyd y clais
dan dw fioled y coed dihefelydd,
gwelais dy lygaid gwelwon
yn rhythu, rhythu'n ddi-wres
i angerdd yr hwyr
          a'r machlud synhwyrus.

464

Dafi Thomas

'Roedd silt a phridd y Somme
wedi mynnu sticio, hen grystio ar ei groen.
Modfeddai ceos coch y ffosydd
yn gramennau o'i ruddiau drwy ei wallt;
cripio'n frych o'i ddwylo i'w freichiau;
llusgo'n gyfyngder o'i fferau
i fyny i lynu wrth ei benliniau.
'Roedd wastad yn rhwym
yn eu mwd a'u clai, ni fedrai fynd
yr un troedfedd yn rhydd;
yn gwbl rydd o hen gorsydd ei gorff
allan i'r heulwen a'r tir glas am ennyd.
Na, 'roedd yn sownd ym mhriddyn y Somme.

Nid henaint annwyl
oedd dioddefaint ei henaint ef;

nid henaint tyner
a fedrai gofio'n braf am hafau
a hen hydrefau ar gaeau gwyrdd.
Coesau a llygaid
yn crino o'r llaid dros y lle
oedd ei go' ef am y dyddiau gynt
ar ddechrau'r ganrif, y cyrff ifanc
a bryfedai'n y gors fel briwfwyd neu gig.
Ac âi ei haint leidiog yntau
yn wrid du, yn aml, yng ngwawr tân
y gegin; oedd, 'roedd yntau'n crino—
gwrid du yn gwaedu i gyd
a'r gwaed yn aros ym mhyllau'r ffosydd;
y gwaed du ymysg y tân
a Phéronne y galon yn llosgi o hyd.

Henaint dewr oedd ei henaint ef;
dewr ei grwydr mewn daear o grach;
dewr, nes dod i waelod y ffos olaf
un hwyr deng mlynedd yn ôl.
Yno, o'r diwedd, fe'i tynnwyd
i lawr i'w dyfnder gan y mwd concwerus;
gorwedd fel y celanedd moel hynny
a welodd yn sownd yng ngholuddion y Somme
ym more'r ganrif, hen ganrif y gwaed.

465 *Y Pridd a'r Sêr*

Ar waethaf ein hathrawiaethau
a'n ffydd gysurlon i'n ffawd;
dysg ein hesboniadau oll
a'n bydoedd o wybodaeth,
heno, mae hen gaeau Ffos-y-gïach
yn llathru'n ddu o gyfrinachau
fry'n erbyn y nos,
a'r miloedd o sêr melyn
sy'n ysu'r gwyll dros war y Garn
yn ddirgelwch cynddeiriog o olau.

Heno, o Fanc Rhydeinion
a'i ddaear anwar, onest
'rwyf wyneb yn wyneb â nerth y gwynt
sy'n chwyrnellu'n ddiduedd
ac yn dywyll ei gân hyd wyll y gweunydd.
Ond 'rwy'n ei theimlo'n cydgordio'n gudd
â hoen y tylluanod
yn hwtio'u llawenydd
drwy'r cangau a'r gwellt a'm nerfau i gyd.

Ac 'rwyf wyneb yn wyneb â nwyd y sêr
yn eu gloywder di-gliw
uwchben Ffos-ddu'n gwyniasu'n noeth,
ac yna o'r nos
yn rhyw gyniweirio'n isel
ar eu tro i gyffwrdd â'r trum
i gynnau cudynnau'r coed
a thanio f'enaid fel eithin y fawnog.

Ni fynnaf ei holi'n fanwl,
na'r sêr, na'r gweryd
am gred na'r un dynged na dim.
'Rwyf yn derbyn y ffawd yng nghynlluniau
y Dirgelwch sy'n y llaid a'r golau;
ei derbyn drwy'r cnawd diarbed
beth bynnag y bo.
Ac ni fynnaf godi hafan
o athroniaeth i esmwytho'r hunan
rhag gwynt, na rhag gwyll
yr Un sy'n cynhyrfu'r enaid
fan yma heno ar fin y mynydd.

Fan yma 'rwyf am aros
yn noeth yn erbyn y nos.

466

Cae Iet-haearn

'Rydym yn byw mewn cyfnod modern.
Ni fynnwn gysylltu am funud
â'r un dim sydd mas o ffasiwn.
'Rydym mor oleuedig;
mor sinig o hen ffasiynau.
Mae'r rheini wedi dyddio erbyn hyn.

Ac eto 'roedd y lleuad fedi'n
arian llawn dros Gae Iet-haearn y llynedd;
mor ddiweddar â'r llynedd, cofiwch,
dros draciau'r combein, ac yn sgleinio
yn wyn fel cnu am y llwyni cnau.
O, hawdd fyddai rhamanteiddio
a gweld yn gyfareddol drwy'i golau:

Mae fy hen hil ar y trum annelwig
yn rhodio'r ŷd a chofleidio'r brig
o liw eira, ysgubau o loerwen
y maes fel pe'n chwarae mig.

Fe'u galwyd eto i weithio'n lledrithiol
o'r bedd i'r banc gan y lloer yn ôl;
mae'r bryncyn yn awr yn ddelwau cawraidd
o haidd yn heigio o'u hôl.

Maent wrthi'n sgilgar fel gofaint arian,
a'r lloer a'i lliw fel solder o dân
yn asio'u cywreinder dros y gweryd
yn glyd fel colofnau glân.

Ond nid fel'na 'roedd hi o gwbl,
nid fel'na; 'roedd chwys yn aros
yn oer ar dalcennau a gwarrau'r gwŷr
a weithiai'n y goleuni
fan hyn drigain mlynedd yn ôl.

'Roedd ysgall yn galed drwy'u cledrau,
a phan bylai'r golau leuad
yn y wawrddydd lwyd 'roedd eu haelodau
yn ymfalurio gan flinder.
Mor greulon yw'r gwirionedd,
a hen iawn fel'na yn aml.
'Doedd yr un ohonyn nhw
i'w gweld ar gyfyl y Garn.
'Roedden nhw i gyd yn bydredd mewn beddau.

Y rhain oedd y ffeithiau;
y pethau na fedrwn mo'u gwadu;
y rhain a sgathrai'n fraisg drwy'r co'
a ffasiynau cyfoes y meddwl
fel bonau ysgubau gwydn
wrth wylio'r lleuad fedi
yn sgleinio'n llawn, mor ddiweddar â'r llynedd
ar ôl y combein yng Nghae Iet-haearn.

467

Yr Anifail

Mi wn dy fod ynom o hyd
er i ti gael dy ddofi'n go wylaidd
erbyn hyn; 'dwyt ti ddim hanner
yr anifail melyn y buost ti unwaith
yn rhedeg yn rhydd yn yr haul;
yn rhydd a llachar dy reddf.
Heddiw 'rwyt ti'n ddistaw'n dy gawell,
yn sownd fel mewn sw
mor gymen ac fe borthwn d'anghenion
yn briodol a dethol bob dydd.

Ond 'rwyt yn cofio dy reddf
o hyd, 'rwyt ti'n dal yn fyw.
Mae 'na ryw hen lawenydd elfennaidd
yn dal i'th gerdded o hyd
pan fo'r gaea'n gwanwyno o'th gylch,

a pharhei i gael cyffro ofn
mewn sgrechian taran neu gorwynt eira.

Ac weithiau 'rwyt ti'n dianc
o'n gafael er pob gofal;
'rwyt ti'n llithro, rywsut, drwy'r dorau
gan hen, hen gynnwrf
na fedraist ti mo'i reoli erioed;
llid eiriaswyn y funud
sy'n dal i'th ffrwydro'n wallgo dy naid
i fysg ein byd gwâr, drwy'n holl foesgarwch
gan ryddhau dy nwydau'n wanc ac yn waed.

Wyt, 'rwyt ti'n anwar, ond gelli garu
mewn modd na all rheswm na moes;
caru bywyd yn ddychrynllyd â'th reddf;
ei garu â'th holl gyhyrau,—
y gloywder du sy'n canu drwy'n cyrff.
Ni'th dwyllir di'n hir gan neb;
gwyddost â'th berfedd am ein hofn heddiw,
a hwyrach mai dy gariad di,
yr anghenfil tywyll
yw'r ofnau goleuaf
rhyngom a'r bom yn y bôn;
y dychryn anwar sy'n caru
y gloywder du sy'n canu'n ein cyrff
yn fwy na dim dan ffurfafen Duw.

468

Diwrnod Lladd Mochyn

Âi dau neu dri dyn
tua deg o'r gloch i raffu'r mochyn;
câi ei yrru a'i dynnu o'i dwlc
i oleuni gloyw Ionawr
ac yntau'n strancio'n dew'n y rhewynt
ac yn nadu o ddychryn ei gnawd.

Tynheid y rhaff, tynnid yr ên
i fyny er mwyn i'r cigydd suddo
ei gyllell i golli
ym mhlygion y bloneg.
Byrstiai sgrech goch o boen
o waelod ei wddf;
gwaedai dros y lle i gyd,
gwaedai'i gorff fel pe na bai am orffen
ond dôi i ben gyda hyn
ac yntau'n gwegian . . . gwegian i'r gwellt.

Yna, fe wyliwn y dynion
yn tywallt dŵr twym
ar ei gefn a'i dor i gyd
ac yn crafu a sgathru'r gwrych
yn y gwynt, yr ager a'r gwaed.
'Roent yn ei foeli a'i drosi a'i droi
drwy'r prynhawn. Fe gawn innau gip
weithiau ar rwyg ei wddf
yn agor yn wlyb o gig
i fraster ei frest
a chlywed ei gnawd coch yn rhochian
yn ei dagell dan y sgrafelli.

'Rwy'n cofio'r gwartheg hefyd
yn dod i'w godro'r noson honno.
'Roedd 'na ryw anesmwythder rhyfedd
yn meddiannu'u cyrff hamddenol
yr eiliadau y doent drwy lidiart y clos.
'Roent yn ffroeni'r llwyni a'r llaid,
yn amau'r dŵr a'r domen
ac yn llygadu ar hyd y buarth.

'Roedd 'na ryw ofn
arnaf finnau'r noson honno
wrth basio heibio'r sied
oedd ar bwys y stabl.

Ofn plentyn wrth sbecian ar y mochyn mawr
yn hongian yno'n syfrdan, a sŵn
diferion yn plwmpian o'i ben
i'r gasgen yn y gwyll.
Ond gwyddwn yn yr oedran hwnnw
mai rhaid oedd lladd y creadur
i'n cadw mewn cig a bloneg.
'Roedd y gaeaf o'n blaenau.

469

Belsen

Mae'n planed yn blaned fioled, fyw;
yn las a gwyn yn erbyn nos
y cread, fel llun o baradwys;
gardd asur yn ôl y gofodwyr i gyd,
ac eto bu Belsen dan heulwen hon.

Ond mor bell yw ingoedd Belsen heno,
yn enwedig o Geredigion;
ymhell oll, ond mae ei ellyllon
yn rhan o'n canrif, canrif ein co'.
A hawdd, efallai, yw meddwl
am gnawd dirifedi mewn ffwrneisi nwy
ddeugain mlynedd o'r celaneddau
fan hyn yn awelon haul.

Ond nid syniad, nid dirnadaeth
ydyw'r annwn hwn heno.
Mae ei enw yn fferru'r ymennydd
o hyd, yn saethu cryndodau,
o hyd, o'r co' i lawr drwy'r cefn;
synwyriadau disynnwyr ydyw
sy'n carlamu iasau duon,
hir o oerfel ar hyd y nerfau.
Bu'r erchyllter yn ein hamser ni,
fan hyn yn ein canrif ni.

Fe wnaed y cyfan yma, ar blaned
lle mae ŵyn yn llamu ym Mai
a miri'n oleuni yn llygaid plant.

470

Bore o Dachwedd

Hen fign o gyffro cignoeth,
Hen waun o ddistawrwydd noeth;
Hen gawnen wedi gwynnu,
Hen ddail wedi marw'n ddu.

Llwyn o bîn dienllyn bach
Yn rhygnu ac yn grwgnach;
Draenen nerthol ar oledd
A her y gwynt ar ei gwedd.

Hen ddŵr yn llonydd-aros
Mor rhydlyd ar hyd y rhos;
Llun o lyn ar y llain wleb
A chawn yn gwrychio'i wyneb.

Y praidd yn y cysgod prin
Yn gwthio i big eithin,
A rhynwynt yn ariannu
Gwargefnau'r eidionnau du.

Dwy frân ar goeden denau
A'r hin yn eu garwhau;
Barrug ar gae Rhyd-haearn
A gwynt ar lechweddau'r Garn.

DEWI STEPHEN JONES
1940-

471

Y Tŷ

(Geiriau er mwyn Jane Charles, 1959-1980)

O glyw trwst y golau, tro,
a daw hedd wrth y dyddio.

Yn y nos mae pawb wedi eu hynysu.
Dyn. Dynes. Bachgen. Geneth.
Mae pob un ar ei ben ei hun yn y nos.
Daeth y wawr gyda'i tharan
ar ôl noswaith o greithiau'r
mellt
        a thithau'n mynd,
a phob noswaith fel neithiwr
eisteddwn tu hwnt i wres y tân.

Ar fore teg mor frau yw'r tŷ
a phoen iddo'n ffenest,
ffenest lle mae'r haf yn ffynnu;
tywyll y plastar, isel y pared.

Heibio i'w thir a heb ei thyrau
mae dinas wedi darfod amdani;
i lygad archaeolegydd
bydd haen ar haen o oriau yno,
ochrau eu hanes sy'n crychu'r wyneb
yn wal a chorneli uwch yr hen aelwyd,
y byd fel ag yr oedd uwch 'stafelloedd y fall,
cwch o arafwch lle nad oes rhwyfo
yn sefyll uwch iasau afon.

Bwrdd a chysgod bwrdd sy'n codi o'r baw
o wneuthuriad eiliadau yr oriau hir,
ystafell yn ei chrynswth,
cartrefol fel mewn bwthyn,

a'n golygon am gilagor
ei drws i geudod yr haul;
a thân yn y grat, tithau yno,
y llyfr o hyd yng nghledr y llaw
a'i brint ar y ddalen wen
yn ŵy brych yng nghlai'r nyth,
nes oedi o'r wên sydyn
ac aros uwch geiriau.

'Y tŷ yn y tywydd
a ddaw Awst i dy ddistiau?'

'Mae gwydrau'r onnen yma'n ffenest,
tŷ glas wedi ei ddatgloi.'

472

Ffenest

i Anne Stevenson

1

Nid Lethe a irodd
eu dwylath o weryd:
llecyn a'i wyrdd
fel lliw cân ir y deheuwynt,
dy awen.

'Gwelais hollt yn y glaswelltyn,
ei lamp heb yr olew aur;
mor frau yw holl wydrau lledrith
ac megis cysgodion
yr â fy llateion
i'w tŷ:
onid darnau o lythyr,
llond dwrn i wlitho,
a deflir ar lwybr yn had
aflêr i'r haul eu braenu wedyn.'

Bydd yr hyn nas dwedwyd yn llwydo
cyn blaguro'n y gwynt . . .

Mae olion gair yn melynu'n y gweiriau.

Mae'r briw hwn ym mhair y braenar.

2

Ymhell, mor bell â newid byd
y daith i fyd dy dad a'th fam,
lled mur lled moroedd
ac ni cheir mordaith heb greithiau . . .

Eira Mawrth yn Vermont,
dy fam ar fin
rhoi uwd oer i aderyn y to,
a briwsion i wynt y bore iasol . . .
ei llais . . . ei llun . . . a thrwst
llanw a thrai.

Ar goll ac ar gael,
y dyn wrth dasg . . .
oriau o falm hirfelyn
holl leufer crwth,
a phaill o fwa'r crythor
yn hoel hen alaw ar lawes
ac elwch ei dawns yn glychau dŵr . . .

Graean y môr sy'n blaguro'n y maes.

Diwyro dy eiriau'n
eu serch, a phob saeth
a'i chyfran o sofraniaeth
yr haf a'i rin. Ias
ddwyfol yr asur sy'n goresgyn
moresg a marram . . .
Yn y *terra nova*, yn yr hen gynefin,
pren gwyrdd yw eich pren gwyw,
yr angau a deilen rhwng dwylo.

A bydd dyhead wrth aden.
Uwch y byd brau mae'r gwyddau gwyllt
yn eu hôl yn anelu,
a'u stŵr, eu stŵr
yn ffenest werdd.

473

Y Glorian

Lliw gwaed a siars
yn y llygad serth,
cryna uwch acer o wenith
ac yna i ffwrdd
lle mae'r awyr yn cwrdd â'r co';
chwilio—chwilio
dychwelyd
ac aros uwch gweiriau
a phaill yr haf ar ei grafanc.

474

Y Noson o Risial

Mynd,
nid yw'r clais yn mendio,
a dod at fin y dŵr
a'i haen o rew ym Mryn yr Ywen,
y gorlifiad ar gae gwair y lofa,
llain fel y dŵr llonydd.

Yn un o griw ar ddaear yn grimp,
plygu uwch y dŵr fel gwerinwr i'w rych
a ffilm o ddŵr du
yn lledu wrth i'r naill law
glampio
ac wrth i'r llall
suddo i'r llaid
i godi rhan o'i gaead, rhew
nad yw'n ddim o drwch;
a ias y dyrchafu
fel tywys drych o'i hofel:

y paenau heb hanes,
newydd eu bath heb ddoe i'w byd,
o linach rhyw hen blaned
goll nas ildiai i gwymp,
a graen eu lens
heb yr un gronyn o lwch
a fo'n hongian fel pryfyn angau
yn atgof o'r sberm gwaetgoch
a'i fryd ar glwyfo'r ŵy . . .

Mae'r winsgrin yn crino
fel wyneb y rhosyn pan yw'r pryfyn yn peri hafoc . . .

Yn ein gorchwant am y purdeb diarhebol
unodd ein sodlau yn y ddawns waedlyd.
Aeth y fricsen drwy'r ffenest
liw nos y *Kristall nacht.*

Tynged gŵr tynged gwerin—
y trais fel y'i gwelais yn narlun Chagall:

un dienw
          a'i glwyf
fel aden gloff—
erioed yr iau,
yn is na'r *Welsh not*,
anhydrin
          y goler hon,
darn o glawr arch,
cais saer y bocs orens—
     'Ich bin Jude'
wrth oerni a brath haearnod—
y ffenest bren heb raen,
caead du y golau, bord
o'n cyt glo baw.

Ofn
        a llaw fras
a fu'n lliwio ei frest.
Mae'r gôt aeaf drymaf ar ei draws
noson y seren felen o hen faw.

A geir
o fwa a haul ei grwth
sŵn gwag
            neu gri
fel o groth y synagogau?

. . .

Ac i'w hoed
fel grugau'r mawn, glasgodant
o ludw yr amenau golosgedig.

EURION JOHN
1941-

475 *Y Gŵr Gwaed*

(O ddathlu offeren Bore Sul y Blodau 1986 yn Eglwys Llanfihangel-y-Creuddyn, Dyfed.)

Fi
ydyw Creu-Ddyn fy nydd—
y Gŵr Gwaed:

Trywanwr y Groglith
â gwaywffon fy ofn,
Bwtsiwr Oen y Pasg
â'm cleber-plesio-pawb,
Codwr Angladd y Pentecost—
â'm Hunan
yn llindagu y Ffydd,

ac y mae
llafn cyllell fy euogrwydd
yn diferu gwaed.

Y creu-ddyn
a fynnai i Fihangel
gamu o gôr ei engyl,
a chymryd y gyllell
o'm llaw

i'w throi'n sgalpel,
er diwreiddio byw
colyn y Diafol o'm coluddion,
a didoli ei balf
o gylch craidd cannwyll fy ysbryd—

ac iro fy mêr
â balm gras,

wrth gydio
y gronyn golau sydd o fewn fy enaid
wrth ffrwydrad
yr Atgyfodiad.

GERAINT LLOYD OWEN
1941-

476

Gwynfor Evans
(am ei ffydd, ei fonedd a'i gred)

Sir Gâr sy ar y gorwel,—ac mae'r haul
A'r Gymraeg yn isel;
Mae'r nos fel y meirw'n hel
Ei düwch drosti'n dawel.

Tawel, rhy dawel fu'r dydd—a'i oriau
Araf yn ddiddigwydd;
Bywyd fel pe heb awydd
I barhau, a ninnau'n brudd.

Prudd yw haf y pridd hefyd.—Na, mi wn
Am un sy'n dywedyd:
'Mae'r haf yn y mêr o hyd,
A chiliodd i ddychwelyd.'

* * *

Hwn yw gŵr y ffydd garreg
A hwn yw'r dyn ara' deg
I lid; gwirion wladgarwr,
Gwylaidd, boneddigaidd ŵr.
I lyw cenedl y canaf,
A'i fyw er hon a fawrhaf.
Er ei mwyn rhoi'i ymennydd
A'i gorff oll i gario ffydd,
Y ffydd ddihysbydd a ŵyr
Ei enaid fel hen synnwyr.

Os ei i wlad Llangadog
Cei gaeau bras a glas glog.
Mae yno ardd, o'i mewn hi
Dolur ein gwlad a weli.

Gweld dolur geni, gweld dail ar gynnydd,
A sibrwd llwyn yn ysbryd llawenydd,
A gweld ein gwlad yn y gwlŷdd—yn araf
Droi hen aeaf yn hyder newydd.

Gweli, fe weli yno orfoledd
Brigau llawn lle'r oedd barrug y llynedd,
A gweli ŵr golau'i wedd,—gŵr o blaid
Yr haf, a'i enaid mor fawr â'i fonedd.

Fe ŵyr hwn y gyfrinach
A gŵyr boen y blagur bach.
Trwy sicrwydd llawer blwyddyn
A giliodd, fe ddysgodd hyn:
Ni bu rhyddid heb wreiddiau,
Ni bu ŷd lle na bu hau.

Anial oedd gwlad ei eni,—am hynny
Y mynnodd fynd ati
I'w throi yn ardd a'i thrin hi.

Bu'n hau ar y bannau hyn,—hau breuddwyd
Ar bridd garw'i gyd-ddyn
Fel daear heb flodeuyn.

Heuwr rhyddid ar ffriddoedd—ei hen wlad
Heb ganlyn tyrfaoedd;
Heuwr ymhob storom oedd.

Gwybu'r gwawd lle gwibiai'r gwynt,—wynebodd
Anobaith y cerrynt
Gan barhau i hau ar hynt.

* * *

Bu'r gaea'n hir a'r barrug yn aros,
Ataliai y rhew betalau y rhos;
A ddeuai haf? Doi'n ddi-os.—Roedd ei gred
Yn ei oged, a'r gwanwyn yn agos.

Gwelsom Gaerfyrddin wedi hir grino
A'i daear gynnar yn ailegino,
A gweld enaid gwlad yno—o'r diwedd
Yn ei anrhydedd yn mynnu rhodio.

Yno'r oedd blodyn rhyddid,
Yno'r oedd yr haf yn wrid,
A phob perth yn brydferthwch,
Egin llawn, a'r gaea'n llwch.

Ond daeth yr hydref yn ei dro hefyd
Hyd erwau Sir Gâr gan dreisio'r gweryd;
Pan ddaeth marwolaeth yr ŷd—fe roesom
Waedd o siom, ond ein llyw'n ddisymud.

Haf byr ond haf a bery,—oblegid
Y blagur a ddeffry;
Ni wna'r haf ond gaeafu.
Daw ei awr yn y pridd du.

Ac wedyn yn Llangadog
Bydd caeau bras a glas glog.
A gweli ŵr golau'i wedd,
Gŵr mwyn â gwir amynedd.

Gweli yno ffydd y galon ffyddiog,
Y gred a ddeil drwy'r gwaradwydd halog;
Coel na ŵyr calon oriog—ydyw hi,
A gwêl hon godi'r Ddraig o Langadog.

Os yw yn aeaf, mae'n ernes newydd
O'r ha' nas ganwyd, ernes o gynnydd
Hardd a ddaw i'r ardd rhyw ddydd—ar ei daith,
Mae'r addewid eilwaith ym mhridd dolydd.

EURYN OGWEN
1942-

477 *Olwynion (i gofio Phil)*

(Bachgen 18 oed, ffrind i Rhodri a chriw Glantaf a laddwyd ar Feic Modur, Gorffennaf 8fed 1984.)

Dydd o haf ydoedd hi
A naws haf yn nos yr ynys;
Ffrind yn mynd am ei Honda.

Ni fedrai deimlo'n feidrol
A grym injan *six fifty*
Dan reolaeth ei ddwylo.

Beic mawr, ac yntau mor fach,
Yn gyrru bywyd
Mor rhad i'w eiliad olaf.

Cyrraedd cyflymdra disynnwyr
Holl rym y peiriant ond
Ni ddeil yr olwynion hyn.

Sŵn dur yn taro dur
A deunaw haf yn dadfeilio
Yn swpyn di-lun ar y lôn.

Canodd y ffôn y noson honno,
Nos o wacter ysictod;
Nos ddu o haf, gynnes oedd hi.

*   *   *

Y Bore! Diffrwyth y deffro
Pan wyddem i'r ddamwain
Fod yn hollol derfynol.

Gadael brawd yn ei bryder
A gofid un sy'n gyfaill
A rhieni heb ddim.

Darn byr yn y papur lleol,
Byrrach y cofnod yn y *Mail;*
O raid, dienaid yw hynny.

Heb gyfleu yr oriau
A chwilio rheswm mewn gwacter
A phennu mesur y gwastraff.

Pa ddawn, pa ddiffyg, pa ffolineb
Ar noson braf o haf hir
Aeth â'r llanc i ddifancoll?

* * *

Ni chanai'r engyl yn yr angladd,
Ni chanai bron neb
Yn nieithrwch y gofid.

Mor anghyfarwydd y siantio,
Mor wag y weddi,
Mor dynn oedd cwlwm ein cyfeillgarwch.

'Roedd sŵn yr wylo
Yn gyffredin gras
A'r golled mor ddiystyr.

Wylasom, er bod gobaith
Yn nhrefn yr wyddor eglwysig
A min ar y seremoni.

* * *

A wylaist ti ddigon yn ddiweddar, Pedr?
Ti, sylfaenydd yr eglwys,
Gwelaist tithau golli cyfaill ifanc

Â'i fryd ar dy synnu di;
Mae dagrau bryd hynny'n fwy grymus, Pedr,
Na'r blew ar dy frest.

Iaith ein dynoliaeth yw enaid yn wylo,
Injans motor beics yn tanio
Un ar ôl y llall . . .

ELWYN EDWARDS
1943-

478

Awdl Goffa Elis Edwards, Y Fedw Arian
(Detholiad)

Dau frawd yn cyd-efrydu,—dau enaid
Yn cyd-weini'n unfryd:
Trin â balchder y gweryd
A'r hen oes i'w rhan o hyd.

Gwibiai gosgeiddig ebol,—a hirnaid
Yn ei garnau ysol;
Ynni ar draed trydanol,
A'i symud yn dyrnu dôl.

Ystwyth eu meingyrff hwythau—y meistri'n
Ei dorri hyd erwau,
Dynion celf amdano'n cau,
A phoen yn eu rheffynnau.

Ysgall y ddôl ar wasgar,—o'r erwau
Dôi'i weryriad treiddgar;
Ei garnau'n corddi'r ddaear,
Ac ofn yn y llygaid gwâr.

Ym mhen y rhaff yn caffio'n—ei ewyn,
A'r ewyn yn rhuddo;
Yr oedd wrth ei wareiddio
Li o waed ar ei wefl o.

* * *

Ystrodur a phladuriau—yn hanfod
Ar henfaes y cnydau;
Y rhos ir yno'n brasáu,
A'u dolydd yn fydylau.

Hwsmona maes a mynydd,—a gwarchod
    Y geirchen ysblennydd;
  Cyn troi'r ddeupen yn benrhydd
  I dir rhyddid wedi dydd.

Y stryd heb ystyr i'w hiaith,
Gofid yn mygu'i hafiaith;
A Sadwrn heb seiadu
Na'r llais uwchlaw lleisiau'r llu.

Y ddwy gaseg yn segur,
A chyfrwy mwy ar y mur.
Diweddgan lle bu dyddgwaith,
A gwe ar eu hoffer gwaith.

Llawr y gadlas yn glasu,
Tyfiant yw tenant y tŷ,
Tafol ar gerdded hefyd,
Gwaun wedi'i rhedeg i gyd.

Ni cheir wrth glydwch aerwy
Fuwch gyflo'n ymwingo mwy,
Na'r un fuches wrth resel
Y côr wrthi'n diddig hel
O stôr Awst y braster ir
A ildiodd faes a doldir.

Efrau'n gorchuddio'r cyfrwy,—a drysi
    Trwy ei dres yn tramwy;
  Y drain yn gor-redeg drwy
  Yr ŷd, a bollt ar adwy.

Rhaffau'n dorch wedi gorchwyl—a rifwyd,
    Hir afiaith y disgwyl;
  Hen werthoedd dan y morthwyl,
  Fe aeth marwolaeth â'r hwyl.

Er i drymder y gweryd—a'i bridd du
Faeddu ei gelfyddyd,
Y mae ef yma o hyd,
Mae'i afiaith yma hefyd.

479

Llyn Celyn
(Adeg sychder mawr 1976)

Olion fy hil a welaf,—ac aelwyd
A foddwyd 'ganfyddaf:
Ailagor craith i'r eithaf
A wnaeth Cwm yr hirlwm haf.

DEREC LLWYD MORGAN
1943-

480

Dim Ond Defaid
sydd ar y Mynydd Du

O'r siglenni ar Fryn Brain, hanner cau dy lygaid
A gweli'r frech wen yn pori'r Mynydd Du.
Cesair o glefyd ydyw, briwsion o'r gwanwyn
Yn gwasgar wedi'u cneifio
I'r haf yn hy.
Cafodd y mynydd ewinedd y gwynt i grafu'r cosi drosto,
Nes bod arno heddiw ambell graig yn graith o liw y galchen,—
Esgyrn wedi tyfu trwy'r croen
Fel y tyfodd Joseff mas o'i siaced fraith.

A Gorffennaf gŵyl yw hi.
Mae'r cyfan heddiw yn dwli ar yr haul,
A'r claf ei hun, y llydan tew, yn llanw'r promenâd,
Fel pe bai ar lan y môr, ar air y meddyg,
'Rôl prydau bwyd yn cymryd llwyaid o fwynhad.
Dano, nid oes ond deng milltir o Aman
A ninnau o'r siglenni ar y twyn yn gweled mynydd bras
Yn croesi ei benliniau ar Dro'r Derlwyn.

Pobol glan môr ydym ni iddo,
Gwrthrychau'r 'Hylo' byr, balch, a'i stampiai'n gwsmer haf
Pe torrai'n gyfarch.
Wele ni wragedd llety, a gwŷr ei gadair gwsg
Yn swil i'w oglais a'i ddihuno
I roi tocyn iddo: 'Dim ond whech, syr',
Ac yn ymatal o barch, ac ofn brech.

O Dduw, na baem ni'n ewn i neidio yn anghwrtais ato,
Ei gael yn un ohonom ni,
A pheidio â rhythu arno
Fel plantos ar ddieithrwch,
Fel rhai cyfrifol ar ddyn du.

481

Yr Ymprydiwr

sef Ffred Ffransis

Pan fydd fy merch i'n hŷn, awn o'r tŷ hwn
I lawr heibio i Lanfihangel Genau'r Glyn
I Nant-afallen, tro rhyw filltir dda,
I weled llety gwâr a gwely gŵr na fyn
Mo 'mhennill gwaith
Yn addurn ar ei aberth enbyd ef,
A dwedaf: 'Yma, bu'n arbed wyneb iaith
Nad ydyw'n iaith i unlle ond i'r nef.

'Ef oedd yr ymprydiwr, anhywaith ddur,
A gaed yn euog, a'i arf oedd yr haearn yn ei waed.
Darian cenedl, yr oedd yn dyllog i'w thâl;
Yr oedd yna'n dwll yn ei fol ef fedd i'w sarhaed.'
A thewi'n fud.
Ond gofyn hithau'r ddoeth ei bach: 'Pa ran
O'r hanes a'th gynhyrfodd di gyhyd,
A chysgod dolur ar dy wyneb cán?'

'Yr oedd gan ein gwlad ynadon, a hedd
Cyffredinedd oedd pwnc eu beinciau cnotiog hwy.
Ni redodd ar eu hyd na glasddail haf
Y Gymru Fydd, na phydredd ofn caethiwed hwy.

Ddiddeall bren!
Pa fodd y deallai prennau rym y gwanc
A gorddai'r gŵr i ddioddef loes y sen
A deflid at ei iaith, ac wynebu'i dranc?

'Deallem ni, ei gyfeillion. Eto,
Aethom at ei dŷ'n swperog, ac at ei wâl gan bwyll
Fel darn o'r hen Sanhedrin wedi nos
I gynnig cyngor lleddf, a dweud, trwy deg, trwy dwyll,
'Na threnga o'r brad'–
A theimlo ar y gair yn ei ŵydd fan hyn
Gryndodau dychrynfeydd yn cylchu'r wlad:
Rhodiannai ias ein rhyddid yn safn y Glyn.'

482 *Marwnad D. J. Williams*

Mae'r gwydr dwfn? Mae'r gwaed ar dân
dros y cof dyrys cyfan?
Mae'r het? Mae'r gasgen enaid
a'i gwin rhydd fu'n gweini'n rhaid?
Y sbectol ddi-lol, mae'n loes,
a wahanodd â'i heinioes:
mwy ni welir manylion
golwg teg o lygaid hon;
ni thrig y weledigaeth
mwy ar goedd yng Nghymru gaeth.
Troes aristocrat yr og,
dduc-gyfarwydd cyforiog,
yn un â lleill chwedl y llwyth,
un â thalar ei thylwyth.
Rhwygwyd y chwech-ar-hugain,
ddydd slei, ddoe, o'i ddewis lain,
wron rhadlon hirhoedledd,
henwr byw ifanca'r bedd.

Ebol oedd, ond rhoes i'w Blaid
dirionwch gwerth tri enaid,

ei straeon gwâr wrth aros,
ei lawenydd yn nydd nos;
grit ei gariad diguro;
rhaeadru rhoi ei dir o.
A ffydd arweinydd o'i rin
ef a harddodd Gaerfyrddin.
Treuliodd ei chwarter olaf
yn rhoi i'w iaith hyder haf
pan drwy'r gaeaf anafus
dôi i'w le yn daid i lys.
I Wynfor, ei ŵr gorau,
yr un dydd i Ddafydd iau,
bu'n dad cu, bu'n daid cywir
i'w brif fechgyn hyn yn hir.

Lle bu'n y wlad, mae adwy.
Beth yw maint ein gobaith mwy?
Oni chawn fynychu ofn
o roi daear i'r diofn?
Ymwrolwn, hwn yw'n her—
o'r fynwent, codi'r faner;
o'r tir du, rhoi tro diwyd
i greu, balch-gysegru byd
breuddwydion y gwron gwâr,
lawen elyn i alar:
Amen hwn ydoedd mwynhau
cyngerdd almanac Angau.

483 *Marwnad fy Nhad*

Tad fu im, astud o'i fodd,
edrych oedd ei ymadrodd,

edrych ing, edrych angerdd,
cynnull gwir cannwyll ei gerdd:

duedd y gwir, 'doedd a'i gwad
o lwydwyrdd ei weled

Yn gyfrin, diflin difloedd,
fy Llyfr Ancr, fy lleuwefr, oedd,

fy nawn hynaf yn annog,
f'ynganiad, fy llygad llog

yn dioddef diweddu
cariad ei weld mewn cancr du.

Ond trwy ddistawrwydd ei stad
bu'i arafwch yn brofiad:

yr oedd fel gardd ofalus
na fwriai'i haf gwyw ar frys.

Deall oedd, ac nid yw llwch
yn deilwng o'i dawelwch.

484 *Colli Gwerfyl*

Ar y Dydd Calan, gwaed ar yr ymennydd.
Tawodd y degtant a'r delyn, a'r nabl
Hefyd a'i gân. Mae gwên lydan ysblennydd
Nad yw mwy. Ac y mae Bywyd oll dan gabl,
    Heb rin na rheg,
Oherwydd fe roddodd mewn crafangau
Eleni yn galennig i Angau
    Werfyl wen, deg.

Na'i gŵr na'i phlant, ni ddeall neb baham.
'Y mae yn rhuddin Byw ryw wachul wefr
Sy'n negydd llonydd lleddf, oni lam
Un waith, a throi yn gysgod llwch bob pefr.'
    Wyddoniaeth Ddoeth,
Taw di â sôn! Damcaniaeth yw dy druth
Na ddaw o'i gwybod wres na chysur byth
    I deulu'n noeth.

Mam a thad, mae'r teulu tu hwnt ymhell
I'n cydymdeimlad calon ni a'u câr,
A'i carodd hi; mae dail calendrau'u cell
Yn wyn ddigynllun gan ddiwrnodau sbâr
  Y flwyddyn gron,
Oblegid drwyddi hi yr hwyliai'u haul,
A thrwyddi hi y trôi eu trefn yn draul
  Cyn yr ergyd hon

A'n tlododd bawb. Caredig Ceredigion
Oedd i ni, ac yn ei chôl o'i chegin faith
Fe ddôi â chroeso mwy na dogn digon,—
Ni welai hi yn ei llawenydd waith;
  A thrwy y fro—
O ysgol, ddydd, o neuadd, hwyr brynhawn,—
Fe glywid atsain tincial llestri'i dawn
  Sy'n awr tan ro.

Clywch Gof yn dweud: 'Fe fydd hi'n brydferth nawr
Trŵy'ch oes. Mewn ienctid ir y cofiwch hi.
Yfory mwy a'i gwêl yn Werfyl-wawr
Wyneplon welw lefn, ddi-grych ei bri.
  Derbyniwch hyn.'
Na. Gwyddom nad anghofiwn fyth y trawiad
A wreichionodd hunllef ei hymadawiad
  Yn waed ynghýn.

485 *Llanfair-yng-nghornwy*

Un prynhawn gwag
prin ei gast ar galendr Ebrill,
pan oedd y gwydr yn braf,
aethom,
  y ddau ohonom,
yn y car
yn uwch uwch ar hyd yr ynys
nag y buasem erioed o'r blaen:

a chyrraedd,
fry yng nghern Môn,
Lanfair-yng-nghornwy:

a gweld yno
y gaeaf a'r gwanwyn yn un,
yn un heb fod ar wahân,
yn dymor undydd tawdd
didueddiadau,
canys ar y coed
o bobtu'r ffordd
yr oedd hi'n blaguro eira:

o weld, ystyriais
mai peth pentrefol, plwyfol fel hyn
yw gwyrth,
oherwydd nid oedd y tu hwnt
i benrhyndod eithriadol y lle
ddim byd mwy anghyffredin
na dibyn
yn cydymarfer â'r môr.

GERALLT LLOYD OWEN
1944-

486

Etifeddiaeth

Cawsom wlad i'w chadw,
darn o dir yn dyst
ein bod wedi mynnu byw.

Cawsom genedl o genhedlaeth
i genhedlaeth, ac anadlu
ein hanes ni ein hunain

A chawsom iaith, er na cheisiem hi,
oherwydd ei hias oedd yn y pridd eisoes
a'i grym anniddig ar y mynyddoedd.

Troesom ein tir yn simneiau tân
a phlannu coed a pheilonau cadarn
lle nad oedd llyn.
Troesom ein cenedl i genhedlu
estroniaid heb ystyr i'w hanes;
gwymon o ddynion heb ddal
tro'r tai.
A throesom iaith yr oesau
yn iaith ein cywilydd ni.

Ystyriwch; a oes dihareb
a ddwed y gwirionedd hwn:
Gwerth cynnydd yw gwarth cenedl
a'i hedd yw ei hangau hi.

487 *Fy Ngwlad*

Wylit, wylit, Lywelyn,
Wylit waed pe gwelit hyn.
Ein calon gan estron ŵr,
Ein coron gan goncwerwr,
A gwerin o ffafrgarwyr
Llariaidd eu gwên lle'r oedd gwŷr.

Fe rown wên i'r Frenhiniaeth,
Nid gwerin nad gwerin gaeth.
Byddwn daeog ddiogel
A dedwydd iawn, doed a ddêl,
Heb wraidd na chadwynau bro,
Heb ofal ond bihafio.

Ni'n twyllir yn hir gan au
Hanesion rhyw hen oesau.

Y ni o gymedrol nwyd
Yw'r dynion a Brydeiniwyd,
Ni yw'r claear wladgarwyr,
Eithafol ryngwladol wŷr.

Fy ngwlad, fy ngwlad, cei fy nghledd
Yn wridog dros d'anrhydedd.
O, gallwn, gallwn golli
Y gwaed hwn o'th blegid di.

488

Y Gŵr Sydd ar y Gorwel

Nid eiddil pob eiddilwch,
Tra dyn, nid llychyn pob llwch;
Ac am hynny, Gymru, gwêl
Y gŵr sydd ar y gorwel,
Y miniog ei ymennydd,
Y ffŵl anfeidrol ei ffydd.

Ar ei wedd mae ôl breuddwyd,
Yn y llais mae'r pellter llwyd.
Ond ei ddysg a'i ddistaw ddod
Ni wybu ei gydnabod,
Fel y Gŵr eithafol gynt
Fu ar drawst farw drostynt.

Y gwrol un a gâr wlad
A gwerin na fyn gariad.
Naddodd ei galon iddi
A chell oedd ei diolch hi.
Am wir act o Gymreictod
Ennill ei chledd yn lle'i chlod.

Gymru ddifraw, daw y dydd
Y gweli dy gywilydd.
Ni all sŵn ennill senedd,
Ni ddaw fyth heb newydd fedd.
Ac am hynny, Gymru, gwêl
Y gŵr sydd ar y gorwel.

489

Englynion Coffa Sarah Edwards

Argoed, Llawr-y-betws

Ym Mawrth dywedem wrthi—fod yr haf
A'i drem tuag ati,
Nes i Ebrill ein sobri,
Ym Mai ffarweliem â hi.

Un o reddf y rhai addfwyn,—un o blaid
Y blodau a'r gwanwyn;
Hardd o'i hôl oedd gwyrdd ddeilwyn
A bu ei llaw ar bob llwyn.

Bu rwydd wrth bawb i roddi—cymwynas,
Caem honno heb erchi;
Ein llwydd yn ennill iddi,
Ein hangen ei hangen hi.

Y wraig wylaidd â'r galon—a ddaliai
Eiddilwch ei dwyfron,
Un brydferth ei thrafferthion
I'r diwedd hir ydoedd hon.

Chwi wladwyr, ewch a chludwch—ei harch bren,
Bwriwch bridd, ond byddwch
Yn dyner wrth dynerwch,
Bonheddig wrth wledig lwch.

Y wraig na welaf ragor,—mae'r ddwyfron
Mor ddifraw â'r mynor,
A'r wedd wen dan dderw ddôr,
Y dremddwys o dan drymddor.

Fe hawliaist ei gofalon,—ros ei gardd,
Rhoes ei gwaed i'th galon,
Dy ddeigr nid yw ddigon,
Dyro di dy wrid i hon.

490 *Cilmeri*
(Detholiad)

Y rhewynt yn gareiau ar y bont,
A'r byd i'w hwynebau;
Maen y cof yn miniocáu,
Fel yr oerfel, eu harfau.

Fel un 'roedd deunaw o flaen y cannoedd,
Y cannoedd diadwaen;
'Roedd un mur o ddeunaw maen,
Un noethfur o wenithfaen.

Yn adwy'r bont, dôr eu byd, yn rhyfyg
Canrifoedd yr ennyd
 deunaw gŵr, dyna i gyd,
Safodd yr oesau hefyd.

Yr iâ ar Bont Orewyn a redodd
Yn ffrydiau eiriaswyn;
Aeth deunaw yn naw, yn un;
Môr o waed oedd mur wedyn.

A'r angau ar ei eingion yn ieuo'u
Haearn yn freuddwydion;
Deunaw marwolaeth dynion,
Deunaw greddf yn gadwyn gron.

Nid oedd ond enaid iddynt, y deunaw
Na roed wyneb arnynt;
Deunaw gŵr dienw gynt
Ym mreuddwyd Cymru oeddynt.

491 *Jennie Eirian Davies*

Ceir gwaedd o gyrraedd geiriau, y waedd fud
Na ddaw fyth i'r genau;
Rhy ddwfn i gnawd ei rhyddhau
Na'i hyngan, ond trwy angau.

Y waedd tu hwnt i weddi, yr un waedd
　Na chlyw'r nef mohoni;
Nid oes llais i'w hadlais hi,
Nid oes Duw i'w distewi.

Hon yw gwaedd unigeddau ein harswyd
　Yn y gors ddilwybrau
Lle dirwyn trwy'r pellterau
Sŵn y cŵn a'r nos yn cau.

Mae ynom na wyddom ni mo'i waelod,
　Mae hil o drueni,
Ac ynom er ein geni
Y mae rhaid ei marw hi.

Hon filain ei gorfoledd, hon ddeifiol,
　Ysol ei hynawsedd,
Hon wridog ei brwdfrydedd,
A hon, o bawb, yn ei bedd.

Y wraig hoywaf ei thafod, a'i galar
　Yn gwlwm diddatod,
Heb eiriau i'w disberod,
Heb iaith yn niddymdra'i bod.

Hi oedd tuedd y tywyll, hi ydoedd
　Ein breuddwydion candryll;
Hi oedd arswyd ein llwydwyll,
Hi oedd ein gwaedd yn y gwyll.

492　　*Yn Angladd ei Fam*

Yr oedd yno wrtho'i hun—er bod tad,
　Er bod torf i'w ganlyn;
Ddoe i'r fynwent aeth plentyn,
Ohoni ddoe daeth hen ddyn.

NESTA WYN JONES
1946-

493 *Cysgodion*

Na, ni welsom ni ddyddiau y ddau Ryfel Byd.
Fe'n ganed pan gliriai'r llwch
Oddi ar olion y lladd a'r llosgi.
Ni fu achos i'n lleisiau ni gracio
Wrth erfyn am 'fara beunyddiol',
Ac ni ddiflannodd rhai annwyl inni
Heb inni wybod yr amser a'r amgylchiadau
Yn fanwl.
    Etifeddion yr oes feddal,
A'n byd yn . . . weddol wyn,
Ond efallai y daw arlliw o euogrwydd weithiau,
Yn sgîl ambell 'sgytwad front
O weld neu glywed rhannau o'r hyn a fu
Yn y dyddiau duon,
Darnau sy'n serio i'n hymwybyddiaeth
Brofiadau rhy ddieithr i ni eu hamgyffred.
    Y wraig honno, gynt, ym Melsen,
Â'i phwyll yn gareiau yn y llanast o'i chwmpas
Yn mynnu magu ar atgof o fraich, ei phlentyn
Marw.
    Y corff hwnnw'n hongian mewn camystum digrif
Fel bwgan brain wedi gorffen ei waith
Ar weiren bigog,
A phenglog ddanheddog dan ei helmed ddur.
    Y cannoedd gwydn eu gafael, yn farw gorn,
Eu hasennau fel 'styllod golchi,
A'u boliau'n gafnau gwag,
Gweddillion arswydus y poptai nwy.

    Y rhesi trefnus o groesau gwynion
Mor gythreulig ddistaw o niferus
Fel na allwn goelio
Fod y fath gyfrif
Yn gorwedd yno.

. . . Na, ni wyddom ni ddim am y dyddiau hynny,
Dim ond clywed weithiau
Am ryw ddigwyddiadau y tu hwnt i ddeall
Cyn ein hamser ni.
Ond fel y codai'r llwch yn araf
Oddi ar olion y lladd a'r llosgi,
Tybed na chlywsom ninnau dyndra eco rhyw sgrech
Fel yr 'hedai yr hen eryr barus tua'r gorwel,
A chysgod ei aden oer
Yn ein fferru ninnau, am eiliad,
Cyn ymadael.

494 *Poen Meddwl*

Ar fore o Fehefin
Mae creithiau ar f'ymennydd.
(Coch a glas, coch a glas.)
Ti fu yno, wyddost, neithiwr,
Yn chwipio â phluen dy eiriau
Hyd waed.
(Coch a glas, coch a glas.)
Yn llenwi â phlu gweunydd dy wên
Holl grwybr f'ymennydd â gwaed.
(Coch a glas, coch a glas.)
Fe ddaw mendio gydag amser,
Meddan' nhw, meddan' nhw,
Ond hyd hynny,
Dyna ryfedd
Fod fy nagrau
Yn loywon.

495 *Traethau*

(Ar ôl gweld darlun o Hiawatha yn ei ganŵ yn mynd tua'r machlud, a'i farwolaeth.)

Hydref diwyd oedd o
Ac aeron yn diferu i'r dŵr,
Pyllau o waed rhyngof a'r haul,
A'r weilgi doddedig
Yn wêr o aur cyrliog ei gorneli.

Daeth y glaw yn sydyn, smwc,
Glaw mynydd ar y môr.
    Syllais arni'n hir cyn ei gwthio i'r dwfn
Yng nghadernid y deri,
Ei dwylo'n llonydd, a chopr ei gwallt di-bleth
Yn dynwared y dŵr.
Clywn grio gwylanod yn dristwch teulu mawr
Ac eco esgidiau cryfion ar lechen las
Yn nharawiad brig ar y gwymon briw.
Gwelwn eiddilwch y deri
Ymhell ar ôl eu siglo syml at fflam yr aur,
Yn dwyn y llwyth hapusa', trista'n bod—
Nain oedd hi.

Gwanwyn brau oedd hi,
Grisial gwlith ar we rhwng hen gewyll rhwd,
A heulwen heb gwafrio eto ar agennau'r traeth,
Rhigolau barrug yn y tywod.
Sylwais ar fwlch bach cul yn y morglawdd
A'r gronynnau'n disgyn yn araf.
    Syllais arni'n hir cyn ei gwthio i'r dwfn,
Yn y camric caredig
Fel haid o loynnod gwyn ar garreg galch
Yn crynu yn yr awel.
A chlywais gwestiwn tincial y tywod
Pan siglai ei chrud i'r tonnau,
Pam yr hawliwyd dychwelyd y mymryn haul
Ar ôl gaeaf mor hynod hir?
'Roedd y môr yn niwlog, aneglur
Ac enfys ar f'amrannau
Ar waethaf gwên gynnar Ebrill.
Diflannodd i'r meddalwch.
Bethan oedd hi.

Terfysg haf oedd hi,
A dreigiau ar y môr wedi galanas glaw.

Sgwriwyd y traeth gan y storm
A syfrdan y safwn heddiw.
    Syllais arni'n hir cyn ei gwthio i'r dwfn
Yn aroglau chwerw'r pîn.
Gwelwn lendid llygad y dydd a'i ymyl yn waed,
Petalau bywyd cariad
A gwawr gobeithion rhieni
Ynghlwm wedi'r glaw.
Cyndyn fûm i'w gollwng.
Bu'n hir yn diflannu i'r gwyll,
Ac ym min yr hwyr yn yr haf
Daw eto gysgod llwyd i siglo'n fy nghof,
Ac arogl pîn i'r heli.
Onid haerllugrwydd brad allai fynnu afradu breuddwydion
Ugeinmlwydd?
Eurwen oedd hi.

Urddas a roddais i'r tair wrth eu rhoi i'r môr
Ac eigion fy nghof i'w suo.
Urddas y toddi i ddiddymdod ddoe
A'u dwylo ar led i groesawu hela'r haul,
Yn lle griddfan y pridd budr,
A maen i fingamu'n wyrgam
Dan ywen ysgornllyd ir.
Tri chwch ar arffed y dyfnfor distaw
Fel cwpanau mes mewn cylchau lliw,
Yn oedi,
Ac fel tair seren ar y gorwel draw
Diffodd yn dawel, un ac un,
A minnau'n rhythu ar y traethau
Ac ar y môr.

496

Ar Wahân

Galwaf fy nau filgi gwyn
At fy sawdl, yng ngwlith y bore,
Ac edrych ar y tŵr, fry lle'r wyt.
Safaf, ac edrychaf arno,
Cyn i'm braich ymestyn llinyn fy mwa yn llawn,
Ac anfon saeth i drywanu'r dydd uwchben,
Saeth, i grynu'n feddw yn nerw dy ddrws,
Yn dwyn memrwn ysgrifen ddwys
Gyda'r bore bach.

Yng ngwres y prynhawn
Daw awel o'r mynydd
Yn gynnwrf i'r gwŷdd.
Cymeraf fy nghrwth o'r hesg
A chanu iti gân
Mor dyner
Nes i'r pysgod nesu at y cerrig llyfn
I wrando,
Ac mor ddwys
Nes i'r fwyalch ddistewi yn y dail,
A phlygu ei phen,
A chydnabod
Pruddglwyf cân y prynhawn.

Gyda'r hwyr,
O ffenest f' ystafell
Gollyngaf, i doddi i'r cyfnos pêr
Fy ngholomen wâr, wen,
Yn llatai hyd atat,
Ac wrth syllu ar liwiau llesmair y nos
Fe welaf dy wên yn goleuo, ennyd,
Cyn i gwmwl dy hiraeth
Lithro'n ôl i'w le.

497 *Pluo Gwyddau*

Rhed ffos yn goch gan waed
Drwy'r eira gwyn,
A llwyeidiau o eisin
Ddisgynna
Oddi ar ddail y danadl poethion
Gan sugno'r coch fel sbwng
Cyn suddo iddi.
Ffos araf, goch, rhwng cyllyll y brwyn.

Mae drws y gegin gefn ar gau,
A'r eira'n lluwchio i mewn o boptu'r sach
A thrwy dwll y clo
Yn bowdwr mân, byr-hoedlog.
Gwynt eira'n rhuo yn y simdde
A thu ôl i'r popty mawr,
A'r tân yn troelli
Gan lyfu'r huddyg am y crochan.
Cylch o wynebau gwridog
Ar y meinciau garw,
A chylch o ddwylo'n pluo, pluo,
Pluo lluwchfa gynnes ar y llawr,
Gan chwerthin, a thynnu coes, a chwibanu . . .
Yn y gornel
Mae cylch o dân glas
Mewn caead tun,
A het bluog yn plygu drosto.
Aroglau methylated, llosgi, gwêr . . .
A dwylo mawr
Ewinedd briw
Yn tynnu conion . . .

Yn oerfel y bwtri
Mewn papur sidan glân
Mae'r rhes wen ar y bwrdd carreg,

A'u pwysau'n hysbys
Cyn eu gosod
Yn ddefodol
Ar y glorian . . .

Y llofft yn dywyll,
A'r eira'n pluo, pluo
Ar wlad dawel.
Dim i'w glywed
Ond sŵn clegar isel
Dau, yn y cwt gwyddau.

498 *Estroniaid*

Fe ddaeth y gelyn gwâr
I Rydcymerau arall,
Yn goed Nadolig bach
Unffurf, unlliw.
A rhoed ar ddeilen fy nghwm,
Rhwng gwythiennau ei waliau cerrig,
Y lindys haerllug hyn
I ymbesgi
Am hanner canrif lwth.
            Yma, hefyd,
Mae brenhinbren cenedlaethau
Yn mynnu mwytho â'i fysedd tyner
Y pridd garw,
Gist ein cyfoeth.
            Ond mae'r rhain
A'u hewinedd estron
Yn crafangu dan y croen hardd,
Yn nadreddu
Oddi tano,
Trosto.

A dry'r gwynt o'm tu?
Deued cesair o dân
Yn gawod o flodau cochion
I'w mysg,
Ac o gynnau y goelcerth,
Gwasgared eu llwch
A chured ef
Yn gïaidd ar y graig.

Boed i'r glaw berwedig hisian
Wrth ei olchi ymaith
I ebargofiant,
Fel y clyw fy mhlant
Yn sŵn yr oeri mawr,
A sisial yr ymddatod olaf,
Enwau'r meysydd
A gollwyd
Ac a gaed.

499

Bwlch

(Er cof am Tada)

Yn dy lygad graffter
Llygad bugail, balchder.

Ar dy wefus, wên,
Ar dy fin, awen.

Yn dy lais, dân
Gloyw oleugan.

I'th ddwylo, hedd
Wedi rhin amynedd.

I ninnau, hir gyni
Chwithdod dy golli.

JOHN HYWYN
1947-

500

Geni Plentyn
(O'r awdl 'Creu')

Sgrech, yn fiwsig ar ei hyd,
a Mai ym mêr fy mywyd,
a hardd oedd er ei ryddhau
yn domen o ystumiau,
ei glustiau'n disgwyl ystyr,
ond y corff yn actio cur.

Ni bu gwaedd debyg iddo,
na lliw fel ei waedliw o.
O'm blaen ein mab a luniwyd
i roi lliw i'r Ebrill llwyd;
gweld ei ddod ac eiliad ddall
yn andwyo ein deall.

Pwy ydyw'r pen pypedaidd,
a llwybr o waed lle bu'i wraidd?
Mae'r graith mor wag ar ei ôl,
a hwn mewn byd gwahanol;
ein ffydd cyn rhoi corff iddo,
bu dau'n ei adnabod o
megis haf yn arafu
o'n blaen ar ddaear o blu.

Mae'r genau er mor gynnar
yn dal hadau geiriau gwâr,
a phan dyfo'r tymhorau
yn ardd o iaith i ryddhau
ein cof i'w gof, yna gŵyr
roi'n y sŵn ryw hen synnwyr.

D. CYRIL JONES
1947-

501 *I Heledd*

Dawn i edrych diniweidrwydd dau lygad
Dilwgwr yw'r Seithmlwydd,
Dawn gwên, yn denu i'w gŵydd.

Llonnach ei 'stafell heno, na hi gynt
Fu'n ei gwae yn wylo
'Rôl gweld ffawd ei brawd a'i bro.

Chwerthin ei thân eithin hi sy yno
A seiniau'i direidi
Iach, annwyl yn gwreichioni.

Anterth dychymyg plentyn esgora'i
Ddyfeisgarwch wedyn
Yn dorf ei chreu diderfyn:

Yn ei thro mae'n athrawes, neu weithiau
Ymsytha'n d'wysoges,
Cyn taro tant cantores.

Ond gan amla' mam yw hi yn magu'i
Dychmygion mewn doli
Â'i hystum greddfol drosti.

Mae'n gerdd ein hangerdd o'n had a'i hawen
Yn dyfnhau dyhead
Ein hanian yn ein huniad.

502 *Creu*

Deilen aethnen ei noethni
Angerddol fu'n fy nghorddi–
Onid taer ei chryndod hi?

Ag eneiniad gwanwynol,
Torrais gŵys ddyfnddwys drwy ddôl
Ifanc ei bru gwyryfol.

Ar ei llain, tir ei llwynau
Hydrin, bu og fy nghledrau
Yn hafn ei hedd yn llyfnhau.

Roeddwn erddi yn arddwr
Ei dyhead a heuwr
Ei bywiog gorff ym mhob cwr.

Naws Ebrill oedd yn sibrwd
Drwy ei phridd, pan dorrai ffrwd
Had dirgel o nwyd hergwd.

Tw' ei gwedd fu'n datguddio ein huniad,
A'i hwyneb yn pefrio
Fel dŵr a chwardd pan darddo
Yn swil o grombil y gro.

Llifodd ei ymchwydd drwyddi a'i rym mud
Fel storm Awst yn torri
Dros lannau ei llwynau'n lli,—
Rhith o lanw'n ffrwythloni.

Yn nhir braenar ei bronnau yn fwrlwm
Bu diferlif ffrydiau;
Yn araf fel tw'r hafau
Eu trumiau hwynt fu'n trymhau.

Ias creu yn hoen drwy'i hesgyrn hi, ei gno
Yn gynhaeaf ynddi,
A'i rynnau'n lluniaidd gronni
I'w fedi o wyrth fy had i.

Wedyn yn donnau nwydwyllt,
Yn dwrw gwyn rhaeadrau gwyllt,
Rhwygo o graig ei gwewyr hi
Wnâi'i dolef fel rhu'r dyli;
Fe luniwyd o nwyd ein hau
Gnawd o'i chnawd a'i chnoadau.

ALAN LLWYD
1948-

503

Geni Llo
(Cerdd VI allan o 'Cerddi'r Cyfannu')

A phan ydoedd y fedwen arian a'r gwyddfid yn ir,
a chudynnau'r fanhadlen yn crychdonni'n
felyn ar awel y foel,
a thes ar y ffridd, fe ddaeth sarff i'r ardd,
a neidr i wenwyno Eden fy niniweidrwydd . . .

Buwch gyflo dan ei baich, a'i gwefl
yn glafoeri wrth ei thasg lafurus,
fin nos yn brefu'n isel
yn nhrafferth anterth ei thymp:
brefu, anadlu'n y nos
yn floesg o yddfol, a'i hesgyrn
yn disgyn yng nghaledi ei hesgor.

Yn ddiymadferth yn ei rhyferthwy
anadlai'n isel drwy gydol y nos,
a phoenau'i chorff yn ei chwys;
minnau'n gwylio'r agendor gyndyn
yn agor i wagio'r groth,—
gweld yr hollt gildyn yn ymledu'n wlyb,
a'i hafn ystyfnig yn ddafnau
o waed uwch gwely o wellt.

Llydan oedd yr hollt yn awr,—
y groth yn agor a hithau'n igian
ei hystlys islaw'r rhastl,—
yn tarthu yn ymyl anterth y nawmis.

Ei draed dan gysgod yr ên
wrth ddod o'r groth wydn:
hithau'n llygadrwth wthio'n
rhwyfus, lafurus; anelu i fwrw
ei llo o'i chnawd llawn:
oedi cyn iddi wedyn
wthio drachefn yn ei lleithder a'i chwys,
hybu eilwaith yn byliog
oni ffrwydrodd o'i chorff, a rhaeadru
ohoni'n un sypyn swrth,
a llithro o wyll ei thor hi
i'r wawr wen.

Yna'i sychu â darnau o sach,
glanhau ei ffroenau cyn i anadl ffres
y wawr gynhesu ei gnawd,
yntau, y llipryn gwantan,
yn drwsgl ar ei bedair esgair,
a'i gorff yn mygu i gyd.

A minnau'n cofio gwylio dirgelwch
y geni yng ngoleuni'r gannwyll,
a'r nos yn marw'n y wawr.

504 *Meirch Llangyfelach*

Gerllaw addoldy'r Drindod
  porant, rhwng hesg, ynghyd,
fel pe ar bererindod
  defodol rhwng dau fyd,
heb hidio'r draffordd dan y tŵr
na rhusio dim, er ei hystŵr.

Wrth gyrchu heibio i greiriau'r
  seintiau, di-frys eu hynt,
a phorant lle bu'r ffeiriau
  yn Llangyfelach gynt,
heb wisgo rhwng yr hesg a'r brwyn
na rhaff ar war na thyndra ffrwyn.

Mor stond ym mrys a dwndwr
  y draffordd ddiymdroi,
nad yw ei sŵn na'i ffwndwr
  na'i ffrwst yn eu cyffroi,
yw'r meirch diysgog rhwng dwy oes
gorffwylltra'r ffordd, gwareidd-dra'r Groes.

Trônt tua'u rhawd dan ddeilwaith
  derw'u cynefin dir;
pystylad heb hast eilwaith
  ar eu gorymdaith hir,
a thramwy ymaith gyda'r hwyr,
a'r haenau gwaed uwch Penrhyn Gŵyr.

505 *Marwnad y Plentyn nas Ganed*

Eiliad dy farwolaeth oedd eiliad d'enedigaeth di:
nid esgor mo'r esgor annisgwyl, ac nid ychwaith angau;
deufis, ni fuost ond deufis yn etifedd i ni.

Fel cannwyll nas goleuwyd yn diffodd, neu gywain adlodd heb gnwd,
fel haul yn machludo cyn gwawrio, neu ymadael heb gyrraedd:
daeth marwolaeth i anrheithio'r groth ac i'th gipio o'th gwd.

Dy anrheithio cyn dy ymberffeithio, dy ysbeilio cyn eilio'r cnawd
yn wisg am dy esgyrn; dwyn dy hoedl cyn dy genhedlu'n
berffaith, nes bod cychwyn yr ymdaith yn derfyn dy rawd.

Nid ein gofid oedd dy ddifa sydyn yn ddeufis oed,
nid dy ollwng i'r gwyll oedd y golled, nid y geni annhymig,
ond dy ollwng i'r tywyllwch eithaf heb dy weld erioed;

heb i'th wên na'th chwerthiniad ein hannog i gyd-lawenhau.
Dy ddyfodiad oedd dy ymadawiad wedi treulio dy oriau rhwng
deuwyll:
gwyll angau a'r gwyll cyn y geni, heb oleuni'n gwahanu'r ddau.

506 *Chwilio am Ddelwedd Gymwys*

Chwilio am ddelwedd gymwys i wae'r amseroedd;
ni ddôi o'r cof, ohonof fi fy hun:
darllen pob cerdd ddolurus, beirdd laweroedd,
am ddelwedd i'm meddyliau, nid oedd un
yng ngherddi'r meistri mud, na chan ddramodwyr
henfyd clasurol Groeg a'i dduwiau ffawd,
nac yn nramâu'r modernwyr a'r dirfodwyr
a welai ddyn fel gwrthrych gwarth a gwawd.

Yr hebog a'r hebogydd ar wahân
a'u cylchoedd yn pellhau; tymhorau'r lleuad;
Maud Gonne yn un â'i genedl yn ei gân,
a chyfnod darfod Duw yn ddydd dadieuad
gwareiddiad oll; gwencïod yn eu tyllau,
y fam yn cropian yn ei gwaed ei hun,
a gwaed merthyron Erin ddewr yn byllau.
Archwiliais ei ddelweddau fesul un.

Durturod dan draed teirw: drylliwyd maen
y cynfyd, a rhyddhau'r anghenfil garw,
a'i ollwng i dresbasu dros dir Sbaen.
Maluriwyd cyfaill Lorca gan y tarw:
am bump o'r gloch ofnadwy y prynhawn
dodwyodd angau wyau yn ei wewyr,
a gwybu Lorca yntau ddirmyg llawn
sadistiaid at artistiaid ac at grewyr.

Llawn oedd fy nghof o wylo Akhmatova,
a hiraeth ei chenhedlaeth yn ei chnul,
pan drowyd gan wrthryfel yr athrofa
ddysg yn garchardy o gysgodion cul.

Fferrwyd pob sgwrs gan arswyd, rhewi'r geiriau
yn sisial isel rhwng dwy wefus las;
llofruddio'r frawddeg, clymu'r llyffetheiriau,
a'r sawdl waedlyd yn gorthrymu'i thras.

Meddyliais am fy nghenedl i fy hun,
a llên ei llynedd: Myrddin y dewin lloerig,
a welai, drwy'r gerddinen, ar ddi-hun,
ddrychiolaeth Rhydderch Hael, a'i waed yn oeri
gan arswyd; lluoedd Hors a Hengist hefyd;
Heledd yn llefain uwch y gelain goch,
a Lleu yn bwrw glafoer briw ei glefyd
yn rhith yr eryr, uwch yr hwch a'i rhoch.

Nid oedd un ddelwedd addas i'n hoes ni'n
y cerddi hyn, minnau'n ystyried wedyn
bob delwedd o'r gwirionedd ar y sgrin,
arswyd ar ein haelwydydd drwy'r teledu
nad oes dim dianc rhagddo: hel marwolaeth
rhywun mewn cwdyn plastig, sgrechian plant—
delweddau o ladd, pob delwedd yn dystiolaeth
i'r Satan ynom ni ddisodli'r sant.

Y du truenus hwnnw dan bastynau,
a'i lygaid boliog yn ymbilgar fud,
a theiar car o'i amgylch, cyn ei gynnau,
fel sarff yn ymddolennu. Glynai glud
y rwber golosg wrth y croen crynedig,
lle rhennir ar wahân yn ôl eu lliw
y deiliaid oll, nes creu'r ddwy wlad ddiawledig
a'r sen yn rhwbio'r halen ar y briw.

Canfod un dydd y dŵr yn y dyfnderoedd
yn llifo'n rhydd, a throsto'r rhew yn haen,
ac wele ddelwedd ddilys i'n hamseroedd:
yr afon honno yn ymlifo ymlaen

dan oerni'r iâ, dan drais y gwydr iasoer
sy'n fferru hoywder ffrwd pob calon lew:
y dŵr a'i dreigl isel dan y gwydr glasoer,
bywyd yn llifo rhagddo dan y rhew.

507 *Ar Gynhaeaf Gwair*

circa 1912

Mae'r blynyddoedd wedi ei grychu a'i felynu'n flêr,
y llun a dynnwyd ohonynt, genedlaethau'n ôl:
yr hen ŵr yn y canol yn hawlio'r heulwen i gyd,
fy hen-daid yn didol gwanafau rhwng y cloddiau clyd,
a nain ar ei ddeheulaw ar y ddôl,
a'r gweision wrth y das, a'r gaseg dan bwysau'r gêr.

Tad fy nhaid fan hyn, yn dal y gribin yn dynn,
tenant fferm Bryn-rhug, a'i ferch dair ar hugain oed
yn ei ymyl wedi'i gwisgo mor gymen â phe bai mewn ffair,
yma yn ei dillad gorau yn cywain y gwair,
a'r gweision yn gwregysu'r gaseg yng nghysgod y coed:
nid oes gof am eu dyddiau na'u henwau erbyn hyn.

Tynnwyd y llun cyn malu'n siwrwd y sêr,
cyn dryllio, diwreiddio'r gweision bodlon eu byd,
cyn boddi'r naïfrwydd gynt gan foroedd gwaed,
a gwagio'r cartrefi a'r pentrefi yn sŵn cnul y traed,
cyn gwysio'r gweision i Fflandrys neu'r Somme gyda'r fflyd,
cyn i'r fidog sugno'r esgyrn yn wag o'u mêr.

Pa sawl un o'r rhain a renciwyd ar feysydd Ffrainc
dan fidog y lleuad Fedi, rhwng gwanafau o gnawd,
y tri na wn i mo'u henwau, cyn ysgythru i'r maen
eu henwau, ar sgwâr Llan Ffestiniog, a'r gofeb gan staen
eu haberth yn goch? A ddychwelodd rhai o'u rhawd
heb archoll, â'u hen fyd ar ddifancoll, i hiraethu ar fainc

y Llan am gyfeillion y llynedd, eu cymheiriaid marw
dan y rhesi croesau yn Fflandrys, wedi i dafod y fflam
lyfu eu cnawd dolefus oddi arnynt yn lân,
gan adael penglog chwerthinog yn y ffos? Â thân
y fflam yn diosg yn olosg galon pob mam,
llwyth o hiraeth oedd pob llythyren yn y maen garw.

Mae serennedd yr amser hwnnw wedi'i gadw i gyd,
a'r tangnefedd yng nghynaeafau gweirgloddiau cefn-gwlad
Meirionnydd, cyn dydd yr ymrannu, yn lleueru drwy'r llun;
a'r eiliad a'u deil yw'r dystiolaeth olaf un,
cyn i gerti ddadlwytho fel gwrtaith feirwon y gad,
am ddoe'r cydymddiried wrth fedi yn yr hen fyd.

508 *Marwnad Saunders Lewis*

I

Pwy a welodd y llygaid yn pylu,
pwy a welodd y goleuni'n diffodd yn y llygaid oer,
a'r ymennydd dirfawr yn darfod
y noson honno pan ddaeth ofnadwyaeth y diwedd?
Pwy a'i gwrandawodd pan lefarodd y gair olaf oll,
a phwy a fu'n gwylio wrth i'r Angau furmur-wagio'r Gymraeg
o'i enau, a gwacáu y corff
o'i obeithion a'i freuddwydion a'i ddysg?
Eiddo pwy oedd y fraint ofnadwy pan fu farw fin nos,
a'i rwnc olaf yn dranc gwehelyth,
pwy a safodd, ac a wyliodd, pan welwyd
Cymru ei hun yn cau ei hamrannau,
a'i lladmerydd, heb leferydd, yn fud?

Unigol yw pob marwolaeth;
unigol, nid torfol, yw'r terfyn;
pob un, yn ei ddull ei hun, biau'i angau ei hun,
ond yn y farwolaeth unigol wahanol hon,
yn y farwolaeth helaeth, ddiddarfod hon,
yr oedd mwy nag un einioes yn darfod, mwy na mudandod un dyn:

bwriodd Ymerodraeth Marwolaeth amdanom ei rhwyd,
a bu farw holl ganrifoedd ein gwlad yn ei eiliad olaf.

Pwy a dystiolaethodd pan dynnodd yr anadl lwythog
olaf i'w ysgyfaint, a'i henaint amdano'n gynhinion,
a'i ddyddiau wedi'i oddiweddyd?
Un anadl lwythog yn dirwyn yr holl genedlaethau
ynghyd yn yr angau hwn;
un anadl fain yn ein dadelfennu,
a chenedl a'i hiaith yn diffodd mewn ochenaid laes:
un agen o ochenaid
yn traflyncu, yn llyncu'r holl hil:
gagendor ddiwaelod yn agor mewn un angau unigol
i hawlio ein holl wehelyth:
un cnawd yn ein llyncu ni oll.

II

Pan oedd blynyddoedd y *Blitz* yn tywyllu'r ffurfafen
breuddwydiai am Ewrob wareiddiedig celfyddyd a chân;
breuddwydiai am brofi'r bara yng ngwyrth y sagrafen
pan oedd cenedl yr Iddewon fel cynnud yng ngenau'r tân.

Pan fidogai'r Natzïaid lygaid y plant bach o'u penglogau
yn Auschwitz, Buchenwald, a'r diafol yn ymorol ymysg
y cenhedloedd gwâr am farbariaid, ac esgyrn yn hogi'r bidogau,
breuddwydiai am Ewrob rhyddid y Dadeni Dysg.

A phan oedd ei bobl ei hun yn dirmygu'i Babaeth,
yn gwarafun iddo'r grefydd o'i ddewis, ac yn galw ei Dduw
yn furgyn ac yn ofergoel, a'i Bab yn ddewindabaeth,
mynnodd glywed yr offeren Ladin yn glod ar ei glyw.

Delfrydai mewn cenedl o fradwyr â'i lygaid ar y tir y tu hwnt,
nes i'w genedl lofruddio'i freuddwyd, a sarhau ei ddelfrydau'n frwnt.

III

Rhowch afrlladen yng ngenau'i gelain oer;
  Glanhewch â'ch cadachau
 Ei gorff cyn i'r ddaear gau
 Amdano heno'i haenau.

Chwi wŷr Rhufain, eneiniwch ei gelain
  Ag olew; cysegrwch
 Y pridd sydd piau'r heddwch,
 Y gro sy'n cofleidio'i flwch.

Yn gannaid, llafargenwch eich Lladin
  Uwch lludw'i lonyddwch,
 A'i enaid a gyflwynwch
 I'r Tad, ond i'w wlad ei lwch.

Cysegru i'w Iesu'n grair ei figwrn,
  Neu asgwrn ei esgair;
 Clyw ein deisyf, wyryf Fair:
 Tywys ei enaid diwair.

Ac i'r hil nid breuddwyd gwrach a roddir
  Ond breuddwyd amgenach
 Y gŵr oedd roddwr i'w ach:
 Cyflwyno'r Cof i'w linach.

Rhoddodd, ond fe'i gwarthruddwyd; hyrwyddodd
  Ryddid; fe'i caethiwyd;
 Rhannodd, ond fe'i difreiniwyd;
 Maethodd, ond ni fynnodd fwyd.

Diynganiad yng ngenau marw hwn
  Yw'r Gymraeg, a'i angau
 Ym merwino'n hamrannau:
 Un cwsg amdanom yn cau.

Y mae'r un marw ynom; mae'i angau
    Myngus ar ein hymgom;
  Y mae'r un clwm, yr un clo
  Mud â'i enau amdanom.

Ein haraith yn ddistawrwydd; huodledd
    Mudlais heb gyfanrwydd
  Ystyr, a'n parablu rhwydd
  Yn fwydrus gan ynfydrwydd.

Aeth holl heniaith y llinach yn fwmial:
    Aeth y famiaith mwyach
  Yn drwst ar dafodau'r ach,
  Yn hyglyw, ond yn fregliach.

Cystrawen heb ei geni yn eirfa;
    Iaith heb ffurf na theithi:
  Diyngan yw'n hyngan ni,
  Brawddeg heb eiriau iddi.

Un tafod yn dafodau, ac un llais
    Yn llais yr holl oesau;
  Un gŵr â'i lygaid ar gau'n
  Dileu iaith cenedlaethau.

Aeth ein hiaith yn iaith ddi-nod; aeth yr hil
    I'w thranc a'i disberod,
  Yr hil heb echel i'w rhod,
  Heb ystyr i'w thrybestod.

509

Kathleen Ferrier

Ynof yr ymdywynnodd
  y lleufer yn ei llais,
a'i chân a'm hamgylchynodd,
  a'm llethu'n llwyr trwy'r trais
ar f'ysbryd: taenu'i hysbryd hi
a golau'i chân o'm hamgylch i.

Ei halaw ni thawelai'n
  y pridd a'r graean mân:
'roedd cragen wag ei chelain
  yn murmur môr ei chân,
a'r gân o fewn y gragen fud
yn treisio f'ysbryd trist o hyd.

'Roedd gloes barlysol Iesu
  drwy'i llais yn cleisio'r clyw,
a'r miwsig yn gormesu
  enaid pob enaid byw:
hoeliodd ei halaw hyd y mêr,
a'r gân a waedai gnawd a gwêr.

Ei llais yn orffwyll iasol,
  yn storm wylofus, leddf,
a'i chân yn ddwys urddasol
  wrth iddi dorri deddf
Angau, na fyn i ddim barhau
o'r hyn oedd ran o'r einioes frau.

Â'i halaw fel drychiolaeth
  uwchlaw diddymdra'i chlai,
anwylach yw marwolaeth,
  a'n llwfrdra ninnau'n llai:
mae cylch bach du yn trechu trais
cynutwr cnawd a llofrudd llais.

510 *Yr Hebog uwch Felindre*

Yn cylchu ac yn cylchu uwchlaw'r coed
yr hebog yn troelli yn nhrobwll
anweledig ei ehediad yng ngloywder
yr heulwen denau
ar fore o aeaf oer:

defod gyntefig,
rhithmau symudiadau dawns
yr hebog, gylch ac ogylch,
ar linynnau ei orwelion ei hunan:
y dydd yn stond, a'i ddawns o dân
yn un â dawns y planedau oll,
yn un â dawns y bydysawd.

Mae pob calon lofr dan ei hofran
llydan, o dan ei droelliadau,
yn arswydo ac yn pwnio drwy sidan
y fynwes denau. O fewn estyniad
ei adenydd y mae'r byd yn ymdonni:
anifeiliaid, creaduriaid a dyn
yn ei lygaid yn chwyrlïo ogylch,
yn y dirfawr wag sydd yn agen
y llygaid, a phob enaid byw
wedi'i ddal gan symudiad y ddawns.

Uchod y mae'n troi ar ei echel,
a'i ehediad o gylch ei gyhydedd
ei hunan: ef yw'r crychiad yng nghanol
y llyn sy'n lledaenu'n donnau
o gwmpas
ergydlach carreg adlam.
Y mae'r cylch yn ehangu, yn ehangu wrth iddo hongian
gerfydd adenydd o dân,
ac wrth droelli y mae'n torri twll
enfawr yn y cyfanfyd,
agor twll trwy gread Duw,
a thrwy'r agoriad fe syrth ein gwareiddiad yn grwn,
cwympo drwyddo i'w dranc.

ROBAT POWEL
1948-

511

Cynefin
(Detholiad)

A heddiw dof ar ddiwedd dydd—ar wŷs
Arhosol y mynydd
I oed â'r gwynt annedwydd.

Wynebu'r wyf gwm y brain,—eira glân
Ar ei glwyf yn lliain,
Ac wylaf uwch y gelain.

Lle bu olau ffyrnau'n ffydd—yn yr hwyr
Gwelaf rhwng y moelydd
Ulw a danadl dihenydd.

Distawrwydd y dwst oren—dan yr ôd,
Haen o rew ar frwynen,
A hirlwm ar y ferlen.

Oerodd gefail y daran,—oerodd haul
Ar ddwylo digryman,
Oerodd gwaed lle'r oedd y gân.

Carthion rhwng olion waliau,—a hwythau
Yn noeth fel asennau
Yn rhynwynt yr wybrennau.

Mae cryglais gwŷr y ffwrneisiau?—Mae grym
A gwres y melinau?
Oer yw eco hen friciau.

Crynaf yng nghecru anwar—drudwennod
Ar dwyni wrth watwar
Anaf newydd fy naear.

Ei hanialwch a welaf—yn y dref
A ŵyr drais y gaeaf
Ar ŵyn y praidd tirionaf.

Rhag traha y bodaod—a oes ŵr
A saif yma i warchod
Cnawd y tir dan oerni'r ôd?

Yn niwl yfory y gwelaf irwydd
Yn codi o wlad lle ceid aelwydydd;
Ar dorlan cwyd y garan ei gerydd
Lle rhuglai'r wagen i frig tomennydd.
Daw adar a'u diwedydd—trwy'r cangau
I anial caeau â hwyl eu cywydd.

Dychwel y fforest dros hen orchestwaith
Morthwyl ac eingion dynion diweniaith;
Llonydd y gwŷdd lle dychlamai goddaith
A llwyni drain lle bu llonder unwaith.
Hen bren crin gwerin y Gwaith—dan ddrysi,
A'i fri dan fieri lle bu'r llafurwaith.

Ynteu a dyr her yr hwter eto
I wysio'r enaid o nos yr huno?
A lenwir pellter â hyder troedio
Esgidiau gerwin i sgŵd y gwawrio?
A enir o'r dihuno—awenau
A nodda danau ein rhyddid yno?

ISLWYN EDWARDS
1949-

512 *Y Goeden â'r Gangen Gam*

'Henffych well, Athro,'
ebe ceidwad y god â'r ffedog ledr,
a chusanu ei Grist yng Ngethsemane wedi'r swper,
a'r Sefydliad yn dilyn o'i ôl
  â'i gleddyfau trin
  a'i bastynau,

i ddwyn y Nasaread bodlon
ymaith o'i flaen i'r Ddinas
  wrth droed Golgotha.

Ciliodd mewn syrffed o euogrwydd
  hyd strydoedd cefn y Ddinas
  fel herwr dan gysgod yr hwyr,
  i chwilio am y goeden
    i glymu'r sarff
    â'r gynffon dorch.

Mae lleuad waedlyd
yn dringo cangau'r olewydd a'r ffigys,
a burgyn talsyth
  y trysorydd o Gerioth
  yn pendilio ar gangen gam.
Mae'r ffedog ledr yn sypyn yn y gwlith
  a'r llonyddwch
    yn fferru'n araf
      mewn llygaid fu'n deori dagrau
    uwch y fargen erthyl.

Yn Aceldama
  rhwng dail yr ysgawen,
ni chlywodd undyn
  blwc sydyn a rhythm
  y rhaff,
na chyffyfflo'r Angau
yn aflonyddu'r nos.

Oedodd a phendrymodd
  wedi myned y Mab
  gyda'i osgordd,
  a ffoi o'r disgyblion eraill
yn gachgwn croeniach . . .
  yno y plygodd yntau
  dan bwys ei boen,
  ei ben ar foncyff,
  a bwrw'r llwch o'i sandalau.

Gwae y marw hwn heno!
Gwae y bradwr a'r hocedwr bregus
a fargeiniodd ei Grist am bris caethwas!
Gwae y wraig ar ymchwydd ei thymp a'i gollyngodd gynt
  i'r byd o efel ei chnawd!
Gwae y rhaff a'i daliodd mor dynn
  heb ei ollwng yn ei chwys oer a'i gymwy
  fel darn o farmor i'r ddaear!
Gwae y nos dywyll honno gynt
  fu gaer i'r gwrthgiliwr unig.

IEUAN WYN
1949-

513 *Tair Modryb*

1

Marwolaeth yn Oriau'r Lluwch

Eira hallt, a hi'n hwyrhau, yn gynnar
    Ddisgynnodd fel angau;
  A dwst gwyn yn distaw gau—
  Distawrwydd dwys, dieiriau.

Ôd yn gnwd, a hi'n gwanhau, yn ei rym
    Yn tramwy llechweddau;
  A chnu gwyn y lluwch yn gwau
  Tawelwch mud, dihwyliau.

Unlliw sgwd, a hi'n llesgáu, yn ei nerth
    Yn wyrthiol ar fryniau;
  A'i unnos wen yn dwysáu
  Rhin diaddurn ei dyddiau.

2

Cynhebrwng yn Eglwys y Gelli

Oer yw cangell y Gelli; oer yw gwynt
Yn Nhregarth eleni;
Ond llymach, oerach yw hi
Yn nwys hirnos ei hoerni.

Oer astell a roed drosti; oer yw dŵr
Diaros y ffrydli;
Ond yn gêl mae'i hoerfel hi
A hirnych gwaeledd arni.

Oer yw priddell y Gelli; oer yw glaw
Ar y gloywon feini;
Ond bu'i gwên a'i heulwen hi
Y cynhesaf cyn nosi.

3

Dychwelyd i'r Cynefin

Neithiwr ar gwr Bryn Eithin, rhyw anadl
Ddaeth i'r brwyn cynefin;
A galw Gruffydd ac Elin
Fu llais yr olaf o'i llin.

Llin y llwch yn Llanllechid yn gwahodd
Wrth gaeau ieuenctid;
I ddwfn ro daeth addfwyn wrid,
I ddaear yr addewid.

Addewid yr oer ddiwedd a gadwyd
Ond gwae ydoedd garwedd
Yr awr fu rhoi i orwedd
Arian byw dan raean bedd.

Uwch bedd di-drwst, difwstwr, a'r llinach
Mor llonydd â'r cwlltwr,
Suai'r gwynt yn ddwys ar gwr
Bryn Eithin drwy'r brwyn neithiwr.

514 *Y Pethe*

Clymau gwarchod traddodiad—yn cynnal
Cenedl rhag dilead;
Dolennau ein cydlyniad,
Hen feini prawf ein parhad.

515 *Er Cof: Mary Ellen Parry*

Er y mud, oer ymado—â'r anadl,
Er i'r fron ochneidio,
Erys llif canrif y co',
Geiriau cân o'r graig heno.

Y mae grym geiriau emyn—chwiorydd
Y chwarel yn esgyn,
Hithau yno, heno'n un
O dyrfa'r gân ddiderfyn.

516 *Alltud*

Gofid yw colli gafael—ar ddaear
O ddewis ymadael,
Ond a'n gwlad yn ein gadael
'Does hid na gofid i'w gael.

517 *Lleiafrif*

Ychydig lle bu digon,—darn o wlad,
Rhan o wledd yn friwsion;
Gwae'r iaith, lle bu cenedl gron,
Yn ddiwylliant gweddillion.

518

Tŷ Haf

Dialedd Heledd yw hyn;—hen ofid
Yr amddifad grwydryn
Yn tywys y pentewyn
Liw nos i Gynddylan Wyn.

GWYNN AP GWILYM
1950-

519

Y Cwmwl
(Detholiad)

Heb siartr ond gofal cartref,—yn was Duw,
Ond tristáu mewn hunllef
O ddydd i ddydd yr oedd ef,
Yn ddihaeddiant ei ddioddef.

Gwelwn Mam yn gwargamu—yn y storm;
Hi, y stans, yn methu!
Hela dau wnâi'r cwmwl du,
Ond hawliodd y penteulu.

Ei gurio er gweddi'i geraint,—ac olion
Gwialen y dioddefaint
Ar ei rudd, nes llithro o'r haint
I gafell ei ysgyfaint.

Ac i hon tagu'i anadl—oedd gwaelod
Buddugoliaeth drwyadl;
Mor drist y gennad ddistadl
Na allai ddweud dim oll o'i ddadl.

Ni feddai ond ei feddwl,—aethai'i lais,
Nerth ei law, y cwbwl,
Yn offrwm i Dduw'r cwmwl,
Duw y poen a'r llygaid pŵl.

O'i dref fe'i dug y clefyd—yn ei sbeit
  I ysbyty'n alltud;
 Ar wedd Mam roedd sicrwydd mud
 Na châi'i wylio'n dychwelyd.

Haf a hydref heb fedru—newid troed
  I roi tro mewn gwely;
 A'r cof ffres yn anwesu
 Yr hen fyd a'r hyn a fu.

Awen a dysg a hen dân—Hiracthog
  A ymrithiai'n ddiddan
 Yn ei gof, ond mud y gân;
 Heddiw'i gof oedd ei gyfan.

Mwmial anthem o emyn,—noswylio'n
  Solas Pantycelyn;
 Yn y darfod diderfyn
 Troi y gwae yn antur gwyn.

Yn dawel gwyliai'r deuoedd—ymwelwyr
  Gymylau ei ingoedd;
 A'u mwynder mewn blinderoedd,
 Ymyl aur y cwmwl oedd.

Ond i'w ward gaeth daeth un dydd—anniddig
  Ei feddyg â'r newydd
 Fod yr haint â'i thafod rhudd
 Yn manu ei ymennydd.

Nid iawn i neb ond nyni—i ymweld
  Ag ef mwy'n ei gyni,
 A'r edrych yn wrhydri
 Chwerw i Mam a'm chwaer a mi.

520 *Mabinogi*

Pwy a agorodd y drws
a wynebai ar Aber Henfelen
yng nghynhaeaf y mefus a'r rhosynnau
wedi'r blynyddoedd mêl?

Pan oedd yr ŷd yn aeddfed i'r medi
a'r tywysennau'n drymion gan haul a gwlith,
pwy a ollyngodd y llygod i'r gwenith?

Yno, yn nyddiau'r banadl a'r erwain
a'r ymddiddanion gwirion ym mhersawr yr hwyr,
pwy a gynlluniodd y gromglwyd uwch y gerwyn?

A phwy, yn oriau'r addewid,
oedd y sgrech yn y nos?
Pwy bioedd y grafanc fawr drwy ffenestr y tŷ?

Gwyliwch!
Y mae eraill yng Ngwales heno,
ac y mae adar Rhiannon yn canu eto
uwch y ffrwythau a'r gwin,
cyn dyfod yr eryrod pryfetog i bigo'r llawenydd o'r llygaid,
a'r bleiddiaist flynyddoedd i ysu'r angerdd a'r nwyd.
Edrychwch arnynt heno.
Wynned eu byd,
y rhyfelwyr diniwed yng Ngwales.

521 *Y Mochyn Daear*

Hwyliai'r cymylau heulog
yn araf ar donnau'r ffurfafen;
mor dawel y mordwyent,
gan lusgo'u cysgodau fel rhwydau dros ael y rhiw.
Nid oedd ar wahân i'w morio hwy,
fflyd y symud di-sôn,
yn pysgota'r cyfeiriau a'r oriau fin hwyr,

un awel yn mennu ar Fwlch Glyn Mynydd,
na sŵn namyn murmur fy modur yn mynd, mynd, mynd
drwy'r llonyddwch mud, gan ysu munud a medr,
ar un daith fach dan yr orymdaith fawr.

A daeth ef ar duth od,
a'i herc carbwl yn arafu'r cerbyd,
honcian o'i encil,
a'i gorff yn ysgwyd i gyd.
Tynnai o'i ôl gortynnau hir
lluman aflan y nos,
ac â'i ffroenau ysgubai'r golau o ffordd y glyn.

Hwn oedd banerwr Annwn
yn dianc o'i anfodd o dwyni cynfyd,
pendefig dan hud yn ei lurig lwyd,
dewin yr hen ddoethineb
nad yw gan neb o'n doethuriaid ni.

Anharddai ei gorff y ffordd gul
drwy lwyni a manwellt Bwlch Glyn Mynydd;
tuthiai o'm blaen ar ei siwrnai sicr,
fel crair o demlau hen dduwiau'r ddaear,
neu eilun halog beichiog gan bechod,
a'i hyllni ef ni ddeallwn i.

Yr oeddwn Arthur yn fy modur mwth
yn hela lleidr y golau,
hen ddiffoddwr yr haul.
Ynof yr oedd hen ysfa'r hil
i waedu'r hyn nas dirnadwn.

A thynnai'r cymylau chwerthinog
yn araf i'w hafan,
gan ein llusgo ein dau yn eu rhwydau
dros ael y rhiw.

EINIR JONES
1950-

522 *Gwenoliaid y Bondo*

Heno,
mae'r gwenoliaid yn cael eu taflu
fel crymanau.

Sgrechiadau caled
yn diasbedain
uwchben y toiau.

Carreg hogi'r gwynt
wedi rhoi awch ar adenydd crwn.

Hwythau'n torri,
yn sgleisio drwy'r awyr denau
nes bod yr haul yn diferu.

Does dim i'w glywed
ond si
adenydd gwenoliaid
yn torri amser,
yn ei hollti a'i rannu.

Briwiau gloyw
i'w clywed
yn y machlud coch.

523 *Helyg y Gwanwyn*

Blagur o blwm
yn pwyso'n drwm ar y brigau hyblyg.

O dan y gawod dawel
trônt yn arian
byw,

nes bod y goeden yn edrych
fel pe bai wedi dal
holl ddiferion y glaw
a'u rhoi yn ôl
yn ffownten
loyw aflonydd.

Yn yr haul gwyn ddaw wedyn
trônt yn beli
yn fwndeli blewog
llwydlas
o ffwr cynnes.

Ac fel yr â amser
byddant yn dishad o bowdwr melyn
yn chwalu'n yr awel.

Cyn hir, fydd dim ar ôl
ond atgof
am bwysau llwyd fu'n ysgafn ar frigau,

a ffrwythau a hadau yn gof am ogoniant
brau
eu bod
a'u dod
bob blwyddyn.

524 *Tân yn y Dŵr*

Yr oedd y pysgod
yn y dŵr
fel tân-gwyllt.

Cyn i mi blygu ymlaen
i roi tân wrth eu cynffonna'
mi roedden nhw wedi mynd

yn rocedi
orengoch,

gwibio
ymfflamychu
diflannu
yn nos y pwll.

A gadael rhywbeth ar eu holau
fel ogla'
noson gei-ffôcs
o'r bore wedyn,

yr hiraeth od
am y peth
na fedrir ei ddal
na'i ddofi

na'i amgyffred
â llygaid
na dwylo

dim ond ei wylio
wrth iddo fflachio ei ogoniant
a diflannu.

525

Alarch y Lleuad

Alarch y lleuad
ar yr afon,
yn hwylio'n dawel
ac yn bwrw plu ei oleuni
yn grwn
ar grychau'r dŵr.

Lledu ei adenydd anferth wedyn
ac ymlafnio
yn wyn o egni.

Codi
cyhyrau cymylau,
adenydd yn clecian.

Sŵn llcuad
yr alarch
yn y nos

yn wyn
uwch eira'r tir.

526

Lili

Hen flodyn hyll ydi Lili.

Mae hi'n ymddangos o'r gwyrdd
yn sydyn
fel amnaid angau,
ac yn casglu rheinciau
o bryfed
yn ei bol.

Pan blygo'r nos i'w mynwes
bydd y rhain yn hishiad
fel chwrligwgan
o'i mewn
fel pys mewn tun,
neu bres mewn bocs dyn dall.

Mae ei hwyneb trwm a chnawdol
yn atgoffa rhywun
am dai rhai gwragedd rhydd eu moes,
a'r golau coch
yn wincian
o'i chanol noeth
di-fai, di-liw.

Cynhesrwydd swrth didaro
sydd iddi
hi.
Ar eirch a phethau felly
mae'n gloywi'n bwdr wyrdd-olau
yn y tywyllwch
ar ganol dydd.

Drewdod pur
sy'n chwant am ddiweirdeb,
yn ffals a gloyw
yn hoyw gynnes
mewn gwyrddwyn oer,
yn dalp o harddwch
marw.

527 *Eirlysiau*

Pistyll gwyn
yn diferu yn fud
i lawr y clawdd.

Ac ewyn ei eira
yn nodio'n dawel.

Mae broc
hen ddail
a brigau pydredd
yn nhrobwll y ffos
oddi tano,

ond ar wyneb y clawdd
nid oes
ond purdeb
dyfroedd eirlysiau
yn tarddu

fel ffynnon y gwanwyn yn codi,
yn goferu,
a'i swigod yn bobian,
yn hollti daear y gaeaf
gyda'i bwrlwm byw.

RHYS DAFIS
1954-

528 *Glas y Dorlan*

Un nawn o haf wrth Gafn Hyrdd
Oedwn yn y gwawl hudwyrdd;
A'r dŵr, dan fy mhry' di-hid,
Yn ddiog ddiaddewid.

Drwy'r hen goeden gysgedig
Nerf o wynt chwaraeai fig,
A thawel lwyth o ewyn
Eildro'n llywio o gylch y llyn.

Ond yna, holltwyd ennyd
Ar y banc, gan ddeffro'r byd;
Treiddiodd dart trwy hedd y dŵr,
Saethodd, hyrddiodd i'r merddwr
Blymiwr â'i blu o emau,
Edn glas ar adain glau
A'i ehediad mor sydyn
Nes i'r lliw enfysu'r llyn;
Disgyn ar sydyn grwsâd
Yna'n ôl yr un eiliad,
A'i ysgytwol bysgota'n
Rhuthr o liw, yn wyrth o'r lan.

Eiliadau hudol wedyn,
A'r dydd mor llonydd â'r llyn,

Nid oedd yn y distawddwr
Un dim yn cynhyrfu'r dŵr;
Dim ond tawel ddychwelyd
Rhimyn o ewyn o hyd.

Er mai profiad eiliad oedd
Ni symudais am hydoedd.

SIÔN EIRIAN
1954-

529

Agro

Wrexham agro,
gorthrwm,
trwm iawn, very heavy
our boots, our byd.

gorthrwm yn magu gorthrwm,
gwadnau lleder cenedlaethau
o ddiaconiaid a landlordiaid
yn magu'r genhedlaeth hon
o wadnau trymion y traed ifainc;
gwadnau gonest sy'n mynnu gwaed,

eich palmentydd concrid chi
yw cynfas ein cynddaredd ni,

smotiau gwaed
o groglith
gwareiddiad.

530

Dysgu

gwylio hen ffilmiau
o bechodau'r tadau:

Hiroshima—
cnawd yn toddi
a rhedeg drwy gof cenhedlaeth;
pobl yn tanio fel matsus
i oleuo'r gorffennol.

lluniau o Major Eatherly'n gwallgofi;
am yr hyn a wnaeth
cafodd bensiwn hael a nerfau rhacs.

ffilm arall, yn dangos
breuddwyd llaith a chynnes
dau gariad;
fflamau yn cosi'r llwynau,
a'u nwyd yn toddi'n un.

eu gweld yn deffro'n y bore
ac yn sibrwd Siapanëeg
rhwng breichiau a bronnau ifanc—
Hiroshima, Mon Amour.

troi oddi wrth y ffenestri seliwloid
i dremio yn y drych.

cyn cysgu, darllen barddoniaeth
gan chwilio am adlais i'm hing,
ond rhaid oedd dianc i ddyfroedd bywiol
y Saeson hirwallt esgeulus
rhag ffwndro ym mhlaniau manwl-gywir
y penseiri Cymraeg.

crwydro i gysgod Anfield,
gwrando ar hwiangerddi'r Kop,
gweld beirdd ifainc Lerpwl
yn tynnu eu miwsig
o wifrau dur eu hamgylchfyd,
a'u bysedd yn waed.

y mae 'na bethau
nad oes gennym ni yng Nghymru
eiriau amdanynt . . .

a bob nos cyn cysgu,
yn lle rhoi 'ngofal bach i'r Iesu
gwrando ar y radio,—
John Peel a Sounds of the Sixties.

hwrdd ifanc
yn topi celfi ei amgylchedd,
gan gicio gwreichion o'r pridd
wrth chwilio am fwlch yn y clawdd.

MIHANGEL MORGAN-FINCH
1955-

531 *Gwaith Mark Rothko yn Oriel y Tate*

Erys
Yr heddwch anesmwyth
A'r digalondid cysurlon
Yn y clydwch a gynhyrchir
Gan y ffenestri yn cau o amgylch
Ing.

Ffenestri tua'r diweddglo
Yn llawn cymylau a eilw ar
Ein poen a'n tristwch.

Yma
Yn eu hamgylchedd eu hunain
Ffenestri a egyr
Nid ar olygfa
Eithr ar awyrgylch.

Caer
Ddu ar gochddu
Heb ddihangfa ohoni
I chi
Ond drwy ollwng lliw arall
Lliw purach
Eich arddyrnau.

MYRDDIN AP DAFYDD
1956-

532

William Jones, Nebo

I gynefin drycinoedd,
Eithin a rhos, perthyn 'roedd,
Lle â'r gaeaf â gafael,
Lle â'i Fawrth y lleiaf hael,
Lle câi anifail ail haf
O hir gnoi ar gynhaeaf.

Bu'n ei faes â chribin fân
A byw uwch ei fwrdd bychan;
Câi ei rent o'r pridd crintach
A rannai'i bwrs â dwrn bach,
Ond trodd gynildeb Nebo
Yn gamp ei delyneg o.

Un â'i air mor gyndyn oedd
Â daearen rhostiroedd—
Ni welai werth mewn amlhau,
A'i hiraeth fu'n cnoi'i eiriau:
Cnoi a chnoi, a chyniwair
Y darlun gydag un gair.

Cyhyd â'i fywyd ei hun
Ydoedd dyddiau ei dyddyn;

Er rhoi i'r arloes o'i oes o:
Fyrred ôl y llafurio;
Undyn oedd, er gwneud a wnêl
Yn drech na'r gweundir uchel.

Er i gawn feddiannu'r gŵys
A'r rhedyn gau'i baradwys,
Mae mwy o'i ôl yma o hyd
Nag a geir ar y gweryd:
Ar gof gwlad mae'i ganiadau
A sŵn y pridd sy'n parhau.

Mudodd, ond heb ymadael:
Y mae'r gân yma ar gael;
Tra pridd mawn, tra praidd mynydd,
Y neb a fo'n Nebo fydd
Yn un â'r gweunydd hynny
A'r un oedd ddarn o'r waun ddu.

533

Cywydd Coffa Rhys Bryniog

Ni wêl neb ein Gwyliau ni
Yn gelynnog eleni
Â'r ienga' un o wŷr ynghau
Dan dywarchen, dan dorchau;
Ein dydd o 'newyddion da'
Yn gaeth i'r newydd gwaetha'.

Yn Rhagfyr, byr yw'r bore—
Nid â'r nos odid o'r ne';
Yn ddu, oer, bu mor ddyrys
Â byrhau'r bore i Rhys;
Yn oed llanc bu'r codi llaw:
Troi danodd cyn troi'r deunaw.

Un tal nid mewn maintiolaeth
Ei gorff yn unig a aeth—

Un mawr yn ei gymeriad
A mawr glamp o hiwmor gwlad,
A'n hiraeth sy'n llifeiriol:
Ni chawn weld gau'r bwlch yn ôl.

Ac eto'i gofio a gaf
Ar y ffin â'i Orffennaf–
Ei nen heb gwmwl mynych
A'i groen heb argoel o grych,
Y co'n llawn acenion llanc
Heb wywo'r wyneb ieuanc.

Rhys a'i wên, y Rhys annwyl,
Rhys o hyd yng ngwres ei hwyl,
Direidus ddi-dor ydoedd
A thynnwr coes hirgoes oedd,
Ei 'Smai?' alwai'n ysmala
A'i sgwrs yn desog o'i ha'.

Un o ruddin y ffriddoedd,
Athletig fonheddig oedd,
A chario stamp pencampwr
Ar ei gêm o hyd wnâi'r gŵr;
Camau bras a chap tasal,–
Haearn y tîm fu'r un tal.

Er i goed derw ei gau'n
Ddiddim yn ei las-ddyddiau,
Er gweld colli'i gwmnïaeth
A ffeirio hwyl tafod ffraeth,
Ni chyll mo'r cof wylofus
Yr oriau hyn gyda Rhys.

IWAN LLWYD
1957-

534 *Y Seithfed Don*

Yn y gwaelod
dan wastraff y tomenni llechi
dan erwau crin y bryniau
lle mae'r gwynt fel pladur
dan sodlau segur corneli'r stryd fawr
dan dywod sychedig traethau'r trai
dan loriau'r bythynnod gweigion
lle bu dawnsio
dan olwynion y trenau
sy'n ein cludo ymaith
dan brint mân y papurau bingo
o olwg y camera, o glyw'r ffôn,
dan fainc y gell ymysg y chwilod
yng ngwaelod y gwydr wrth i'r disgo ddarfod
dan glustogau swbwrbia'r hawddfyd a'r hafod
dan gaead y bin sbwriel
yn sgrech y gwylanod
yn sŵn y seiren a'r curo pastynau
dan wyneb y traffyrdd lle treigla'r taflegrau
dan seddau Salem a Pharc yr Arfau
dan y crawn sy'n magu ar olwynion y pyllau
yn nhreigladau carbwl 'Hen Wlad fy Nhadau'
dan guriad ansad fy nghalon innau
mae dicter yn cyniwair
fel murmur pell ton ar dorri.

535 *Caerdydd: Nadolig 1986*

Fel hyn 'roedd hi 'Methlehem:

Sŵn cân a chyfeddach
a chleber y pedleriaid
yn tynnu dŵr o'r dannedd,

yn nofio uwch y dyrfa
sy'n rhuthro a chythru gyda'r lli
o siop i siop,

o dafarn i dafarn
a chwyno a chrio'r plant
yn atsain ym mhen mamau:

ffrae rhwng ffrindiau a chusan hir,
a than lygaid y plismyn
hogia'r wlad yn dyrnu gwario:

i ganol hyn daeth baban,
i dagfa'r ystadegau
a chyfraith a chyfrifiad

a llog a chyflog
a chyfle'n llithro
fel y dyddiau drwy'r dwylo:

i ganol y bwrlwm daeth baban
yn sgrech unig yn sgubor
tosturi rhyw westeiwr,

darn o sêr yn y gwellt gwlyb
a gwrid y gwin a'r groes
eisoes yn ei fochau bach:

i fyd yr archfarchnadoedd
daeth i ninnau yn nhyrfau'r nos
siawns i gyffwrdd â'r sêr.

SIÔN ALED
1957-

536 *Rhagolygon y Tywydd*

Yn Nulyn
syrth y glaw yn dyner,
rhag cynhyrfu caethiwed
y llyn yng nghoncrid yr Ardd.

Yn Nulyn
syrth y glaw yn ddistaw,
rhag atseinio'r trais
yng nghyntedd y Swyddfa Bost.

Yn Nulyn,
syrth y glaw yn gynnes,
rhag oeri gwythiennau llwydion
calon cenedl.

Yn Nulyn
syrth y glaw yn araf,
rhag gwagio'r cymylau
cyn cyrraedd Cymru 'fory.

ROBIN LLWYD AB OWAIN
1958-

537 *Testament yr Heuwr*

Rwy'n hen, cyn dyfod henaint.
Rwy'n darfod cyn dyfod haint.

Nid f'eiddo i yw medi'r môr o ŷd.
Mae tymor i'r hadau, a thymor i'r hafau hefyd.
Fi biau bywyd!
Y bywyn—nid grawn crin—sy'n llunio llinach.

Gwynnach i mi na'r sypiau gwenith yw lledrith y llaw
sy'n hau i alaw a chyfalaw y glaw a'r gwynt yn y glyn.
Ar ben rhyw dalar unig o'r ddaear
lle nad yw'r braenar yn brin
edwinaf cyn dyfod henaint.

A gwelaf fyddin o felinwyr a medelwyr y diawl
yn hawlio cynhaeaf melyn y peiswyn a'r grawn.
Fel Pwyll a'i gŵn yn sbeilio pill y gwanwyn,
fel eigionau o lygod yn mwynhau ŷd Manawydan,
neu genfaint o foch yn rhochian ar y tir rhent.
Tyrrent yn fwlturaidd eu byd eiddig
i fedi bywyd heddiw, a dwyn yr ŷd–
a chnwd anrhydedd.

Och! Saith och!
Nid yn yr adwy y safent hwy (Seintiau eu hoes!)
ond ar hen lorpiau'r drol yn gwichian mewn cyfeddach losgachol.
Och! Saith och!
Chwysu a thuchan gan ladd y gwanwyn,
gan foddi'r haf
gan feddwi'r hil.

Ond dyna fo!
Nid f'eiddo i yw medi'r môr o ŷd.

Ennyd hirfaith cyn darfod ohonof
i gofio'n gyfan y cyfanwaith:
y gwaith yn y gwynt, y glyn a'r glaw;
dwy law'n pendilio had, dwy fraich yn adfer hil,
fy maich yn trymhau a thrymhau
a hadau tynghedu oedd ddoe'n blu
heddiw'n blwm.

Heddiw fy ngwên yw f'eiddo.

Rwy'n hen, cyn dyfod henaint,
marw'r wyf, a hyn yw fy mraint.

LONA LLYWELYN DAVIES
1961-

538 *Hi*

Mae byseddu dy gorff
fel byseddu bom . . .

Gwrandawaf ar dic doc
dy lais tawel, tyner
gan ddisgwyl,
disgwyl y glec,
y gwaed, y gwacter.
Disgwyl i ti danio
a chwydu dy berfeddion dinistriol,
a'm gadael
yn igian, yn crwydro
yn fy ngŵn o lwch a gwaed
rhwng adfeilion myglyd ein cariad.

Ac mae Hi yma
gyda ni,
yn fyw
er i amser, a minne
geisio ei chladdu.
Ond mae Hi yma,
ei chorff aeddfed
fel tywysen ŷd
yn nofio'n ddioglyd-drwm
yng nghae haf dy gof di,
a minne fel llygad y dydd
anaeddfed
yn ceisio dy hudo, dy gynhyrfu
â gwahoddiad fy llygaid,
dy wefreiddio, nes anghofio
aeddfedrwydd y dywysen,
nes anghofio rhywioldeb Ann.

Mae byseddu dy gorff
fel byseddu bom,
a minne, yn y tywyllwch,
yn gwrando ar y tician . . .
tician . . .
ac yn aros . . . aros.

539

Henaint

Ymlwybrai o amgylch
y siop a'i basged bron yn wag.
Symudai rhwng y silffoedd
a ogwyddai'n feichiog dan eu
pwn chwyddedig,
a syllai ar lwyth mamau ifanc
wrth iddi estyn am ddigon o fwyd
i un,
dim ond i un.

Daeth ei hoes i ben.
Aberthodd ei rhuddin gwyryfol
i gusanau chwantus,
erfyniol ei gŵr.
Palwyd llyfnder ifanc ei dwylo
yn erw o dir garw, cynhyrchiol.
Tynnwyd y maeth ohoni
gan wefusau gwancus ei phlant, ei gŵr,
ei byd,
tynnwyd y maeth
a'i gadael yn wan,
yn farw, yn hesb.

Ac yn ei gwendid
ciliodd ei chariad
i freichiau melfedaidd
marwolaeth.

A chiliodd ei phlant
gan adael i'r byd
eu suo i gysgu nawr.
Yn forwyn, yn gariad, yn fam,
ac yn awr yn ddim.

Aeth heibio im
fel ager o'm ceg ar fore oer.
Aeth heibio,
ond yn ei llygaid llwyd
gwelais fy wyneb i,
fy wyneb ifanc i,
ac roedd arnaf ofn, ofn.

PEREDUR LYNCH
1963-

540 *Cerdd Deyrnged i'r Dr Kate Roberts*

Yn nyddiau y cyrff eiddil
Oes o aur yn hanes hil
A gododd megis goddaith
Hir ei grym dros fro y graith:
O rwbel y chwareli
Yn nydd ofn blodeuodd hi.
Hon yn Arfon a ddarfu
A bwlch a erys lle bu.

Bu un yn nyddu beunydd,
Nyddu iaith o ddydd i ddydd,
A'r hen oes a'i gwerin hi
Oedd yn edafedd iddi,
I'r oes hon nyddu honno
Yn gain rhag ei mynd o go'.

Ar feini ysgrifennodd
Ei chywrain iaith, a chrynhôdd
I'w hysgrifbin rym llinach,
Yn ei hinc cywasgu'i hach.

Ni ŵyr hon air o weniaith,
Ni ŵyr ond tyddyn a'i iaith;
Cafodd wead gramadeg
Yn rhaff aur o erwau'r ffeg;
Y graig yw ei geiriau hi,
Rhuddin ei hymadroddi,
O'i mewn canfod idiom iaith,
O'i harffed dwyn y perffaith,
Aeth gan hollti storïau
O'i haur hen, hollti i barhau.

Rhoes ei serch ar oes a aeth,
Fe rannodd ei chyfriniaeth,
Yr un modd gwrandawodd gri
Werinoedd ei thrueni;
O'i herwydd, am rin dewrion
Yr oes aur fe bery'r sôn.

541

Y Fynwent

(Yn angladd fy Nain)

Disgyn yn ddistaw ysgafn
Wnaeth yr arch fel rhith i'r hafn
Un nawn o haul, llithro'n ôl
I'r fynwes fawr derfynol.

Â'i raeanog lifogydd
Y pridd du'n rhaeadru'n rhydd
Uwch ei chell, nes ei chau hi
Yn nheyrnas lom ei hoerni,
Pridd byddar rhyw fyd arall,
Y pridd di-hid, y pridd dall.

Ryfedded fu gweld Medi'n
Haidd oll awr ei chladdu hi,
Ei briw a'i hing yn ŷd brau,
Ei dolur yn fydylau.

Ryfedded yr haul wedyn
A'i wawr goch ar farmor gwyn,
Ei oleuni'n melynu,
Yn rhuddo'i harch ar awr ddu.

Yr adfyd yn dorch brydferth,
Ar raean oer, ir ei nerth,
Torch gron yn blodeuo'n dân
Yn wyneb angau'i hunan.

Yn y cof nid yw'r cyfan
Ond mwdl o dameidiau mân,
Un awr sy'n ddryswch i gyd,
Un llif diddeall hefyd.

GERWYN WILLIAMS
1963-

542 *Hel Mwyar Duon*

Meddalai'r haul y byd
ac ni chafwyd chwa o wynt i'w rwystro.
Ninnau, buom yma drwy'r p'nawn
yn hel a phigo a bustachu
ynghanol drysni'r drain.
Disgleiriai'r chwys yn biws ar ein bysedd
a phawennai'r drain i'n cripio'n goch—
ond mynnem fel milwyr ddal ati.
Cwffio â'n breichiau noethion
neu â'r unig arf oedd ar gael—
hen ffon gerdded, gam.

Gwthio a chwipio a chipio
y sypiau trymion swil
a grynai'n betrus dan gaead y dail.
Archwilio'r ffrwyth o dro i dro
fel rhyw ddoctor-ysgol gwyngalchog
yn chwilio hogyn rhacsiog am chwain.
Bodio ambell un a gwenu'n heliwr
a'i chael yn slwts gwaedlyd ar flaenau bysedd
fel crachen a bigwyd yn rhy gynnar
oddi ar friw heb galedu'n iawn.
Eraill yn disgleirio'n gain fel clust-dlysau
wrth iddynt hongian rhwng ein bysedd.
Weithiau, nadreddu i ddyfnder y môr drain
ac ymestyn, ymestyn am y ffrwyth brenhinol
fel ceisio nofio heb ollwng gafael ar y llawr.
Ond rhywsut, rhywfodd, llwyddo
nes bod ein tuniau'n
crynu'n groen drwm o gyffro
ac yn chwyddo'n fynyddoedd llachar, dyfrllyd.
A ninnau'n socian yn ein chwys.

Piws ein byd,
ein bysedd a'n tafodau a'n blys,
wrth borthi ein gwanc gyda'r nos.

ENGLYNION GAN DIMAU YMRYSON

543

Gorsedd y Beirdd

Nid y cledd ond y weddi—a'i harddwch
A rydd urddas arni;
Mae nodded tu mewn iddi
I'r Gymraeg rhag ei marw hi.

Tîm Ymryson Sir Aberteifi

544

Yr Efail

Y gêr tan rwd seguryd,—a'r taw hir
Lle bu'r taro diwyd;
A wêl fwth ac efail fud
A wêl fedd hen gelfyddyd.

Tîm Ymryson Sir Aberteifi

545

Er Cof am Jac L. Williams

Ar ddadlau mawr, distawrwydd;—i'w hirgorff
Gwargam daeth hoe ebrwydd;
Rhoed i athro dwyieithrwydd
Ddaear rhy gynnar o'n gŵydd.

Tîm Ymryson y Beirdd Dyfed

546

Tryweryn

I Lyn Tryweryn y trof;—ei weled
A dry'n alar ynof;
Y trais ddaw'n gynnwrf trosof,
Y cam nad â fyth o'm cof.

Tîm Ymryson y Beirdd Meirion

Nodiadau ar y Cerddi

6. Cyfaddasiad o'r ddihareb Gymraeg, 'Ni ddaw henaint ei hunan', yw'r llinell gyntaf. Gellid cymharu'r englyn ag englyn Ellis Owen, Cefn-y-meusydd (1789-1868), y cyntaf yn y gyfres 'Englynion i Ffon a anfonodd Griffith Jones, Ysw., Glyn Lledr, i Ellis Owen, Cefn y Meusydd, 1856' yn *Cell Meudwy* (Gol. R. I. Jones (Alltud Eifion) 1877, t. 109):

   'Henaint ni ddaw ei hunan',—yn dilyn
   Mae'i deulu anniddan;
   Y war grom mal gŵyr gryman,
   A mil o gamau mân, mân.

7. Bardd o Bersia oedd Omar Khayyâm, brodor o Nîshâpŵr, un o ddinasoedd Khwrâsân. Ei enw llawn oedd Ghiyâth wd-Dîn Abw'l-Fath Omar ibn Ibrâhîm al-Khayyâmî. Anodd pennu ei ddyddiadau. Yn ôl *The Ruba'iyat of Omar Khayyam* Peter Avery a John Heath-Stubbs (1979), rhoir 1048-1136 fel ei ddyddiadau, ond dyddiad traddodiadol ei farwolaeth, gan bwyso peth ar dystiolaeth cyfoeswr iddo, Nizâmî-i-'Arŵdî, yw 1123. Omar oedd prif serydd Persia a'r byd yn niwedd yr unfed ganrif ar ddeg. Yr oedd yn hyddysg hefyd mewn mathemateg, athroniaeth, meddyginiaeth a gwyddoniaeth naturiol.

   Yn ôl John Morris-Jones, 'gwrthryfelwr beiddgar yn erbyn y grefydd sefydledig' oedd Omar (*Caniadau*, 1907, t. 189). Meddai ymhellach:

   > Credai'n ddiysgog fod popeth yn digwydd yn ôl ewyllys Duw, a bod honno'n ddigyfnewid . . . Gan fod popeth felly wedi ei ragordeinio o'r dechreuad, pa fodd y mae dyn yn gyfrifol am ei weithredoedd? . . . Syniodd lawer â rhyw brudd-der hanner gwatwarus ar fyrder parhad pethau'r byd; ond yn ei watwariaeth lymaf, megis wrth sôn am y corff o glai yn ddefnydd llestri, y mae rhyw dynerwch, megis 'bûm innau'n rhywun gynt.'
   >
   > (*Caniadau*, tt. 190-1)

Lled-gyfaddasiad, yn hytrach na chyfieithiad, oedd *Rubáiyát of Omar Khayyám* Edward FitzGerald (1859). Ceir cyfieithiad arall i'r Gymraeg o'r Rubáiyát, sef *Rubáiyát Omar Khayyám. Trosiad i'r Gymraeg o gyfieithiad (neu aralleiriad os mynner) adnabyddus Edward Fitzgerald* gan T. Ifor Rees, a argraffwyd yn ninas Mecsico ym 1939. Gweler ymhellach *Omar* gan John Griffith Williams (1981).
Parwîn: Y *Pleiades*, y saith seren.
Mwshtarî: y blaned Iau.

9. Englyn buddugol Eisteddfod Genedlaethol Caernarfon, 1906.

12. Seiliwyd y gerdd hon ar chwedl Cantre'r Gwaelod. Tir Gwyddno Garanhir a foddwyd, yn ôl y chwedl, ac o dan Fae Ceredigion y mae Cantre'r Gwaelod, yn ôl traddodiad. Ceir y ffurf gynharaf ar y chwedl yn *Llyfr Du Caerfyrddin*, a berthyn i'r drydedd ganrif ar ddeg, mewn cyfres o englynion, dan y teitl 'Boddi Maes Gwyddneu' ('Seithenin, saf di allan', ac yn y blaen). Amddiffynnid Cantre'r Gwaelod rhag y môr gan forgloddiau a llifddorau, a cheidwad y llifddorau oedd Seithenyn feddw, yn ôl fersiwn poblogaidd y bedwaredd ganrif ar bymtheg o'r chwedl, a'i esgeulustod ef a fu'n gyfrifol am foddi Cantre'r Gwaelod. Yn ôl hanes 'Cantref y Gwaelod' yn *Cymru Fu: Cyfres Boblogaidd yr Aelwyd* (1862):

> Y drysawr yn amser Gwyddno ydoedd ŵr o'r enw Seithenyn ab Seithyn Seidi, tywysog Dyfed. Pa beth bynag ellir ddywedyd am waedoliaeth Seithenyn, anhawdd fuasai dychmygu person mwy anaddas nag ef i lenwi y swydd hon, oblegyd gosodir ef allan yn y Trioedd fel un o dri 'Charnfeddwon Ynys Prydain.'
>
> (tt. 3-4)

Dywedir y gellir clywed clychau eglwys Cantre'r Gwaelod yn canu dan y dŵr ar nosweithiau tawel.

14. Yr awdl hon a enillodd Gadair Eisteddfod Genedlaethol Bangor ym 1902, ac yr oedd ei chadeirio yn drobwynt nid yn unig yn hanes yr awdl eisteddfodol yn gyffredinol, ond yn hanes barddoniaeth Gymraeg yn ogystal. Yr oedd y naratif dramatig a'r cynildeb epigramatig a geid ynddi yn rhywbeth newydd, chwyldroadol ar ôl awdlau eisteddfodol traethodol, haniaethol a hirwyntog y bedwaredd ganrif ar bymtheg a throad y ganrif hon. Y mae dylanwad 'Morte d'Arthur' Tennyson (1842) arni, ond dylanwad arwynebol ydyw. Rhoddodd Tennyson y cynllun iddo, a rhediad y stori. Adroddir yn yr awdl am glwyfo'r Brenin Arthur yn angheuol ym mrwydr Camlan, wedi i'w luoedd ef a lluoedd Medrawd ymladd â'i gilydd. Gofelir amdano gan ei farchog ffyddlon, Bedwyr, a gorchmynna Arthur ef i fwrw'i gleddyf, Caledfwlch, i lyn cyfagos. Gwrthyd Bedwyr ufuddhau i'r gorchymyn ddwywaith, gan geisio twyllo Arthur i gredu iddo gyflawni'r weithred, ond gŵyr Arthur yn amgenach. Fodd bynnag, ufuddhâ i'r gorchymyn y trydydd tro, a gwêl law yn codi o'r llyn ac yn

cydio yng ngharn y cleddyf a'i dynnu i'r dŵr o'r golwg. Dychwel at Arthur i adrodd yr hanes wrtho, a gorchmynna'r Brenin ef i'w gario at lan y llyn, a daw llong i gyrchu Arthur i Ynys Afallon, yr ynys hud i gyfeiriad y gorllewin. Diweddglo'r awdl a gynhwysir yma.

15. Un o feibion Owain ap Gruffudd neu Owain Gwynedd (c. 1100-1170), Brenin Gwynedd a mab Gruffudd ap Cynan, oedd Madog ab Owain Gwynedd (fl. 1170). Ef, yn ôl un traddodiad, a ddarganfu America, ond nid y chwedl honno a ddilynir yma. Yn ôl T. Gwynn Jones ei hun, mewn llythyr a anfonodd at H. Eryddon Roberts a Chymdeithas y Ford Gron, Manceinion, ar 26 Mawrth, 1928:

> Y mae traddodiad arall, fod Madog wedi gwneuthur llong o esgyrn morfil neu gyrn ceirw, ac y byddai'n teithio'r moroedd yn honno, ymhell, ond iddi ddryllio rhwng Enlli a'r tir mawr, pan oedd ef yn dychwelyd o ryw daith, mewn tymestl erwin, a boddi Madog yno. 'Gwennan Gorn' oedd enw'r llong, medd y traddodiad.
>
> (*Cyfres y Meistri 3: T. Gwynn Jones,*
> Gol. Gwynn ap Gwilym, 1982, t. 392)

Disgrifiad a geir yn y darn hwn o frwydr Pentraeth yn Ynys Môn ym 1170. Yn y frwydr honno, lladdwyd brawd Madog, Hywel ab Owain Gwynedd, a oedd yn fab anghyfreithlon i Owain Gwynedd o Wyddeles o'r enw Pyfog, gan ddau hanner-brawd iddo, o ail wraig Owain Gwynedd, Cristin, sef Dafydd ab Owain Gwynedd (m. 1203) a Rhodri ab Owain Gwynedd (m. 1195).

Lluniwyd y gerdd ym 1917 a 1918, ar derfyn y Rhyfel Byd Cyntaf, a chais yw'r gerdd mewn gwirionedd i groniclo ymateb T. Gwynn Jones i'r Rhyfel. Y mae'r ymgomio rhwng Madog a'i hen athro, y mynach Mabon, yn mynegi'r tyndra a'r croestynnu a oedd yn enaid Gwynn Jones ar y pryd, a'r amheuon a oedd yn ei gorddi.

Yr oedd Hywel ab Owain Gwynedd hefyd yn fardd, ac adleisir ei gerdd enwocaf, 'Gorhoffedd Hywel ab Owain', yn y detholiad hwn o 'Madog'. Cyfeirir at y llinellau hyn:

> Caraf ei morfa a'i mynyddedd . . .
> Caraf ei meysydd a'i mân feillion anaw
> Myn yd gafas ffaw ffyrf orfoledd.
> Caraf ei brooedd, braint hyẅredd,
> A'i diffaith mawrfaith a'i marannedd . . .

Arbrawf â mesur yr englyn unodl union yw mesur y gerdd. Hepgorwyd yr odlau a sicrhawyd pedwar curiad neu bedwar ban ym mhob llinell. Yr enw a roddwyd i'r mesur newydd hwn oedd 'Mesur Madog'.

16. Bradycha ambell gwpled yn y gerdd hon y ffaith mai ystwytho ac ymestyn posibiliadau mesur cywrain ac anodd y tawddgyrch cadwynog a wnaeth T. Gwynn Jones, er enghraifft y cwpled:

    Yno gwelid llun ac olion
    Mwyn hudolion, man y delid.

    Fe welir fod yma groes-odli dwbwl, *gwelid/delid, olion/hudolion,* yn ogystal â chynghanedd gyflawn. Diddorol yw cymharu'r darn sy'n enwi'r blodau â'r hyn a ddywedodd Gwynn Jones am ei hen gartref yn *Brithgofion* (1944, t. 8):

    > Gardd a pherllan helaeth wrth y tŷ. Coeden ywen, a gedwid yn bigfain bob amser, o flaen y drws, a lawnt fach rhyngddi a'r tŷ. Cnwd o glych mebyn ar y lawnt bob gwanwyn cynnar. Coed dail cyrn a lawrensteina o gwmpas y ffenestri. 'Hen ŵr' yng ngwrych yr ardd, a mân goed rhosynnau coch a melyn. Pob math o flodau hen ffasiwn yn yr ardd, rhesi o holi-hocs, rhosyn y mynydd, y fyddiged, drysi pêr, dail saeds, a blodau fel balchder Llundain, y Ffiled Fair, Botwm Gŵr Ifanc, Briallu Cochion, ac eraill na wyddwn i enwau arnynt.

18. Priordy ar lannau Môn, gyferbyn ag Ynys Seiriol, yw Penmon. Y 'W.J.G.' y cyfeirir ato yw W. J. Gruffydd.

19. Teitl chwerw eironig sydd i'r gerdd hon. Blasusfwyd amheuthun yw saig, ac yma addurnir pen y pysgodyn yn chwaethus, ond try'r chwaethus yn ysglyfaethus. Y mae'r agwedd sinigaidd a'r anobaith chwerw a geir ynddi yn nodweddiadol o lawer o gerddi olaf T. Gwynn Jones, a gasglwyd ynghyd yn Y *Dwymyn* (1944). Ceir condemniad yn y gerdd ar safonau arwynebol y dyn gwareiddiedig. Gweithred wrthun yw'r weithred o wledda ar y pen, er pob ymgais i addurno a harddu'r gwrthuni ('a'th dreisio di i'th drwsio â dail, mor dwt'). Awgrymir mai anifail yw dyn, creadur brwnt, isel ('pryfyn tir'), ac ambell air fel 'safn' yn pwysleisio bwystfileiddiwch dyn. Mae'r 'pryfyn tir' nid yn unig yn awgrymu pry genwair fel abwyd, ond dyn ei hun yn ogystal. Collfernir

ein safonau artiffisal, ffug trwy'r cyfeiriad at 'ddannedd gosod' a 'gwydrau gwneud'. Ceir trafodaeth werthfawr ar y gerdd yn *Dadansoddi 14* gan Gwyn Thomas (1984, tt. 22-4).

20. Un o feibion Llywarch Hen, pennaeth a drigai yn yr Hen Ogledd yn y chweched ganrif, oedd Cynddilig. Lluniwyd cylch o englynion am Lywarch Hen a'i bedwar mab ar hugain yn y nawfed neu'r ddegfed ganrif, ond ym Mhowys y lleolwyd yr englynion hyn. Mewn cyfres o englynion sy'n enwi holl feibion Llywarch y ceir y llinell 'Och Kindilic, na buost gwreic'. Gwên oedd yr olaf o feibion Llywarch i farw ar faes y gad, yn ôl y canu gwreiddiol, ond gweodd Gwynn Jones ei gerdd o gylch y llinell sy'n edliw i Gynddilig ei amharodrwydd i ymladd, ac amddiffyn ffin y dreftadaeth rhag y Saeson. Mynach yw Cynddilig yn y gerdd, ac wrth grwydro drwy wlad wedi'i hanrheithio gan ryfel, daw ar draws corff Gwên, yr olaf o'i frodyr, a chorff un o filwyr y Mers, ei elyn, yn gorwedd yn ei ymyl. Yr olygfa honno a ddisgrifir yma.

    Lluniwyd 'Cynddilig' ym 1934-1935, ac y mae'n un o'r cerddi cyntaf i gyfuno'r *vers libre* â'r gynghanedd, yn dilyn arbrawf E. Gwyndaf Evans yn ei gerdd 'Deirdre'r Gofidiau' ym 1934. Awgrymir yn y gerdd yr oferedd a'r diffyg pwrpas, yr ysbryd dialedd a'r casineb a fodolai yn y byd yn y Tridegau.

23. Darganfuwyd beddrod Tut-ankh-amen yn Nyffryn y Brenhinoedd yn yr Aifft ym 1922 gan Howard Carter ac Arglwydd Carnarvon. Y darganfyddiad hwn oedd un o ddarganfyddiadau archaeolegol pwysicaf y ganrif. Mab-yng-nghyfraith i'r brenin hereticaidd Akhenaten oedd Tut-ankh-amen, a thua chwe blynedd oedd hyd ei deyrnasiad, rywbryd rhwng 1375 a 1350 C.C.

26. Yr englyn olaf yn awdl Ben Bowen, 'Y Diwygiwr', a luniwyd ym 1900, yw hwn. Fe'i ceir ar sawl cofeb i'r milwyr a laddwyd yn y ddau Ryfel Byd.

32. *Ni chaiff y pryf fy nghnawd,/Er mai fy mrawd yw ef:* cf. dwy linell gyntaf un o emynau llai adnabyddus William Williams, Pantycelyn:

> Llwch wyf fi, o'r llwch y deuthum,
>   Pryf yw 'mrawd, y ddae'r yw mam.

Ceir yr emyn yn *Ffarwel Weledig, Groesaw Anweledig Bethau: neu Rhai Hymnau o Fawl i Dduw a'r Oen* (1763).

33. Gwobrwywyd y gerdd hon, ar y cyd â cherdd arall, yn y gystadleuaeth 'Cerdd mewn Tafodiaith Leol' yn Eisteddfod Genedlaethol Abertawe ym 1926.
mwni: parc, cae, maes, ond gall olygu 'mynydd' hefyd, a thebyg mai dyna ei ystyr yma.
sgrâd: rhegen yr ŷd.
goferydd: ffrydiau bychain sy'n rhedeg o'r graig neu o darddiant.
nwddi: nyddu.
rhocesi: genethod; aeth 'yr hoges' yn 'rhoces', 'yr hogyn' yn 'rhocyn' yn y dafodiaith hon.
goglish: goglais.
Taw: mai.
dŵe: doe.
bwci: bwci bo, bwgan.
taliedd: bonheddig.
Ddim un llefeleth: ddim un syniad.
ffrwlyn: cadi-ffan, dandi.
stwceidi: cunogau, llestri neu fwcedi godro; llond llawer stwc yw 'stwceidi'.
isgrid: cryd, ysgryd, cryndod iasol.
blode trâd brain: clychau glas.
yn bwnge: yn glystyrau.
I wasto'i gifoth: i wastraffu'i gyfoeth.
hen gropin eithin: bachigyn o *crop:* llwyn neu berth.
allwish sofrins: arllwys sofrenni.
dŵad: tywod.
crechi glas: y creyr glas, crychydd.
saco: gwthio neu yrru.
Mor rhonc bob whithrin: mor fras bob tamaid, mor falch bob mymryn.
pentigili: bob cam, yr holl ffordd, llurguniad o ben bwy gilydd.
ombeidus: enbydus.
Fe allech wrio: fe allech dyngu/daeru/wirio.
clêrs: clêr, pryfed.
o bwti: o gwmpas.
A'r mowcedd: A'r mawredd; ebychiad.
Tina gimisgeth: Dyna gymysgedd.
wben: ubain.

hego: eco.
aped: ateb.
reso: croeso.
wmed: wyneb.
tribe: stand daironglog, deirtroed i ddal crochan uwch tân.
ffaglu'n ffamws: cynnau'n wych; yn ôl fersiwn 1926 o'r gerdd, 'ffaglu'n ardderchog'.
lweth: eilwaith.
ffiol: llestr pren i ddal cawl; yn ôl fersiwn 1926, 'basin'.
cwlffyn: darn, tamaid; yma, tamaid braf neu ddarn mawr.
bancyn: codiad bychan yn y tir, bryncyn.

34. Englyn buddugol Eisteddfod Genedlaethol Bae Colwyn, 1947. Ystyrir hwn yn un o englynion gorau'r Gymraeg. Ei wir ogoniant yw ei esgyll, ac y mae ynddo unoliaeth oherwydd y cyfochri cystrawennol a geir ynddo, 'Hen' yn cyfateb i 'Hen', 'linell bell' a 'derfyn' yn cyfateb i'w gilydd o ran ystyr, 'nad yw'n' yn cyfateb i'w gilydd, a'r berfenwau 'bod' a 'darfod' nid yn unig yn cadw'r patrwm ond yn gyferbyniol i'w gilydd o ran ystyr.

35. *Dorcas:* cymdeithas o'r chwiorydd a gynhelid mewn eglwysi yn y bedwaredd ganrif ar bymtheg, yn bennaf, a dechrau'r ugeinfed ganrif. Dôi'r merched ynghyd i wnïo dillad ar gyfer y tlodion. Cymdeithas ddyngarol ac elusennol oedd hon, a chymerwyd enw'r Gymdeithas o'r Beibl (Actau 9.36), lle dywedir fod Dorcas (Tabitha) 'yn llawn o weithredoedd da ac elusennau'.

Un o gerddi gwrthryfel W. J. Gruffydd yw hon, fel rhif 37, ac amryw o rai eraill ganddo, yn erbyn rhagrith a pharchusrwydd y Gymru sych-grefyddol, or-Biwritanaidd a dogmataidd-anhyblyg, 'Phariseaid' y Gymdeithas.

36. Ymosododd W. J. Gruffydd fwy nag unwaith ar yr hen ddynion a fu'n gyfrifol am yrru'r miloedd ifainc i'w tranc yn y Rhyfel Byd Cyntaf. Bu adwaith chwerw yn erbyn y Rhyfel Byd Cyntaf wedi i'r Rhyfel ddirwyn i ben ym 1918, am flynyddoedd lawer, a dilynwyd yr optimistiaeth a'r ymdrybaeddu yng ngogoniant rhyfel gan ddadrith ac euogrwydd. Un o gerddi'r adwaith yw hon, fel cerdd rhif 94. Wrth gyfeirio at y nofelau rhyfel a gyhoeddwyd yn Lloegr ddiwedd yr ugeiniau, fel *A Farewell to Arms*, Ernest Hemingway (1929), *Goodbye to All That*, Robert Graves (1929) a nofel Erich Maria Remarque, *In Westen nichts*

Neues, a gyfieithwyd dan y teitl *All Quiet on the Western Front* (1929), meddai W. J. Gruffydd yn 'Nodiadau'r Golygydd' yn *Y Llenor* (cyf. IX, rhif 2, Haf 1930, t. 65):

> . . . y maent i gyd heb eithriad yn dangos ochr anhyfryd ac annynol rhyfel, a cheir llu o'r Saeson yn ewynnu poer wrth sôn amdanynt. Nid yw'r Saeson hyn yn ddig am *fod* rhyfel yn anhyfryd ac yn annynol, ond am fod yr awduron yn *dywedyd* hyn . . . Yn rhyfedd iawn, nid y dynion a fu'n llafurio ac yn dioddef yn llaid y ffosydd sydd yn cwyno, y maent hwy bron i gyd yn canmol ac yn gwerthfawrogi. Y gwrthwynebwyr ydyw'r bobl gysurus na fuont erioed yn y rhyfel, ond ymegnïasant i yrru pobl dlotach a mwy diniwed yno; a'r uchel swyddogion na bu llawer o berygl bywyd iddynt, ac, wrth gwrs, y milwyr proffesedig. Y mae, gan gofio, ddosbarth arall, ond am reswm digonol nid ydynt hwy wedi cael cyfle i ddywedyd eu barn, sef y miliynau mud sy'n pydru yn naear Ffrainc a phellafoedd eraill.

Ceir ymosodiad cyffelyb wrth iddo adolygu *Cerddi'r Bugail*, Hedd Wyn, un o'r beirdd a laddwyd yn y Rhyfel Byd Cyntaf (*Y Llenor*, cyf. X, rhif 3, Hydref 1931, t. 188):

> Yr oeddwn yn sgwrsio ychydig amser yn ôl â dyn canol oed a oedd yn siarad am brydyddiaeth Hedd Wyn mewn termau eithafol, a chofiais toc mai'r dyn canol oed hwn oedd un o'r prif waetgwn a yrrodd Hedd Wyn a rhai tebyg iddo i'w bedd; efallai fod yma esboniad ar boblogrwydd Hedd Wyn ymhlith Phariseaid ei oes . . .

Gellir cymharu'r geiriau uchod, a '1914-1918: yr Ieuainc wrth yr Hen', â phennill olaf 'Y Pharisead' gan Gruffydd:

> Mae'r holl Rabbiniaid duwiol wrth siarad wrth y plant
> Yn codi hwn yn batrwm o Iddew ac o sant;
> Dirwest a byw yn gynnil a'i gwnaeth yn fawr fel hyn,
> Ond hwn a yrrodd f'Arglwydd i ben Calfaria fryn.

Ceir ymosodiad tebyg ar yr hen ddynion gan un o feirdd Saesneg y Rhyfel Byd Cyntaf, Siegfried Sassoon, yn 'Repression of War Experience':

> There must be crowds of ghosts among the trees,—
> Not people killed in battle,—they're in France,—

> But horrible shapes in shrouds—old men who died
> Slow, natural deaths,—old men with ugly souls,
> Who wore their bodies out with nasty sins.

Cymharer, er enghraifft, yr 'old men with ugly souls' ag 'A'ch enaid wedi tyfu'n gam'.

37. Darllen cyfrol Herbert M. Vaughan, *The South Wales Squires. A Welsh Picture of Social Life* (1926) a ysbrydolodd y soned hon. Adolygwyd y gyfrol gan W. J. Gruffydd yn *Y Llenor*, cyf. V, rhif 2, Haf 1926, dan y pennawd 'Eira Llynedd'. Meddai (tt. 103-4):

> A fuoch chwi erioed ym mynwent Llanfihangel y Fedw yng Ngwent? Rhyw filltir oddiyno y mae Cefn Mabli, hen blas y Kemeisiaid, un o gartrefi enwocaf yr hen bendefigaeth Gymreig, lle bu am ganrifoedd wŷr o waed y Morganiaid ac o dras Ifor Hael yn noddi cyfarwydd a phencerdd ac, yn ôl eu goleu, yn achleswyr ac yn fugeiliaid ar y werin Gymreig o'u cylch. Yma dan goed yw Llanfihangel y gorweddant, y naill genhedlaeth ar ôl y llall, hwn wedi tynnu ei draed ato yn ei henaint ar ei randir ei hunan, ac arall wedi dyfod adref o'r India i farw yng Nghefn Mabli; hon wedi disgyn i'r ddaear fel ysgafn o wenith yng nghyflawnder mawr ei dyddiau ac arall, dan enw newydd, wedi ei chasglu at ei thadau, un o ferched Cefn Mabli wedi dyfod yn ôl yn y diwedd. Y mae'r hen eglwys a'r hen gartref wedi eu cydrwymo â'i gilydd, a chyda hwy y mae'n rhwym hefyd hanes Cymru yn y canrifoedd a fu. Ond bydd enw Kemeis mwy ar garreg fedd yn Llanfihangel; y mae'r olaf o'r hen dras wedi myned i rywle arall i farw, a Chefn Mabli ei hunan, ynghanol cylch o gytiau coed, wedi ei droi yn Sanatorium lle ni chaiff y pencerdd fwy o le na'r cyff clêr, na'r pendefig well gwasanaeth na'r taeog.

Ymddangosodd y soned wedyn yn *Y Llenor*, cyf. IX, rhif I, Gwanwyn 1930, a'r nodyn 'Gwêl Eira Llynedd yn y LLENOR, Cyf. V.' oddi tani.

38. Brodor o Fethel ym mhlwyf Llanddeiniolen, Caernarfon, oedd W. J. Gruffydd. Ceir trafodaeth fuddiol ar y gerdd hon gan Saunders Lewis yn 'Barddoniaeth Mr. W. J. Gruffydd' yn *Y Llenor* (cyf. II, rhif I, Gwanwyn 1923). 'Fe aeth yr ywen ym myfyrdod y bardd yn symbol byw o dynged y ddynoliaeth,' meddai (t. 29).

39. Fe ellid dweud am y gerdd hon ei bod yn cynnwys holl faniffesto'r Rhamantwyr. Am y bardd fel apostol harddwch, cymharer â chollfarniad Gruffydd ar y pryddestwyr yng nghystadleuaeth y Goron yn Eisteddfod Genedlaethol Aberystwyth ym 1952 (*Beirniadaethau a Barddoniaeth Eisteddfod Genedlaethol Cymru, Aberystwyth 1952*, Gol. E. D. Jones, t. 64): '. . . mae arnynt *ofn* harddwch a thynerwch a syberwyd'.

    Arawn: brenin Annwn, yr Arallfyd Celtaidd, yng Nghainc Gyntaf *Pedair Cainc y Mabinogi*, sef chwedl Pwyll Pendefig Dyfed.

    Caer Siddi: ceir cyfeiriad at Gaer Siddi yn y gerdd 'Preiddiau Annwfn', a geir yn *Llyfr Taliesin*. Adroddir yn y gerdd am gyrch Arthur yn ei long Prydwen i ddwyn pair Pen Annwfn. Yn ystod y cyrch hwn y mae'n ymosod ar nifer o gaerau, ac un o'r rhain yw Caer Siddi. Nid cartref y meirwon, ond gwlad o lawenydd tragwyddol ac o ieuenctid bythol yw Annwn, yr Arallfyd Celtaidd.

    Adar Rhiannon: ceir Adar Rhiannon yn Ail Gainc *Pedair Cainc y Mabinogi*, chwedl Branwen ferch Llŷr. Canent i'r seithwyr a ddihangodd o Iwerddon, yn Harlech. Ceir cyfeiriad arall at yr adar hud hyn yn chwedl Culhwch ac Olwen, lle dywedir eu bod yn 'dihuno'r marw ac yn huno'r byw'. Canai'r adar hyn i'r seithwyr yn Ail Gainc y Mabinogi tra oeddynt ar ginio yn Harlech am saith mlynedd, a dyna yw arwyddocâd 'wrth y gwleddoedd' yma.

40. Galaru colli Cymreictod a'r diwylliant Cymreig ym Morgannwg a wneir yn y gerdd hon.

    Wil/Ann: cyfeiriad at garwriaeth Wil Hopcyn ac Ann Maddocks (1704-1727), y ferch o Gefn Ydfa, ger Llangynwyd, Morgannwg. Gwraig briod oedd Ann Maddocks, ac yn ôl y chwedl boblogaidd (nad oes iddi lawer o sail hanesyddol), syrthiodd mewn cariad â'r prydydd ifanc Wil Hopcyn (na wyddys ei union ddyddiadau), a bu farw o dorcalon. Poblogeiddiwyd y chwedl gan Iolo Morganwg a'i fab, Taliesin ab Iolo. Priodolir y penillion enwog 'Bugeilio'r Gwenith Gwyn' i Wil Hopcyn, ond rhan o'r chwedl yw'r cambriodoliad. Llinell agoriadol 'Bugeilio'r Gwenith Gwyn' yw 'Mi sydd fachgen ifanc ffôl'.

    Iolo Fardd: Iolo Morganwg, sef Edward Williams (1747-1826), bardd, hynafiaethydd, a sefydlydd Gorsedd Beirdd Ynys Prydain. Brodor o Lancarfan, Morgannwg. Yn ei ymdrech i brofi fod traddodiad llenyddol Morgannwg yn hanfodol i'r traddodiad llenyddol Cymreig, ffugiodd lawer o gerddi a chreodd lawer o feirdd. Cyfrannodd nifer o gywyddau i argraffiad y Gwyneddigion o waith Dafydd ap Gwilym ym 1789, ond ef ei hun oedd eu hawdur, ac fe'u gelwir yn 'Gywyddau'r Ychwanegiad' gan ysgolheigion. Oherwydd iddo gamddefnyddio'i ddawn farddonol fel hyn, ni ddaeth i'w deyrnas erioed fel bardd. Ychydig o werth sydd i'w farddoniaeth ef ei hun: eco, ac nid llais.

triban: triban Morgannwg, mesur gwerinol ac iddo bedair llinell.

Ewenni werdd: cyfeiriad at Matthews Ewenni, Edward Matthews (1813-1892), y pregethwr a'r awdur a aned yn Sain Tathan, Morgannwg, ond a ymgartrefodd yn Ewenni, ger Pen-y-bont ar Ogwr.

Bethesda'r Fro: cyfeiriad at Thomas Williams, Bethesda'r Fro, yr emynydd (1761-1844).

41. *Sain Ffagan:* Amgueddfa Werin Cymru yn Sain Ffagan, ar gyrion Caerdydd.

42. Cywydd er cof am Bob Lloyd, Llwyd o'r Bryn (1888-1961), beirniad eisteddfodol, hyfforddwr adroddwyr, eisteddfodwr ac ymrysonwr o Gefnddwysarn, Meirionnydd, a Bob Roberts, Tai'r-felin (1870-1951), y baledwr o Gwm Tirmynach, ger Y Bala, Meirionnydd. Y trydydd aelod o'r frawdoliaeth o werinwyr diwylliedig a elwid 'Y Tri Bob' oedd Bob Owen Croesor (1885-1962), yr hynafiaethydd a'r llyfrbryf o Lanfrothen, Meirionnydd.

Llandderfel: ganed Bob Lloyd ger Llandderfel ym Meirionnydd.

dy 'blant': arferai Bob Lloyd gyfeirio at ei gydnabod a'i ddisgyblion fel ''rhen blant'.

Nans: priod Bob Lloyd.

ffawd-heglu: byddai Bob Lloyd yn bodio'i ffordd o'i gartref i eisteddfod neu i gyfarfod diwylliannol ac yn ôl drachefn. Ei derm ef am y dull hwn o deithio oedd 'ffawd-heglu', ond D. Tecwyn Lloyd, ei nai, a fathodd y term yn ôl Llwyd o'r Bryn.

dy 'Bethe': term a fathwyd gan Bob Lloyd oedd 'Y Pethe', a chynrychiolir ganddo y gwerthoedd gwâr Cymreig, diwylliant yn arbennig. Cyhoeddodd gyfrol o erthyglau, *Y Pethe*, ym 1955.

dy fonheddig 'R': ni allai Bob Lloyd seinio'r gytsain 'r' yn gywir. Yn ôl Robin Williams yn *Y Tri Bob* (1970, t. 58):

> Os oedd ei beiriant ynganu-o am nogio gyda'r 'r', nid pasio drosti'n slei, fel ei frodyr, a wnaeth o, ond *creu* 'r' arbennig

iddo'i hunan. A'r fath 'r'! Anelai, fel llawer un arall, i gyfeiriad yr 'ch', ond cyn i'r 'ch' honno iawn-darddu, daliai hi i rowlio'n rwmblus a hir, nes troi'n gragl, os nad yn gargl!

'Mari' a 'Siân': cyfeiriad at rai o ganeuon Bob Roberts. Y gân am 'Mari fach fy nghariad' oedd ei gân enwocaf.

46. Englyn buddugol enwog Eisteddfod Genedlaethol Pen-y-bont ar Ogwr, 1948.

48. Bardd o Drawsfynydd ym Meirionnydd oedd Hedd Wyn, awdur cerddi rhifau 56-9 yma. Fe'i lladdwyd ym Mrwydr Cefn Pilkem, ar 31 Gorffennaf, 1917. Cyn ei farwolaeth, anfonasai awdl i gystadleuaeth y Gadair yn Eisteddfod Genedlaethol Penbedw, a gynhaliwyd ym mis Medi y flwyddyn honno. Dyfarnwyd ei awdl, 'Yr Arwr', yn fuddugol, a chyhoeddwyd o'r llwyfan fod y bardd wedi'i ladd yn y Rhyfel Mawr. Gorchuddiwyd y gadair â chwrlid du, a chyfeirir at yr eisteddfod honno fel Eisteddfod y Gadair Ddu. Cyfeirir at y gadair hon yn yr englyn olaf yn yr ail gyfres.

50. Y mae'n bosibl fod cysgod bardd Saesneg o'r enw Thomas Hood ar y gerdd hon. Cymharer y pennill cyntaf a'r trydydd pennill â'r llinellau hyn o eiddo Hood:

    How sweet the sound of village bells,
    When on the undulating air they swim!
    Now loud as welcomes!
    Faint, now, as farewells!

    Efallai hefyd fod yr ymadrodd 'mudion glychau Mai' yn ddyledus i'r llinellau hyn o gerdd Francis Ledwidge, 'The Lost Ones':

    And white bells of convolvulus on hills
    Of quiet May make silent ringing.

    clych yr eos: harebells, blodau a dyf ar ôl i glychau'r gog gilio, hyn yn pwysleisio byrhoedledd clychau'r gog, a byrhoedledd yn gyffredinol.

51. Cefndir y gerdd hon yw Ail Gainc *Pedair Cainc y Mabinogi*, chwedl Branwen ferch Llŷr. Y drudwy yw'r aderyn a anfonodd Branwen at ei brawd Bendigeidfran i adrodd hanes ei thrueni yn Iwerddon wrtho: y cam-drin arni dan law ei gŵr, Matholwch, a'i caethiwodd i'r gegin, a

pheri i'r cigydd roi bonclust iddi beunydd. Yn ystod tair blynedd ei chaethiwed:

> . . . meithrin aderyn drydwen a wnaeth hithau ar dâl y noe gyda hi, a dysgu iaith iddi, a mynegi i'r aderyn y rhyw ŵr oedd ei brawd. A dwyn llythyr y poenau a'r amarch a oedd arni hithau. A'r llythyr a rwymwyd am fôn esgyll yr aderyn, a'i anfon parth â Chymru. A'r aderyn a ddoeth i'r ynys hon. Sef lle y cafas Fendigeidfran, yng Nghaer Saint yn Arfon . . .

Cerdd alegoriol yw hon am dynged a swyddogaeth y bardd, y bardd fel cludwr gwae ac fel yr un sy'n dadlennu ei gwir gyflwr i'r ddynoliaeth. Ceir trafodaethau ar y gerdd gan Bobi Jones yn *Llên Cymru a Chrefydd* (1977, tt. 256-8), gan Alan Llwyd yn *Llên y Llenor: R. Williams Parry* (1984, tt. 68-76), a chan Bedwyr Lewis Jones yn *Trafod Cerddi* (Gol. Branwen Jarvis, 1985, tt. 5-19). Y mae dehongliadau Alan Llwyd a Bedwyr Lewis Jones, yn annibynnol ar ei gilydd, yn dilyn y trywydd mai symbol o'r bardd yw'r aderyn drudwy, ond dehongliad Bobi Jones beth yn wahanol. Ar lawer ystyr, Branwen yw'r ddynoliaeth ddioddefus, y ddynoliaeth a erlidir ac a orthrymir (Matholwch, gŵr Branwen, yn y cyswllt hwn yw'r gorthrymwr), a Bendigeidfran yw'r gŵr a gynhyrfir i weithredu, ac i achub cam y ddynoliaeth. Y mae cysgod y meddylfryd Rhamantaidd yn drwm ar y gerdd, a gellir ei chymharu yn deg i awdl Hedd Wyn, 'Yr Arwr'. Cyfetyb Branwen i 'Ferch y Drycinoedd' yn yr awdl honno, sef y ddynoliaeth dan orthrwm, a chyfetyb yr Arwr ei hun, ac yntau'n batrwm o'r Arwr Rhamantaidd, i Fendigeidfran.

Digrifwas adar byd: yn llythrennol, y drudwy fel dynwaredwr adar eraill, ei allu i ddynwared cân adar eraill, ond yn drosiadol, y bardd, croesan a digrifwas y ddynoliaeth, hyn eto yn enghraifft o ddylanwad y canu Rhamantaidd ar y gerdd.

Dolurus ydyw'r rhain,/Creithiog fel dwylo Crist: yn ôl Bedwyr Lewis Jones: 'Nid ei cham ei hun, ond drwg Efnisien a'r elfen ddialgar ddrwg mewn dynion, a ddielir ar Branwen. Nid ei ddrwg ei hun, ond drygioni neu bechod dyn, a barodd hoelio Crist ar y Groes, yn ôl athrawiaeth Cristnogaeth. Mae Branwen hithau'n gynrychiolydd i'r rheini sy'n dioddef *poen* a *loes* a *chystudd* a *gwae.* Mae'r llythyr y mae'r drudwy'n ei gludo yn dweud am gam-drin penodol un ferch mewn chwedl hen. Mae'n fwy. Mae'n *sanctaidd epistol* sy'n dweud am boen a gwae holl blant Adda ers erioed.' Yn ôl Alan Llwyd: '. . . yn ôl R. Williams Parry, y mae'r enaid tosturiol, yr enaid sensitif, caredig, yr unigolyn a fyn warchod y gwerthoedd gwâr yn nannedd pob gwawd, gorthrwm a chreulondeb, yn gorfod dioddef. Y mae'r sawl a fyn ei aberthu ei hun fel Crist, i achub eraill, yn gorfod dioddef, a'r 'eraill', y mwyafrif difater, a bair iddo ddioddef . . . Enaid sensitif, gwraig egwyddorol, yw Branwen, mam dyner a chydwybodol a gwraig deyrngar. Hi yw'r enaid caredig yn y canol, rhwng creulondeb dialedd Matholwch a dicter eiddigedd Efnisien. Y mae'n ddewr, oherwydd 'hi a gynsynwys uwrw neit yn y tan' i achub ei mab Gwern. Y mae hefyd yn ferthyr, ac yn wraig deimladwy a fu farw o dorcalon. Mewn gwirionedd y mae Branwen yn un o 'bobl' R. Williams Parry, ac fel y mae'r aderyn drudwy am achub cam y Franwen ddewr a gofidus, felly hefyd y mae R. Williams Parry am achub cam y dewrion hynny a fynnodd weithredu mewn modd ymarferol a dewr, ac ymarfer trugaredd, Gweinidogion Duw a Phrydyddion Crist.'

Ac megis môr o wydr: gweler y nodyn ar rif 218.

Yn dadlau iddo dro: cf. y chwedl wreiddiol, 'Sef lle y cafas Fendigeidfran, yng Nghaer Saint yn Arfon, yn dadlau iddaw ddyddgwaith'.

Fel anfonedig nef: ymadrodd a ddefnyddir i ddisgrifio Crist yw 'anfonedig nef', yn seiliedig ar ei eiriau ef ei hun wrth gyfeirio at Dduw, 'Yr hwn a'm hanfonodd', yn Efengyl Ioan. Cf. emyn Gwili, 'Ddiddanydd anfonedig nef,/Fendigaid Ysbryd Glân'.

A garwhau ei blu: cf. y chwedl wreiddiol, 'A disgynnu ar ei ysgwydd, a garwhau ei phluf'.

Ac a wnaeth iddo fedd/Petryal ar y traeth: cf. y chwedl wreiddiol, wrth sôn am farw Branwen, 'A gwneuthur bedd petrual iddi, a'i chladdu yno yng nglan Alaw'.

52. Cerdd er cof am R. Silyn Roberts (1871-1930), bardd a Sosialydd. Cyhoeddodd ar y cyd â W. J. Gruffydd y gyfrol *Telynegion* ym 1900.
    Y mae dylanwad un o hoff feirdd R. Williams Parry, Thomas Hardy, ar y gerdd. Cymharer y pennill cyntaf â'r llinellau hyn o gerdd Hardy, 'Shelley's Sklyark':

    And how it perished, when piped farewell,
    And where it wastes, are alike unknown.

    Cymharer y pennill olaf â'r llinellau hyn, o 'The Last Signal', cerdd er cof am y bardd William Barnes:

    Thus a farewell to me he signalled on his grave-way,
    As with a wave of his hand.

Ceir trafodaeth ar y gerdd, ei phatrymau seiniol yn enwedig, yn *Llên y Llenor: R. Williams Parry* (tt. 39-40).

53. Un o'r llond dwrn o sonedau 'gwleidyddol' a luniodd R. Williams Parry yn dilyn y weithred o losgi'r Ysgol-fomio ar dir Penyberth yn Llŷn gan Saunders Lewis, D. J. Williams a Lewis Valentine ar 8 Medi, 1936. Llosgwyd siediau a defnyddiau'r adeiladwyr gan y tri, ac ar ôl cyflawni'r weithred, aeth y tri i Swyddfa'r Heddlu ym Mhwllheli i gyfaddef mai hwy oedd yn gyfrifol am y dinistr i'r adeiladau ar safle'r Ysgol-fomio. Rhoddwyd y tri ar brawf ym Mrawdlys Caernarfon, ar 13 Hydref, 1936, ond methodd y rheithgor gytuno ar ddedfryd. Cynhaliwyd y prawf eilwaith yn yr Old Bailey yn Llundain, ar 9 Ionawr, 1937, a dedfrydwyd y tri i naw mis o garchar. Cyhoeddwyd yr anerchiadau a draddodwyd i'r rheithgor ym Mrawdlys Caernarfon gan Saunders Lewis a Lewis Valentine yn bamffledyn ym 1936, *Paham y Llosgasom yr Ysgol Fomio.* Meddai Saunders Lewis yn ei anerchiad:

> . . . byddai gwersyll bomio'r llywodraeth Seisnig yn Llŷn yn anelu'n farwol at un o aelwydydd hanfodol y diwylliant Cymraeg, y peth mwyaf pendefigaidd a fedd cenedl y Cymry, hynny a barodd imi farnu bod fy ngyrfa i, a hyd yn oed ddiogelwch fy nheulu, yn bethau y dylwn eu haberthu er mwyn arbed cyflafan mor enbyd.

Ar y pryd yr oedd Saunders Lewis yn ddarlithydd yn yr Adran Gymraeg yng Ngholeg y Brifysgol, Abertawe, ac fe'i diswyddwyd o ganlyniad i'r weithred gan awdurdodau'r Coleg. Y cefndir hwn sy'n esbonio rhif 54, 'J.S.L.', sef John Saunders Lewis.

Meddai W. J. Gruffydd yn ei 'Nodiadau'r Golygydd' yn *Y Llenor* (cyf. XV, rhif 4, Gaeaf 1936, t. 194), wrth drafod yr achos llys yn erbyn tri gweithredwr Penyberth:

> A beth am yr Aelodau Seneddol Cymreig? Tybed a ellir cael ryw wynt o rywle fel y byddo byw y lladdedigion hyn? A oes mewn gwirionedd unrhyw allu, naturiol neu wyrthiol, a all gyffroi'r bobl gysurus wyneb-galed hyn i roi am unwaith un hwb fechan iddynt hwy eu hunain i helpu Cymru yn ei hadfyd, ac i warchod Cymru rhag anghyfiawnder?

Mae'n fwy na thebygol mai'r sylwadau hyn gan W. J. Gruffydd oedd y man cychwyn i'r soned.

Cymer i fyny dy wely a rhodia, O Wynt: cf. geiriau Crist wrth y claf a iachawyd o'r parlys (Marc 2.11): 'Wrthyt ti yr wyf yn dywedyd, Cyfod, a chymer i fyny dy wely, a dos i'th dŷ'. Awgrymir bod Cymru hefyd wedi'i pharlysu ac yn afiach, a bod angen meddyginiaeth ac adnewyddiad arni.

Ni'th eteil gwarchodlu teyrn na gosgorddlu rhaglaw: cyfeiriad at y llinellau a ganlyn o gywydd 'Y Gwynt' Dafydd ap Gwilym:

> Ni'th dditia neb, ni'th etail
> Na llu rhugl, na llaw rhaglaw,
> Na llafn glas na llif na glaw.

dan gadarn goncrit Philistia: dylid cadw mewn cof i Saunders Lewis gyhoeddi dwy gyfrol dan y teitl cyffredinol 'Yr Artist yn Philistia', sef *Ceiriog* (1929) a *Daniel Owen* (1936). Defnyddir y term 'Philistiaid' i ddynodi pobl ddiddiwylliant, ddiwerthoedd a materol eu hagwedd. Defnyddiwyd y term yn yr ystyr hon gyntaf gan Matthew Arnold, ac fe'i cymerodd o'r Almaeneg *Philister,* gair a ddefnyddid gan fyfyrwyr prifysgol i ddisgrifio trigolion tref Brifysgol. Ym 1689, bu gwrthdaro rhwng y myfyrwyr a'r trigolion yn Jena, sydd yn Nwyrain yr Almaen heddiw, a lladdwyd llawer. Ar ôl y gyflafan, cymerodd pregethwr y Brifysgol yn destun i'w bregeth y geiriau hyn: 'Y mae y Philistiaid arnat ti' (Barnwyr 16.9). Dywedir mai'r digwyddiad hwn a roes ystyr arall an-Feiblaidd i'r gair 'Philistiaid'.

Llanfair sydd ar y Bryn: yng Nghefn-coed, ym mhlwyf Llanfair-ar-y-bryn yn Sir Gaerfyrddin, y ganed William Williams Pantycelyn, yr emynydd (1717-1791).

Llanfair Mathafarn: ym mhlwyf Llanfair Mathafarn Eithaf ym Môn y ganed Goronwy Owen (1723-1769).

56. *Mae'r hen delynau genid gynt/Ynghrog ar gangau'r helyg draw:* cf. Salm 137. 2: 'Ar yr helyg o'u mewn y crogasom ein telynau'. Salm sy'n deillio o gyfnod y gaethglud i Fabilon yw hon, a'r telynau ynghrog ar yr helyg yn symbolaidd o dristwch alltudiaeth ('Pa fodd y canwn gerdd yr Arglwydd mewn gwlad ddieithr?', adnod 4).

59. Rhoddwyd yr englyn hwn ar gofeb y bardd yn Nhrawsfynydd.

60. Tŷ'r Ysgol, Rhyd-ddu, Sir Gaernarfon, oedd cartref T. H. Parry-Williams, ac yntau'n fab i ysgolfeistr. Cf. rhif 67.

61. Llyn yn ardal Rhyd-ddu, Beddgelert.

63. *yn nyddiau'r cŵn: dog-days, canicular days*, rhwng dechrau Gorffennaf a chanol Awst.

    Ond am fod ynof fis Gorffennaf ffôl/Yn ciprys gydag Ebrill na ddaw'n ôl: cymharer â'r pennill hwn o'r gerdd 'I Look into My Glass' gan Thomas Hardy:

    But Time, to make me grieve,
    Part steals, lets part abide;
    And shakes this fragile frame at eve
    With throbbings at noontide.

    Ceir trafodaethau ar y soned gan Meredydd Evans a chyd-olygyddion y gyfrol hon yn y gyfres 'Triawdau Cerdd' yn *Barddas* (rhif 70, Ionawr 1983, tt. 4-6).

64. Ceir trafodaeth lawn ar y soned hon yn *Dadansoddi 14*, tt. 35-8).

67. Y mae'r lleoedd a enwir yma yng nghynefin y bardd. Dylid sylwi ar y gadwyn o gyfatebiaethau cynganeddol a geir ym mhob cwpled: 'crawc', 'cri', 'craith', 'crych', 'crac', 'cric', 'cramp', 'creu'.

68. Ymadrodd cyffredin ar gofebau milwrol yw teitl y gerdd. Ceiriog, John Ceiriog Hughes (1832-1887) biau'r geiriau, o'i gerdd 'Dyffryn Clwyd':

    Mewn Angof ni chânt fod,
    Wŷr y cledd, hir eu clod.

74. Cefndir y gerdd hon yw cyni economaidd, diweithdra a chwalfa gymdeithasol blynyddoedd y Dirwasgiad yn Ne Cymru, a'r Ail Ryfel Byd ar y gorwel. Y ddelwedd ganolog yn y gerdd yw'r ddelwedd o'r Dilyw yn ôl Genesis, penodau 6-9, ond 'Dilyw anobaith' yw'r Dilyw yn y gerdd.

    o Ferthyr i Ddowlais: Merthyr Tudful a Dowlais yn Ne Cymru, dwy o'r trefi lle'r oedd diweithdra ar ei uchaf yn y Tridegau.

    clercod y pegio: clercod y swyddfeydd dôl.

    Llygrodd pob cnawd ei ffordd ar wyneb daear: cyfeiriad at Genesis 6.12: 'A Duw a edrychodd ar y ddaear, ac wele hi a lygrasid; canys pob cnawd a lygrasai ei ffordd ar y ddaear'.

i godi'r hen wlad yn ei hôl: daw'r llinell hon o gerdd Ceiriog 'Cadlef Morgannwg' yn *Oriau Eraill* (1868):

> Gawrfloeddio mae Rhyddid i ganol y gad
> I godi'r hen wlad yn ei hôl.

Ymadrodd ystrydebol, ffuantus yn aml, yw 'i godi'r hen wlad yn ei hôl' bellach, ac yn ddychanol y'i defnyddir yma. Y mae hefyd yn eironig yn ei gyd-destun, o gofio mai o'r gerdd 'Cadlef Morgannwg' y daw.

Lethe: un o afonydd Hades, yr isfyd, yn chwedloniaeth Gwlad Groeg, y byddai yfed ei dŵr yn peri ebargofiant.

A'n dwylo, byddent debyg i law petai arnynt fawd: ceir trafodaeth werthfawr ar y gerdd hon gan Gruffydd Aled Williams yn *Trafod Cerddi.* Ceir ganddo'r nodyn canlynol ar y llinell hon (t. 26): 'ystyria anthropolegwyr ddatblygiad y fawd yn gam pwysig yn hanes esblygiad dyn. Llaw y cyfyngid llawer ar ei heffeithiolrwydd fyddai llaw ddi-fawd. Yn y drafodaeth yn dilyn y ddarlith wreiddiol awgrymodd yr Athro Gwyn Thomas mai anallu i ddefnyddio bwa a saeth a oedd ym meddwl y bardd (h.y. dannod methiant y Cymry i ymladd dros eu buddiannau eu hunain)'.

a phensiwn y Mond: Syr Alfred Montz Mond (1868-1930) oedd arweinydd carfan o ddiwydianwyr a geisiodd ymuno ag arweinwyr yr undebau llafur ym 1928 i ad-drefnu diwydiant a chynyddu budd-daliadau'r gweithwyr. Ef oedd cadeirydd cyntaf cwmni I.C.I., ac ef, ynghyd â'i deulu, oedd perchenogion yr 'Amalgamated Anthracite Collieries (West Wales)' a gwaith nicel Clydach yng Ngorllewin Morgannwg. Ef oedd Aelod Seneddol Gorllewin Abertawe rhwng 1910 a 1923 a Chaerfyrddin rhwng 1924 a 1928.

Troid llaeth y fuwch yn ffyn ymbarelau: ceir dyfyniad gan Gruffydd Aled Williams o gyfrol C. L. Mowat, *Britain between the Wars, 1918-1940* (t. 439): 'The *Economist* made merry at the 'economics of Bedlam' by which the low price of milk sold for the manufacture of umbrella handles, 5d. per gallon, was held to justify keeping the price of milk for mothers at 2s. or more per gallon'.

Apolo: yr haul.

Megis pan ddaliai'r doeth ar eu hysbaid/Rhwng bryniau'r Sabiniaid ganrifoedd yn ôl: cyfeiriadaeth at Fyrsil, *Georgica*, II: 'Hwn oedd y bywyd yr oedd y Sabiniaid yn ei fyw yn yr hen ddyddiau gynt', llinell sy'n dilyn disgrifiad o'r bywyd amaethyddol delfrydol, mewn Oes Aur pan deyrnasai Sadwrn, a chyn i ddynion ddysgu rhyfela a thrin arfau. Y Sabiniaid oedd un o hen genhedloedd canolbarth yr Eidal.

Sadwrn, Iau: Sadwrn oedd duw amaethyddiaeth y Rhufeiniaid, yn cyfateb i'r duw Groegaidd Cronus. Fe'i disodlwyd gan ei fab Iau.

oes aur y Baban: cyfeiriadaeth at Fyrsil *Eclog*, IV, cerdd sy'n darogan dyfodiad oes aur yn sgîl genedigaeth Baban. Ni ddywedir pwy yw'r baban hwn, ond daethpwyd i honni ar ôl cyfnod Awstin Sant mai Crist ydoedd.

hen Bantheonau'r tadau: y Pantheon oedd y deml a godwyd yn Rhufain yn 27 C.C. gan Agrippa, mab-yng-nghyfraith Augustus, er mawl i bob un o'r duwiau. O'r seithfed ganrif ymlaen fe'i defnyddiwyd, dan yr enw *Santa Maria Rotunda*, fel eglwys Gristnogol. Mewn ystyr ehangach, claddle gwŷr mawrion yw Pantheon.

Olympos: cartref y duwiau, lle byddai Zeus yn cynnal ei lys, yn ôl chwedloniaeth Groeg.

Wall Street: lleoliad y Gyfnewidfa Stoc yn Efrog Newydd, America.

Aubusson: tref yn rhanbarth Creuse yng nghanolbarth Ffrainc sy'n enwog am ei charpedi a'i thapestrïau.

Ddod y dydd i brinhau credyd drwy fydysawd aur: Unol Daleithiau America oedd prif ffynhonnell credyd rhyngwladol yn yr Ugeiniau. Wedi cyfnod llewyrchus yn hanes y farchnad stociau ym 1928-1929, buddsoddwyd llawer mwy o arian gan yr Americanwyr yn eu gwlad eu hunain, a benthyciwyd llawer iawn llai i wledydd eraill, gan beryglu sefyllfa gwledydd eraill, yr Almaen yn eu mysg, a ddibynnai ar fenthyciadau Americanaidd.

Rheng ar ôl rheng drwy ingoedd Fienna: cyfeiriad at yr *Anschluss*, pan orfodwyd Awstria i ymuno â'r Almaen, symudiad a gwblhawyd gan Adolf Hitler ar 12 Mawrth, 1938. Goresgynnwyd Awstria gan y Natzïaid trwy gydweithrediad cefnogwyr Hitler yn Awstria.

Byddar gynddaredd ymdderu Munich: cyfeiriad at lid a chynddaredd Hitler yn ystod y trafodaethau a arweiniodd at Gytundeb Munich, cytundeb a lofnodwyd gan Chamberlain, Daladier, Hitler a Mussolini, arweinwyr Prydain, Ffrainc, yr Almaen a'r Eidal, ym Munich ar 29 Medi, 1938. Trosglwyddwyd rhannau helaeth o Tsiecoslofacia i Hitler drwy'r Cytundeb hwn, ond ym Mawrth 1939, meddiannwyd Tsiecoslofacia i gyd gan Hitler, yn groes i amodau'r Cytundeb.

Na llusg draed na llesg drydar gorymdaith/Cwsgrodwyr di-waith: cyfeiriad at orymdeithiau'r di-waith yn y Tridegau.

Bu hau daint dreigiau ar erwau Ewrop: cyfeiriad at Cadmus yn lladd y ddraig (neu sarff, yn ôl rhai fersiynau) a warchodai Ffynnon Ares, yn ôl chwedloniaeth Groeg. Mab Agenor, brenin Ffoenisia, a Telephassa oedd Cadmus. Anfonodd Cadmus ei wŷr i gyrchu dŵr, ar gyfer y ddefod o aberthu buwch i'r dduwies Athene, i'r Ffynnon, heb wybod fod y ddraig yn ei gwarchod, a lladdwyd nifer o'i wŷr gan y ddraig. Lladdodd Cadmus y ddraig drwy falu ei phen â chraig. Ymddangosodd Athene, a'i ganmol am ei weithred. Gorchmynnodd iddo hau dannedd y ddraig yn y ddaear, ac wedi iddo ufuddhau iddi, cododd gwŷr arfog, y Sparti, o'r ddaear, gan daro eu harfau yn erbyn ei gilydd. Taflodd Cadmus garreg i'w plith, a pheri iddynt gyhuddo ei gilydd o daflu'r garreg, a chweryla. Lladdasant ei gilydd, ac nid oedd ond pump yn aros, sef Echion, Udaeus, Chthonius, Hyperenor a Pelorus.

Bruening: Heinrich Bruening neu Brüning (1885-1970), Canghellor yr Almaen rhwng 1930 a 1932. Fe'i gorfodwyd i ymddiswyddo oherwydd yr argyfwng economaidd, ym mis Mai, 1932, wedi iddo fethu cael gwledydd eraill i fenthyca arian i'r Almaen. Aeth Brüning wedyn i America, a bu'n alltud o'i wlad hyd at 1951. Rhwng 1951 a 1955 bu'n athro ar wyddoniaeth wleidyddol ym Mhrifysgol Cologne.

Ond duodd wybren tueddau Ebro: cyfeiriad at frwydr afon Ebro yng Nghatalonia a ymladdwyd rhwng Gorffennaf a Thachwedd 1938; un o frwydrau mawr y Rhyfel Cartref yn Sbaen rhwng y Gweriniaethwyr a'r Cenedlaetholwyr.

Anabl gnafon Bâle a Genefa: y ddwy ddinas yn yr Yswistir y ceir banciau mawrion rhyngwladol ynddynt. Sefydlwyd y Banc ar gyfer Taliadau Rhyngwladol yn Bâle (Basle) ym 1930.

75. Cerdd ddigon swrealaidd yw hon, a gweledigaeth hunllefus o Gymru ac o'r bywyd modern a geir ynddi. 'Y mae'r cwbl yn un simbol byw o dranc Cymru Anghydffurfiol,' meddai Gwenallt amdani yn *Saunders Lewis: ei Feddwl a'i Waith* (Gol. Pennar Davies, 1950, t. 73), gan ychwanegu: 'Hi yw'r gerdd ddychan fwyaf deifiol yn ein llenyddiaeth ni'. Fe ddylid cymharu'r gerdd â rhai o gerddi T. S. Eliot, yn enwedig 'Sweeney Among the Nightingales', cerdd sydd wedi ei lleoli mewn caffe, fel cerdd Saunders Lewis (neu efallai mewn puteindy). Gweledigaeth hunllefus a geir yng ngherdd Eliot hefyd, o'r dyn modern heb godi o laid ei gyntefigrwydd a'i anifeildra:

> Apeneck Sweeney spreads his knees
> Letting his arms hang down to laugh,

> The zebra stripes along his jaw
> Swelling to maculate giraffe.
>
> The silent vertebrae in brown
> Contracts and concentrates, withdraws;
> Rachel *née* Rabinovitch
> Tears at the grapes with murderous paws;

Cymharer â'r benywod 'A'u gweflau fel hunllef anllad yn rhwygo/ Cwsg eu hwynebau gorila'.

Great Darkgate Street: heol yn Aberystwyth, Dyfed.

Babel: cyfeiriad at dŵr Babel, lle, yn ôl Genesis 11.9, 'y cymysgodd yr Arglwydd iaith yr holl ddaear'.

Kosher: bwyd wedi ei baratoi yn ôl y gyfraith Iddewig, ac yn unol â chyfarwyddiadau manwl y gyfraith honno.

76. Gwrthrych y gerdd hon yw'r lleidr a ddywedodd wrth Grist, 'Arglwydd, cofia fi pan ddelych i'th deyrnas' (Luc 23.42) pan oedd Crist yn groeshoeliedig rhyngddo ef a drwgweithredwr arall. Ceryddwyd y drwgweithredwr arall ganddo am gablu Crist.

ar fynydd y Gweddnewid: cyfeiriad, yn bennaf, at weddnewidiad Crist yn ôl Marc 9.2-3:

> Ac wedi chwe diwrnod y cymerth yr Iesu Pedr, ac Iago, ac Ioan, ac a'u dug hwynt i fynydd uchel, eu hunain o'r neilltu: ac efe a weddnewidiwyd yn eu gŵydd hwynt.
>
> A'i ddillad ef a aethant yn ddisglair, yn gannaid iawn fel eira; y fath ni fedr un pannwr ar y ddaear eu cannu.

Ceir cyfeiriadau eraill at Grist yn disgleirio gan ogoniant y presenoldeb dwyfol, er enghraifft, Crist, yng nghwmni Pedr, Ioan ac Iago, yn 'myned i fyny i'r mynydd i weddïo': 'Ac fel yr oedd efe yn gweddïo, gwedd ei wynepryd ef a newidiwyd, a'i wisg oedd yn wen ddisglair' (Luc 9. 28 a 29). Efallai mai cyfeiriad at weddnewidiad Crist a geir yn y frawddeg 'ac ni a welsom ei ogoniant ef' (Ioan 1.14). Gweler yn ogystal Mathew 16.16.

Na'r nos yn cerdded y lli: cf. Marc 6.49: '. . . pan welsant hwy ef yn rhodio ar y môr, hwy a dybiasant mai drychiolaeth ydoedd: a hwy a waeddasant'.

Parthenon iaith: y Parthenon oedd y deml i Athene neu Athena Parthenos (h.y., y Wyryf) ar yr Acropolis yn Athen. Codwyd y deml yn 447-438 C.C., gan y pensaer Ictinus i ddechrau, ond wedyn dan oruchwyliaeth Phidias. Ystyrir y gwaith a wnaethpwyd ar y Parthenon yn ddelfryd o bensaernïaeth, fel y mae'r awdur yma yn ystyried damhegion Crist yn ddelfryd o iaith.

Na'r weddi cyn Cedron a'r brad: cyn y croeshoeliad aeth Crist, 'efe a'i ddisgyblion, dros afon Cedron, lle yr oedd gardd, i'r hon yr aeth efe a'i ddisgyblion', Ioan 18.1. Amlwg yw'r cyfeiriad at yr oruwchystafell yn y llinell flaenorol.

Rex Judaeorum: Brenin yr Iddewon.

77. Cerdd er cof am yr hanesydd mawr Syr John Edward Lloyd (1861-1947). Camp fwyaf J. E. Lloyd oedd ei ddwy gyfrol *A History of Wales to the Edwardian Conquest* (1911), yr astudiaeth sylweddol gyntaf o'r cyfnod hwnnw i'w chyhoeddi. Penodwyd J. E. Lloyd yn gofrestrydd ac yn Ddarlithydd mewn Hanes yng Ngholeg Prifysgol Gogledd Cymru, Bangor, ym 1892, ac yn Athro Hanes y Coleg ym 1899.

Darllenais fel yr aeth Eneas gynt: seiliwyd y ddau bennill cyntaf ar Chweched Llyfr *Yr Aeneid*, arwrgerdd fawr Fyrsil. Ceir yn y Chweched Llyfr hanes arwr *Yr Aeneid*, Aeneas, yn ymweld â'i dad marw, Anchises, yn yr Isfyd. Cludodd Aeneas ei dad oedrannus ar ei ysgwyddau pan oedd Caerdroea'n wenfflam. Bu farw wedyn yn ystod crwydradau Aeneas. Arweinir Aeneas gan yr offeiriades, y Sibil, i'r Isfyd, a'i obaith yw y dadlennir iddo dynged ei hil yno, gyda'r nod, yn y pen draw, o ailsefydlu Caerdroea.

Dis: enw arall ar Hades, yr Isfyd.

Tu draw i'r afon ac i Faes Wylofain: cludir y Sibil ac Aeneas gan Charon, y cychwr, dros Acheron, afon Angau, a chyrhaeddant fan a elwir yn Feysydd Wylofain. Gwêl Aeneas rai o'i hen gymrodyr gynt yn y meysydd lle preswylia'r rhai a oedd yn ddewr ac yn anrhydeddus mewn rhyfel, hen arwyr y Rhufeiniaid, a fu'n ymladd yn erbyn y Groegiaid. Yn eu plith y mae Deiphobos, mab Priam, wedi'i anffurfio'n erchyll gan ei glwyfau. Priododd Helen o Gaerdroea ar farwolaeth ei frawd, Paris, ond fe'i bradychwyd ganddi i'w gŵr cyntaf, Menelaus. Llofruddiwyd Deiphobos gan Menelaus.

Meibion Antenor ac Adrastos lwyd: gwêl dri mab Antenor, sef Glaucus, Medon a Thersilochus, a hefyd Adrastus neu Adrastos, un o frenhinoedd Argos, yn y Meysydd Wylofain.

Nes dyfod lle'r oedd croesffordd, etc: wedi cyrraedd croesffordd, dewisa Aeneas y llwybr sy'n arwain i Dir Dedwyddyd, lle mae Trigfannau'r Gwynfydedig, y rhan o'r Isfyd lle preswylia'r rhai a gyflawnasai wrhydri ac a fu fyw'n dda yn ystod eu bywydau daearol. Rhoddir i Aeneas y gangen aur y mae'n ei cheisio, arwydd fod y Tynghedau o'i blaid. Wedi agor y glwyd sy'n fynedfa i'r tir dedwydd hwn, mae Aeneas yn taenellu dŵr croyw dros ei wyneb, ac yna y mae wedi cyrraedd y rhan hon o'r Isfyd. Yno gwêl ragor o hen arwyr ei wlad, Ilus, neu Ilos, yn eu plith, a Dardanus, sefydlydd Caerdroea.

diallwynin: ansoddair sy'n dwyn i gof linell agoriadol marwnad Gruffudd ab yr Ynad Coch i Lywelyn ap Gruffudd:

> Oer calon dan fron o fraw—allwynin
> Am frenin, dderwin ddôr, Aberffraw.

Ond 'meirwon diallwynin' a geir yn yr Isfyd, meirwon dialar, dedwydd, gan iddynt ymladd yn ddewr dros eu gwlad.

hen ddewin Bangor: J. E. Lloyd.

Pennill 3: cyfnod y dyn cyntefig a drigai mewn ogofâu—dechreuad hanes.

Tu . . . regere populos: y dyfyniad yn llawn yw: *'Tu regere imperio populos, Romane, memento/(Hae tibi erunt artes), pacique imponere morem,/Parcere subiectis et debellare superbos'.* Dyma eiriau Anchises wrth ei fab, Aeneas, yn *Yr Aeneid*, sef, o'u cyfieithu yn fras: 'Ti, Rufeiniwr, cofia fod yn rhaid iti reoli cenhedloedd gyda'th awdurdod (oherwydd dyna fydd dy allu), cyfuno heddwch a threfn, trugarhau wrth y gorchfygedig, a rhyfela nes darostwng y rhai trahaus'.

Agricola: pwnc y pennill hwn yw'r modd y gorchfygwyd Prydain, gan gynnwys Cymru, gan y Rhufeiniaid. Darlunnir yma y llywodraethwr Rhufeinig Gnaeus Julius Agricola (37-93) yn gorchfygu Môn. Priododd merch Agricola â'r hanesydd Tacitus, ac ef a luniodd gofiant iddo. Yn ôl y cofiant hwnnw, lladdwyd yr holl dderwyddon a oedd wedi ymgynnull ym Môn gan Agricola. Y mae'r goncwest Rufeinig hon yn gwireddu proffwydoliaeth Fyrsil (yn y nodyn uchod), felly, meddir am Agricola, 'murmurai frudiau Fferyll'.

Pennill 5: pennill yn cyfeirio at gyfnod y seintiau cynnar: darlunio mynach yn ymneilltuo, yn diwylltio'r tir, yn amaethu, yn addoli ac yn cymuno â Christ yn ei loes. Pwysleisir mai gwareiddiad Cristnogol yw gwareiddiad y Cymry.

Fôn a Chyrenaïca: h.y., yr Ymerodraeth Rufeinig benbaladr. Yng Ngogledd Affrica y mae Cyrenaïca. Gwnaethpwyd Cyrenaïca yn dalaith Rufeinig yn y flwyddyn 174. Yn y pennill hwn crisielir a mynegir safbwynt Saunders Lewis ynghylch Ewrop fel undod, gan bwysleisio traddodiad Catholigaidd Ewrop. Ar un ystyr, cyfuniad o 'ymerodraethau'r Groes a'r Eryr' yw'r grefydd Babyddol.

Dante: Dante Alighieri (1265-1321), bardd mwyaf yr Eidal, awdur *Divina Commedia,* y ceir ynddi'r tair rhan: *Inferno, Purgatorio* a *Paradiso.*

Grotius: Hugo Grotius (1583-1645), cyfreithiwr a llywodraethwr o'r Iseldiroedd a geisiodd gyfaddawdu a chymodi rhwng Catholigiaeth a Phrotestaniaeth, awdur y clasur *De Jure Belli et Pacis* (1625).

Ffredrig yr Ail: yr Ymherawdr Rhufeinig (1194-1250), mab Harri VI. Arweiniodd grwsâd rhwng 1228 a 1229 i adfeddiannu Jerwsalem, a llwyddodd i wneud hynny trwy gytundeb a heb ymladd. Cwerylodd â'r Pab yn ystod y cyfnod hwn, a pharhaodd yr anghydfod rhwng y ddau hyd at ddiwedd teyrnasiad Ffredrig. Yr oedd yn ŵr diwylliedig iawn, ac yn noddwr mawr i'r celfyddydau.

Phylip brudd o Sbaen: Phylip, brenin Sbaen (1527-1598), a ymladdodd o blaid yr Eglwys Gatholig yn erbyn y Protestaniaid.

y mae hil/Gondemniwyd i boen Sisiffos: Sisyphus neu Sisyphos oedd mab Aeolus, yn ôl chwedloniaeth Groeg. Ei gosb a'i benyd yn yr Isfyd, am iddo ddatgelu trais Zeus ar Aegina i'w thad, yr afon Asopus, oedd gwthio carreg drom i ben bryn, a'r garreg honno yn treiglo i lawr y bryn fel y byddai ar fin cyrraedd y copa.

Cunedda: un o benaethiaid llwyth y Gododdin, Cunedda Wledig, a ddaeth, yn ôl Nennius, gyda'i feibion o Fanaw Gododdin yn yr Hen Ogledd yn y bumed ganrif ac ymlid y Gwyddelod o Wynedd.

Adar y Pwll: yr harpyai, adar rheibus ag wynebau merched, a welwyd gan Aeneas uwch y Pwll yn yr Isfyd. Cyfeirir at gosb Sisyphus, heb ei enwi, yn Chweched Llyfr *Yr Aeneid.* Yn Tartarus yr oedd Sisyphus, y rhan drist o'r Isfyd, nid yn y Tir Dedwyddyd. Y mae'r Pwll y cyfeirir ato yng nghanol afon Acheron, cyn croesi i Tartarus. Ceid coel eu bod yn cynrychioli ffurfiau eneidiau'r meirwon, a'u bod hefyd yn cipio eneidiau'r byw i Annwfn.

Ac wele neuadd adwythig,/Gwely'n y canol, esgob, archddiagon, etc: cyfeirio a wneir yma at farwolaeth Gruffudd ap Cynan (c. 1055-1137), brenin Gwynedd, a lwyddodd i ailsefydlu awdurdod ei linach, sef llinach Cunedda a Rhodri Fawr. Bu farw'n ei henaint, a cheir disgrifiad ohono ar ei wely angau yn ail gyfrol *A History of Wales to the Edwardian Conquest* (tt. 468-9), ac at hynny y cyfeirir yn y pennill hwn:

> He made a pious and peaceful end, having around his death-bed Bishop David of Bangor, the archdeacon of the diocese, Simeon of Clynnog, and the Prior of St. Werburgh's, Chester, and leaving sums of money for the good of his soul to many notable churches of his own and other lands. Among these he did not forget the Danish foundation of Christ Church, Dublin, where he had worshipped as a boy.

Yr oedd mam Gruffudd ap Cynan, Rhagnell, yn hanu o deulu brenhinol Sgandinafaidd Dulyn. Cyfeirir yma hefyd at y cymorth a gafodd gan y brenin Gothri o Lychlyn i'w ailsefydlu ei hun yng Nghymru.

uthr bendragon: Uthr Bendragon oedd mab Cystennin II a thad Arthur, yn ôl *Historia Regum Britanniae* Sieffre o Fynwy, ond chwarae ar yr enw a wneir yma, a'i ddefnyddio fel epithed i ddisgrifio dewrder a gallu milwrol Gruffudd ap Cynan.

Ogof Ardudwy: dihangodd Gruffudd ap Cynan o'r carchar yng Nghaer, ac ymguddiodd mewn ogof yn Ardudwy. Yn ôl *Historia Gruffud vab Kenan* (Gol. D. Simon Evans, 1977, t. 19): 'A phan y gueles meibeon Gollwyn ef . . . y truanassant urthau, ac y diwallassant ef a dan gel y mevn gogoueu diffeith'.

geol Hu Fras: Hugh o Avranches, un o'r barwniaid Normanaidd a gafodd iarllaeth Caer.

Bron 'r Erw: brwydrodd Gruffudd ap Cynan yn erbyn Trahaearn ap Caradog, Arglwydd Arwystli, ym Mronyrerw, ger Clynnog Fawr. Trechwyd ef, a bu'n rhaid iddo ffoi i Iwerddon. Lladdwyd Trahaearn gan Ruffudd ap Cynan a Rhys ap Tewdwr ym mrwydr Mynydd Carn ym 1081.

gwelais grog ar lawnt: cyfeiriad at grogi Gwilym Brewys (William de Braose), cariad Siwan (1195-1237), gwraig Llywelyn ap Iorwerth (1173-1240) neu Lywelyn Fawr ym 1230. Dwylo Siwan sy'n estyn tuag at y grog 'rhwng barrau heyrn'. Carcharwyd Siwan gan ei gŵr am ei godineb. Ar yr union hanes hwn y seiliodd Saunders Lewis ei ddrama *Siwan* (1955). Gweler hefyd *A History of Wales to the Edwardian Conquest*, II (t. 670).

Oni ddaeth llong o Aber . . . : cyfeiriad ar farw a chladdu Siwan, cf. *A History of Wales to the Edwardian Conquest*, II (t. 686):

> She died at Aber, the royal seat of the commote of Arllechwedd Uchaf, now becoming a favourite residence of the princes of Gwynedd, on 2nd February, 1237, and the best proof of her complete restoration to the old footing of trust and affection is to be found in the honour paid by Llywelyn to her memory. Her body was borne across the sands of Lafan and ferried to the Anglesey shore . . .

A dacw ben ar bicell: cyfeiriad at dorri pen Llywelyn ap Gruffudd i'w arddangos yn Llundain. Gweler y nodyn ar rif 279.

Gorff anafus yr ola' eiddila' o'i lin: cyfeiriad at farwolaeth Dafydd ap Gruffudd, brawd Llywelyn, a ddienyddiwyd fel bradwr i Goron Lloegr yn Amwythig ym mis Hydref 1283. Llusgwyd ef wrth gynffonnau ceffylau i'w farwolaeth. Ymunodd Dafydd â brenin Lloegr fwy nag unwaith, ac am iddo newid ochr fel hyn yn aml, gelwir ef yr 'eiddila'' o'i linach.

Pennill 10: cyfeirio at Owain Glyndŵr a wneir yn y pennill hwn. Cyhoeddwyd llyfr J. E. Lloyd ar Owain Glyndŵr, *Owen Glendower*, ym 1931. Ef oedd Tywysog olaf Cymru (c. 1354-c. 1416), a chan ei fod yn ddisgynnydd ar ochr ei dad o dywysogion Powys ac ar ochr ei fam o dywysogion Deheubarth, yr oedd yn 'etifedd deudy'. Ei gestyll yn Aberystwyth a Harlech oedd ei ddau brif gadarnle.

Yna ger Glyn y Groes: cyfeiriad at yr hanes a geir gan Elis Gruffydd (c. 1490-c. 1552), 'Y Milwr o Galais', am Abad Glyn y Groes yn cerdded ar hyd llethrau'r Berwyn un bore, ac yn gweld Owain, a hwnnw'n dweud wrtho ei fod wedi codi'n rhy gynnar. Atebodd yr abad ef drwy ddweud mai ef, Owain, a oedd wedi codi'n rhy gynnar—o gan mlynedd. Ar hynny, diflannodd Owain. Gwnaeth Saunders Lewis ddefnydd o'r stori hon yn ei gerdd 'Caer Arianrhod'.

Dyma'r hanesyn yn y gwreiddiol, fel y'i ceir yn *Llenyddiaeth Cymru: Rhyddiaith o 1540 hyd 1660* gan W. J. Gruffydd (1926, tt. 13-4):

> . . . Dannvones y brenin lu mawr o bobyl i ddistrowio Ywainn yr hwn a oedd ynn ymgadw yMynydd Berwyn yng hylch goror Main Gwynedd, o'r man megis ac y mae llyvre kymru yn dangos y divlanodd ef o vysc y bobyl o herwydd serttein o eirriau a ddywod Abaad Glyn Egwysdyr wrtho ef ar voregwaith, yr hwn a oedd wedi kyvodi o hir vore ac ynn kerdded ar hyd(d) llethyr bron ac ynn dywedud i blygain, yr hwn a gyvarvu ac Ywain yr hwn a ddywod "A, syr Abaad,

chychwi a godasogh yn hry vore." "Nag e," hebyr yr abad, "chychwi a gyvodes yn hry vore o gan mhlynedd." "Ie," hebyr Ywain. Ac ynn ol opiniwn hrai or kymru yvo a golles ac a ddivlannodd ymaith o vysg y bobyl hrag kaffel kywilydd, kanis wrth ymadrodd yr abaad yvo a ydnabu yn hysbys nad y vo ydoedd yr Ywain yr ydoedd ef ynn ymkanu i vod, i'r hwn yr ydoedd y brudiau yn addo dwyn koron Loygyr.

Teiresias: proffwyd a gweledydd yn chwedloniaeth Groeg.

Fel hwnnw a ddringodd sblennydd gwlad anobaith: Dante yw'r 'hwnnw', a arweiniwyd i Uffern gan Fyrsil yn *Inferno.* Ystyr 'sblennydd' yma yw *clogwyni.*

Eu hiaith a gadwant: llinell o'r pennill darogan enwog a briodolir (ar gam) i Daliesin:

Eu Nêr a folant,
Eu hiaith a gadwant,
Eu tir a gollant,
  Ond gwyllt Walia.

Ceir trafodaeth werthfawr ar y gerdd hon gan John Rowlands, 'Marwnad Syr John Edward Lloyd', yn *Bardos* (Gol. R. Geraint Gruffydd, 1982, tt. 111-27).

78. *Orïon:* cysawd disglair i'r De o'r Sidydd a ddarlunnir fel heliwr â gwregys a chleddyf.

Arctwros a Seirios: Arctwros oedd yr enw ar Seren y Gogledd unwaith; *Sirius*, y Ci Mwyaf, yw Seirios.

79. Pwnc y gerdd hon yw meddyliau a myfyrdodau Mair Fadlen neu Fair Magdalen ar fore'r Atgyfodiad. Yr oedd Mair Magdalen yn un o'r gwragedd a iachawyd gan Grist: 'A gwragedd rai, a'r a iachesid oddi wrth ysbrydion drwg a gwendid; Mair yr hon a elwid Magdalen, o'r hon yr aethai saith gythraul allan' (Luc 8.2). Yr oedd Mair ymhlith y gwragedd a safai wrth y groes: 'A Mair Magdalen a Mair mam Jose, a edrychasant pa le y dodid ef' (Marc 15.47). Aeth Mair Magdalen, ynghyd â Mair mam Iago a Salome, at ei fedd â pheraroglau i'w eneinio: 'Ac yn fore iawn, y dydd cyntaf o'r wythnos, y daethant at y bedd, a'r haul wedi codi' (Marc 16.2). Seiliwyd y gerdd yn bennaf, fodd bynnag, ar yr ugeinfed bennod yn yr Efengyl yn ôl Sant Ioan. Adroddir gan Ioan am Fair yn darganfod y bedd gwag, ac yn rhedeg at

Simon Pedr a'r 'disgybl arall' i ddweud wrthynt. Wedi i'r ddau weld fod Mair yn dweud y gwir, ânt ymaith 'at yr eiddynt', a gwêl Mair 'ddau angel mewn gwisgoedd gwynion, yn eistedd, un wrth ben, ac un wrth draed y lle y dodasid corff yr Iesu' (Ioan 20.12). Gofynnant iddi paham y mae hi'n wylo, ac etyb hithau, 'Am ddwyn ohonynt hwy fy Arglwydd i ymaith, ac nas gwn pa le y dodasant ef' (13), brawddeg y ceir cyfeiriad ati yn negfed pennill y gerdd hon. Ar hynny y mae'r Arglwydd Iesu yn ymddangos iddi, er nad yw hi'n ei adnabod i ddechrau. Wrth i Grist ei chyfarch y llefarwyd y geiriau allweddol a geir uwchben y gerdd (17):

> Yr Iesu a ddywedodd wrthi, Na chyffwrdd â mi; oblegid ni ddyrchefais i eto at fy Nhad: eithr dos at fy mrodyr, a dywed wrthynt, Yr wyf yn dyrchafu at fy Nhad i a'ch Tad chwithau, a'm Duw i a'ch Duw chwithau.

Aeth Mair wedyn i fynegi i'r disgyblion yr hyn a welsai. Allweddol hefyd i'r ddau bennill yw'r adnod ganlynol (11):

> Ond Mair a safodd wrth y bedd oddi allan, yn wylo: ac fel yr oedd hi yn wylo, hi a ymostyngodd i'r bedd.

Dyfnder yn galw ar ddyfnder: gweler y nodyn ar rif 372.

Sabath dychrynllyd y cread: 'Ac wedi darfod y dydd Sabath, Mair Magdalen, a Mair mam Iago, a Salome, a brynasant beraroglau, i ddyfod i'w eneinio ef' (Marc 16.1). 'Sabath y cread' hefyd am fod Duw yn gorffwyso, ond yn gorffwyso mewn bedd y tro hwn.

Yng nghafn nos y synhwyrau: ceir trafodaeth werthfawr ar y gerdd gan R. Geraint Gruffydd yn *Llên Doe a Heddiw: Astudiaethau Bangor—1* (Gol. J. E. Caerwyn Williams, 1964, tt. 44-50). Ni ellir yma ond dyfynnu rhan o'r drafodaeth:

> Hanes cychwyn sant ar ei thaith tuag at berffeithrwydd yw 'Mair Fadlen' . . . Man cychwyn y daith bob amser yw ymwrthod â mwyniannau'r cnawd a'r synhwyrau, ac fe ddigwydd hyn yn y cyflwr a eilw'r cyfrinydd o Sbaen, S. Ioan y Groes, yn 'Nos y Synhwyrau'. Popeth a wna fodloni nwydau a chwantau'r cnawd, rhaid ymwrthod â hwynt. Yn arbennig rhaid ymwrthod â serch cnawdol, gan fod hwnnw fel petai'n cynnig i ddyn ryw wynfyd hunan-ddigonol sy'n annibynnol ar ras Duw ac yn elyniaethus tuag ato . . . Y gwrthdaro rhwng serch a sancteiddrwydd yn arbennig a

> ddaw i'r golwg yn 'Mair Fadlen', ac fe amlygir y gwrthdrawiad yn y ffordd ddwysaf posibl drwy beri i Mair Fadlen fod wedi ymserchu yn Iesu Grist. Hanes diddyfnu Mair oddi wrth y serch hwn yn Nos y Synhwyrau a'i chychwyn ar lwybr perffeithrwydd, dyna hanfod a chalon y gerdd.

Wrth esbonio'r llinell 'Y nwydau sydd yn wag yn awr' gan William Williams, y mae Saunders Lewis yn *Williams Pantycelyn* (1927, t. 88) yn cyfeirio at 'Nos y Synhwyrau':

> Yn honno y chwantau a losgir, a'u gwacáu o bob dymuno cnawd, a'u gadael yn ddiffaith, oni byddont barod i'w llenwi gan Dduw ei hun.

Niobe'r Crist: merch Tantalus a'i wraig Amphion yn chwedloniaeth Groeg. Ymffrostiodd wrth Leto, mam Apolo ac Artemis, ei bod wedi rhoi genedigaeth i nifer o blant, nid i ddau, fel Leto, ac i ddial y sarhad ar eu mam, lladdwyd holl blant Niobe gan Apolo ac Artemis. Dychwelodd i'w gwlad ei hun, Lydia, wedi torri ei chalon, ac yno, troes Zeus hi'n garreg, ar ei chais ei hun, ac yno y mae o hyd, ar Fynydd Sipylus, yn wylofain yn barhaus.

chwe dydd cyn y Pasg: 'Yna yr Iesu, chwe diwrnod cyn y pasg, a ddaeth i Bethania, lle yr oedd Lasarus, yr hwn a fuasai farw, yr hwn a godasai efe o feirw' (Ioan 12.1).

Wrth dywallt y nard gwlyb gwerthfawr: 'Yna y cymerth Mair bwys o ennaint nard gwlyb gwerthfawr, ac a eneiniodd draed yr Iesu, ac a sychodd ei draed ef â'i gwallt: a'r tŷ a lanwyd gan arogl yr ennaint' (Ioan 12.3).

'i'm claddedigaeth y cadwodd hi hwn': 'A'r Iesu a ddywedodd, Gad iddi! erbyn dydd fy nghladdedigaeth y cadwodd hi hwn' (Ioan 12.7).

Câi Thomas roi llaw yn ei ystlys: wedi i Fair ddweud wrth y disgyblion iddi weld y Crist atgyfodedig, ymddangosodd Iesu gerbron y disgyblion, 'yn hwyr y dydd cyntaf hwnnw o'r wythnos', ond nid oedd Thomas, 'a elwir Didymus', yn bresennol pan ymddangosodd Crist iddynt. Wedi i'r disgyblion eraill ddweud wrtho am ymweliad Crist â hwy, 'Yntau a ddywedodd wrthynt, Oni chaf weled yn ei ddwylaw ef ôl yr hoelion, a dodi fy mys yn ôl yr hoelion, a dodi fy llaw yn ei ystlys ef, ni chredaf fi' (Ioan 20.25). Wyth niwrnod yn ddiweddarach, ymddangosodd Crist yng ngŵydd y disgyblion drachefn, ac meddai wrth Thomas: 'Moes yma dy fys, a gwêl fy nwylaw; ac estyn dy law, a dod yn fy ystlys: ac na fydd anghredadyn, ond credadyn' (Ioan 20.26).

Fel Orphews am Ewridice'n galaru: yn chwedloniaeth Groeg, Orpheus oedd y cerddor a aeth i'r Isfyd i chwilio am ei briod marw, Eurydice, ac a swynodd yr holl Isfyd â nodau'i grwth. Câi fynd â'i briod yn ôl i fyd y byw ar yr amod y byddai'n peidio ag edrych arni nes ymadael â'r Isfyd, ond edrychodd arni drach ei gefn, a diflannodd.

'Hithau a droes a dywedodd wrtho, Rabboni': 'Yr Iesu a ddywedodd wrthi, Mair. Hithau a droes, ac a ddywedodd wrtho, Rabboni; yr hyn yw dywedyd, Athraw' (Ioan 20.16).

81. *'Yn nhŷ fy Nhad y mae llawer o drigfannau':* Ioan 14.2.

'Mae'n eistedd ar ddeheulaw Dduw Dad hollalluog': o Gredo'r Apostolion.

Awgwstws: Caius Julius Caesar Octavianus (63 C.C.–14 O.C.), y rhoddwyd iddo'r teitl anrhydeddus *Augustus* (cysegredig, mawreddog) yn 27 C.C. am ei ran yn cryfhau ac yn ehangu'r Ymerodraeth Rufeinig. Trechodd lynges Cleopatra a Marcus Antonius yn Actium yn y flwyddyn 31 C.C., a chynhaliwyd dathliadau ysblennydd yn Rhufain yn 29 C.C. wedi'r fuddugoliaeth hon.

Cafwyd sylwadau ar y gerdd gan Saunders Lewis yn *Y Tyst*, 13 Mehefin, 1974, yn dilyn trafodaethau arni gan yr Athro Dewi Z. Phillips. Gan gyfeirio at y 'llinellau am ddatganiad Credo'r Apostolion', meddai (t. 1):

> Onid yw ein hiaith ni, ein delwadau ni, ein sôn ni am 'eistedd ar ddeheulaw' o angenrheidrwydd yn affwysol druenus 'ddigri'? Sut y gallwn ni gyda'r iaith sy gennym fod yn ddigonol i'r pethau hyn? Dynion ydym ni, bodau bach digri; does dim rhyw lawer rhyngom ni a llygod. Ond bod rhai ohonom ni'n mentro credu ddyfod Duw yn ddyn.

Am bum llinell olaf y gerdd, meddai:

> Er mwyn torri'r drafodaeth mor fyr ag y gallaf a gaf i gyfeirio'r darllenydd at ddiwinyddion yr Almaen a'r Iseldiroedd yn y bedwaredd ganrif ar ddeg, sef y Meistr Eckart a Tauler a Henri Suso a Ruysbroeck. Darnau a dyfyniadau o'u gweithiau yn unig y gwn i amdanynt a byddai'n gywilydd gennyf fod neb yn tybio fy mod yn ddysgedig ynddynt. Ond bu eu dysgeidiaeth am weddi yn agoriad llygad imi ac y mae peth o'u dylanwad a'u geirfa yn y llinellau hyn. Enwau ar y Duwdod yw diddymdra a mudandod iddynt hwy. Ceir gan Suso,

'Gellir galw Duw yn ddiddymdra tragwyddol', ac y mae Eckart yn arfer 'diddymdra' yn enw arno 'i fynegi ei anhraetholdeb'—hynny yw na ellir dweud dim amdano o gwbl sy'n datgan ei natur, 'dweud Duw gydag ystyr'.

Sut felly mae mynd at Dduw? Ateb Tauler a Suso a Ruysbroeck yw bod yn rhaid mynd drwy ddisgyblaeth lem gweddi. Dechrau gyda geiriau a delwadau 'Cymdeithas ei ddioddefiadau ef' ac ymlaen heibio i eiriau a delwadau i dawelwch a mudandod gweddi undeb, nid hyd yn oed undeb â natur ddynol Crist, ond â hanfod y Duwdod. Y mae rhai diwinyddion Catholig wedi amau a ellir hynny yn y byd hwn. Ond y mae eraill a'r gweddïwyr mawr yn eu plith yn credu iddynt brofi hynny. Y mae Morgan Llwyd yn dweud mai'r un yw'r profiad hwn a phrofiad marw. Rhoes hynny i minnau linell olaf y gerdd, sef y gall marw fod i bob truan ŵr yn brofiad tebyg, mynd yn fud at y mud, a bod marw ei hunan felly yn weddi, gweddi'r terfyn.

84. Englyn buddugol Eisteddfod Genedlaethol Aberpennar, 1940.
Gŵyl Fihangel: 29 Medi.

86. Fferm ger Llangrannog, Sir Aberteifi, yw'r Cilie. Magwyd nythaid o feirdd yno, sef meibion Jeremiah Jones (1855-1902) a'u disgynyddion. Ceir cerddi gan dri o feibion Jeremiah Jones yn y casgliad hwn, sef Isfoel, S. B. Jones ac Alun Jones. Mab i frawd arall iddynt oedd Gerallt Jones (rhif 201). Gelwid beirdd-gwlad y Cilie yn Fois y Cilie.

87. Englyn buddugol Eisteddfod Genedlaethol Bangor, 1943.

88. Cerdd gyda'r Rhyfel Byd Cyntaf yn gefndir iddi, a lleoedd ym Mhenrhyn Llŷn yw'r lleoedd a enwir ynddi.

90. Dyfyniad, mewn gwirionedd, yw pedair llinell olaf y gerdd hon, o emyn gan David George Jones (1780-1879). Daw'r pedair llinell a ddyfynnir gan Cynan ar ôl y llinellau hyn:

> Bydd myrdd o ryfeddodau
> Ar doriad bore wawr,
> Pan ddelo plant y tonnau
> Yn iach o'r cystudd mawr;

93. Pryddest fuddugol Eisteddfod Genedlaethol Caernarfon ym 1921 oedd 'Mab y Bwthyn'. Bu'r awdur yn Swyddog gyda'r Corfflu Meddygol yn ystod y Rhyfel Byd Cyntaf, ac wedyn yn gaplan, ym Macedonia, rhanbarth mynyddig rhwng Gwlad Groeg a Serbia. Yr oedd yn bryddest chwyldroadol ddigon yn ei dydd, oherwydd ei harddull uniongyrchol, ei hieithwedd foel, anfarddonol, ac oherwydd ei hymdriniaeth gignoeth a realistig â'r Rhyfel. Chwerwder, euogrwydd a dadrith yw baich y bryddest, ac y mae dylanwad cerdd hir John Masefield, *The Everlasting Mercy* (1911) arni. Meddai Alun Llywelyn-Williams am y bryddest wrth adolygu *Cerddi Cynan* yn *Lleufer* (cyf. XVI, rhif 2, Haf 1960, t. 66):

> . . . magodd y dinistr a'r dioddefaint a'r lladd nid yn unig ddadrith a ffieidd-dod yn enaid y bardd, ond tosturi hefyd wrth fywydau drylliedig. Rhoes hyn i'w gerddi ddiffuantrwydd ofnadwy. Mynegodd Cynan yn Gymraeg yr un profiadau ag a ddaeth i ran Wilfred Owen a Siegfried Sassoon, a mwy na hynny, ymdeimlodd yntau, fel y Saeson hyn, â'i gyfrifoldeb personol ef ei hun yn yr heldrin a chyfranogi, fel hwythau, o euogrwydd cyffredinol y ddynoliaeth, megis er ei waethaf. Hyn sy'n gwneud 'Mab y Bwthyn' yn gerdd fawr mewn unrhyw gyfnod.

Rhandir Neb: y tir wast rhwng y ffosydd yn y Rhyfel Byd Cyntaf na pherthynai i'r naill ochr na'r llall, *No Man's Land.*

y Somme: rhanbarth yng Ngogledd-ddwyrain Ffrainc, o gylch Afon Somme, lle bu peth o'r ymladd mwyaf gwaedlyd a mwyaf colledus yn ystod y Rhyfel Byd Cyntaf. Dechreuwyd yr ymosod ar linellau'r Almaenwyr yn y Somme ar 1 Gorffennaf, 1916, ac ar ôl diwrnod cyntaf yr ymladd lladdwyd 19,000 o filwyr y Fyddin Brydeinig, ac archollwyd 38,000.

Flesselles: pentref bychan yn ymyl Amiens, yn ardal y Somme.

94. Un o fynyddoedd Eryri yw'r Cnicht, a daw'r enw, fe dybir, o'r Saesneg *Knight.*

Rameses: y teitl a roddid i frenhinoedd yr Aifft. Y brenin Menpehtire, er enghraifft, oedd Rameses I.

95. Dau fynydd yng nghyffiniau Ffestiniog, Meirion, yw'r ddau Foelwyn.

99. Mae Rhos Helyg ym mhlwyf Blaenpennal, yn ardal Mynydd Bach, rhwng Tregaron ac Aberystwyth. Meddai'r awdur am y cywydd yn 'Dyma Fel y Daeth . . .' yn *Y Faner* (Mehefin 8, 1979, t. 8):

> Nid gogyfer ag unrhyw gystadleuaeth y lluniais y cywydd, ond fel mynegiant o'r ymdeimlad bod rhyw bethau yn aros yng nghefn gwlad o hyd—pethau nad oes dim difrodi arnynt. Maent yn aros, er y dirywiad mawr a welir mewn ardaloedd gwledig. Er i'r bythynnod fynd yn adfeilion, a'u bod bellach heb *'wres aelwyd'* ac er i'r cloddiau chwalu gan adael y caeau heb gnydau o wair ac o ŷd, eto, yn Rhos Helyg y mae,
>
> *Hyfrydwch nas difrodir.*
>
> Dyna'r syniad sylfaenol sydd yn y cywydd.

105. Englyn buddugol Eisteddfod Genedlaethol Dolgellau, 1949.

107. Dylanwad cerdd gan Gerard Manley Hopkins, 'Heaven-Haven: A nun takes the veil', sydd ar y gerdd hon. Dyma'r gerdd:

> I have desired to go
> Where springs not fail,
> To fields where flies no sharp and sided hail
> And a few lilies blow.
>
> And I have asked to be
> Where no storms come,
> Where the green swell is in the havens dumb,
> And out of the swing of the sea.

108. Lluniwyd y gerdd hon ym 1936, pan oedd diweithdra a chyni economaidd yn rhemp yn Neheudir Cymru.

Gwae inni wybod y geiriau heb adnabod y Gair: cf. T. S. Eliot, yn *The Rock* (1934): 'Knowledge of words, and ignorance of the Word'.

A boddi hymn yn Eiriolaeth â rhigwm yr Absoliwt: cyfundrefn athronyddol a grewyd gan George Friedrich Wilhelm Hegel (1770-1831), yr athronydd o'r Almaen, a dull o feddwl a ddylanwadodd yn fawr ar athroniaeth diwinyddiaeth wedi'r Rhyfel Byd Cyntaf, oedd Absoliwtiaeth. Meddai R. Geraint Gruffydd yn 'Triawdau Cerdd' yn *Barddas* (rhif 54, Gorffennaf/Awst 1981, t.9):

> Y mae'n gresynu fod ei genhedlaeth ef yn wybodus iawn ynglŷn â geiriau—a geiriau am Dduw, *Theologia*, a feddylir yn ddiau—ond yn dra amddifad o unrhyw adnabyddiaeth bersonol o Grist y Gair. Yn hytrach fe werthasant eu henaid am doffi a chonffeti ffair, pethau anfaethlon ac ansylweddol (os deniadol) . . . Canlyniad hynny oedd diorseddu Eiriolwr cig-a-gwaed y Beibl gan *syniad* am Grist fel uchafbwynt datblygiad y ddynoliaeth (yr Absoliwt), uchafbwynt yr oedd yr holl ddynoliaeth yn teithio'n ddiwrthdro tuag ato, fel bod pechod dyn yn mynd yn beth dibwys a Chroes ac Eiriolaeth Crist yn mynd yn bethau diangen. Rhyw syniadau fel hyn a oedd wrth wraidd y rhyddfrydiaeth ddiwinyddol a oedd yn llywodraethol yng Nghymru yn ystod hanner cyntaf y ganrif. Creadigaeth meddwl dyn ydynt ac nid oes a wnelont fawr ddim â Christnogaeth y Beibl. Nid oes ryfedd felly i Gwenallt eu dynodi â'r term diraddiol *rhigwm* o'u cymharu â'r dystiolaeth Feiblaidd am eiriolaeth Crist a elwir ganddo yn *hymn*.

Nid oes na diafol nac uffern dan loriau papur ein byd: lleolodd Dante ei Uffern yn *Inferno* yn ei *Divina Commedia* yng nghrombil y ddaear. Pwynt y pennill hwn yw sefydlu'r ffaith fod yr hen gredoau wedi marw, a bod duwiau newydd yn cerdded y ddaear. Cymharer y llinell â'r geiriau hyn o eiddo Edith Sitwell: 'This modern world is but a thin match-board flooring spread over a shallow hell. For Dante's hell has faded, is dead'.

Mae lludw yng ngenau'r genhedlaeth: cf. Salm 102.9: 'Canys bwyteais ludw fel bara, a chymysgais fy niod ag wylofain'. Arwydd o gyflwr truenus oedd bwyta lludw ymhlith yr Israeliaid.

Ceir trafodaethau ar y gerdd yn 'Triawdau Cerdd' yn y rhifyn o *Barddas* y cyfeiriwyd ato uchod gan Alan Llwyd, Gwilym R. Jones ac R. Geraint Gruffydd.

109. *Pennill 2:* cf. y soned 'Pechod' gan Gwenallt:

> Pan dynnwn oddi arnom bob rhyw wisg,
> Mantell parchusrwydd a gwybodaeth ddoeth,
> Lliain diwylliant a sidanau dysg,
> Mor llwm yw'r enaid, yr aflendid noeth.

Nero: Lucius Domitius Ahenobarbus (37-68 O.C.), Ymherawdr Rhufain (54-68). Llosgwyd rhannau helaeth o Rufain yn 64 O.C., a beiodd y Cristnogion am y tân, gan eu herlid yn greulon ac yn ddidrugaredd am flynyddoedd.

Iwdas: Judas Iscariot, bradychwr Crist i'r Rhufeiniaid.

Cain: mab Adda ac Efa a llofrudd ei frawd Abel.

Ni fynnwn y bustl a'r finegr: cf. yr hanes am groeshoelio Crist yn ôl Mathew 27.34: 'Hwy a roesant iddo i'w yfed finegr yn gymysgedig â bustl'.

Yr ysgall lle bu'r esgor a'r drain lle bu'r marw drud: cf. Genesis 3.18, wedi i Adda brofi'r ffrwyth gwaharddedig a pheri bod y ddaear yn felltigedig o'i achos: 'Drain hefyd ac ysgall a ddwg hi i ti'. Adleisiwyd y geiriau hyn gan Evan Evans, Ieuan Brydydd Hir (1731-1788) yn ei 'Englynion ar Lys Ifor Hael, o Faesaleg, yn Swydd Fynwy':

> Drain ac ysgall mall a'i medd,
> Mieri lle bu mawredd.

Bawlyd yw purdeb eu halen, a llaith yn ein llestr ni,/A'u cannwyll gynt a fu'n cynnau, gwelw yw ei golau hi': cyfeiriad at rai o adnodau'r Gwynfydau, Mathew 5.13-15:

> Chwi yw halen y ddaear: eithr o diflasodd yr halen, a pha beth yr helltir ef? Ni thâl efe mwy ddim ond i'w fwrw allan, a'i sathru gan ddynion.
>
> Chwi yw goleuni y byd. Dinas a osodir ar fryn, ni ellir ei chuddio.
>
> Ac ni oleuant gannwyll, a'i dodi dan lestr, ond mewn canhwyllbren; a hi a oleua i bawb sydd yn y tŷ.

Y Ddeddf: cyfeiriad at y deddfau Hebreig, sef y *Tōrāh*. Ceir Pumllyfr y Gyfraith yn yr Hen Destament. Cyfeirir at y Deg Gorchymyn fel y Dengair Deddf.

y Drugareddfa: ar Arch y Cyfamod, cist o goed Sittim y cedwid ynddi drysorau cysegredig ac a safai mewn unigedd y tu mewn i'r cysegr santeiddiolaf, yr oedd y drugareddfa.

Ceir trafodaethau ar y gerdd gan Bobi Jones yn ' "Y Gristnogaeth" ' yn *Y Traethodydd* (cyf. CXXIV, rhif 531, Ebrill 1969, tt. 70-75) a chan Branwen Jarvis yn *Trafod Cerddi* (tt. 47-56).

111. Llosgwyd tad Gwenallt i farwolaeth ym 1927, pan oedd yn 60 oed, wedi i fetel tawdd dasgu arno yng ngwaith dur Gilbertson ym Mhontardawe. Hynny, a marwolaethau tebyg, yw cefndir y gerdd. Disgrifir marwolaeth ei dad yn ingol yn y nofel hunangofiannol *Ffwrneisiau* (1982):

> Roedd y ladl wedi ei llanw â metel tawdd, a safai yntau y tu ôl iddi. Yn sydyn dyma'r metel yn tasgu dros ymyl y ladl ac yn disgyn ar ei ben yn gawod. Nid oedd ganddo le i ddianc.
>
> Rhedodd ar draws y pwll ac nid oedd dim amdano ond ei felt a'i sgidiau; ac fe orweddodd ar yr ochr yn ymyl y lein; fe ruthrodd gweithwyr ato a rhoi eu cotiau drosto ac fe redodd un i nôl y doctor. Y peth olaf a ddywedodd Gomer Powel oedd 'Beth w i wedi'i neud i haeddu hyn?' Fe ddaeth y doctor yno ac am ei fod wedi llosgi mor ddrwg fe aed ag ef yn yr ambiwlans i Ysbyty Abertawe . . .
>
> Gyda'r bws cyntaf, rhuthrodd Ianto Powel i Ysbyty Abertawe ac yno yr oedd ei dad yn gorwedd ar wely yn y Ward: y dillad drosto a rhwymynnau ar ei wyneb, a dim ond lle i'w drwyn. Fe wyddai Ianto Powel fod ei wyneb wedi ei losgi ac nad oedd ei lygaid ond tyllau coch; ac ymhen pum munud fe fu farw o'r llosgfeydd a'r sioc.

Pennill 8: cf. rhan o dystiolaeth Gwenallt yn *Credaf* (Gol. J. E. Meredith, 1943, tt. 57-8):

> Daeth corff fy nhad . . . adref, wedi ei losgi i farwolaeth gan y metel tawdd, a hynny heb eisiau. Yn y bregeth angladdol, pan ddywedodd y gweinidog mai hyn oedd ewyllys Duw, tywelltais oddi mewn i mi holl regfeydd yr "haliers" ar ei bregeth ac ar ei Dduw, a phan ganasant ar lan y bedd "Bydd myrdd o ryfeddodau" cenais yn fy nghalon "The Red Flag." Pe gallwn godi'r arch o'r bedd fe chwilfriwiwn â hi y gyfundrefn gyfalafol felltigedig, a roddai fwy o bwys ar gynnyrch nag ar fywyd, ar elw nag ar ddyn.

Diflannodd yr Wtopia oddi ar gopa Gellionnen: Syr Thomas More (1478-1535) a fathodd y term *Utopia.* Ei ystyr yn llythrennol yw 'ddim yn unman', a dyna oedd teitl ei lyfr enwog, *Utopia*, a gyhoeddwyd ym 1516, a'i gyfieithu o'r Lladin i Saesneg gan Ralph Robinson, a'i gyhoeddi ym 1551. Y wladwriaeth berffaith oedd Utopia, wedi'i sylfaenu ar ddelfrydau'r dyneiddwyr yn Lloegr yng nghyfnod More, gwlad heb dlodi, torcyfraith, anghyfiawnder na phroblemau cymdeithasol. Mynydd ym Mhontardawe yw Mynydd Gellionnen.

Cymharer y pennill hwn â'r dystiolaeth hon o eiddo'r bardd (*Cofio Gwenallt*, Lynn Owen-Rees, 1978, t. 51):

> 'Rwy'n cofio mynd i ben Craig yr Allt-wen a gweld yn y pellter uwch bae Abertawe y byd perffaith, yr Utopia; byd heb garchar, heb ryfel, heb dlodi, heb ormes ac anghyfiawnder, byd heddychlon, cyfiawn, rhydd a pherffaith. Dyna paham yr ymunais â changen yr *Independent Labour Party* ym Mhontardawe yn ddwy ar bymtheg oed . . .

Ceir trafodaeth ar y gerdd yn *Dadansoddi 14*, tt. 42-4.

112. *Fel locustiaid Aifft newydd dyn:* cyfeiriad at y pla o locustiaid a yrrwyd gan yr Arglwydd i boenydio Pharo ac i ddifetha cnydau'r Aifft, i orfodi Pharo i ollwng ymaith yn rhydd Moses a'r Israeliaid. Gweler Exodus 10.

    Eldorado: brenin Manoa, dinas chwedlonol ysblennydd gyfoethog ar lannau afon Amazon, oedd El Dorado. Yr oedd y brenin hwn wedi'i orchuddio'n barhaus gan lwch aur. Ceisiodd anturiaethwyr o Sbaen a Lloegr ddarganfod y ddinas, ond methwyd. Daeth El Dorado i olygu gwlad hud orlawn o oludoedd.

113. Yng ngogledd yr hen Sir Gaerfyrddin y mae ardal Rhydcymerau. Yr ardal hon oedd 'milltir sgwâr' D. J. Williams, a chofnododd flynyddoedd ei fagwraeth a'i lencyndod yn yr ardal yn ei ddwy gyfrol hunangofiannol, *Hen Dŷ Fferm* (1953) ac *Yn Chwech ar Hugain Oed* (1959). Un o feibion fferm Esgair-ceir yn Rhydcymerau oedd tad Gwenallt, Thomas Ehedydd Jones, a symudodd i fyw i Bontardawe ym 1894, a bu mam Gwenallt, Mari Jones, hefyd yn byw ym Mhwllcymbyd, Rhydcymerau, er mai o blwyf arall yn Sir Gaerfyrddin yr oedd yn hanu yn wreiddiol. Felly, yn Rhydcymerau yr oedd gwreiddiau Gwenallt. Yr ardal gyntaf i'w choedwigo yng Nghymru, wedi sefydlu'r Comisiwn Coedwigaeth ym 1919 i sicrhau cyflenwad digonol o goed brodorol i wledydd Prydain, yn hytrach na mewnforio coed, oedd Brechfa, yn ymyl Rhydcymerau. Llyncwyd erwau'r ffermydd gan y coed, a'r ffermydd eu hunain yn ogystal, gan ddifa cymdogaeth. Cf. Aneirin Talfan Davies yn *Crwydro Sir Gâr* (1955, t. 156):

> Y mae Llywele, Esgeir Ceir, Tir-bach a Chilwennau Ucha . . . bellach yn rhan o'r fforest. A dyna'r argraff ddyfnaf a adawyd arnaf wedi crwydro ychydig o gwmpas y 'filltir sgwâr', oedd y coed a'm hamgylchynai ymhobman. Coed, coed, coed, nes magu rhyw glawstroffobia mewn dyn, a dyheu am gael ffoi rhag cysgod eu rhengoedd syth-frig.

ffau'r Minotawros Seisnig: anghenfil a chanddo ben tarw a chorff dynol oedd y Minotawros yn ôl chwedloniaeth Gwlad Groeg. Ganed y Minotawros o groth Pasiphae, gwraig Minos, wedi iddi gyplu â tharw, cosb a orfodwyd ar Minos a'i wraig gan Poseidon am i Minos dramgwyddo yn ei erbyn. Asterius oedd enw'r anghenfil a aned ohoni. Fe'i caewyd gan Minos yn y Labrinth, ac aberthid iddo saith o lanciau a saith o forwynion o Athen bob naw mlynedd. Lladdwyd yr anghenfil gan Theseus gyda chymorth Ariadne.

118. Yr Esgob William Morgan, a aned yn y Tŷ Mawr, yr Wybrnant, ym mhlwyf Penmachno (1545-1604) oedd cyfieithydd y Beibl i'r Gymraeg. Cyhoeddwyd ei orchestwaith ym 1588.

A'r 'barchus, arswydus swydd': dyfynnu llinell enwog Goronwy Owen, 'Y barchus, arswydus swydd', yn ei gywydd i ateb Huw ap Huw, y Bardd Coch o Fôn.

119. Traddodwyd darlith radio chwyldroadol Saunders Lewis, 'Tynged yr Iaith', ar 13 Chwefror, 1962. Y ddarlith hon a fu'n uniongyrchol gyfrifol am sefydlu Cymdeithas yr Iaith. Anogwyd ynddi ddefnyddio dulliau torcyfraith heddychlon i sicrhau parhad y Gymraeg.

120. Cerdd a luniwyd ar drothwy'r Ail Ryfel Byd yw hon, ac y mae dyfodiad y Rhyfel yn llercian yn fygythiol yn y cefndir. Ar 1 Medi, 1939, goresgynnwyd Gwlad Pwyl gan yr Almaenwyr, a chyhoeddwyd rhyfel yn erbyn yr Almaen gan Loegr a Ffrainc ddeuddydd yn ddiweddarach. Dylid cymharu'r gerdd â cherdd Saunders Lewis, 'Y Dilyw 1939', rhif 74.

Cyfeirir at nifer o gerddorion a chyfansoddiadau cerddorol yn y gerdd, er enghraifft, opera Richard Wagner (1813-1883), *Tannhäuser* (1845), a balé Maurice Ravel (1875-1937), y cyfansoddwr impresionistaidd o Ffrainc, *Boléro* (1928).

123. Cefndir y gerdd hon yw *Ystorya de Carolo Magno*, y chwedlau Cymraeg am Siarlymaen a geir yn *Llyfr Gwyn Rhydderch* a *Llyfr Coch*

Hergest. Hanes Siarl Fawr, Siarlymaen (Charlemagne; 742-814), a geir yn y chwedlau hyn. Coronwyd ef yn Rhufain yn y flwyddyn 800 yn bennaeth yr Ymerodraeth Rufeinig. Ac yntau eisoes yn frenin y Ffrancod a'r Lombardiaid a'r taleithiau Almaenig, bu'n brwydro yn ail hanner yr wythfed ganrif â'r Saraseniaid a'r Mweriaid. Adroddir yn yr *Ystorya* am ymgyrchoedd byddin Siarlymaen yn nhueddau Sbaen. Gorchfygwyd ei fyddin ger Saragossa yn 778, a dinistriwyd gosgorddlu-ôl y fyddin gan ladd Rolant, ei lyw, ym mwlch Ronsyfál, 'Glyn-mieri' yn Gymraeg. Y Roland hwn yw arwr y gerdd enwog Ffrengig, *Chanson de Roland.* Swleimân oedd arweinydd y Mohametaniaid.

124. Ym mhlwyf Llanerfyl, Maldwyn, y mae Nant yr Eira, rhostir ac arno nifer o dai sy'n adfeilion, ac yno y mae Eglwys Beulah. Yng Nghwm-derwen y trigai'r bardd gwlad James Roberts, Derwenog, y ceir ysgrif arno gan Iorwerth C. Peate yn *Sylfeini* (1938). Y mae gan R. S. Thomas gerdd am dai gwag Nant yr Eira, 'The Welsh Hill Country':

    Too far for you to see
    The moss and the mould on the cold chimneys,
    The nettles growing through the cracked doors,
    The houses stand empty at Nant-yr-Eira,
    There are holes in the roofs that are thatched with sunlight,
    And the fields are reverting to the bare moor.

Ceir trafodaeth ar y gerdd yn *Cerddi Diweddar Cymru* (Gol. H. Meurig Evans, 1962, tt. 15-16) gan Hugh Bevan.

126. Y mae'r soned yn dechrau â'r gair 'Duw' ac yn diweddu â 'Diawl', er mwyn cyfleu'r newid a ddaeth ar fyd yr ugeinfed ganrif. Lleoedd ym Mro Morgannwg a enwir yn y soned, a chan lawer ohonynt gysylltiadau crefyddol. Hon yw'r etifeddiaeth ysbrydol a aeth yn ysglyfaeth i'r Diafol. Am 'Bethesda' gweler y nodyn ar gerdd rhif 40. Y mae Eglwys Brewys ym mhentref Brewys, ryw filltir o bellter o gyrraedd Bethesda'r Fro. Gweler ymhellach *Bro Morgannwg*, cyf. 1, Aneirin Talfan Davies (1972).

127. Cyfeirir at y fen ychen arbennig hon gan yr awdur yn ei gyfrol *Diwylliant Gwerin Cymru* (1942, tt. 57-8):

> Fe erys o hyd—yn yr Amgueddfa Genedlaethol—fen ychen o ardal Ewenni ym Morgannwg . . . Gwnaethpwyd y

fen yn wych . . . Nid yw'r 'Cywydd i ofyn men' yn anadnabyddus yng ngwaith y beirdd Cymreig: er enghraifft sgrifennodd William (sic) Llŷn yn yr unfed ganrif ar bymtheg ddau gywydd o leiaf ar y testun. Yn un ohonynt sonia yntau am gorff y fen fel 'cawell' ac fel hyn y darllen rhan o'i ddisgrifiad:

Dwy olwyn aur ar dâl nant
Drwy oglais yr ymdreiglant.
Certwain arw i sain ar sarn
Cloch cywydd cylchog haearn.
Oes man hwnt sy o'i mewn hi
A lle i dreiddio llyw drwyddi?
Oes bogel ac ysbigod
A rhwyll ynghanol pob rhod?

Ac fe orffen y disgrifiad gyda llinell wych yn darlunio sŵn yr olwynion yn troi ar yr ecstro bren:

Wich wach yn ôl chwech ychen.

Gellir dychmygu'r wedd ychen yn tynnu'r fen tros lonydd geirwon y wlad, a sŵn yr olwynion, wich wach, wich wach, 'drwy oglais' yn ymdreiglo, a'r sain annisgwyl yn treiddio tros y dyffryndir tawel.

132. Awdl fuddugol Eisteddfod Genedlaethol Abertawe ym 1964 oedd 'Patagonia'.

Nahuelquîr: enw'r hen Indiad y cyfeirir ato yma, hen gyfaill ysgol i R. Bryn Williams. Bu farw yn bennaeth ei lwyth ym 1959. Yr oedd yn medru'r Gymraeg.

Toldo: pabell.

Condor: aderyn mawr, math ar fultur, yn Ne America.

Wanacos: anifeiliaid gwylltion y Paith.

Cristianos: y Sbaenwyr; yn llythrennol, *Cristionogion.*

Cwm Rosario: tref ym Mhatagonia, i'r gogledd o Esquel, i gyfeiriad Bariloche.

Camarwco: gŵyl grefyddol gan Indiaid Patagonia, math ar Ŵyl Ddiolchgarwch.

133. Ar un o lethrau'r Wyddfa yr oedd capel Hebron, Gwauncwmbrwynog. Bu R. Bryn Williams ar un adeg yn weinidog arno. Yr oedd y capel yn prysur ddadfeilio, ac fe'i caewyd. Methodd y bardd fod yn bresennol yng ngwasanaeth cau'r capel, ac anfonodd y gerdd hon, a ddarllenwyd yno. Ceir cyfeiriad ynddi at yr addolwyr yn dod ynghyd o'u cartrefi, a llewyrch eu lanternau i'w weld ar y llwybrau.

135. Un o glogwyni'r Wyddfa yw'r Grib Goch. Ceir trafodaeth ar y gerdd yn *Cerddi Diweddar Cymru*. Meddai Hugh Bevan (tt. 13-14):

> Y profiad a ddisgrifir ynddi yw'r ymgyfarfod rhwng dyn a mynydd, a chais yr awdur amlygu'r teimladau sy'n ymhlyg yn y profiad, yn gyflawn ac yn drefnus. Fframwaith y portread yw'r gwahoddiad i weiddi a ddigwydd ar gychwyn pob pennill . . . Seilir dau batrwm ffigurol ar y gamp lafarol hon, sef patrwm y praidd a phatrwm y tarw, a rhoddir pennill cyfan i'r naill ac i'r llall. Er bod llais dyn bob amser yn union effeithiol ymhlith defaid, ni thycia yma. 'Defaid maen' sydd ar y mynydd, ac awgryma'r ddelwedd hon nid yn unig mor aneffeithiol yw dyn yng ngŵydd y mynydd ond hefyd, yn enwedig gyda chymorth delwedd y 'rhaeadr', ansawdd arwynebedd y llethrau. Ar yr un pryd arweinia at ddelwedd gytras y bugeiliaid cynnar, sef y mynyddoedd iâ a ymgodasai uwchben Y Grib Goch gan lywio rhediad a thirwedd y creigiau, ac y mae'r datblygiad hwn yn y patrwm yn ychwanegu ymdeimlad â'r cyntefig at wead y profiad. Cychwynna'r ail batrwm ffigurol pan dry llais y bloeddiwr yn rhaff ddolen y dringwr. Medrai'r rhaff, fel y llais, fod yn arwydd o'r oruchafiaeth ddynol, ond 'edau' ddifudd yw hithau yn ymyl y mynydd hwn. Cyflym uniaethir y rhaff, fodd bynnag, a lasŵ'r heusor y gwahoddir ei thaflu 'am gyrn y tarw-wyll'.

136. Pryddest fuddugol Eisteddfod Genedlaethol Hen Golwyn ym 1941 oedd 'Peiriannau'. Y mae dylanwad Émile Verhaeren (1855-1916), y bardd o Wlad Belg, yn drwm ar rannau o'r bryddest. Un o'i themâu pwysig fel bardd, mewn cerddi fel yr enwog 'Vers le futur', oedd yr effaith a gâi diwydiant a chynnydd ar fywyd y wlad. Yn ôl J. M. Edwards yn *Cerddi Hir* (Goln. Gwilym Rees Hughes ac Islwyn Jones, 1970, t. 126): 'Nid condemnio dyfodiad y peiriannau yw pwrpas y bardd yn y gerdd hon, eithr rhybuddio dynoliaeth oni ddefnyddia hi

hwy yn briodol at ei gwasanaeth, y bydd perygl iddynt droi'n feistri arni a'i difetha o fod'.

Llo Aur: delw dawdd a wnaethpwyd gan yr Israeliaid, dan arweiniad Aaron, wedi i Moses esgyn i Fynydd Sinai i dderbyn y gyfraith gan yr Arglwydd, sef dwy lech y dystiolaeth a gynhwysai'r Deg Gorchymyn, yn ôl Exodus 32. Addolid y Llo Aur gan yr Israeliaid yn absenoldeb Moses, ond dinistriwyd y geudduw hwn ganddo wedi i'r Arglwydd ei anfon o Fynydd Sinai i geryddu ei bobl.

137. Cerdd a luniwyd wedi i'r Ail Ryfel Byd ddod i ben. Ildiodd yr Almaen ar 2 Mai 1945, ond llusgodd y Rhyfel â Siapan ymlaen hyd at 2 Medi, 1945.

Rhein: afon fawr yn Ewrop sydd â'i tharddiad yn yr Yswistir. Y mae'n llifo drwy'r Almaen.

148. *Dygwyl y Meirwon:* gŵyl coffáu'r meirwon, ar 2 Tachwedd. Sefydlwyd yr Ŵyl gan yr Eglwys Gatholig yn 993. Mewn llawer gwlad y mae'n arferiad goleuo cannwyll ar fedd yr ymadawedig a goffëir y noswaith cyn yr Ŵyl.

149. *ceiliogod Annwn:* cyfeiriad at yr hen goel sy'n disgrifio ceiliogod yn Annwn yn canu'n ofer am doriad gwawr yn nhywyllwch dudew'r Isfyd Celtaidd hwn.

150. Ceir trafodaethau ar y gerdd hon gan Mathonwy Hughes yn *Awen Gwilym R* (1980, tt. 116-7), ac Alan Llwyd yn *Barddoniaeth y Chwedegau: Astudiaeth Lenyddol-hanesyddol* (1986, tt. 609-11), a'r ddau ddehongliad, i bob pwrpas, yn dilyn yr un trywydd. Yn ôl Mathonwy Hughes: 'gellir dehongli'r gerdd hon fel cerdd i Gymru sy'n colli'i hiaith' (t. 116).

Bardd yr Haf: R. Williams Parry; oherwydd iddo ennill y Gadair yn Eisteddfod Genedlaethol Bae Colwyn ym 1910 â'i awdl boblogaidd, 'Yr Haf'.

151. *Fflandrys:* Flanders, rhanbarth eang, yng Ngwlad Belg yn bennaf, ond yn cyffwrdd hefyd ag ardal Nord yn Ffrainc a Zeeland yn yr Iseldiroedd. Yn Fflandrys y bu llawer o frwydrau mwyaf gwaedlyd y Rhyfel Byd Cyntaf. Cyfeirir yn y gerdd at babïau coch Fflandrys. Mabwysiadwyd y blodyn hwn yn symbol o aberth y milwyr a laddwyd

yn y Rhyfel Byd Cyntaf, cf. y gerdd Saesneg enwog gan John McCrae, 'In Flanders Fields':

> In Flanders fields the poppies blow
> Between the crosses, row on row
> That mark our place; and in the sky
> The larks, still bravely singing, fly
> Scarce heard amid the guns below.

Alamein: El Alamein, anialwch gorllewinol Gogledd Affrica, lle bu un o frwydrau mwyaf tyngedfennol yr Ail Ryfel Byd, rhwng Wythfed Fyddin y Prydeinwyr, dan arweiniad Bernard Law Montgomery (*Montgomery of Alamein*) a byddinoedd yr Axis (yr Almaenwyr a'r Eidalwyr), rhwng 23 Hydref a 4 Tachwedd, 1942. Bu'r cyrch yn fuddugoliaeth ysgubol i Montgomery.

Munich a Belsen bell: dau o wersyll-garcharau'r Natzïaid yn yr Almaen. Lladdwyd tua chwe miliwn o Iddewon yn holl wersyll-garcharau'r Almaenwyr yn yr Almaen a Gwlad Pwyl, llawer ohonynt trwy eu nwyo yn y siamberi nwy. Cyfeirir yma hefyd at rai o erchyllterau'r Natzïaid yn y gwersyll-garcharau hyn, megis defnyddio braster y cyrff i wneud sebon, a defnyddio croen i wneud gorchudd lamp.

153. *Y rhai na chawsant aeddfedu i fedel Herod:* cyfeiriad at Herod yn lladd y bechgyn dwyflwydd oed yn ôl Mathew 2.16, yn ei ymgais i ladd y plentyn Crist: 'Yna Herod, pan weles ei siomi gan y doethion, a ffromodd yn aruthr, ac a ddanfonodd, ac a laddodd yr holl fechgyn oedd ym Methlehem, ac yn ei holl gyffiniau, o ddwyflwydd oed a than hynny'.

Brân yn Annwfn: Bendigeidfran fab Llŷr, brawd Branwen, y cawr a oedd yn 'frenin coronog ar yr ynys hon', yw Brân, yn ôl Ail Gainc *Pedair Cainc y Mabinogi.* Awgrymwyd gan rai ysgolheigion mai ffurf led-ddynol ar un o hen dduwiau'r Celtiaid ydoedd. Ceir chwedl mewn Hen Wyddeleg, 'Mordaith Brân', yn adrodd am y Brenin Brân yn mordwyo o Iwerddon i Ynysoedd y Dedwydd. Am *Annwfn* gweler y nodyn ar *Arawn* ac ar *Gaer Siddi*, dan rif 39.

Ceir trafodaeth ar y gerdd yn *Barddoniaeth y Chwedegau*, tt. 605-6.

154. *'Gwŷr a aeth Gatraeth':* cyfeiriad at gerdd Aneirin, 'Y Gododdin'. Blodeuai Aneirin yn ail hanner y chweched ganrif, a cherdd sy'n gyfres o awdlau byrion yw 'Y Gododdin' am arwriaeth llwyth y

Gododdin a'u cynghreiriaid. Lladdwyd trichant o'r Gododdin gan y gelyn wrth ymosod ar Gatraeth, Catterick yn Swydd Efrog erbyn heddiw. Egyr sawl un o awdlau'r gerdd â'r geiriau 'Gwŷr a aeth Gatraeth', megis 'Gwŷr a aeth Gatraeth oedd ffraeth eu llu'.

155. Cyfeiria'r teitl at *Inferno* Dante, rhan gyntaf y *Divina Commedia.*

Gehenna: Enw'r Testament Newydd am Lyn Hinnom yn yr Hen Destament, y glyn a oedd yn amgylchynu Jerwsalem. Cynhelid defodau a seremonïau paganaidd yng Nglyn Hinnom gan yr Ammoniaid, a chyflwynid poeth-offrymau i Baal yno. Cyfeirir at y Glyn yn Jeremeia 19.6 fel 'Dyffryn y lladdfa'. Y mae Gehenna yn y Testament Newydd yn gyfystyr ag Uffern.

Passchendaele: pentref yng Ngorllewin Fflandrys, Gwlad Belg, yn ymyl Ypres. Bu brwydro ffyrnig o gwmpas trum Passchendaele, cyn cyrraedd Ypres, rhwng Gorffennaf a Thachwedd 1917, ond bu'n ymosodiad aflwyddiannus o safbwynt y Prydeinwyr. Lladdwyd neu anafawyd 400,000 o filwyr.

Buchenwald: pentref i'r gogledd-ddwyrain o Weimar, Dwyrain yr Almaen, lle bu un o wersyll-garcharau'r Natzïaid.

Dresden: dinas yn Nwyrain yr Almaen, ar afon Elbe. Bomiwyd Dresden yn drwm gan y Cynghreiriaid yn ystod y nos ac oriau mân y bore, 13-14 Chwefror, 1945. Lladdwyd tua 135,000 o drigolion y ddinas.

Hiroshima: dinas a phorthladd ar arfordir deheuol Honshu, Siapan. Gollyngwyd bom atom ar Hiroshima ar 6 Awst, 1945. Achoswyd difrod dychrynllyd a lladdwyd 136,989 o drigolion y ddinas.

marc Cain: cyfeiriad at Genesis 4.14, 'A'r Arglwydd a osododd nod ar Cain'.

156. Ysgerbwd yn Amgueddfa Avebury, Wiltshire, o hen bentref ar Windmill Hill, yn dyddio o tua 2500 C.C. Cafwyd digon o brawf archaeolegol mai cymdeithas o amaethwyr medrus oedd ei phobl.

157. Cerdd sy'n ymdrin â phrofiad personol, cyfriniol yn ei hanfod, a gafodd yr awdur pan oedd yn bedair ar ddeg oed. Dywedodd Waldo Williams lawer wrthym am y gerdd ac am amgylchiadau ei llunio hi yn *Y Faner*, 13 Chwefror, 1958, yng ngholofn Mignedd, 'Ledled Cymru'. Meddai:

> Dau gae ar dir cyfaill a hen gymydog i mi, John Beynon, Y Cross, Clunderwen, yw Weun Parc y Blawd a Parc y Blawd.

> Yn y bwlch rhwng y ddau gae tua deugain mlynedd yn ôl sylweddolais yn sydyn, ac yn fyw iawn, mewn amgylchiadau personol tra phendant, fod dynion, yn gyntaf dim, yn frodyr i'w gilydd.

Gair arall gan Waldo Williams am yr heliwr yn y gerdd, sef Duw, yw Ysbrydolwr. Meddai eto:

> Nid yw'r Ysbrydolwr yn gadael llonydd i ddynion. Mae ef yn ein hela, nid i farwolaeth ond i fywyd. Fel y dywedais yn gynharach yn y gân, pan fo un o syniadau Hwn yn dod inni am y tro cyntaf mae e'n dod mor sydyn â phetae wedi ei saethu i mewn i'r meddwl. Heblaw ein saethu fel hyn, meddwn, y mae Ef yn taflu Ei rwyd, nid i'n dal a'n difetha ond i'n tynnu'n nes at ein gilydd. Ar y cyntaf nid ydym yn Ei adnabod, efallai. Cymerwn air ein meistri nad oes gan hwn hawl ar ein tir, potsier, herwr, yw ef. Pan â'n ddycnach ei ymwneud â ni anghofiwn amdano ond fel heliwr, nes y dechreuwn rywbryd amau Ei berwyl ar y tir: wedi dod yn ôl i ymofyn Ei deyrnas y mae, Ef yw'r Brenin Alltud. Wele ef yn cerdded atom trwy'r bwlch, fel y gwna rywdro, medd y dydd a'r nos wrth fyfyrio: cerdd trwy ryw argyfwng mewn hanes a'r pryd hynny bydd y nerthoedd oedd piau'r byd bryd hynny, yn hollti fel brwyn yn ffordd ei draed.
>
> Mae chwe phennill i'r gân, y tri cyntaf yn ymwneud â'r ysbrydoliaeth hon yn ei gwedd unigol, a'r tri arall yn ymwneud â hi yn ei gwedd gymdeithasol. Yr wyf yn dweud ar ddiwedd y trydydd pennill fod pawb yn cael yr ysbrydoliaeth hon a'i bod yn ein tynnu ni allan o'r hunan.

Cafwyd sawl trafodaeth ar y gerdd, a'r rhai pwysicaf yw 'Mewn Dau Gae', Bedwyr Lewis Jones, yn *Cyfres y Meistri 2: Waldo Williams* (Gol. Robert Rhys, 1981, tt. 149-59), 'Mewn Dau Gae' gan Dafydd Elis Thomas yn yr un gyfrol (tt. 160-7), a 'Mewn Dau Gae' yn *Dadansoddi 14* (tt. 54-63). Ceir sylwadau eraill arni, ac ar y cerddi eraill o eiddo Waldo Williams yn y casgliad hwn, yn *Waldo* (Gol. James Nicholas, 1977), ac yn *Llên y Llenor: Waldo* gan Ned Thomas (1985).

cyffro meddwl yr haul yn mydru'r tes: 'Ar ddiwrnod poeth, braf fe fyddwch yn gweld y gwres yn crynu'n donnau o'ch blaen. Mae Waldo Williams yn personoli'r haul. Yn union fel y bydd meddwl bardd yn creu mydrau a rhythmau, mae ef yn synio am feddwl yr haul yn creu tonnau'r gwres, 'yn mydru'r tes'' (Bedwyr Lewis Jones).

trwy oesoedd y gwaed ar y gwellt: cyfeiriad at y gerdd am y dref wen yng Nghanu Heledd, sef yr englyn hwn:

> Y dref wen ym mron y coed,
> Ysef ei hefras erioed,
> Ar wyneb ei gwellt y gwoed.

Ac yn syrthio'n ôl a'u dagrau fel dail pren: cyfeiriad at Datguddiad 22.2: 'Yng nghanol ei heol hi, ac o ddau tu yr afon, yr oedd pren y bywyd, yn dwyn deuddeg rhyw ffrwyth, bob mis yn rhoddi ei ffrwyth: a dail y pren oedd i iacháu y cenhedloedd'.

A'r nos trwy'r celloedd i'w mawrfrig ymennydd: dyfynnir gan Bedwyr Lewis Jones ran o lythyr a anfonodd Waldo Williams ato yn esbonio'r ddelwedd a geir yma:

> Mae Wordsworth yn dweud yn ei ragymadrodd i'r *Excursion*
>
> Descend prophetic spirit that inspirest
> The human soul of universal earth
> Dreaming of things to come.
>
> Rhyw syniad fel 'na oedd gennyf i. Ac edrych fel y sêr wedyn, fel celloedd yr ymennydd. 'Rwy'n cofio imi oedi tipyn cyn caniatáu mawrfrig. Chwilio am air mwy cyson â siâp yr ymennydd. Ond y syniad oedd y sêr yn myfyrio ac yn meddwl; 'rwy'n credu imi gael y syniad o rywle fod y trydan yn rhedeg trwy'r celloedd a'u 'goleuo' pan fo dyn yn meddwl, a gwelais grynu'r sêr yn debyg i hynny,ond llonyddwch y myfyrdod uwchlaw hyn.
>
> Mae Swinburne, yn un o'i 'Songs before Sunrise', yn tebygu'r sêr i feddwl neu ymennydd y byd . . . yr oedd y ddelwedd yna wedi fy swyno i ac 'rown i'n ei chofio wrth wneud y gân hon.

Fodd bynnag, gwêl rhai ddylanwad y llinell '. . . the stars/Which are the brain of heaven' gan George Meredith ar ddelwedd Waldo Williams.

Daw'r Brenin Alltud: ceir dylanwad pennill gan A.E. (George Russell) ar y llinell olaf hon:

> Sometimes when alone
> At the dark close of day
> Men meet an outlawed majesty
> And hasten away.

158. Yr un cefndir sydd i'r gerdd hon â rhif 193. Mannau yn ardal y Preselau a enwir yn y gerdd.

159. Cafwyd sawl trafodaeth ar y gerdd hon, ac nid yw pob dehongliad yn dilyn yr un trywydd. Dyma'r prif drafodaethau: 'Ystyried Dail Pren', John Rowlands yn *Ysgrifau Beirniadol IV* (Gol. J. E. Caerwyn Williams, 1969, tt. 266-9), 'Cwmwl Haf', John Gwilym Jones, *Y Traethodydd* (cyf. CXXVI, rhif 540, Hydref 1971, tt. 303-7), 'Cwmwl Haf', Hugh Bevan, yn yr un rhifyn o'r *Traethodydd* (tt. 296-302) a hefyd yn *Cyfres y Meistri 2: Waldo Williams* (tt. 137-143), 'Cwmwl Haf', Dafydd Owen yn *Dal Pridd y Dail Pren* (1972, tt. 34-6), a'r canlynol yn *Waldo*, 'Nid Niwl yn Chwarae', Bobi Jones (tt. 91-4), 'Yng Nghysgod Dail Pren', J. E. Caerwyn Williams (tt. 167-74), 'Atodiad', Dilys Williams (tt. 177-81). Cerdd yw hon am ddyn yn ail-ddarganfod ei wreiddiau, yn dod i sylweddoli ei fod yn rhan o fro arbennig ac o genedl arbennig, cerdd am hunaniaeth bersonol yn y bôn.

'Durham', 'Devonia', 'Allendale'—dyna'u tai: enwau ar dai yn Lyneham, Wiltshire, lle'r oedd y bardd yn byw pan luniodd y gerdd hon. Pobl yn ymfalchïo yn eu cynefin ac yn enwi eu tai ar ôl lleoedd yn eu cynefin sydd yma.

Yn yr ogof sy'n oleuach na'r awyr: 'Yr ogof yw'r cof lle mae'r gorffennol yn ymddangos yn ddisglair' (John Rowlands). 'Olrheinir y brogarwch eiddgar yn ôl ar draws y canrifoedd hyd at y preswylio cyntaf pan fu ogofâu'n fangre'r ymglosio goleuedig dynol a chyn bod gwydnwch tai yn cynnig lloches' (Hugh Bevan). 'Mae'r gorffennol yn baradocsaidd yn ogof sy'n ymestyn ar hyd y canrifoedd i dywyllwch y cyn-oesau—i ni, Gymry, i Aneirin a Thaliesin, i sylfaenwyr ein cenedl; ond ogof 'olau' ydyw oherwydd ymdeimlad byw o draddodiad' (John Gwilym Jones).

yn y tŷ sydd allan ymhob tywydd: y mae'r ddelwedd o dŷ yn un o brif ddelweddau Waldo Williams. Fe'i ceir, er enghraifft, yn 'Oherwydd ein Dyfod':

Oherwydd ein dyfod i'r tŷ cadarn
A'i lonydd yn sail i lawenydd ein serch
A dyfod y byd i'r dyfnder dedwydd
O amgylch sŵn troed fy eurferch.

Fe'i ceir hefyd yn 'Yn y Tŷ', 'Yn y tŷ mae Gwlad', ac yn 'Pa Beth Yw Dyn?', 'Cael neuadd fawr/Rhwng cyfyng furiau'. Gweler hefyd bennill olaf rhif 158. Y tŷ yng nghanu Waldo Williams yw'r gymdeithas berffaith, byd gwâr, tangnefeddus, brawdgarol, a'r teulu yw'r ddynoliaeth berffaith. 'Y tŷ i Waldo yw canolfan y bychanfyd a'r mawrfyd' (J. E. Caerwyn Williams).

Bwrw llond dwrn o hedyddion yma a thraw: delwedd arall gyffredin yng nghanu Waldo Williams yw'r ehedydd, er enghraifft, yn 'Ar Weun Cas' Mael':

> Fel i'r ehedydd yn y rhod
> Dyro o'th lawr y nwyf a'r nod,
> Dysg inni feithrin er dy glod
>   Bob dawn a dardd.
> A thrwy dy nerth rho imi fod
>   Erot yn fardd.

Gweler hefyd y gerdd 'Caniad Ehedydd', a'r 'tir ni ddring ehedydd yn ôl i'w nen' yn rhif 162. Cyfystyr yw'r ehedydd â hyder, parhad, llawenydd cân a gobaith. 'Symbol yw'r 'hedyddion' am lenorion ac yn fwyaf arbennig am feirdd' (J. E. Caerwyn Williams). 'Mae 'hedydd' nid yn unig yn awgrymu canu, sef barddoniaeth, ond gan mai ef sy'n ehedeg uchaf i'r awyr, yn awgrymu ymestyn yn ôl ymhell i ddyddiau cynnar barddoniaeth Gymraeg hefyd' (John Gwilym Jones).

Henffych i'r march mawr teithiol dan ei fwa rhawn: wrth fyfyrio ar ei genedl ei hun ac ystyried pwysigrwydd gwreiddiau, y mae'r bardd yn myfyrio ar ddau draddodiad llenyddol ei wlad. Y traddodiad barddol sydd dan sylw yma, a dewisodd gyfnod y Cywyddwyr i gynrychioli'r traddodiad barddol, gan gyfeirio at yr arfer o olrhain achau'r noddwyr ('anrhydedd llawer llinach') ac at draddodiad y Cywyddau Gofyn, y Cywyddau Gofyn March yn y cyswllt hwn. Cymharer â'r llinellau canlynol:

> A'i fwngwl yn addfwynwych
> Fal bwa'r crwth, flew byr crych.
>
> ('I Ofyn Ebol', Guto'r Glyn)

> Cerddediad carw i'm arwain.
>
> ('I Ofyn Ebol dros Robert ap Rhys gan Ddafydd Llwyd', Tudur Aled)

Ninnau'n meddwl mai dangos ei bedolau yr oedd: idiom yw 'dangos ei bedolau', sy'n golygu dangos ei orchest. Tybiodd un neu ddau o'r beirniaid mai wedi marw yr oedd y march, a bod ei bedolau yn y golwg. Dim o'r fath beth. Fe ddefnyddiwyd yr idiom gan Waldo Williams wrth adolygu *Ail Gyfrol Isfoel*, yn 'Bardd Gwlad' (*Y Genhinen*, cyf. XV, rhif 4, Hydref 1965, t. 438): 'Dwy ffordd sydd ganddo o ddangos ei bedolau, yn ôl natur y tir y mae e arno'. Y mae march yn dangos ei bedolau wrth godi'i goesau'n uchel a phrancio'n osgeiddig. Y mae'r bardd yn sylweddoli yma fod arwyddocâd dyfnach na'r hyn a dybiem i'r cywyddau gorchestol hyn. Nid clyfrwch arwynebol yn unig a geir ynddynt.

Ac wele i fyny o'r afon: cyfeiriad at Genesis 41.2: 'Ac wele, yn esgyn o'r afon, saith o wartheg teg yr olwg, a thewion o gig; ac mewn gweirglodd-dir y porent'. Cynrychiolir y traddodiad rhyddiaith, rhyddiaith y Beibl yn enwedig, gan y gwartheg yma. Yr 'arglwyddi geiriau' yw'r hen gyfarwyddiaid yng nghynefin y bardd, gwerin ei gynefin yn adrodd straeon wrth ei gilydd gyda'r nos, ac nid ailadrodd hanesion o'r Beibl yn unig. Methodd pob un o'r beirniaid adnabod y gyfeiriadaeth gwbl allweddol hon, a chafwyd nifer o wahanol ddehongliadau a oedd yn croes-ddweud ei gilydd.

yn yr awr ni thybioch: 'Yn yr awr ni thybioch y daw Mab y Dyn' (Mathew 24.44).

Gan daro'r criw dringwyr o'u rhaffau cerdd: sef yr ehedyddion. Gellir cymharu'r ddelwedd â delwedd gyffelyb a geir gan Norman MacCaig yn ei gerdd 'Movements':

> Lark drives invisible pitons in the air
> And hauls itself up the face of space.

Sŵn adeiladu daear newydd a nefoedd newydd: cf. Eseia 65.17: 'Canys wele fi yn creu nefoedd newydd, a daear newydd'.

160. Ceir nodyn am y sect hon gan yr awdur yn *Dail Pren* (1956): 'Cawsant gynnig mynd yn rhydd ond iddynt gydnabod awdurdod Hitler yn ffurfiol'.

cawsom neges/Gan Frenin i'w dwyn mewn dirfawr chwys: cf. Genesis 3.19: 'Trwy chwys dy wyneb y bwytêi fara, hyd pan ddychwelech i'r ddaear'.

Buchenwald: gweler y nodyn ar rif 155.

Lle cyfyd cân yr Oen: cyfeiriad at Datguddiad 15.3: 'A chanu y maent gân Moses gwasanaethwr Duw, a chân yr Oen; gan ddywedyd, Mawr a rhyfedd yw dy weithredoedd, O Arglwydd Dduw Hollalluog'.

161. *John Roberts, Trawsfynydd:* John Roberts (1576-1610), y merthyr Catholig. Bu'n gweinidogaethu i rai a oedd yn dioddef o'r pla yn Llundain rhwng 1603 a 1610, sy'n esbonio'r cyfeiriad at 'y pla trwm'. Cafwyd John Roberts yn euog o deyrnfradwriaeth, a dienyddiwyd ef yn Tyburn ar 10 Rhagfyr, 1610. Ym 1970 gwynfydedigwyd ef gan y Pab Pawl VI yn un o Ddeugain Merthyr Lloegr a Chymru.

John Owen y Saer: John Owen neu Nicholas Owen, merthyr Catholig arall. Arbenigai mewn llunio cuddfannau i'r Catholigion ym mhlastai ei noddwyr. Yr oedd yn frawd lleyg yng Nghymdeithas yr Iesu ('yr hen gymdeithas'). Fe'i merthyrwyd yn y Tŵr yn Llundain ar 2 Mawrth, 1606.

Rhisiart Gwyn: neu Richard Gwyn neu Richard White (c. 1557-1584), y merthyr Catholig cyntaf yng Nghymru. Gwrthododd gydnabod Elisabeth yn ben ar Eglwys Loegr, ac fe'i carcharwyd o'r herwydd am bedair blynedd, a'i orfodi i ddioddef arteithiau. Dienyddiwyd Rhisiart Gwyn ar 15 Hydref, 1584, ac fel yn achos John Roberts, gwynfydedigwyd yntau hefyd yn un o Ddeugain Merthyr Lloegr a Chymru.

Ceir trafodaeth ar y gerdd gan Gruffydd Aled Williams yn ' "Wedi'r Canrifoedd Mudan", Cerdd Fach Seml Waldo Williams' yn *Ysgrifau Beirniadol VII* (Gol. J. E. Caerwyn Williams, 1974, tt. 235-248).

162. Ceir gan y bardd ei esboniad ef ei hun ar y gerdd, a anfonodd at Anna Wyn Jones (*Waldo*, tt. 48-9):

> Cymharu'r iaith Gymraeg 'rwyf â'r ieithoedd cydnabyddedig, y rhai sy'n gyfryngau i wladwriaethau'r byd. Yr urddas hynny ydyw pwynt y llinell gyntaf a'r ail linell; mae'r ieithoedd hyn yn ddisglair ynddynt eu hunain. Ond nid ydynt yn harddach na'r iaith Gymraeg er bod honno bellach heb balas na thŷ o fath, ond yn crwydro'r wlad yn dlawd, ond nid heb glywed lleisiau o'r amser a fu—rhai heddiw hefyd sy'n para'n ffyddlon iddi. Mae'r iaith Gymraeg fel rhai o'r arwyr dienw y sonnir amdanynt yn Hebreaid 11, y rhai nid oedd y byd yn deilwng ohonynt, yn crwydro mewn anialwch a mynyddoedd a thyllau ac ogofeydd y ddaear; ac wrth grwydro mae hi'n clywed y gorllewinwynt (hwnnw sy'n sgubo Cymru fwyaf) yn y tyllau a'r

ogofeydd—a rheini fel cyrn iddo. Ac mae'r udo hwn yn ei gwawdio hi, ac yn mynegi teimlad dynion ati—y dynion sy'n annheilwng ohoni—fel oedd y byd yn annheilwng o'r arwyr uchod. Mae hi'n holi a all hi fyw.

Cyfrwng yw iaith. Dweud am bethau. Mae ein sylw ar y pethau, cyn inni sylwi ar y dweud. Cyfrwng i weld yw goleuni, ond heb oleuni ni welem liw. Felly'r iaith ar y dechrau. Cyfrwng yw'r awyr i ddod â'r arogl inni. Mae'r awyr ei hun yn ddiarogl. Nid ydym yn sylwi arni. Felly'r iaith ar y dechrau. Blas hefyd. Heb ddwfr ein genau ni byddai'r tafod a thaflod y genau'n cael blas ar ddim. Felly dwfr ein genau yw goleuni blas. Trwyddo ef 'rŷm ni'n clywed blas, er nad oes blas ar y dwfr ei hun.

'Roedd yr iaith yn gweithio'n rhy isymwybodol i gael ei gwerthfawrogi hyd nes y daethom i weld y perygl y mae hi ynddo . . . Mae'r cantorion, y beirdd, yr areithwyr, y siaradwyr Cymraeg wedi peidio yn y mannau hynny—sut y gallan nhw ailddechrau, mwy nag y gall ehedydd ddringo eto ar ôl dod i lawr os oes rhyw haen o awyr uwchben na all e ddim mynd trwyddo—(Rhyw ddoe dihiraeth a'n gwahanodd). Dyw'r Gymru ddigymraeg ddim yn gwybod ei cholled. Mae pump o synhwyrau, a chyfrwng arbennig i bob un . . . Cyfrwng i'r cyfan oedd yr iaith gynt, yn cyflwyno'r cyfan inni mor berffaith, fel nad oeddem yn sylwi arni ei hun—heb feddwl yr ail waith. Felly mae'r pum synnwyr gyda'i gilydd yn cyflwyno inni'r byd yn wrthrychol . . .

Na, meddwn i yn y trydydd pennill, does dim rhaid bod heb obaith. Fe fu'r iaith Gymraeg, trwy ei chwedlau a'i rhamantau, yn foddion i ddeffro cenhedloedd Ewrob a'u meithrin ymhell cyn iddynt gyrraedd eu hanterth (ffaith). Oes posib na all hi ddim ei hadfer ei hun felly. Dweud yr wyf yn llinell 4 mai i'r Celtiaid mae'r gwledydd yn ddyledus am ddyfod sifalri. A'r teimlad hwn sy'n codi ynom ni at ein hiaith yn y niwl. Mae'r llys yn furddun, ond mae'r meini'n annistryw. Codwn y llys . . . Jeremeia, rwy'n meddwl, sy'n proffwydo am yr amser da i'r genedl yn y termau olaf hynny—y colomennod yn hedfan i'w ffenestri.

Udo gyddfau'r tyllau a'r ogofâu: cf. Epistol Paul at yr Hebreaid 11.38: '(Y rhai nid oedd y byd yn deilwng ohonynt) yn crwydro mewn anialwch, a mynyddoedd, a thyllau ac ogofeydd y ddaear'.

Pwy yw'r rhain . . . Yn dyfod fel colomennod i'w ffenestri: Eseia (nid Jeremeia) 60.8: 'Pwy yw y rhai hyn a ehedant fel cwmwl, ac fel colomennod i'w ffenestri?'

163. Am deitl y gerdd hon, gweler llinell gyntaf rhif 53, ac yn enwedig am y llinell, 'Rhodia, rhodia O wynt!'

165. Cymeriad yn chwedloniaeth y Groegiaid yw Tantalus. Ei fam oedd Pluto a'i dad oedd un ai Zeus neu Tmolus. Tantalus oedd tad Pelops, Niobe a Broteas, o'i wraig Euryanassa. Pa un a oedd yn dad iddo ai peidio, yr oedd Tantalus yn gyfeillgar iawn â Zeus, a gwahoddwyd Tantalus ganddo i fwyta bwyd y duwiau mewn gwledd ar Fynydd Olympos, ond bradychodd ymddiriedaeth Zeus ynddo, a lladrata neithdar y duwiau, i'w rannu ymhlith ei gyfeillion meidrol. Cyn hynny yr oedd wedi cyflawni gwaeth trosedd. Wedi gwahodd y duwiau i wledd ar Fynydd Sipylus, darganfu nad oedd ganddo ddigon o fwyd i ddiwallu'r holl wahoddedigion, a lladdodd ei fab ei hun, Pelops, i'w roi'n fwyd iddynt. Fe'i lladdwyd gan Zeus am y troseddau hyn, a difethwyd ei holl deyrnas. Pennwyd arno yn ogystal yn yr Isfyd, Hades, y gosb dragwyddol o fod yn fythol sychedig a newynog. Gorfodwyd iddo fod ynghrog ar goeden ffrwythau, uwch llyn corsiog. Y mae tonnau'r llyn weithiau yn cyrraedd ei wasg, weithiau ei ên, ond bob tro y cais yfed o'r dŵr, diflanna, ac nid oes dim ohono ar ôl, dim ond llaid du wrth ei draed. Tyf llawer o ffrwythau amrywiol ar y goeden, ond bob tro y cais Tantalus ymgyrraedd am un o'r ffrwythau, cipir y ffrwyth o'i afael gan wynt nerthol.

Tynnir cymhariaeth rhwng Tantalus yn lladrata lluniaeth y duwiau a dyn (Adda) yn profi ffrwyth y pren gwaharddedig yng Ngardd Eden, yn ôl Genesis ('. . . yn y dydd y bwytaoch ohono ef yr agorir eich llygaid, ac y byddwch megis duwiau, yn gwybod da a drwg'). Ceir cyfatebiaeth rhwng y goeden yn Hades ac arni'r ffrwyth nas ceir â'r pren gwaharddedig yng Ngardd Eden. Cydblethir y ddwy chwedl, ac fe'n rhybuddir mai cosb a dinistr a'n herys am ladrata eiddo'r duwiau, neu eiddo Duw. I raddau, fe'n rhybuddir o'r peryglon sydd ynghlwm wrth ein hawydd i wybod pob un o gyfrinachau cread Duw, megis dadlennu cyfrinach yr atom.

coll/Hen Wynfa nad ydoedd wen: cyfeiriad at *Coll Gwynfa*, sef cyfieithiad William Owen Pughe (1759-1835) o *Paradise Lost* John Milton, a gyhoeddwyd ym 1819, epig am gwymp dyn a'i alltudiaeth o baradwys Gardd Eden.

166. Pryddest fuddugol Eisteddfod Genedlaethol Treorci ym 1928 oedd 'Penyd'. Cerdd am wraig weddw yn colli'i phwyll ar ôl marwolaeth ei gŵr ydyw. Un o 'Blant Dioddefaint' y ddaear oedd y wraig hon (mam y bardd i bob pwrpas), ac yr oedd y bardd yn ei gyfrif ei hun yn un o'r hil hon, hil y gwallgofiaid a'r awydd i gyflawni hunanladdiad yn gryf ynddynt. Ceir yn hon eto gyfeiriad at ffrwyth y pren gwaharddedig. Yr oedd y pren hwn, a'i ffrwyth, yn symbol canolog yn ei waith, cf. teitl ei hunangofiant, *Afal Drwg Adda* (1973). Astudiaeth o wallgofrwydd yw ei nofel *Un Nos Ola Leuad* (1961). Mesur emynyddol sydd i'r gerdd hon (cf. 'O Fryniau Caersalem ceir gweled'), a hynny'n creu eironi dirdynnol. Yn yr un modd, y mae'r adleisiau a'r cyfeiriadau ysgrythurol yn ychwanegu at yr eironi. Cyfeirir yma at Grist yn porthi'r miloedd, digwyddiad a grybwyllir ym mhob un o'r pedair Efengyl (gweler, er enghraifft, Marc 6.32-44), ac am yr adlais o Eseia yn llawn, gweler y nodyn ar rif 205 ('a chynefin â dolur').

169. Fel y soned 'Y Tangnefeddwr', hunanladdiad yw pwnc y bryddest 'Terfysgoedd Daear', pryddest anfuddugol yng nghystadleuaeth y Goron yn Eisteddfod Genedlaethol Dinbych ym 1939.

ffug-salâm: cyfarchiad gan Arabiaid yw 'Salâm', ac ystyr y gair Arabeg hwn yw 'tangnefedd'.

pan roddes tad y gwirgeiswyr ei chegid i'w fin: cf. y nodyn ar 'gwpan Socrates' yn rhif 187.

Dyfnder a eilw ar uchder ac uchder ar ddyfnder: gweler y nodyn ar rif 372.

Acropolis: y rhan amddiffynnol i'r ddinas yn yr Hen Wlad Groeg.

170. Y mae 'Drudwy Branwen' R. Williams Parry (rhif 51) yn llercian yng nghefndir y gerdd hon. Ceir trafodaeth arni yn *Barddoniaeth y Chwedegau*, tt. 262-3.

171. Llywelyn ap Iorwerth neu Lywelyn Fawr (1173-1240), tywysog Gwynedd, ac un o lywodraethwyr mwyaf Cymru yn yr Oesoedd Canol, y mwyaf oll o bosibl. Bu farw mewn abid mynach yn abaty Aberconwy, abaty Sistersiaidd yn Rhedynog Felen, ger Caernarfon, ac fe'i claddwyd yno.

172. Pryddest fuddugol Eisteddfod Genedlaethol Dolgellau ym 1949 oedd 'Meirionnydd'.

A thros y garreg i'r Hendre deg: adleisir yma bennill cyntaf cân Ceiriog, 'Tros y Garreg':

> Fe ddaw wythnos yn yr haf,
> Gweled hen gyfeillion gaf:
> Tros y mynydd
> I Feirionnydd,
> Tros y Garreg acw'r af.

173. *Mi wn mai 'mhlentyn yw fy nhad:* cf. 'The Child is father of the Man', William Wordsworth yn 'My Heart Leaps Up'.

Pennill 6: cf. William Blake yn 'Auguries of Innocence':

> A Robin Red breast in a Cage
> Puts all Heaven in a Rage.
> A dove house fill'd with doves & Pigeons
> Shudders Hell thro' all its regions . . .
> A Skylark wounded in the wing,
> A Cherubim does cease to sing.

175. Detholiad o awdl 'Mam', a ddyfarnwyd yn ail yng nghystadleuaeth y Gadair yn Eisteddfod Genedlaethol Aberafan ym 1932.

177. Cywydd a luniwyd i ddymuno'n dda i Gwenallt ar achlysur ei ymddeoliad. Darllenwyd y cywydd mewn cyfarfod arbennig a gynhaliwyd yng Ngholeg Aberystwyth, 7 Mai, 1966.

Y bardd bach uwch beirdd y byd: benthyciwyd y llinell hon yn fwriadol. Wiliam Llŷn a'i piau yn wreiddiol, ac fe'i ceir ar ddechrau ei gywydd marwnad i Ruffudd Hiraethog:

> Y bardd bach uwch beirdd y byd,
> Och nad ydych yn doedyd!

178. Bryniau Penllyn ym Meirion yw'r bryniau y cyfeirir atynt. Dywed Euros Bowen yn *Trin Cerddi* (1978, t. 32) fod y profiad a gyflwynir yn y gerdd 'yn sacrament hedd a thrugaredd, a hefyd yn ollyngdod oddi wrth ruthr a morthwylio didostur y byd dinesig a diwydiannol'.

179. Yn ôl y bardd ('Gŵr Gwadd', *Yr Arloeswr*, rhif 4, 1958, t. 30):

> mae'r gerdd 'Brain' ar un olwg yn ateb i gerdd ar yr un testun gan Parry-Williams lle y mae'n ddilornus ofnadwy,

> gallwn i feddwl, o'r creaduriaid anffortunus hynny. Adar i'w hedmygu yw'r brain yn fy ngherdd i, adar yn gwerthfawrogi'r rhagluniaeth honno sy'n eu cynnal, ac yn gweini diolch am y daioni hwnnw megis offeiriaid, gweinidogion dirgeledigaethau Duw, a'u trydar yn y coed yn salmau gogoniannu.

Cyfeirir at ddamhegion Crist ym Mathew, y chweched bennod a'r drydedd bennod ar ddeg, yn y gerdd.

halen y ddaear: cf. y nodyn ar gerdd rhif 109.

had y trysor: cf. Mathew 8.44: 'Drachefn, cyffelyb yw teyrnas nefoedd i drysor wedi ei guddio mewn maes'.

Â hadau mwstard y perl yn eu pig: cf. Mathew 8.31:

> Cyffelyb yw teyrnas nefoedd i ronyn o had mwstard, yr hwn a gymerodd dyn ac a'i heuodd yn ei faes.

a Mathew 8.45:

> Drachefn, cyffelyb yw teyrnas nefoedd i farchnatwr, yn ceisio perlau teg.

Goruchwylwyr y dirgeledigaethau gwyn: cf. I Corinthiaid 9.1:

> Felly cyfrifed dyn nyni, megis gweinidogion i Grist, a goruchwylwyr ar ddirgeledigaethau Duw.

Ceir trafodaeth ar y gerdd yn *Barddoniaeth Euros Bowen* (1977, tt. 152-6) gan Alan Llwyd.

180. Yn ôl y bardd ei hun, yn *Trin Cerddi* (t. 39):

> Mae'r gerdd yn gofyn dau gwestiwn, a'u hateb â sylwadaeth ar yr hyn sy'n digwydd ym myd y ddau gwestiwn. Hynny'n arwain i gasgliad pendant fod poen yn meddu gallu i adfer.—Mae bywyd, hynny yw, yn meddu grym meddyginiaethol.

cyntefin amser: cyfeiriad at linell mewn hen gerdd anhysbys o'r ddeuddegfed neu'r drydedd ganrif ar ddeg:

> Cyntefin, ceinaf amser,
> Dyar adar, glas calledd,
> Ereidr yn rhych, ych yng ngwedd,
> Gwyrdd môr, brithotor tiredd.

Ceir trafodaeth ar y gerdd yn *Barddoniaeth Euros Bowen* (tt. 176-8).

182. Ceir trafodaeth ar y gerdd hon gan Dafydd Elis Thomas yn 'The Poetry of Euros Bowen' (*Poetry Wales*, cyf. 5, rhif 3, Gwanwyn 1970).

183. *Y beddau a'u gwlych yr haul:* cyfaddasiad o'r llinell 'Y beddau a'u gwlych y glaw' yn 'Englynion y Beddau' yn *Llyfr Du Caerfyrddin.*

184. Aelodau o Fudiad Amddiffyn Cymru (MAC) oedd William Alwyn Jones a George Taylor. Fe'u lladdwyd yn ddamweiniol wrth iddynt gludo defnyddiau ffrwydrol ar 1 Gorffennaf, 1969, diwrnod cynnal seremoni arwisgo'r Tywysog Siarl yn Dywysog Cymru yng Nghastell Caernarfon.

186. Awdl fuddugol Eisteddfod Genedlaethol 1945 yn Rhosllanerchrugog oedd 'Yr Oes Aur'.

187. *Helen eurgain o lannau Argos:* yn ôl chwedloniaeth Roegaidd, merch Zeus a Leda a gwraig Menelaus, brenin Sparta, oedd Helen, gwraig anghyffredin o hardd. Hudwyd Helen gan dywysog Caerdroea, Paris, gan achosi Rhyfel Caerdroea. Dinas hynafol yng Ngwlad Groeg oedd Argos, yng ngogledd-ddwyrain Peloponnese. Ceir y llinell hon yn wreiddiol gan Gwenallt, yn awdl 'Y Sant'.

cwpan Socrates: athronydd o Athen oedd Socrates (c. 470-399 C.C.). Fe'i cyhuddwyd yn 399 o annuwioldeb ac o lygru moesau'r ifainc, ac er iddo'i amddiffyn ei hun yn huawdl pan roddwyd ef ar brawf, fe'i cafwyd yn euog a'i gondemnio i farwolaeth trwy yfed gwenwyn cegid o gwpan.

188. Detholiad o'r gerdd *vers libre* cynganeddol a enillodd i'w hawdur y Gadair yn Eisteddfod Genedlaethol Rhydaman ym 1970. Ceir hanes hela'r Twrch Trwyth, y baedd gwyllt, yn chwedl Culhwch ac Olwen. Un o'r tasgau, neu 'anoethau', a osodir ar Gulhwch cyn y gall ennill Olwen yn wraig, yw cipio'r grib a'r gwellau sydd rhwng dwy glust y Twrch Trwyth. Rhaid cael y rhain i drin gwallt Ysbaddaden Bencawr, tad Olwen, ar gyfer y neithior. Pery'r ymladd â'r Twrch Trwyth am naw diwrnod a naw nos. Tua diwedd y chwedl, croesa'r Twrch o Iwerddon i Gymru gan lanio ym Mhorth Clais yn Nyfed; helir ef wedyn hyd at afon Hafren ac oddi yno i Gernyw, lle gyrrir ef i'r môr. Ni lwyddir i'w ladd, ond llwyddir i gipio'r tlysau oddi arno. Adroddir y chwedl yn gelfydd ar gynghanedd gan Tomi Evans, ac atgynhyrchiad ffyddlon o'r chwedl yw ei gerdd, heb ynddi ymgais o gwbl i ddatblygu alegori.

190. Gweler y nodyn ar rif 42 ynghylch teitl y gerdd.

y cadarn o'r Sarnau: Llwyd o'r Bryn.

193. Ym mis Tachwedd 1946 cyhoeddodd Llywodraeth Prydain ei bwriad i feddiannu 16000 o erwau o dir y Preseli ym Mhenfro i'w ddefnyddio'n faes ymarfer milwrol. Y treisio hwn ar dir y Preseli yw pwnc y gerdd.

Y dyrchefais fy llygaid i'r mynyddoedd: cf. Salm 121.1: 'Dyrchafaf fy llygaid i'r mynyddoedd, o'r lle y daw fy nghymorth'.

194. *Mamon:* gair Aramaeg yn golygu 'cyfoeth', 'elw'. Fe'i ceir yn y Testament Newydd, er enghraifft, Mathew 6.24: 'Ni ellwch wasanaethu Duw a mamon'. Yn *Paradise Lost* John Milton duw cyfoeth yw Mamon, ac yn yr ystyr hon y'i defnyddir yma.

195. Cerdd â'r Ail Ryfel Byd yn gefndir iddi. Bu'r awdur yn gaplan yn y Fyddin yn ystod y Rhyfel. Am *Alamein* gweler y nodyn ar rif 144.

Tobrwc: porthladd yn Libya. Fe'i meddiannwyd gan yr Eidalwyr ym 1911, ond fe'i cymerwyd gan y Fyddin Brydeinig ym 1941. Rhwng Ebrill a Rhagfyr 1941 bu'r Almaenwyr a'r Eidalwyr yn ceisio'i adennill. Fe'i cipiwyd drachefn gan yr Almaenwyr ym Mehefin 1942. Yn Tunisia y mae Mareth.

196. Y ddau a deyrngedir yn y gerdd yw T. Gwynn Jones (y ddau bennill cyntaf) a Syr John Morris-Jones. Detholiad o gerdd Gwynn Jones, 'Cynddilig', yw rhif 20.

A'i fwmial am wylo Tudur Aled: cyfeiriad at y cwpled a ganlyn o eiddo John Morris-Jones, o'i awdl 'Cymru Fu: Cymru Fydd':

Ai er gwobr, neu am ryw ged
Yr wylodd Tudur Aled?

Un o'r Cywyddwyr mawr oedd Tudur Aled (c. 1465-c. 1525), a chyfeiriad a geir yn y cwpled ato fel marwnadwr. Canai farwnadau nid am ei fod yn ymdeimlo'n bersonol â'r golled ond oherwydd ei fod yn derbyn tâl am ei waith gan ei noddwyr.

198. Englyn buddugol Eisteddfod Genedlaethol Pwllheli, 1955.

202. Cerdd yw hon a luniwyd er cof am nifer o fyfyrwyr yr Adran Gymraeg yng Ngholeg Prifysgol Caerdydd a gollodd eu bywydau yn

yr Ail Ryfel Byd, ond marwolaeth un ohonynt yn arbennig, Daniel Evans, myfyriwr tra disglair ac addawol, a ysgogodd y gân. Cyfeirir yn y gerdd at yr hoff bynciau trafod yn y gwersi yn yr Adran cyn dyfod y chwalfa fawr. Bu D. J. Evans yn fyfyriwr yng Ngholeg Caerdydd ym 1938 a 1939.

Pryderi: un o gymeriadau *Pedair Cainc y Mabinogi.* Enwir ef ym mhob un o'r ceinciau.

Manawydan: Manawydan fab Llŷr, prif gymeriad Trydedd Gainc *Pedair Cainc y Mabinogi.*

'Wedi elwch': cyfeiriad at linell enwog gan Aneirin yn 'Y Gododdin': 'A gwedi elwch tawelwch fu'.

'Anatiomaros': un o gerddi hir pwysicaf T. Gwynn Jones, a luniwyd ym 1925.

Llio: cyfeiriad at gywydd enwog Dafydd Nanmor (fl. 1450-1480), 'Gwallt Llio'.

203. J. E. Jones (1905-1970) oedd Ysgrifennydd Plaid Cymru o 1930 hyd 1962. Cyhoeddwyd ei hunangofiant, *Tros Gymru*, ym 1970.

204. Awdl fuddugol Eisteddfod Genedlaethol Dolgellau ym 1949 oedd 'Y Graig'.

205. Daw teitl y cywydd hwn o Eseia 53.3: 'Dirmygedig yw, a diystyraf o'r gwŷr; gŵr gofidus, a chynefin â dolur'.

207. Gof ym mhentref Talyllychau, yn yr hen Sir Gaerfyrddin, oedd yr emynydd Thomas Lewis (1759-1842). Ei emyn enwocaf yw 'Wrth gofio'i riddfannau'n yr ardd', y cyfeirir ato yma. Cyfeiria 'cofio am 'ddefnynnau gwaed' ' at ail linell yr emyn, 'A'i chwys fel defnynnau o waed'.

215. Yn ôl hen draddodiad chwedlonol cadwyd yn Eglwys Gadeiriol Cwlen (Köln, Cologne) yng Ngorllewin yr Almaen greiriau'r Doethion, y Tri Brenin a ddaeth o'r dwyrain i ddwyn anrhegion i'r baban Iesu. Lluniwyd y gerdd hon yn fuan ar ôl diwedd yr Ail Ryfel Byd pryd yr oedd llawer o ddinas Cwlen yn adfeilion.

Abram: cyfeiriad at Abraham yn ymfudo o Haran nes cyrraedd yn y pen draw wlad Canaan, a addawyd yn etifeddiaeth iddo gan yr Arglwydd yn ôl Genesis yn yr Hen Destament.

Rex regum et Dominus dominantium: Brenin y brenhinoedd ac Arglwydd yr arglwyddi.

Ceisiwch, a chwi a gewch: Mathew 7.7.

216. Y mae'r almonwydden yn blodeuo'n glaerwyn yn y gwanwyn cynnar, ac felly gall fod yn arwyddlun o ieuenctid a gobaith a nerth y da i orchfygu'r drwg a nerth bywyd i drechu angau. Felly, yn sicr, y mae yn Llyfr Jeremeia: 'Yna y daeth gair yr Arglwydd ataf, gan ddywedyd, Jeremeia, beth a weli di? Minnau a ddywedais, Gwialen almon a welaf fi./A dywedodd yr Arglwyddd wrthyf, Da y gwelaist; canys mi a brysuraf fy ngair i'w gyflawni' (1.11-12).

Brendan: y sant Gwyddelig o'r chweched ganrif, Brendan y Teithiwr, a oedd yn enwog am ei fordeithiau tybiedig. Ef, a oedd yn un o 'Ddeuddeg Apostol Iwerddon', yn ôl y chwedl amdano, oedd darganfyddwr Ynysoedd Gorllewinol yr Alban.

Elias: Eleias y proffwyd Hebreig a gysylltir â'r elfennau dinistriol ym myd natur, megis y tân a'r gwynt.

Math a Gwydion: Math fab Mathonwy yw'r naill, dewin a Brenin Gwynedd yn ôl Pedwaredd Gainc *Pedair Cainc y Mabinogi;* Gwydion fab Dôn, dewin, cymeriad o'r un gainc, yw'r llall. Y ddau ddewin hyn a luniodd y ferch a grewyd o'r blodau, Blodeuwedd, yn wraig i Leu.

Daffne: yn chwedloniaeth y Groegiaid, y nymff yr oedd Apolo wedi ymserchu ynddi, ac a drowyd yn bren llawryf gan y Fam-ddaear i'w galluogi i ddianc rhag Apolo.

y Llew: cyfeiriad seryddol at gytser y Llew, *Leo.*

y Drefn a'r Draul: ystyr y 'Draul' yw'r gwrthuni a'r dioddefaint a'r dinistr sy'n rhan o fywyd y Cread, ac ystyr y 'Drefn' yw'r Pwrpas iachaol a gwaredigol a ganfyddir gan y Proffwydi a'r Saint ac a amlygir mor syfrdanol yn y Groes—y Drefn sy'n cyfannu'r hollfyd yn y Cariad a ddatguddir yno.

Rachel: Rachel, a fu'n wylo ac yn gofidio am ei phlant, sef pobloedd Israel, yn ôl Jeremeia 31.15: 'Llef a glywyd yn Rama, cwynfan ac wylofain chwerw; Rachel yn wylo am ei meibion, ni fynnai ei chysuro am ei meibion, oherwydd nad oeddynt'.

Heledd: prif gymeriad y cylch o gerddi a elwir Canu Heledd, englynion saga o'r nawfed neu'r ddegfed ganrif. Hi yw'r aelod olaf o deulu brenhinol Powys yn yr englynion. Un o'r cerddi sy'n perthyn i Ganu Heledd yw 'Eryr Pengwern'.

Paolo a Francesca: cyfeiriad at y ddau gariad, Paolo da Rimini a Francesca da Rimini, y ceir eu stori ym mhumed Canto *Inferno* Dante. Syrthiodd Paolo mewn cariad â'i chwaer-yng-nghyfraith, Francesca, a dienyddiwyd y ddau gan ŵr Francesca tua'r flwyddyn 1289.

Ceir trafodaeth ar y gerdd yn *Barddoniaeth y Chwedegau*, tt. 317-8. Meddir:

> Symbol yw'r almonwydden yn y gerdd, dan ei blodau gwynion, o rym iachaol, adnewyddol Cristnogaeth, symbol o oruchafiaeth Crist ar Angau . . . Yn y pen draw, y mae'r almonwydden yn symbol o fuddugoliaeth Crist ar y Croesbren. Cyfeirir ddwywaith at y goron o flodau ar y goeden . . . y mae'r goron o flodau yn cyferbynnu â'r goron ddrain a roddwyd ar ben Crist, ac yn trechu gwawd y dorch o ddrain.

217. Detholiad o'r bryddest 'Heilyn ap Gwyn'. Seiliwyd y bryddest ar hanes Heilyn yn chwedl Branwen ferch Llŷr, ail Gainc *Pedair Cainc y Mabinogi*. Heilyn yw'r gŵr a fyn agor y drws sy'n wynebu ar Aber Henfelen a Chernyw, a thrwy hyn y mae'n dinistrio hedd ac anghofrwydd y Saith yn eu dihangfa hyfryd ar Ynys Gwales. Yn y bryddest y mae Heilyn yn arwyddlun o'r meddwl gwyddonol a dadansoddol a'r ymagwedd realyddol sy'n mynnu edrych ar y gwir hyd yn oed os yw hyn yn golygu chwalu pob hawddfyd a lunnir gan y dychymyg celfyddydol. Y mae Taliesin, ar y llaw arall, yn cynrychioli awen y celfyddydwr sy'n gallu creu dros dro ryw baradwys o brydferthwch a llawenydd.

   Ceir trafodaeth ar y bryddest yn *Barddoniaeth y Chwedegau*, tt. 306-11.

218. Mynega'r gerdd un o brofiadau mawr y ddynol-ryw, sef yr hiraeth am ryw Fro Hyfryd 'y tu draw i'r llen'. Pan oedd y bardd yn grwt bach yn Aberpennar yn Nyffryn Cynon, un o gymoedd glo Morgannwg, byddai'n tybio fod rhyw wlad deg y tu draw i Fynydd Merthyr a Thwyn-bryn-bychan a Chefn Glas a godai eu pennau uwchlaw Dyffryn Cynon i'r dwyrain. Cwm glo arall a welodd wedi croesi'r mynydd, ond nid oedd y naill gwm na'r llall heb ei brydferthwch. Daw teitl y gerdd o 1 Corinthiaid 13.11: 'Pan oeddwn fachgen, fel bachgen y llefarwn, fel bachgen y deallwn, fel bachgen y meddyliwn'.

Môr o Wydr: y môr a welodd Ioan 'yn y nef' yn ôl Datguddiad 4.6: 'Ac o flaen yr orseddfainc yr ydoedd môr o wydr, yn debyg i grystal', a cheir cyfeiriad arall yn Datguddiad 15.2 at y môr o wydr.

219. Gweler y nodyn ar rif 184 am y ddau lanc o Abergele.

Gwawr, Eos, Aurora: duwies y wawr yw Eos/Aurora.

220. Dynoda'r rhifau adrannau'r gerdd yn y nodiadau canlynol.

1. Y mae hen draddodiad na fyddai'r baban Iesu yn llefain. Y dyb oedd ei fod yn faban perffaith na fyddai byth yn wylo. Yn ôl Efengyl Ioan (11.35) gallai'r Crist wylo. Cred y bardd i lef ddod o'r preseb yn ogystal ag o'r Groes.

2. Cyflwynir Joseff fel gŵr a ddyheai am ryddid a chyfiawnder ym mywyd ei genedl. Ar y pryd yr oedd Herod Fawr yn teyrnasu dan nawdd y Rhufeiniaid. Cred llawer o ysgolheigion i Grist gael ei eni tua 7 C.C., cyn i Herod farw yn 3 C.C.

3. Cred rhai mai 'Miriam' yw'r enw a gynrychiolir gan y ffurfiau 'Maria' a 'Mair'. Tylwyth estron a hanai o wlad Edom oedd tylwyth Herod. Y tylwyth mwyaf blaenllaw ymhlith yr Iddewon yn amser Herod Fawr oedd yr Hasmoneaid, disgynyddion, mae'n debyg, i Hasmon, un o hynafiaid Jwdas Maccabaeus a'i frodyr. Yr oedd aelodau o'r teulu yn amlwg ym mywyd crefyddol yr Iddewon yn amser Herod, ond ni oddefai hwnnw unrhyw wrthwynebiad gwleidyddol.

4. Sonia'r proffwydi Jeremeia ac Eseciel am rai o frenhinoedd teyrnas Jwda fel 'bugeiliaid' annheilwng sydd wedi dwyn dinistr i'w praidd (megis yn Jeremeia 23.1-2, ac Eseciel 34.1-10). Yn Jwda y dygai Jeremeia ei dystiolaeth ddrud ar adeg ei threchu gan y Babiloniaid. Yr oedd Eseciel yn alltud ym Mabilonia o ganlyniad i'r un trychineb.

5. Cred rhai ysgolheigion, gan ddilyn awgrym gan y seryddwr Johann Kepler (1571-1630), fod Seren Bethlehem yn ganlyniad i uniad o olau'r planedau Iau a Sadwrn tua'r flwyddyn 7 C.C. Cyfeirir hefyd yn y gerdd at gytserau Ursa Maior (yr Arth Fawr), Orïon (yr Heliwr) a'r *Pleiades* (y Saith Chwaer, merched Atlas).

6. Yn ôl proffwydoliaeth enwog yn Llyfr Eseia (11.1-9) fe fydd yn nheyrnasiad y Meseia dangnefedd hyd yn oed ymhlith yr anifeiliaid ac fe gyll anifeiliaid rheibus eu chwant am ladd a bwyta anifeiliaid eraill: 'Y llew, fel yr ych, a bawr wellt'. Y mae'n well gan rai ddehongli

hyn yn symbolaidd yn hytrach nag yn llythrennol. Ceir hanes Crist yn marchogaeth i Jerwsalem ar gefn ebol asen yn Luc 20.28-40, ac mewn Efengylau eraill.

221. *Canaan:* Gwlad yr Addewid, a addawyd i Abraham yn ôl y cyfamod rhyngddo a Duw yn Genesis. Yn fras, y diriogaeth rhwng afon Iorddonen a'r Môr Canoldir.

Handel: y cerddor George Frederick Handel (1685-1759), a aned yn yr Almaen.

222. *a ddwg angof fel llysiau Helen:* cyfeiriad at y llysieuyn a chanddo rym i beri ebargofiant a roddwyd i Helen gan yr Eifftes Polydamna, gwraig Thon, yn *Odysei* Homer. Mae Helen yn rhoi'r llysieuyn hwn yng ngwin y gwesteion yn llys Menelaus yn Lacedaemon, i beri iddynt anghofio'u gofid ar y pryd.

chimaerau: y Chimaera oedd yr anghenfil a aned o Typhon ac Echidna. Yr oedd ganddo ben llew, corff gafr a chynffon sarff. Fe'i lladdwyd gan Bellerophon ar y march adeiniog Pegasus. Enw hefyd ar fath o bysgodyn.

dros fôr fe droes i farw: R. Williams Parry biau'r llinell, englyn cyntaf y ddau englyn 'Mab ei Dad' yn *Yr Haf a Cherddi Eraill:*

Dros ei wlad y rhoes ei lw,
Dros fôr fe droes i farw.

Hector: mab hynaf Priam, un o benaethiaid grymusaf Caerdroea, yn *Iliad* Homer.

Andromache: gwraig Hector. Cyfeirir yn y darn hwn at Chweched Llyfr yr *Iliad.*

ni ddylai Mai ddeilio mwy: llinell o eiddo Dafydd Nanmor, yn ei gywydd 'Marwnad Bun':

Os marw yw hon is Conwy
Ni ddylai Mai ddeilio mwy.

a gemau a gwymon a gwymon a gemau yn gymysg: ymddengys mai cyfeiriadaeth luosog sydd yma. Ceir y llinell 'Chwilio gem a chael gwymon' gan Goronwy Owen yn ei 'Gywydd y Gem neu'r Maen Gwerthfawr'; ceir 'Gwymon a gemau'n gymysg' gan R. Williams Parry yn 'Cantre'r Gwaelod', a'r englyn hwn yn 'In Memoriam: Morwr':

O ryfedd dorf ddiderfysg y meirwon
Â gwymon yn gymysg!
Parlyrau'r perl, erwau'r pysg
Yw bedd disgleirdeb addysg.

anapaestaidd: term mydryddol, corfan sy'n cynnwys dwy sillaf fer ac un sillaf hir yn eu dilyn, yw *anapaest.*

bachanalaidd: Bacchus oedd duw'r gwin yn ôl hen chwedloniaeth y Groegiaid a'r Rhufeiniaid. Enw'r Groegiaid arno oedd Dionysus. Addolid Bacchus trwy gynnal gwleddoedd gwyllt a meddw er anrhydedd iddo, a gelwid y rhain *Bacchanalia.*

pagodau'r nirfana: yng nghrefydd Bwda, y cyflwr hwnnw o serennedd perffaith a thangnefedd mewnol wedi dileu pob chwant a dyhead yw nirfana. Adeilad cysegredig, ar ffurf pyramid yn aml, yn India a Tseina yw pagoda.

Lethe: gweler y nodyn ar rif 74.

223. Bu farw Geraint Edwards (1923-1970) mewn damwain fodurol. Brodor o Lanuwchllyn, Penllyn, ydoedd. Athro ysgol a gŵr diwylliedig. Ei ddiddordebau mawr oedd Cerdd Dant a chanu gwerin, ac ef a sefydlodd Gôr Godre'r Aran, ym 1949.

yr erchaf flwyddyn: 1970, pryd y bu farw nifer o Gymry blaenllaw: er enghraifft, D. J. Williams (4 Ionawr), Syr Ifan ab Owen Edwards (23 Ionawr) a Chynan (26 Ionawr).

225. Awdl fuddugol Eisteddfod Genedlaethol Sir Fôn ym 1957 oedd 'Cwm Carnedd'. Y mae Cwm Carnedd ym Mhenmachno, ond diau mai cwm symbolaidd ydyw yma yn y bôn. Dychan ysgafn sydd yma ar gynlluniau'r Bwrdd Addysg yn y pumdegau, a'r canlyniadau i'r plant ac i'r ardal wledig lle magwyd hwy.

sibolethau: gwaharddiadau diystyr. Yn ôl Barnwyr 12.1-6, ni allai pobl Effraim ynganu'r llythyren Hebraeg 'sh', ac wedi eu trechu gan Gilead, pan fynnai'r ffoaduriaid hyn rydio Iorddonen, fe'u gorfodid gan y gelyn i geisio ynganu'r gair 'shibboleth'. Pan ddywedai'r Effraimiaid 'sibboleth' yn lle 'shibboleth', fe'u bradychent eu hunain, ac fe'u lladdwyd.

wtra a ffalt: geiriau Maldwyn am lôn a buarth.

227. Gelwid aelodau o Urdd y Sistersiaid yn Frodyr Gwynion, oherwydd lliw eu gwisg. Abaty Sistersiaidd oedd Abaty Aberconwy, a adeil-

adwyd yn wreiddiol yn Rhedynog Felen, ger Caernarfon, tua 1186, cyn i Lywelyn ap Iorwerth (Llywelyn Fawr) symud yr Abaty i Aberconwy, erbyn 1192. Ym 1282 neu 1283 symudwyd yr Abaty drachefn, gan Edward I y tro hwn, i fyny Afon Conwy i Faenan. Diddymwyd yr holl abatai Sistersiaidd yng Nghymru rhwng 1536 a 1539.

228. *Cofentri:* Coventry, dinas yng Ngorllewin Canolbarth Lloegr. Bomiwyd y ddinas yn drwm yn ystod yr Ail Ryfel Byd. Dinistriwyd Eglwys Gadeiriol Coventry, a godwyd rhwng 1373 a 1395, gan gyrch awyr ar 14 Tachwedd, 1940. Nid oedd ond y tŵr ar ôl a chodwyd Eglwys Gadeiriol newydd Coventry yn fras ar yr un safle, o gylch y tŵr a oroesodd, gan Syr Basil Spence (1907-1976). Dyma gefndir y gerdd hon.

ffenics: aderyn chwedlonol arabaidd, sy'n ei ddifa'i hun bob hyn a hyn trwy guro'i adenydd yn ei nyth i gynnau tân, a'r tân hwnnw yn ei losgi i farwolaeth. Daw ffenics newydd o lwch yr hen ffenics.

Mihangel: archangel, y cyfeirir ato yn Llyfr Daniel fel angel gwarcheidiol Israel. Yn Llyfr y Datguddiad y mae'n arwain lluoedd y nef mewn gwrthryfel yn erbyn Satan. Y mae ganddo gleddyf tanllyd yn ei law mewn arluniaeth eglwysig. Cyfeiriad at y cerflun anferth o Fihangel y tu allan i Eglwys Gadeiriol newydd Coventry.

Ffylacterau: dau flwch sgwâr wedi eu clymu gan rimyn lledr yw ffylacteri mewn Iddewiaeth. Gwisgir un ar y talcen a'r llall ar y fraich chwith i gyfeiriad y galon, i arwyddo fod yr Iddew i gadw gorchymyn Duw â'i holl galon a'i holl feddwl. Seiliwyd yr arferiad ar Deuteronium 6.8-9:

> A rhwym hwynt yn arwydd ar dy law; byddant yn rhactalau rhwng dy lygaid. Ysgrifenna hwynt hefyd ar byst dy dŷ, ac ar dy byrth.

Yn ogystal â'r hyn ydyw yn wirioneddol, ceir ystyr drosiadol i ffylacteri, sef crefydd rwysgfawr, oraddurnedig, sioe o grefydd, neu arddangosiad o hunan-gyfiawnder.

am nad oedd na brwd nac oer: cf. Datguddiad 3.15: 'Mi a adwaen dy weithredoedd di, nad ydwyt nac oer na brwd: mi a fynnwn pe bait oer neu frwd'.

Lwsiffer: enw ar Satan. Dywedir mai Lwsiffer oedd yr enw arno cyn ei yrru o'r nef. Y seren ddydd oedd ystyr Lwsiffer yn wreiddiol. Cyfeiriodd Eseia at Nebuchadnesar, brenin Babilon, fel Lwsiffer: 'Pa fodd y syrthiaist o'r nefoedd, Lusiffer, mab y wawrddydd! Pa fodd y'th dorrwyd di i lawr, yr hwn a wanheaist y cenhedloedd!' (Eseia 14.12).

Ceir trafodaeth ar y gerdd yn *Barddoniaeth y Chwedegau*, tt. 276-7. Meddir am ran agoriadol y gerdd:

> Y mae'r delweddau a ddewiswyd i ddarlunio a disgrifio'r eglwys ddrylliedig yn awgrymu'r Croeshoeliad: Penglog (Golgotha: 'Lle'r Benglog'), y 'tyllau llygaid gwag yn gleisiau i gyd' yn awgrymu tyllau a chleisiau dwylo Crist a hefyd yr ogof wag, Crist ar y Groes wedyn yn noeth ddioddefus yn nannedd y storm a'r elfennau, a'r tywydd 'yn distaw fwyta gwarthrudd ei weliau', ac wrth gwrs, y ddelwedd 'ysbwng finegr y tywydd', sy'n cyfeirio at yr ysbwng o finegr a gynigiwyd i Grist ar y Croesbren gan y milwyr Rhufeinig, 'Ac yn y fan un ohonynt a redodd, ac a gymerth ysbwng, ac a'i llanwodd o finegr, ac a'i rhoddodd ar gorsen, ac a'i diododd ef,' yn ôl Mathew, i nodi un ffynhonnell sy'n cyfeirio at ddiodi Crist â finegr.

230. *Conovium* oedd yr enw Lladin ar y gaer Rufeinig yng Nghaerhun, yn Nyffryn Conwy.

y Gogarth Fawr: y Gogarth Mawr, penrhyn o garreg galch sy'n codi uwchlaw tref Llandudno.

A llifodd Afon Conwy fel o'r blaen: adlais o'r hen bennill sy'n dechrau â'r llinell 'Afon Conwy'n llifo'n felyn'.

231. Mae ychydig o ôl cerdd gan W. B. Yeats, 'Solomon and the Witch', ar y ddau bennill olaf, er enghraifft:

> And thus declared that Arab lady:
> 'Last night, where under the wild moon
> On grassy mattress I had laid me,
> Within my arms great Solomon,
> I suddenly cried out in a strange tongue
> Not his, not mine.'

232. Lluniwyd y gerdd hon wedi i'r awdur ymweld â 'labordy biolegol' lle cynhelid arbrofion ar anifeiliaid byw.

Hic iacet: yma y gorwedd.

233. *Rahel yn wylo am ei phlant:* ceir y cyfeiriad am Rahel yn wylo am golli ei meibion, Joseff a Benjamin, yn Jeremeia 31.15. Cf. y nodyn ar rif 216.

Iddewon yn y gynneu dân: cyfeiriad at losgi celanedd yr Iddewon yn ffwrneisi'r gwersyll-garcharau Natzïaidd.

234. *siesta:* cyntun canol dydd mewn gwledydd poeth.

Puerto Soler: tref borthladdol ym Maiorca (Mallorca).

236. *Jan Palach:* bu arwyddion terfysg a gwrthryfel yn erbyn gafael yr Undeb Sofietaidd ar eu gwlad ymysg poblogaeth Tsiecoslofacia yn ystod 1968. Erbyn Ionawr 1969 yr oedd yn amlwg fod gafael yr Undeb Sofietaidd ar Tsiecoslofacia yn dynnach nag erioed, ac mai ofer yn y dyfodol agos oedd disgwyl dyfodiad trefn ddemocrataidd o lywodraeth. Er hynny, cafodd y werin arwr a merthyr yn Jan Palach, myfyriwr a'i rhoes ei hun ar dân ar Sgwâr Wenseslas, Prag, ar 16 Ionawr, 1969, mewn gwrthdystiad yn erbyn yr erydu ar ryddid yn Tsiecoslofacia.

237. Meddai'r awdur am y gerdd hon:

> Mae beddau dros 80 o filwyr Canadaidd yn y fynwent rhwng y lôn bost ac eglwys Bodelwyddan. Ym mis Tachwedd 1968, wrth fynd heibio'r fynwent, penderfynais aros a cherdded rhwng y beddau. Sylweddolais mai 11 Tachwedd, 1968, hanner canrif yn union wedi'r cadoediad, oedd y diwrnod, a'r sylweddoliad hwn a symbylodd y gerdd. Mae'n hysbys y bu gwrthryfel ymysg rhai o'r milwyr yn erbyn eu harhosiad yng ngwersyll Cinmel ger Abergele ar 5 Mawrth, 1919, a saethwyd rhai o'r milwyr; lladdwyd llawer gan y ffliw a oedd yn cerdded y wlad yr adeg honno.

Piau'r beddau: defnyddir yn y gerdd y fformiwla a geir yn 'Englynion y Beddau' yn *Llyfr Du Caerfyrddin*, 'Piau y bedd hwn . . .', ac yn y blaen.

238. Swyddog 27 oed yn Llu Awyr yr Undeb Sofietaidd a rocedwyd i enwogrwydd byd-eang pan hyrddiwyd ef yn Vostok I i gylchu'r ddaear mewn awr a deugain munud, ar 12 Ebrill, 1961, oedd Yuri Gagarin (1934-1968). Fe'i galwyd gan Khrushchev 'y wennol Sofietaidd gyntaf yn y cosmos'. Lladdwyd Gagarin mewn damwain awyren ar 27 Mawrth, 1968. Meddai'r awdur:

> 'Roeddwn yn bur wael dan y ffliw pan glywais lais Gagarin dros y radio; ar y pryd tybiais mai rhan o freuddwyd oedd y profiad, digwyddiad chwedlonol fel ehediad Icarws pan doddwyd ei adenydd cŵyr gan wres yr haul.

Icarws: mab Daedalus, yn ôl chwedloniaeth y Groegiaid. Wrth hedfan o Greta gyda'i dad, ehedodd yn rhy agos at yr haul, a thoddwyd y cŵyr a oedd yn gludo'i adenydd wrth ei gorff.

239. Neil Armstrong ac Edwin Aldrin oedd y ddau gyntaf i lanio ar y lleuad, ar 20 Gorffennaf, 1969, wedi taith bedwar diwrnod yn y gofod yn Apolo 2.

ym mhair dadeni dyn: cyfeiriad at y Pair Dadeni a geir yn chwedl Branwen, ail gainc *Pedair Cainc y Mabinogi.* Cyflwynir y Pair i Fendigeidfran gan Lasar Llaes Gyfnewid am y nawdd a roddwyd iddo ef a'i wraig gan Fendigeidfran, wedi iddynt ddianc o'r Tŷ Haearn. Fe'i rhoddir wedyn i Fatholwch, brenin Iwerddon, yn rhan o'r iawndal iddo am y difrod a wnaeth Efnisien ar feirch Matholwch. Nodwedd hud y Pair yw yr ailenir ynddo drannoeth filwyr marw, ond eu bod yn fud. Defnyddir y Pair gan y Gwyddelod i atgyfodi eu milwyr o farw yn fyw yn y frwydr rhyngddynt a gwŷr Ynys y Cedyrn, gan achosi tranc milwyr Bendigeidfran.

Caer Arianrhod: y Llwybr Llaethog.

240. Cyfeirir yn y pennill olaf at hanes Seimon Pedr yn gwadu Crist: 'cyn canu o'r ceiliog ddwywaith, y gwedi fi deirgwaith' (Marc 14.30).

Ceir trafodaeth ar y gerdd gan Dafydd Rowlands yn *Barn*, rhif 78, Ebrill 1969, t. 165. Meddai:

> Y sawl sy'n cysgu yw'r sawl sy'n gwadu. Roedd hynny'n rhan o stori'r Dioddefaint yn y Testament Newydd. Fe fu Pedr y gwadwr yn un o'r cysgwyr yng ngardd Gethsemane. Bu'r gwadu yn weithred bendant lafar yn ei hanes ef, ond nid oes rhaid i'r gwadu fod yn act weithredol mewn gair. Gall fod yn dawelwch llonydd. Gwadwyr oedd y cysgwyr eraill hefyd; dianc a wnaethant, bob un yn ddieithriad, am iddynt fethu â gwylied gyda Christ yn yr ardd. Daeth blinder a chwsg i wanhau gwyliadwriaeth ac esgorodd y gwendid hwnnw yn ei dro ar wendid mwy y dianc a'r gwadu.

243. Bomiwyd Llundain yn drwm yn ystod yr Ail Ryfel Byd. Yn ystod y trydydd cyfnod o fomio, rhwng Mehefin 1944 a Mawrth 1945, defnyddiwyd bomiau hedegog a bomiau-roced, yn dwyn yr enw V2.
Ceir trafodaeth ar y gerdd gan Dafydd Rowlands yn Adran Ysgolion y cylchgrawn *Barn*, rhif 80, Mehefin 1969, t. 221.

244. Cywydd buddugol Eisteddfod Genedlaethol Caerdydd ym 1960. Boddwyd Capel Celyn, pentref yng Nghwm Tryweryn, Meirion, gan Gorfforaeth Dinas Lerpwl ym 1965, i sicrhau cyflenwad digonol o ddŵr i ddinas Lerpwl. Bu llawer o brotestio chwyrn a chwerw yn erbyn y bwriad am ddegawd cyfan. Ar 10 Chwefror, 1963, ffrwydrwyd trawsnewidydd trydan ar safle'r argae yng Nghwm Tryweryn gan dri chenedlaetholwr, Emyr Llywelyn, Owain Williams a John Albert Jones, a charcharwyd y tri o ganlyniad i'r weithred. Lleoedd yng Nghapel Celyn yw'r lleoedd a enwir yn y gerdd.

247. Cywydd buddugol Eisteddfod Genedlaethol Abertawe ym 1964.

248. Awdl fuddugol Eisteddfod Genedlaethol Bro Myrddin ym 1974 oedd 'Y Dewin'.

Anelog: Yn Llŷn y mae mynydd Anelog, rhwng Aberdaron ac Uwchmynydd.

ei 'ryfeddod prin': yn soned R. Williams Parry, 'Y Llwynog', y ceir yr ymadrodd hwn: 'Llwybreiddiodd ei ryfeddod prin o'n blaen'. Gweler rhif 47.

249. *gwêl gyllell ar 'gyffro gên' ac ym môn egwyd/a llosgwrn:* mae 'cyffro gên' yn gyfeiriad at y llinell 'Cyffroi'n ei ên, ceuffroen arth' gan Dudur Aled yn ei gywydd march, 'Y March Brith: Cywydd i Ofyn Ebol dros Robert ap Rhys gan Ddafydd Llwyd'. Y mae yma islais cyfeiriadol arall hefyd, sef cyfeiriad cudd at Efnisien yn anrheithio meirch Matholwch yn chwedl Branwen ferch Llŷr. Cyfeirir yma hefyd at yr arfer o dorri cynffon march yn y bôn ar gyfer sioeau. Cerdd yw hon am ddeuoliaeth dyn, ei greulondeb a'i hawddgarwch, ac fe fynegir y ddeuoliaeth hon drwy'r ddelwedd o ddwylo, peth cyffredin yn Gymraeg, o Guto'r Glyn: 'Un llaw iddo yn lleiddiad/Ac un yn rhoi gwin yn rhad', hyd at Gerallt Lloyd Owen, yn 'Ysgerbwd Milwr' yn *Cerddi'r Cywilydd:*

Meddyliaf am ei ddwylo,
eiddilwch ei ddwylo,
a'r bysedd fu'n cribo iasau
drwy wallt yr un
a wyddai'n ei chalon na ddychwelai.
Bu'r dwylo hyn yn barod i ladd.

Y mae Duw yn oedi ei fwriad i ddileu'r ddynoliaeth yn y pennill olaf oherwydd bod elfen o garedigrwydd a hawddgarwch yn y natur ddynol, yn ogystal â chreulondeb. Gwêl fod i ddyn ryw rithyn o obaith.

yn 'trwsio'r bedrain' ac yn sidanu'r mwng: cyfeiriad at un arall o gywyddau march Tudur Aled, sef y cywydd enwog 'Dyfalu March: i Erchi March gan Abad Aber Conwy i Lewis ap Madog':

Trwsio, fal goleuo glain,
Y bu wydrwr ei bedrain;
Ei flew fal sidan newydd,
A'i rawn o liw gwawn y gwŷdd.

250. Meddai'r awdur am y gerdd hon:

Thema'r gerdd ydyw tristwch, tlodi ac unigrwydd henaint o'u cymharu â phrydferthwch a nwydau ieuenctid. Pan luniais hi yr oeddwn yn darllen gweithiau William Blake, ac mae'r gerdd fach 'The Sick Rose' wedi colli ychydig o'i lliw ar y gerdd:

O Rose, thou art sick!
The invisible worm
That flies in the night,
In the howling storm,

Has found out thy bed
Of crimson joy:
And his dark secret love
Does thy life destroy.

Y mae diwedd anfad, hyll i gariad cnawdol, ysywaeth; mae'r pry anweledig yn canfod llygaid prydferth y rhosyn ac yn ei ddifa. Ni wneuthum innau, ddim mwy nag a ddarfu i Blake, ond awgrymu rhagoriaeth y cariad ysbrydol ar gariad cnawdol, y cariad ysbrydol yr honnai Williams Pantycelyn ei fod yn ei feddu o hyd ac o hyd, er ei fod yntau hefyd yn cael trafferthion—'Rho fy nwydau fel cantorion'. Ceir parodi digon amrwd ar bennill o emyn mawr Williams yn y gerdd: 'Gwyn a gwridog, hawddgar iawn/Yw f'Anwylyd;/ Doniau'r nef sydd ynddo'n llawn,/Peraidd, hyfryd . . .' Byddai'r pwynt yn gliriach pe bawn wedi bod yn ddewrach, a gorffen yr hen rigwm llofft stabal fel y clywais i o gyntaf, sef 'Os na altrith peth fel hyn/Cyn glangaea'/Croen 'i bol hi fydd yn dynn,/Haleliwia!'

Gyda golwg ar y cyfeiriad at bersoniaid Sir Benfro, hen ddywediad sydd yma. Pan welir rhes o gymylau gwynion yn dod o gyfeiriad Sir Benfro am y canolbarth tros Gilan atom i Fynytho, er i'r awyr fod yn las, mae'n arwydd sicr o law cyn hir. Cyfeirir at y cymylau fel 'personiaid Sir Benfro'. Y mae Owen John Jones yn *Dywediadau Cefn Gwlad* yn crybwyll mai 'Esgobion Bangor yn eu gwenwisgoedd' y gelwir cymylau cyffelyb a ddaw tros yr Eifl i barthau Nefyn a Thudweiliog. Braidd yn annisgwyl ydoedd imi ddweud mai 'piso' yr oeddynt gan mai 'dŵr bedydd', mae'n debyg, a gynrychiolid gan y glaw, ond 'roedd arnaf eisiau rhywbeth cryfach, egrach.

Nid oes arwyddocâd arbennig i'r enwau lleoedd oddigerth y cyflythrennu a geir ynddynt. Awgrymwyd y gerdd gan gof sydd gennyf am hen wraig a arferai, yn ei hunigrwydd a'i henaint, gerdded yr un daith bob noson cyn noswylio er mwyn cynhesu'i thraed.

ffadin: gwael, salw, o'r Saesneg *fading*.

251. Cyfeiria ' 'Goleuni Gweun Parc y Blawd' ' a ' 'rhwyd yr heliwr' ' at 'Mewn Dau Gae' Waldo Williams, rhif 157.

Y pelydr arian ar y migwyn gwyrdd a nos i nos yn dangos gwybodaeth: cf. Salm 19. 2: 'Dydd i ddydd a draetha ymadrodd, a nos i nos a ddengys wybodaeth'.

Ceir y nodyn a ganlyn ar y gerdd gan y bardd:

> Priodolid rhinweddau iachusol i ddŵr y ffynnon a grybwyllir yn y gerdd. Ddechrau'r ganrif hon 'roedd adeilad o feini trwsiedig a dôr bren gloëdig yn ei gwarchod. Ynddi yr oedd cafn i yfed ohono a baddon i ymolchi ynddo, ac

ymwelid â hi gan rai drwg eu cyflwr er gwellhad. Fe'i crybwyllir mewn dogfen gyfreithiol sy'n dyddio'n ôl i'r Canol Oesoedd. Ar ddechrau'r bedwaredd ganrif ar bymtheg 'roedd treflan a elwid Tynyffynnon o'i chwmpas ac yn agos iddi adeiladwyd Ysgoldy gan yr Annibynwyr a elwid Ysgoldy Ffynnon Fyw; ar ei sylfaen yr adeiladwyd y capel presennol, Capel Horeb. Yn y lle y bu'r ffynnon nid oes bellach ond adfeilion.

252. *y Garn:* mynydd Garn Fadrun yn Llŷn. Yn Llŷn hefyd, nid nepell o Fynytho, y mae Nanhoron.

Yntau'n irad am ei chariad: adlais o'r hen gân werin, 'Y 'deryn pur â'r adain las', a briodolir i Dafydd Nicolas (m. 1774), sef o'r llinellau:

> Dos di ati, a dywed wrthi
> Fy mod i'n wylo'r dŵr yn heli,
> Fy mod i'n irad am gael ei gweled,
> Ac o'i chariad yn ffaelu â cherdded.

255. Ceir ymdriniaeth â'r gerdd yn *Barn*, rhif 260, Medi 1984, gan Alan Llwyd. Meddai (t. 335):

> Thema'r gerdd, ar un ystyr, yr byrhoedledd dyn ochr yn ochr â thragwyddoldeb natur. Pwy bynnag yw'r hen gwpwl yn y gerdd, y maent yn byw yn ymyl y môr (bardd o Lŷn yw'r awdur). Y mae'n hydref, hydref ym myd natur ac yn hydref einioes y ddau, ac oherwydd bod y dail wedi disgyn, gellir gweld y môr yn haws, gan nad oes dail na choed i'w guddio. Y môr, mewn gwirionedd, yw marwolaeth, ac wrth i einioes y ddau ddirwyn tua'i therfyn, y mae'r môr gwancus yn nes atynt, marwolaeth yn nes, yn enwedig gan fod bywyd yn prysur ddarfod (y dail yn disgyn). Yr hyn a wneir wedyn, ar ôl disgrifio'r hen ŵr hiraethus, atgofus . . . a'r hen wraig rynllyd, yw cydio'r ddau fyd, dyn a natur, drwy gyfrwng yr un ddelwedd, er mai dwy weithred groes i'w gilydd a ddarlunir mewn gwirionedd: y mae'r hen wraig 'yn smwddio plygiadau'r cwilt ar ei 'sgwyddau' a'r awel hefyd yn pletio tonnau'r môr, yn crychu'r dŵr, fel pe bai'n gwatwar a gwawdio gweithred yr hen wraig.

spenna: gwŷs y bwm-beili, a wthid dan ddrysau caeëdig drwg-dalwyr ers talwm.

256. Bu Alun Llywelyn-Williams yn gwasanaethu gyda'r Ffiwsilwyr Brenhinol Cymreig yn ystod yr Ail Ryfel Byd, a lluniodd nifer o gerddi a oedd yn seiliedig ar ei brofiad fel milwr, hon yn un ohonynt. Yng Ngwlad Belg y bu'r digwyddiad a symbylodd 'Ar Ymweliad'.

C'est triste: mae'n drist.

Liszt: Franz Liszt (1811-1886); pianydd a chyfansoddwr o Hwngari.

Chopin: Frédéric François Chopin (1810-1849), y cyfansoddwr mawr o Wlad Pwyl.

257. Gorsaf reilffordd ychydig i'r gogledd o'r Tiergarten, lle y dadlwythwyd ar derfyn yr Ail Ryfel Byd rai o'r miloedd lawer o'r trueiniaid a yrrwyd allan o'r tiroedd hynny yn y dwyrain a roddasai Rwsia i Wlad Pwyl, yw Lehrter Bahnhof, yn ôl nodyn gan yr awdur.

Heledd: gweler y nodyn ar gerdd rhif 216. Y mae Heledd yn symbol grymus drwy ein holl farddoniaeth o'r truenus a'r anffodus mewn bywyd, yr unigolyn sy'n ysglyfaeth i bwerau dieflig, difaol, ac yn noeth ddiamddiffyn yn nannedd tynged greulon na ellir ei hosgoi. Inge yw'r Heledd fodern.

yr aelwyd hon: cyfeiriad at y gyfres enwog o englynion yng Nghanu Llywarch Hen, o'r nawfed neu'r ddegfed ganrif, 'Diffaith Aelwyd Rheged'. Y mae deg o'r englynion hyn, sy'n disgrifio llys wedi'i adfeilio a'i anrheithio, yn agor â'r geiriau 'yr aelwyd hon'.

Llym ydyw'r awel: cyfeiriad at englyn gwirebol enwog:

Llym awel, llwm bryn, anhawdd caffael clyd,
Llygrid rhyd, rhewid llyn,
Rhy saif gŵr ar un conyn.

Cysylltir yr englyn â Chanu Llywarch Hen hefyd. Fe'i ceir yn un o gyfres am Fechydd ap Llywarch.

yr eryr eiddig: cyfeiriad at y gyfres englynion 'Eryr Pengwern' yng Nghanu Heledd, er enghraifft:

Eryr Pengwern pengarn llwyd, heno
Aruchel ei adlais,
Eiddig am gig a gerais.

258. Maestref ar gyrion de-orllewin dinas Berlin yw Zehlendorf. Trwy'r maestref hwn, wedi iddynt amgylchynu Berlin o bob tu, y gwnaeth y Rwsiaid eu hymosodiad terfynol ar y ddinas.

259. Yn ôl y nodyn sydd gan y bardd yn ei gyfrol *Pont y Caniedydd* (1956), Theater des Westens oedd 'Yr unig chwaraedy yn y rhan o Ferlin yng ngofal lluoedd Prydain a oedd yn gymharol ddianaf'.

260. Ynghylch teitl y gerdd hon, gweler y nodyn ar rif 218.

Gwennan Gorn: gweler y nodyn ar rif 15.

261. *yr Hwch Ddu:* cyfeiriad at yr Hwch Ddu Gota sy'n ymgorfforiad o'r Diafol yn ôl yr hen goel. Dywedir ei bod yn ymddangos o farwor y goelcerth ar Noson Galan Gaeaf (31 Hydref), gan ddal y person olaf i adael.

263. Ceir trafodaeth ar y gerdd hon yn *Dadansoddi 14* (tt. 67-9).

264. Am Rydcymerau, gweler y nodyn ar rif 113.

269. Am Bob Tai'r-felin a Llwyd o'r Bryn, gweler rhif 42. Y Parchedig Meic Parry oedd Meic, aelod arall o'r frawdoliaeth.

270. *pilyn glân ar lwyn:* ceir y nodyn hwn gan yr awdur:

> Yn fy ardal enedigol, yn Sir Benfro, byddai ffermwr a fyddai'n dymuno help i gynaeafu ei wair yn rhoi 'pilyn gwyn' allan gerllaw'r tŷ, a hwnnw oedd yr arwydd i bobl ochr draw'r cwm bod angen help. Cyn pen fawr o dro byddai'r 'fyddin' o gynorthwywyr yn dod yno.

ar ddydd y rhibin: 'rhibin' oedd yr enw a roddid ar y rhimyn hir o wair a oedd wedi ei 'grafu 'nghyd'.

ac yna'r oriau danheddog yn gloywi'r pren: byddai'r gwragedd i gyd yn defnyddio'r rhacanau pren i 'grafu 'nghyd', a chyn diwedd y dydd byddai'r dannedd pren dipyn yn loywach.

cymanfa'r picwyrch: wrth fynd i'r tŷ i gael bwyd byddai'r dynion i gyd yn rhoi eu picwyrch, â'u pigau i fyny, i bwyso ar wal y cwrt. Y 'pennau agored' hynny a dynnodd y gair 'cymanfa' i mewn.

baneri rhaflog y drain: ceir nodyn gan yr awdur:

> cyfeiriad yw hwn at y gwair a oedd wedi ei ddal ar y llwyni drain o bobtu'r lôn gul wrth i'r llwythi ddod i'r ydlan. Wrth chwifio yn y gwynt byddai'r gwair hwnnw yn f'atgoffa am ddwylo offeiriad wrth gyhoeddi'r fendith.

272. Awdl fuddugol Eisteddfod Genedlaethol Aberpennar, 1946. Dyma un o'r awdlau cywreiniaf a enillodd Gadair yr Eisteddfod Genedlaethol erioed. Ceir cadwyn gron o ddeg englyn yn y rhan gyntaf, deuddeg o hir-a-thoddeidiau pedair llinell unodl yn yr ail ran, ac yn y drydedd ran, ac un ar ddeg o benillion toddaid (dau doddaid ym mhob pennill) rhwng dau englyn, ond bod pob toddaid unigol yn llunio cyhydedd hir. Mae englyn olaf yr awdl yn cyfeirio'n ôl at yr englyn agoriadol.

274. Y ffurf Wyddelig wreiddiol ar y ffurf Seisnigedig adnabyddus Donegal yw Dun Na Ngall.

275. Priod y meddyg Emyr Wyn Jones, a fu'n Dderwydd Gweinyddol Gorsedd y Beirdd, oedd Enid Wyn Jones. Englyn arall er cof amdani yw rhif 119, a lluniodd Euros Bowen hefyd gerdd goffa iddi, 'Llety'r Eos' yn *Cylch o Gerddi* (1970).

276. Enw'r cyfaill mebyd hwn oedd Ken Evans, Glaneigion, Ceinewydd.

278. Cerdd er cof am yr un gŵr yw rhif 233.

279. Claddwyd corff Llywelyn ap Gruffudd, y 'Llyw Olaf' (c. 1225-1282), yn naear Abaty Cwm-hir, ger Rhaeadr Gwy, Maesyfed gynt, wedi i'r Saeson ei ladd ar 11 Rhagfyr, 1282, yng Nghilmeri ger Pont Irfon i'r gorllewin o Lanfair-ym-Muallt. Dadorchuddiwyd y beddfaen newydd y cyfeirir ato yn yr englyn ar 7 Hydref, 1978.

280. Bu'r cywydd hwn yn fan cychwyn ymryson cywyddol enwog rhwng T. Llew Jones, Dic Jones ac Alun Jones (Alun Cilie). Atebwyd y cywydd gan Dic Jones i ddechrau, atebwyd hwnnw yn ôl gan T. Llew Jones, ac ymunodd Alun Cilie yn y ffrwgwd wedyn, gan honni fod 'Enwog geiliog du'r Cilie' yn well cantor o lawer na cheiliog du T.Llew Jones.

Caruso: y cantor opera mawr, Enrico Caruso (1873-1921), o'r Eidal.

Ceir trafodaeth ar y cywydd hwn ac eraill yn yr ymryson yn *Barddoniaeth y Chwedegau* (tt. 408-10), a chan Donald Evans, 'Cywyddau'r Ceiliogod Mwyalch' yn 'Siarad Plaen' yn *Barddas*, rhif 115, Tachwedd 1986 (t. 6).

281. Cywydd er cof am y bardd gwlad Evan Jenkins (1894-1959), awdur *Cerddi Ffair Rhos* (1959).

yr 'Ywen brudd': cyfeiriad at y darn a ganlyn yn nhelyneg T. Gwynn Jones, 'Ystrad Fflur':

Ac yno dan yr ywen brudd
Mae Dafydd bêr ei gywydd . . .

Isgarn: y bardd gwlad Richard Davies (1887-1947), o'r Trawscoed, plwyf Caronisclawdd, yng nghanolbarth Ceredigion. Cyhoeddwyd detholiad o'i waith, *Caniadau Isgarn*, ym 1949, dan olygyddiaeth T. H. Parry-Williams.

282. *Bryngwenith:* capel Annibynwyr heb fod ymhell o bentref Ffostrasol yng Ngheredigion.

284. *treiglo meini:* cyfeiriad at y maen a dreiglwyd oddi ar enau beddrod Crist, er enghraifft, Mathew 28.2: 'Ac wele, bu daeargryn mawr: canys disgynnodd angel yr Arglwydd o'r nef, ac a ddaeth ac a dreiglodd y maen oddi wrth y drws, ac a eisteddodd arno'.

288. *Mihangel:* gweler y nodyn ar rif 228.

293. Ruth oedd Ruth Evans, morwyn Dolwar Fach, ym mhlwyf Llanfihangel-yng-Ngwynfa ym Maldwyn, sef cartref yr emynyddes Ann Griffiths (1776-1805). Arferai Ann Griffiths adrodd ei hemynau wrth Ruth, ac fe'u cadwyd ganddi ar ei chof. Fe'u hysgrifennwyd gan ei gŵr, John Hughes, oddi ar gof ei wraig. Trwy gof Ruth Evans y cafwyd emynau mawr Ann Griffiths, ac oni bai am ei chof hi, byddai'r emynau hyn wedi mynd i ebargofiant.

296. *Adda'r Ail:* Crist. Ceir y sylfaen i'r holl syniad am Grist fel yr Ail Adda yn llythyr Paul at y Rhufeiniaid. Cyfochrir a chyferbynnir yn Epistol Paul, 5.14-21 yn fwyaf arbennig, rai elfennau yn hanes Adda a Christ. Crist yw'r un a ddaeth i ddiddymu effaith pechod Adda, er enghraifft: 'Canys os trwy gamwedd un y bu feirw llawer, mwy o lawer yr amlhaodd gras Duw, a'r dawn trwy ras yr un dyn Iesu Grist, i laweroedd' (Rhufeiniaid 5.15). Ceir syniadaeth gyffelyb am Grist fel yr Ail Adda yn Epistol Cyntaf Paul at y Corinthiaid, yn enwedig Corinthiaid 15.22: 'Oblegid megis yn Adda y mae pawb yn meirw, felly hefyd yng Nghrist y bywheir pawb'.

Aladin: un o gymeriadau enwocaf y casgliad o chwedlau y *Nosweithiau Arabaidd.* Cymeriad pwysig mewn pantomeimiau Nadolig, fel eraill a grybwyllir yn y gerdd.

Dywedi: 'Bydded goleuni . . .': cf. Genesis 1.3: 'A Duw a ddywedodd, Bydded goleuni, a goleuni a fu'.

Gwlifer yn gaeth: cyfeiriad at gampwaith dychanol Jonathan Swift (1667-1745), *Gulliver's Travels*, teitl poblogaidd *Travels into Several Remote Nations of the World, by Lemuel Gulliver* (1726). Caethiwir Gwlifer gan drigolion Lilliput, pobl fychan chwe modfedd o daldra.

Sinderela: arwres hen stori dylwyth teg, efallai o darddiad dwyreiniol, ond a boblogeiddiwyd gan y Ffrancwr Charles Perrault (1628-1703) yn *Contes de ma mère l'oye* (1697), er y ceid y chwedl yn Almaeneg cyn i Perrault ei chofnodi mewn print. Gelwir hi Ulw-Ela yn Gymraeg weithiau.

Ceir trafodaeth ar y gerdd yn *Barddoniaeth y Chwedegau* (tt. 565-7).

297. Ceir trafodaeth ar y gerdd yn *Barddoniaeth y Chwedegau* (t. 561).

298. Ceir trafodaethau ar y gerdd yn y bennod 'Yr Amharch Rhydwen Williams' yn *Llenyddiaeth Gymraeg 1936-1972* (1975) gan R. M. Jones (tt. 88-9) ac yn *Barddoniaeth y Chwedegau* (tt. 562-3).

299. Ceir trafodaeth ar y gerdd yn *Barddoniaeth y Chwedegau* (t. 565).

300. Cerdd er cof am awdur 'Sŵn y Gwynt sy'n Chwythu', rhif 131 yn y casgliad hwn. Cyfeirir yn ogystal at rai gweithiau eraill o eiddo James Kitchener Davies, sef ei ddrama dair act *Cwm Glo* (1935) a'i ddrama fydryddol *Meini Gwagedd* (1945). Yr oedd Kitchener Davies yn genedlaetholwr mawr ac yn ymgyrchydd diflino dros Blaid Cymru.

Caru'r Gors: magwyd Kitchener Davies ar dyddyn ger Cors Caron, Ceredigion.

302. *Cadwgan:* mynydd yng Nghwm Rhondda. Gelwid awdur y gerdd, ynghyd ag eraill fel J. Gwyn Griffiths, Pennar Davies a Gareth Alban Davies, yn Gylch Cadwgan, ac arferent gyfarfod â'i gilydd yn nhŷ J. Gwyn Griffiths yn Y Pentre, Cwm Rhondda, yn ystod yr Ail Ryfel Byd. Cyhoeddwyd cyfrol gan feirdd Cadwgan ar y cyd, *Cerddi Cadwgan* (1953).

303. Ym Mhont-lliw, Gorllewin Morgannwg, y mae Mynydd Lliw. Y gerdd hon, 'Mynydd Lliw', yw'r trydydd caniad yn y bryddest bedwar caniad, *Pedwarawd* (1986). Dilynwyd patrwm *Four Quartets* T. S. Eliot, i raddau, ond nid yn ddynwaredol. Bwriadwyd i *Pedwarawd* nid yn unig groniclo pererindod ysbrydol y bardd, gan geisio treiddio i arwyddocâd rhai lleoedd y bu'n gysylltiedig â hwy, ond hefyd ffurfio teyrnged i T. S. Eliot.

dan fwâu rhosynnog yr ardd: cf. y darn am y 'rose-garden' yn *Burnt Norton* yn *Four Quartets* T. S. Eliot.

Pwy a ddianc oddi wrtho felly, etc: darllener cerdd rhif 157 i ganfod yr isleisiau a geir yn y darn hwn.

Emaus: tref 'ynghylch tri ugain ystad oddi wrth Jerwsalem', lle y cyfarfu Crist wedi iddo atgyfodi â dau o'i ddisgyblion, yn ôl Luc 24.13-53.

Menuhin: Yehudi Menuhin, y fiolinydd mawr o America, a aned ym 1916.

Aberfan: ar 21 Hydref, 1966, lladdwyd 116 o blant ysgol a 32 o oedolion yn Aberfan, ger Merthyr Tudful, wedi i ddarn o domen y lofa leol lithro ar ysgol gynradd Pant-glas.

Mecsico: ym mis Medi 1985 bu daeargryn erchyll yn ninas Mecsico. Achoswyd difrod mawr a lladdwyd llawer. Ganed rhai babanod o grothau eu mamau marw yn ystod y dyddiau a ddilynodd y ddaeargryn.

Ethiopia: y wlad yng Ngogledd Affrica a welodd lawer o ansefydlogrwydd, gwrthryfel, newyn a chyni o 1962 ymlaen, yn enwedig yn ei brwydro â goresgynwyr o Weriniaeth Somalia.

'Ni wyddom fawr ddim am dduwiau': cf. T. S. Eliot yn *The Dry Salvages* yn *Four Quartets:* 'I do not know much about gods'. Eliot yw 'un o'r poëtau gynt'.

am fod y seraffiaid yno'n sefyll, etc: cyfeirir yn y diweddglo at Eseia 6.2-3:

> Y seraffiaid oedd yn sefyll oddi ar hynny: chwech adain ydoedd i bob un; â dwy y cuddiai ei wyneb, ac â dwy y cuddiai ei draed, ac â dwy yr ehedai.
>
> A llefodd y naill wrth y llall, ac a ddywedodd, Sanct, Sanct, Sanct, yw Arglwydd y lluoedd, yr holl ddaear sydd lawn o'i ogoniant ef.

304. Gweler y nodyn ar rif 148.

305. Y bryddest hon oedd yr un yr oedd Saunders Lewis o blaid ei choroni yn Eisteddfod Genedlaethol Y Rhyl ym 1953, ond Dilys Cadwaladr a goronwyd, gan mai â'i phryddest hi yr ochrai'r ddau feirniad arall, T. H. Parry-Williams a J. M. Edwards.

306. Am Lwyd o'r Bryn gweler y nodyn ar rif 42, ac felly hefyd ynglŷn â Bob Owen, Croesor.

Dr. Tom Richards: Thomas Richards (1878-1962), hanesydd ac ysgrifwr, a aned yn Nhal-y-bont, Dyfed.

307. Soned fuddugol Eisteddfod Genedlaethol Aberystwyth, 1952.

308. *Lasarus:* Lasarus o Fethania, brawd Martha a Mair, a atgyfodwyd o farw'n fyw gan Grist.

Ceir dwy gerdd gan Gwenallt i Lasarus, y naill yn *Eples* (1951), a'r llall yn *Gwreiddiau* (1959). Cyfeirir at 'Lasarus' *Gwreiddiau* yma. Y mae ail bennill J. Eirian Davies yn cyfeirio at y pennill hwn yn 'Lasarus' Gwenallt:

A glywodd efe riddfan a chynnwrf yr Iesu wrth y beddrod?
A yw yn cofio'r amdo yn rhwymo ei ddwylo a'i draed?
A ydyw yn cofio'r napcyn yn rhwym am ei wyneb?
Pryd gyntaf y clywodd ail gylchrediad y gwaed?

Cf. hefyd Ioan 11.44: 'A'r hwn a fuasai farw a ddaeth allan, yn rhwym ei draed a'i ddwylaw mewn amdo: a'i wyneb oedd wedi ei rwymo â napcyn'.

Er balched y byddai'r ddwy . . .: sef gweddw a merch Gwenallt, ond amlwg yw'r gyfatebiaeth rhyngddynt a Mair a Martha.

dwy amdo a dau ddrewdod a dwy daith: cf. 'Lasarus' Gwenallt eto: 'Dwy amdo, dau fedd, dau ddrewdod a dwy daith'.

309. *Pan flagurodd y ddaear egin, etc:* cf. Genesis 1.12: 'A'r ddaear a ddug egin, sef llysiau yn hadu had, a phrennau ffrwythlawn yn dwyn ffrwyth, wrth eu rhywogaeth'.

Creodd Duw ddyn/Ar ei lun ac ar ei ddelw'i hunan: cf. Genesis 1.27: 'Felly Duw a greodd y dyn ar ei ddelw ei hun'.

proffwyd caethglud ein cenedl: J. R. Jones (1911-1970), athronydd a diwinydd, a fu'n ymdrin llawer ag argyfwng gwacter ystyr yr ugeinfed ganrif yn ei weithiau.

Aberfan: gweler y nodyn ar rif 303.

310. Y teitl a roddwyd i un o gerddi enwocaf Ceiriog, 'Aros mae'r mynyddau mawr', yw 'Aros a Mynd', ac eironig-chwareus yw'r teitl yma.

311. "Gŵydd o flaen gŵydd . . .": hen rigwm. 'Sawl gŵydd oedd yno' yw'r cwestiwn a ofynnir ar ôl gosod y pôs.

Gestapo: heddlu politicaidd y mudiad Natzïaidd, ffurf dalfyredig o *Geheime Staats-polizei*, a sefydlwyd ym 1933. Gorymdeithiai milwyr y Gestapo â 'chamau gŵydd'. Bu'r Gestapo yn gyfrifol am erchyllterau mawr, a throseddau yn erbyn yr hil ddynol, nes condemnio a diddymu'r mudiad cudd hwn yn y llys barn enwog yn Nuremberg ym 1946.

Belsen: gweler y nodyn ar rif 144.

313. *Un o hil yr Ysgol Farddol:* cyhoeddwyd *Yr Ysgol Farddol*, gwerslyfr barddonol Dafydd Morganwg (David Watkin Jones; 1832-1905), ym 1869, a bu'r llyfr yn uniongyrchol gyfrifol am ddysgu'r gynghanedd i genedlaethau o brydyddion.

315. Meddai'r awdur am y faled hon:

> Pan luniais y faled hon ym 1949, yr un diben oedd iddi â baled Oscar Wilde ar 'Reading Gaol'. Meddai Arthur Symonds yn y *Saturday Review* (12 Mawrth, 1898), am y diben hwnnw: 'a symbol of the obscene death of the heart, the unseen violence upon souls, the martyrdom of hope' yn cael ei amlygu gan y carcharu. Yr un pryd, y mae hon ar lun y baledi rhybuddiol a genid yn ffeiriau Cymru yn y ganrif ddiwethaf. Ceir 'traddodiad' am y ddau a grogwyd ar gam, a thybir mai cwpled o faled hŷn yw'r cwpled agoriadol yma.

Cynhwysir y faled hon yn y flodeugerdd i fod yn enghraifft o ddawn faledol Dafydd Owen. Cyhoeddwyd *Baledi Dafydd Owen* ym 1965, a'i astudiaeth o'r faled Gymraeg, *I Fyd y Faled*, ym 1986. Cyfeirir at y ddau droseddwr gan Thomas Edwards (Twm o'r Nant; 1738-1810) yn ei anterliwt *Cybydd-dod ac Oferedd*, a argraffwyd ym 1870: 'A Hart a Brown a groged yn Rhuthun'.

316. Meddai'r awdur am y gerdd hon:

> Mynegiant sydd yma o'm credo Gristnogol mai mewn ail fywyd gyda Duw y bydd y cuddio mawr—cuddio yn yr ystyr na fydd a wnelo'r blynyddoedd ac amser ddim ag ef.

318. *mor sychlyd â chnu Gedeon:* cyfeiriad at Gedeon yn gofyn i Dduw roi prawf pendant iddo mai drwyddo ef y gwaredid Israel. Sychder y cnu oedd yr ail brawf i Gedeon ofyn amdano: 'Profaf yn awr, y waith hon yn unig, trwy y cnu: bydded, atolwg, sychder ar y cnu yn unig, ac ar yr holl ddaear bydded gwlith' (Barnwyr 6.39). Ac felly y bu, 'canys yr oedd sychder ar y cnu yn unig, ac ar yr holl ddaear yr oedd gwlith' (6.40).

Yn un o'r hapus dyrfa: cyfeiriad at 'Gwêl Uwchlaw Cymylau Amser' Islwyn. Gweler y nodyn ar rif 364. At bennill olaf yr emyn y cyfeirir:

Hapus dyrfa
Sydd â'u hwyneb tua'r wlad.

319. Yn Nyffryn Clwyd y mae Llanelidan, pentref sydd rhyw bum milltir o dref Rhuthun. Bu'r awdur yn gweithio yn Lloegr am gyfnod, ac wedi iddo ddychwelyd i Lanelidan, canfu gyfnewidiadau mawr yno. Croniclodd ei ymateb i'r cyfnewidiadau hyn yn y cywydd hwn. 'Roedd y ffermydd yn perthyn i stad Nantclwyd, ac fel arfer yr oedd mab y tenant yn cael y fferm ar ôl ei dad. Nid felly yn y Chwedegau. Aeth amryw o'r ffermydd yn wag, ac fe'u cymerwyd gan y Meistr Tir. Enwau'r ffermydd hyn yw'r enwau a nodir yn y gerdd. Diddymwyd y tai a chwalwyd y beudái a'r ysguboriau.

Rhys: Rhys Llwyd y Lleuad, y cymeriad canolog yn llyfr E. Tegla Davies, *Rhys Llwyd y Lleuad* (1925).

321. *atgyfodus gyrn:* cyrn ar y dwylo wrth ddal cyrn aradr geffylau adeg aredig yn y gwanwyn—tymor atgyfodiad.

322. Meddai'r awdur am y gerdd hon:

> Fy nhad, David Rees, oedd perchennog Brenin Gwalia (1934-1965), un o feirch cob Cymreig enwocaf y brid. Ar wahân i'w anfarwoli ei hun yn ei epil, bu'n dra llwyddiannus mewn sioeau. Mae'r gerdd hon yn disgrifio ei arddangos yn yr 'International Horse Show' yn White City, Llundain, ym 1948, lle yr oedd ef yn cynrychioli'r cob Cymreig. Ddwywaith y dydd, am wythnos, dangoswn ef yn y cylch mawr, yng ngolau dydd y prynhawn ac yn y llifolau'r hwyr.

323. Dros 'orwel pell': gweler rhif 56.

A'i helwch brau: cyfeiriad arall, fel yn rhif 202, at linell enwog Aneirin, awdur 'Y Gododdin', a geir yn 'elwch': 'A gwedi elwch, tawelwch fu'.

324. Ceir y nodyn a ganlyn am gefndir y gerdd hon, a enillodd i'w hawdur Goron Eisteddfod Genedlaethol Y Rhyl a'r Cyffiniau ym 1985, gan y bardd:

> Dwy flwydd a hanner oeddwn i pan fu farw fy mam. Gadawyd fi yn unig blentyn yng ngofal annwyl fy nhad a bu ef yn ffodus i gael merch ifanc i helpu gyda fy magu i a chynnal aelwyd. Jane Mary Walters oedd ei henw. Arhosodd gyda ni, yn un o'r teulu, am 58 o flynyddoedd hyd ei marw ym 1981 yn 86 oed. Yn ystod saith mlynedd olaf ei hoes bu dirywiad cynyddol yn ei chryfder corfforol a meddyliol. Gadewais fy swydd fel pennaeth adran y Gymraeg yn Ysgol Uwchradd Tregaron i dalu ychydig o'm dyled iddi wrth ofalu amdani. Cofio rhai agweddau ar y profiad diflas hwn a wnaf yn 'Glannau', a thalu teyrnged i'r un a'i symbylodd.

Y mae'r rhan fwyaf helaeth o'r cyfeiriadau a geir yn y gerdd yn ymwneud â'r ddelwedd ganolog sydd ynddi, sef y glannau a'r môr a henaint.

Marie Celeste: y llong ledrithiol draddodiadol.

'Antur enbyd ydyw hon': daw'r llinell hon o gerdd Ceiriog, 'Llongau Madog'.

Y prynhawn hwnnw: 'Ganol dydd, Rhagfyr 3, 1973, daeth imi alwad ffôn i Ysgol Tregaron yn dweud bod Jane wedi syrthio yn y gegin. Dyna'r diwrnod olaf imi ddysgu mewn ysgol' (nodyn gan yr awdur).

Trapistaidd: cyfeirir at y claf yn eistedd yn ei chadair am nosweithiau cyfain heb ddweud dim. Tawelwch felly yw prif nodwedd yr urdd fynachaidd a elwir y Trapistiaid, urdd a sefydlwyd ym 1664 yn La Trappe yn Normandi.

dwy therapi wen: cyfeiriad at y ddwy gath wen anwes a oedd gyda hi yn ei hystafell ac a oedd yn therapi iddi.

Rhoed iddi 'gilfach a glan': cyfeiriad at y llinellau 'Rhowch i mi gilfach a glan,/Cilfach a glan a marian i mi' yn 'Myfyrdod' Gwenallt (rhif 107).

y Graig: crefydd (Craig yr Oesoedd).

Pantycelyn ac Ann/a'r porthmon o Gaio: cyfeiriad at nifer o emynwyr, sef William Williams, Pantycelyn (1717-1791), Ann Griffiths (1776-1805) a Dafydd Jones o Gaeo, porthmon wrth ei alwedigaeth, ac awdur yr emyn 'Wele cawsom y Meseia' (1711-1777).

mynegai: mynegai Llyfr Emynau'r Methodistiaid.

David Charles: David Charles yr ieuengaf, yr emynydd (1803-1880).

seiniau Caliban: yn nrama William Shakespeare, *The Tempest*, caethwas anffurfiedig, hanner dynol Prospero oedd Caliban, mab y wrach Sycorax, ac ellyll yn dad iddo. Cyfeirir yma at leisiau hudol yr ynys.

yr hen wraig yn Y Bala: cymeriad yn nofel Islwyn Ffowc Elis, *Wythnos yng Nghymru Fydd* (1957), y person olaf i fedru siarad Cymraeg yng ngweledigaeth hunllefus yr awdur o'r dyfodol.

Wele Folokai: cyfeiriad at bryddest Cynan, 'Yr Ynys Unig'. Molokai yw enw'r ynys yng ngherdd Cynan: 'Un drws dihangfa'n unig a fedd/ Ynys Molokai, Drws y Bedd'. Ynys fynyddig yn Hawaii yw Molokai. Bu'r Tad Damien yn gofalu am wahangleifion ar yr ynys rhwng 1873 a 1889.

'ar fin y distyll': daw'r ymadrodd o linell gyntaf cerdd W. J. Gruffydd, 'Capten John Huws, yr Oriana', sef 'Fel hwlc ar fin y distyll'.

i ru y môr/ar y penrhyn hwnnw: cyfeiriad at linell R. Williams Parry yn 'Gadael Tir' (yr ail soned): 'Y môr ar benrhyn tragwyddoldeb mawr'.

Stafell yr ymennydd sy dywyll heno: cyfeiriad at y llinell enwog 'Stafell Gynddylan ys tywyll heno' yng Nghanu Heledd.

a thridiau'r deryn du/heb gyrraedd: cyfeiriad at yr hen ymadrodd am ddyfodiad y gwanwyn, 'tridiau'r deryn du a dau lygad Ebrill'.

Ni chanai'r gog/'yng nghoed y ffridd': adlais o gerdd T. Rowland Hughes, 'Gwanwyn':

Ni ddaeth rhyfeddod gwanwyn
Â gwrid yn ôl i'w wedd:
Ond pnawn o Ebrill tyner
A'n dug ni at ei fedd.
A chanai'r gog yng Nghoed y Ffridd
Pan glywn i'r arch yn crafu'r pridd.

'A'r môr nid oedd mwyach': cf. Llyfr y Datguddiad 21.1: 'Ac mi a welais nef newydd a daear newydd: canys y nef gyntaf a'r ddaear gyntaf a aeth heibio; a'r môr nid oedd mwyach'.

333. Meddai'r awdur am y gerdd hon:

> Mae rhyw arswyd neu barchedig ofn wedi bod ynof at y blodyn hwn erioed. Cymharer Esther yn syllu i lawr gwddwg y lili yn *Y Llyffant.*

Y Llyffant yw teitl y gyfrol a enillodd i Ray Evans y Fedal Ryddiaith yn Eisteddfod Genedlaethol Abergwaun a'r Fro ym 1986.

334. Cyflwynir yn y gerdd hon ddwy agwedd ar Ddewi Sant, sef Dewi'r gŵr llariaidd y cenir ei glodydd bob dygwyl Dewi, a Dewi'r gŵr garw a ddioddefasai galedi o bob math.

Uri Geller: yr Israeliad ifanc a fu'n syfrdanu'r byd yn ystod y Saithdegau â'i allu i gyflawni gorchestion fel plygu llwyau trwy rym ei feddwl a'i ewyllys yn unig. Ceisiwyd dadlau'n ddiweddarach mai twyll a hoced oedd y cyfan.

337. *Meinir:* merch Gwynfor Evans, y gwleidydd. Cyfeirir yma at fuddugoliaeth Gwynfor Evans yn is-etholiad Sir Gaerfyrddin, ar 14 Gorffennaf, 1966.

338. Meddai'r awdur am y gerdd hon:

> Oedfa gymun oedd hi, ac mi euthum i fyny i'r galeri i ollwng y wennol allan drwy'r drws, ac ar ôl hynny, meddwl am ei byd hi a'n byd ninnau. Dau fyd eto—y ddau yn galw, y ddau hefyd yn wead o atseiniau anwel ac o gyfeiriadaeth. 'Roedd hi'n gwybod ei hunion gyfeiriad, ond a oeddem ni, yr addolwyr? Ond wedyn nid yw pob gwennol yn dychwelyd, ac mae pererindod ysbrydol rhai ohonom ni hefyd yn gorfod wynebu lludded a stormydd sy'n boddi'r 'alwad'. Ac i ba raddau bellach yn y capel fore Sul y bydd yr hen seiniau a'r hen eiriau yn ein cludo yn ôl at ffynhonnell eu goleuni gwreiddiol? Rhyw feddyliau felly sydd ynddi.
>
> Yn fwriadol fe luniwyd y rhan gyntaf, fwy neu lai, ar fesur cyfarwydd a thraddodiadol—gan ddefnyddio dull llai confensiynol i'r ail ran. Yna cloi (mewn ffydd?) gyda phennill 'uniongred'.

340. *Baal:* enw'r Canaaneaid ar un o'u duwiau. Ceir y cyfeiriad at Faal yn drwm ei glyw ac yn methu clywed llef ei broffwydi yn I Brenhinoedd 18.26-7.

Gethsemane: i Ardd Gethsemane yr ymneilltuodd Crist o'r oruwch-ystafell i weddïo. Bradychwyd ef gan Judas Iscariot yng Ngethsemane.

defnynnau o chwys ar ei dalcen: gweler y nodyn ar rif 207. Cyfeiriad arall at emyn mawr Thomas Lewis.

rhosynnau Saron: cyfeirir at rosyn Saron yng Nghaniad Solomon (Cân y Caniadau) 2.1: 'Rhosyn Saron, a lili y dyffrynnoedd, ydwyf fi'. Tebyg mai cyfeirio a wneir yma at emyn Ann Griffiths, 'Wele'n sefyll rhwng y myrtwydd', lle ceir y llinell 'Rhosyn Saron yw ei enw'.

Dafydd Jôs arall: cyfeiriad arall at Dafydd Jones o Gaeo (gweler y nodyn ar rif 324). Daw'r llinell 'hiraeth am weled y gŵr' o emyn enwog Thomas Williams, Bethesda'r Fro (gweler y nodyn ar rif 40), 'Dwy aden colomen pe cawn' neu 'Adenydd colomen pe cawn'.

Ceir y nodyn canlynol gan yr awdur:

> Cof am blentyndod yn yr hen gapel bach gwledig yn Nyffryn Conwy sydd yma. 'Roedd yr hen godwr canu yn neilltuol o hoff o emyn Thomas Williams, Bethesda'r Fro, 'Dwy aden colomen pe cawn', ac o emyn Dafydd Jones o Gaeo, 'Wele cawsom y Meseia'. Saif pentref bach Nebo yn ymyl yr hen fro, a hwnnw ar fryn hefyd. 'Roeddwn yn dra chyfarwydd â'r enw Bethesda hefyd gan nad oedd 'Bethesda Fawr yn Arfon' ymhell tua'r gorllewin.

341. *plygain:* gweddi foreol.

gosber: gweddi brynhawnol neu hwyrol.

Enlli: Ynys Enlli, ynys fechan tua dwy filltir o ben draw penrhyn Llŷn. Sefydlwyd mynachlog ar Enlli yn y chweched ganrif. Yn ôl traddodiad y mae ugain mil o saint wedi eu claddu yno.

Glyn Rhosyn: yng Nghlyn Rhosyn ym Mhenfro (*Vallis Rosina*) yr ymsefydlodd Dewi Sant, yn ôl traddodiad, ar ôl trechu pennaeth Gwyddelig o'r enw Boia.

Miserere: emyn a seiliwyd ar Salm 51. Fe'i gelwir *Miserere* oherwydd mai'r geiriau agoriadol yn Lladin yw 'Misere mei Deus' (Trugarha wrthyf, O Dduw).

Te Deum: geiriau agoriadol yr emyn o fawl i'r Drindod, 'Te Deum laudamus' ('Clodforwn Di, O Dduw'), a briodolir i Nicetas (c. 340), esgob Remesiana yn Dacia. Cenir yr emyn hwn fel arfer mewn gwasanaethau boreol. Cyfansoddwyd cerddoriaeth i gydweddu â'r geiriau gan lawer, ond cafwyd y gosodiadau mwyaf trawiadol gan gerddorion fel Purcell, Handel, Haydn, Bruckner a Verdi.

342. Englynion a luniwyd er cof am Huw Kyffin (1887-1956), telynegwr ac englynwr o Lysfaen, Bae Colwyn.

345. Cywydd yw hwn sy'n enghraifft o'r traddodiad tynnu coes a dychanu.

criw'r 'vers librwyr': y *vers libre* yw'r wers rydd, y mesur di-odl, sy'n dibynnu'n bennaf ar symudiad rhithm. E. Gwyndaf Evans, ym 1934, oedd y bardd cyntaf i asio'r *vers libre* â chynghanedd gyflawn. Bu'n gyfrwng poblogaidd byth oddi ar hynny, a cheir sawl enghraifft o *vers libre* cynganeddol yn y flodeugerdd hon. Traddodiadydd a cheidwadwr rhonc oedd John Morris-Jones. Y mae'n sicr mai condemnio'r *vers libre* cynganeddol a wnâi.

'Garw', 'enw', 'sobr', geiriau un sill: unsill oedd geiriau fel 'garw', 'twrw', etc, yng nghyfnod y Cywyddwyr a chyn hynny. Ceir yr hyn a elwir yn 'w ansillafog' mewn geiriau o'r fath, gan na chyfrifid mohoni yn sillaf. Rhywbeth tebyg i 'twrf' yr yngenid 'twrw' yn y Canol Oesoedd yng Nghymru, a chadwyd y ddwy ffurf, y ffurf wreiddiol a'r ffurf ddiweddar, mewn gair megis 'twrf'/'twrw'. Enghraifft arall yw 'gwddf'/'gwddw'. Bu'n rheol erioed yng nghelfyddyd cerdd dafod mai unsill oedd geiriau ac ynddynt 'w ansillafog', ond cefnodd llawer o feirdd cynganeddol y bedwaredd ganrif ar bymtheg ar y rheol, gan fynnu y dylai cynghanedd ymaddasu at dwf a datblygiad yr iaith, ac fe'u dilynwyd gan feirdd y ganrif hon. Ni cheir cytundeb llwyr ynghylch yr egwyddor hyd y dydd hwn. Gair unsill yw 'sobr', ond gair deusill ydyw ar lafar, oherwydd y llafariad ymwthiol 'o': sobor. Ceir gan rai beirdd ysgrifennu 'sobr' ond ei gyfrif yn ddeusill, a hynny a gondemnir yma.

Sain ddi-fudd: mae'r llinell 'Wan, wan, fel hyn ar gynnydd' yn gynghanedd Sain wan, yn fwriadol.

Tudnoaidd: bardd eisteddfodol pur anfedrus a chwyddedig ei gynghanedd oedd Thomas Tudno Jones, 'Tudno' (1844-1895). Daeth dan lach Syr John Morris-Jones droeon yn *Cerdd Dafod.*

Nawdd y sêl a neddais i: awgrym Cymdeithas Barddas oedd y dylid trosglwyddo hawlfraint *Cerdd Dafod* o Wasg Prifysgol Rhydychen i Wasg Prifysgol Cymru, a byddai felly'n dwyn y sêl a gynlluniodd Syr

John Morris-Jones ei hun. Gweler ysgrif W. J. Gruffydd er cof amdano yn *Y Tro Olaf ac Ysgrifau Eraill* (1939, t. 144):

> Synnwyd fi rywdro gan harddwch ei sêl gŵyr ar lythyrau'r Brifysgol, a gofynnais iddo ym mha le yn y byd y daethai o hyd i dorrwr sêl fel hynny. Atebodd fi'n hollol ddi-fost a syml, "Y fi gwnaeth hi ar ddarn o garreg nadd hefo hon," a thynnodd o'i boced gyllell wedi colli un llafn!

Homeraidd: Homer oedd awdur *Yr Iliad* a'r *Odysei.* Trigai yng Ngwlad Groeg tua 850 C.C.

347. Ceir trafodaeth ar y gerdd yn *Barddoniaeth y Chwedegau* (t. 345).

348. *Hero, Leandrys:* arwr ac arwres hen chwedl ramantaidd o wlad Groeg. Trigai Leandrys yn Abydos, a nofiai drwy gulfor Hellespont bob noson at ei chariad, Hero, a drigai yn Sestos. Boddwyd Hero mewn storm, a thaflodd hithau ei hunan i'r môr i'w ganlyn. Daeth y chwedl yn adnabyddus yn bennaf drwy ddrama Christopher Marlowe (1564-1593), *Hero and Leander* (1598) a *The Bride of Abydos* (1813), Byron (1778-1824).

Tristan, Esyllt: dau gariad a ddinistriwyd gan eu serch at ei gilydd, cymeriadau canolog yn rhamantau'r Oesoedd Canol a gysylltwyd ag Arthur. Datblygodd stori eu carwriaeth ar raddfa ryngwladol, a cheir rhamantau Ffrangeg ac Almaeneg amdanynt o'r ddeuddegfed ganrif ymlaen.

Ceir trafodaeth ar y gerdd yn *Barddoniaeth y Chwedegau* (tt. 340-2).

349. *gwerin Beca:* cyfeiriad at yr helyntion a'r gwrthdystiadau cyhoeddus yng ngorllewin Cymru yn ystod ail chwarter y bedwaredd ganrif ar bymtheg. Gwraidd y terfysgoedd oedd y tollbyrth a oedd yn cynyddu dan y gwahanol ymddiriedolaethau ffyrdd a sefydlwyd tua diwedd y ddeunawfed ganrif. Protestiwyd yn erbyn costau uchel y tollbyrth a'u hamlder. Yn yr Efail-wen, ar y ffin rhwng yr hen Sir Benfro a'r hen Sir Gaerfyrddin, y bu'r ymgyrch cyntaf yn erbyn y tollbyrth, ar 13 Mai, 1839. Seiliwyd enw'r mudiad ar adnod yn Llyfr Genesis: 'A hwy a fendithiasant Rebeca, ac a ddywedasant wrthi, Ein chwaer wyt, bydd di fil fyrddiwn, ac etifedded dy had byrth ei gaseion' (24.60).

Ceir trafodaeth ar y gerdd yn *Barddoniaeth y Chwedegau* (tt. 342-3).

350. Corrach o'r enw John Richard Roberts a gofféir yn y gerdd hon.

Dunbath: mae Cwm Dunbath yn gorwedd y tu hwnt i Gilfach-goch, ac yn arwain i fyny o Landyfodwg, rhyw 15 milltir o Gwm Rhondda ym Morgannwg Ganol. Saith o greigiau y gellir eu gweld o Don Pentre yw'r 'cewri', a phyllau mawn ar yr un mynydd-dir yw'r 'saith llyn'. Y mae'r awdur wedi lleoli nifer o'i gerddi yn ei gynefin, fel y gerdd hon a rhif 348 uchod. Mynydd yng nghanol Treorci, Cwm Rhondda, yw Bwlch-y-clawdd.

351. *rhwng pob pawen felfed:* cf. pennill olaf 'Cwningod' gan I. D. Hooson:

> Un gwningen fechan
>   Dan goeden yn y llwyn,
> Yn crio am ei chyfaill
>   Yng ngolau'r lleuad fwyn,
> Gan godi'i phawen felfed
>   A rhwbio blaen ei thrwyn.

352. Meddai'r awdur am y gerdd wrth ateb cwestiynau'r Golygydd yn y cylchgrawn *Barddas* (rhif 108, Ebrill 1986, tt. 1-2):

> Cefndir y gerdd . . . oedd yr ymweliad â dinas Wells yng Ngwlad yr Haf pan oeddwn yn blentyn o ryw chwech oed. Byddem yn teithio'n flynyddol—neu dyna'r argraff y mae atgof yn ei chreu—ar y stemar rhwng Caerdydd a Weston-super-Mare. Weithiau aem ymlaen ar fws i rywle arall yn y cyffiniau, fel Cheddar, neu Wells.
>
> Flynyddoedd maith wedyn yr oedd Mam a minnau'n cofio'r achlysur—prynhawn o storom, a'r ffurfafen wedi agor uwch ein pennau pan oeddem wrthi'n cael te. Ond er ein bod ni'n dau wedi cyfranogi o'r un profiad, cawsom fod un gwahaniaeth mawr yn yr atgof. Yr oedd Mam yn cofio fod fy nhad-cu (Gïa) gyda ni, ac fe'i cythruddwyd pan sylweddolodd nad oeddwn innau'n cofio dim am ei bresenoldeb. Sylweddolaf bellach y bu Gïa farw'n fuan wedyn, ac yr oedd ei bresenoldeb yn atgof fy mam yn ddwysach o'r herwydd.
>
> Testun y gerdd, felly, yw natur amrywiol atgof, a'r hyn sydd yn annatod bersonol ynddo. Ond cyfeiria'r gerdd hefyd at amser gwahanol eto, ac at yr elfen o atgof sydd ynghlwm wrth hwnnw. Dyma amser y bardd, o osod y peth

felly—hynny yw, yr amser y deilliodd y gerdd ohono. Hwn sydd yn peri iddo gyfeirio'n ôl at yr ail ymweliad â Wells, a dwyn i gof hefyd y cyntaf. Bellach mae'r ddau amser hynny yn perthyn i orffennol y tu hwnt i gyrraedd. Ar y tair lefel amseryddol ceir profiad cyffredinol, sef twyll amser, a natur dwyllodrus ein hatgofion.

354. Yn ôl yr awdur yn *Cerddi T. Glynne Davies* (1987, t. 191): 'Cyfeiriad sydd yma, fel mewn llawer iawn o'm gweithiau, at y fferm Gorsedd Grycun ym Melin y Coed (dafliad carreg swyddogol i Nant y Rhiw) yn y bryniau dwyreiniol uwchben Llanrwst'.

Ceir trafodaeth ar y gerdd yn *Barddoniaeth y Chwedegau* (tt. 503-4).

355. Meddai'r awdur am y gerdd mewn cyfweliad rhyngddo a Golygydd *Barddas* (rhif 121, Mai 1987, t. 3):

> Y ddelwedd oedd gennyf oedd un o ddyn mewn het ddu yn syllu i'r afon dan ei gantel mewn pentref a oedd mewn gwirionedd yn Gymru, neu'r byd, efallai . . . cerdd adwaith plant i fywyd fel y mae plentyn yn ei weld wedi iddynt dyfu yw 'Plant Tregwmwl' . . . Dadrithiad, debyg iawn, yw'r peth: y plant sydd yn 'nofio trwy awyr eu breuddwydion' a thrwy 'foroedd o asiffeta a'r wermod lwyd' a'r byd cyfan, nid rhamant bywyd yn unig, yn cael ei ddinistrio.

Trafodir rhai rhannau o'r gerdd yn *Barddoniaeth y Chwedegau* (tt. 501-2).

357. Yn ôl yr awdur ceir yn y gerdd hon 'ddisgrifiad o wladwr yn marw mewn seilam: mae'r gerdd hefyd yn deg fel adlewyrchiad o ddirywiad a diflaniad y bywyd gwledig mewn oes fetalaidd' ('Holi: T. Glynne Davies', *Mabon*, cyf. 1, rhif 5, Gwanwyn 1972, t. 18).

358. Pryddest fuddugol Eisteddfod Genedlaethol Llanrwst ym 1951 oedd 'Adfeilion'. Ynddi y mae Jo, cymeriad canolog y bryddest, yn marwnadu colli ei gariad. Cawn gipolwg hunllefus ar y bywyd modern diystyr trwy lygaid hiraethus Jo. Maentumiwyd gan y beirniaid oll mai cerdd am ddadfeiliad y Gymru wledig ydoedd 'Adfeilion', ond y mae'n fwy na hynny, er bod y thema honno yn amlwg ynddi. Y mae'n astudiaeth graff a threiddgar o unigrwydd, unigrwydd personol yn ogystal ag unigrwydd torfol.

359. Ceir trafodaeth ar bryddest 'Y Ddawns' yn *Barddoniaeth y Chwedegau* (tt. 502-3).

360. Ceir rhai sylwadau ar y gerdd gan yr awdur yn *Cerddi T. Glynne Davies* (t. 193):

> Ystyr y cyfeiriad at Ysbyty Ifan yw mai yno y mae tarddiad Afon Conwy. Yr oedd Blackbird yn faledwr yn yr hen draddodiad ac Ann Lliw glas yn drampes annwyl. Tŷ traddodiadol meddygon yn Llanrwst oedd yr Henar', ond bellach mae hwnnw wedi mynd hefyd.

Sigmund Freud: sefydlydd seicdreiddiaeth oedd Sigmund Freud (1856-1939), ac un o'i feysydd pennaf oedd dadansoddi arwyddocâd breuddwydion.

y bont: pont Llanrwst, a godwyd ym 1636, gan y pensaer enwog Inigo Jones (1573?-1652) yn ôl traddodiad. Yn ôl rhai ymchwilwyr, Bob Owen, Croesor, yn eu plith, nid oedd a wnelo Inigo Jones ddim oll â'r bont.

Ceir trafodaeth ar y gerdd yn *Barddoniaeth y Chwedegau* (tt. 510-11).

361. *Lidice:* pentref yn Tsiecoslofacia a ddinistriwyd yn llwyr gan y Natzïaid ar 10 Mehefin, 1942, fel mesur o ddial wedi i dri milwr o Tsiecoslofacia ladd Reinhard Heydrich (1904-1942), un o'r prif Natzïaid. Saethwyd pob un o wŷr y pentref, 192 ohonynt, ac anfonwyd y gwragedd, 196 ohonynt, i'r gwersylloedd difa. Anfonwyd plant y pentref, 50 ohonynt, i'r Almaen.

Budapest: prifddinas Hwngari. Rhwng 1944 a 1945 gwelwyd ymladd gwaedlyd iawn rhwng y Rwsiaid a'r Natzïaid yn y ddinas.

Buchenwald: gweler y nodyn ar rif 155.

Ceir trafodaeth ar y gerdd yn *Barddoniaeth y Chwedegau* (tt. 511-2).

363. Meddai'r awdur am y gerdd:

> Mae Efnisien i mi yn cynrychioli'r unigolyn sy'n sefyll y tu allan i gymdeithas ac yn herio'r gwerthoedd sy'n tueddu i ffosileiddio'r gymdeithas honno. Bellach mae arbrofion ac ymchwil y gwyddonwyr yn dangos fod posibilrwydd y gellir ymyrryd â'r moliciwl DNA, a bydd hynny'n arwain at beirianyddiaeth enetigol yn y pen draw—dyna'r sail i'r ofnau.

Efnisien: neu Efnysien, un o'r prif gymeriadau yn Ail Gainc *Pedair Cainc y Mabinogi*, sef chwedl Branwen ferch Llŷr. Y mae'n frawd i Nisien ac yn hanner brawd i Fendigeidfran, ac felly'n hanner chwaer i Franwen ei hun. Wedi i Fendigeidfran gytuno i roi Branwen yn wraig i Fatholwch, heb ganiatâd Efnisien, y mae Efnisien yn dial ar y sarhad drwy anffurfio meirch y Gwyddyl, a'r weithred hon yn arwain, yn y pen draw, at gaethiwed Branwen, ac wedyn ei marwolaeth, ar ôl y rhyfela rhwng y Gwyddyl a'r Cymry. Yn Iwerddon, a'r anghydfod rhwng y Gwyddyl a'r Cymry yn dechrau tawelu, taflwyd Gwern, mab Branwen a Matholwch, i'r tân gan Efnisien, ac ailddechreuodd yr ymdaro rhwng y ddwy genedl. Awgrymodd Saunders Lewis fod cariad llosgach rhwng Efnisien a Branwen, ac mai ei genfigen tuag at Fatholwch a barodd iddo ymddwyn yn y fath fodd. Mabwysiadwyd Efnisien i fod yn symbol o'r drwg a'r distrywgar, y gwrthgymdeithasol a'r treisiol, a'r elfen ddialgar yn y ddynoliaeth.

Pa gerdded y sy arnat?: dull ymadrodd a geir yn y Pedair Cainc, er enghraifft, yn y Bedwaredd Gainc, 'Math fab Mathonwy': ' "Ba ryw gerdded," eb Gwydion, "y sydd ar yr hwch honno?" '

364. Gwobrwywyd y cywydd hwn yn y gystadleuaeth 'Cywydd Coffa i unrhyw Gymro neu Gymraes a fu farw er 1980' yn Eisteddfod Genedlaethol Ynys Môn ym 1983. Merch yr awdur, Ennis Evans, a gofféir yn y cywydd hwn, a bu farw, fel yr awgryma'r cywydd, trwy gyflawni hunanladdiad. Nid oedd ond 29 oed pan fu farw. Yr oedd yn ferch dalentog, a chyhoeddodd ddau lyfr, y nofel *Y Gri Unig* (1975) a'r gyfrol o storïau byrion, *Pruddiaith* (1981).

mwynhâ dy nofio mewn hedd: cyfeiriad at emyn Islwyn (William Thomas; 1832-1878), 'Gwêl Uwchlaw Cymylau Amser':

Gwêl uwchlaw cymylau amser,
O fy enaid, gwêl y tir
Lle mae'r awel fyth yn dyner,
Lle mae'r wybren fyth yn glir;
Hapus dyrfa
Sydd yn nofio yn ei hedd.

dyn biau gadwyn bywyd/a'r hawl i'w thorri cyn pryd: cyfeiriad at gwpled enwog Daniel Ddu o Geredigion (Daniel Evans; 1792-1846):

Duw biau edau bywyd
A'r hawl i fesur ei hyd.

Mae hwn yn gwpled cyffredin iawn ar gerrig beddau. Anghytunir â safbwynt awdur y cwpled, a dyna ddiben y gyfeiriadaeth.

365. *y gwneuthum hyn:* sef gwaith offeiriad yn yr Offeren.

tân dy bresenoldeb: 'adlais o gerdd yn Litwrgi'r Groegiaid, ond fy ngwaith i oedd ei gysylltu â'r croeshoelio ac â'r berth yn llosgi heb ei difa' (nodyn gan yr awdur).

Mewn briwsion a diferion: 'yn yr wythawd troir yn hytrach at bob agwedd ar fywyd dyn y mae'r Ewcharist yn ei gynrychioli ac yn treiddio trwyddo i'w sancteiddio. Y mae pennawd y gerdd, 'Sagrafen Bywyd', yn agored i'r ddau arwyddocâd: y bara a'r gwin yn foddion i gynrychioli ac i gysegru bywyd bob dydd' (nodyn gan yr awdur).

366. Dywed yr awdur iddo lunio'r gerdd hon fel ymateb i ddarlithiau Reith Syr Bernard Lovell, y seryddwr enwog, ac awdur llyfrau pwysig fel *The Exploration of Outer Space* (1961).

'*hir yw byth*': cyfeiriad at frawddeg gan Morgan Llwyd (1619-1659) yn *Llythur ir Cymru cariadus* (1653): 'Byr yw bywyd dyn ar y ddaear: hir yw byth'.

Ceir trafodaeth ar y gerdd yn *Barddoniaeth y Chwedegau* (tt. 381-2).

367. Am Dryweryn gweler rhif 244. Seiliwyd patrwm mydryddol y gerdd ar batrwm cerdd a geir yn *Llyfr Du Caerfyrddin*, 'Y Bedwenni', cerdd sydd hefyd yn cyfeirio at wahanol leoedd, er enghraifft, 'Gwyn ei byd hi y fedwen yn Nyffryn Gwy'.

Ceir trafodaeth ar y gerdd yn *Barddoniaeth y Chwedegau* (tt. 93-4).

368. Ceir y nodyn canlynol gan yr awdur:

> Croesi geirfa'r naill synnwyr yn fwriadol â geirfa'r llall, a llithro o ddelwedd i ddelwedd, yn ymgais i fynegi agwedd ar brofiadau sy'n ddiriaethol ac yn annelwig yr un pryd 'cyrchu i diriogaeth yr hyn na ellir mo'i draethu', chwedl T. S. Eliot. Yn yr ail bennill, y coed o gwmpas plasty Tre-gib, lle clywid cân y wawr yn arbennig o helaeth—dyna'r 'rhaeadrau cêl'. Mae'n siŵr fod y syniad o amlder lliwiau a'r undod gwyn uwchben yn ddyledus i Shelley.

Ceir trafodaeth ar y gerdd yn *Barddoniaeth y Chwedegau* (tt. 384-6).

369. Ceir trafodaeth fer ar y gerdd yn *Barddoniaeth y Chwedegau* (t. 387).

370. Ceir y nodyn canlynol gan yr awdur:

> Yr oedd Sheldon Vanauken (Van) a'i wraig Jean yn gyfeillion imi yn Rhydychen ddiwedd y pedwardegau a dechrau'r pumdegau. Byddai drws eu fflat fechan bob amser yn agored i mi ac i lu o gyfeillion eraill. Brodor o Virginia oedd Van a hithau'n ferch i glerigwr (Cymreig o ran tras) o Loegr Newydd. Dychwelasant i America ym 1953 a bu Jean farw o gancr yn gynnar ym 1955. Croniclo f'adwaith ar y pryd a wna'r gerdd. Croniclodd Van ei adwaith yntau ddeuddeng mlynedd yn ddiweddarach yn ei gyfrol enwog, *A Severe Mercy*, y gwerthwyd rhai cannoedd o filoedd o gopïau ohoni ar hyd a lled y byd.

371. Gwobrwywyd y gerdd hon, ymhlith eraill, mewn cystadleuaeth yn Eisteddfod Genedlaethol Y Rhyl a'r Cyffiniau ym 1985.

'Gweledigaeth Angau' ac 'Uffern': teitlau dwy o'r tair gweledigaeth yng nghlasur Ellis Wynne (1671-1734), *Gweledigaetheu y Bardd Cwsc* (1703).

'Theomemphus': cerdd hir William Williams, Pantycelyn, 'Bywyd a Marwolaeth Theomemphus' (1764), cerdd sy'n disgrifio taith yr enaid unigol o golledigaeth i achubiaeth.

'*Taith y Pererin':* teitl Cymraeg llyfr enwog John Bunyan (1628-1688), *The Pilgrim's Progress*, y cyhoeddwyd y rhan gyntaf ohono ym 1678, ac ail ran ym 1684.

Cywydd y Farn Fawr: cywydd enwog gan Goronwy Owen.

Tangnefeddwyr: cyfeiriad at gerdd gan Waldo Williams, 'Y Tangnefeddwyr'.

Bryn Celli Ddu: siambr gladdu o Oes y Pres ger Llanfair-pwll ym Môn.

Pentre Ifan: cromlech a hen gladdfan yng ngogledd yr hen Sir Benfro, ger Brynberian.

372. Daw'r teitl o Salm 42.7: 'Dyfnder a eilw ar ddyfnder, wrth sŵn dy bistylloedd di: dy holl donnau a'th lifeiriant a aethant drosof fi'.

375. *Gyda'r radio yn ddrudwy:* delwedd sy'n deillio o Ail Gainc *Pedair Cainc y Mabinogi*, sef hanes yr aderyn drudwy yn cludo neges ar ran Branwen. Aderyn sy'n cludo negeseuau yw'r golomen hefyd.

376. Nant yn Nhref Ioan (Johnstown), Sir Gaerfyrddin.

377. Cyfeirir yn y ddwy linell olaf at Genesis 3.19: 'Trwy chwys dy wyneb y bwytêi fara, hyd pan ddychwelech i'r ddaear'.

Ceir trafodaeth ar y gerdd yn *Barddoniaeth y Chwedegau* (tt. 485-6).

378. Ceir trafodaeth ar y gerdd yn *Barddoniaeth y Chwedegau* (tt. 478-9).

379. *â lleufer yn y llygaid:* cyfeiriadaeth at linell gan y bardd o'r chweched ganrif, Taliesin, o'i farwnad i Owain ab Urien:

Cysgid Lloegr llydan nifer
Â lleufer yn eu llygaid.

Ceir trafodaeth ar y gerdd yn *Barddoniaeth y Chwedegau* (tt. 593-4).

380. *Marx:* Karl Heinrich Marx (1818-1883), yr athronydd a'r comiwnydd o'r Almaen, awdur 'Y Maniffesto Comiwnyddol' (1847/8) ar y cyd â Friedrich Engels (1820-1895). Rhannwyd Viet-nam yn Ogledd Viet-nam (Comiwnyddol) a De Viet-nam (Democrataidd) gan Gynhadledd Geneva ar ôl y rhyfela yn y wlad rhwng 1946 a 1954. Wrth i'r garfan Gomiwnyddol ddechrau cryfhau'n raddol, cafwyd rhyfel cartref rhwng De a Gogledd, a chefnogwyd y De gan yr Americaniaid. Ym 1968 cynigiodd arlywydd America ar y pryd, Lyndon B. Johnson, agor trafodaethau i sefydlu heddwch yn y wlad, ond ni ddaeth yr ymladd i ben hyd fis Mawrth 1975, pan drechwyd y De gan y Gogledd. Beirniadwyd America yn hallt am ei hymyrraeth yn y rhyfel. Lenin oedd Vladimir Ilyich Lenin (1870-1924), un o brif hyrwyddwyr y Chwyldro Comiwnyddol yn yr Undeb Sofietaidd.

Alabama: un o ranbarthau Unol Daleithiau America, a elwir yn 'rhanbarth y cotwm'. Oherwydd mai dyma brif leoliad y diwydiant cotwm, ceir cyfartaledd uchel o bobl groenddu yn y boblogaeth, ac, o'r herwydd, lawer o wrthdaro hiliol rhwng du a gwyn.

llygaid Llŷr: yn nrama Shakespeare, *King Lear* (tua 1605), y brenin sy'n achosi anghydfod a chenfigen, drwy ei falchder, rhwng ei dair merch, Goneril a Regan yn ei erbyn, a Cordelia o'i blaid. Mewn un olygfa, fe dyllir ei lygaid o'i ben a'i ddallu.

Wall St.: gweler y nodyn yn rhif 74.

Manhattan: bwrdeistref yn Efrog Newydd, America.

381. *Cantre'r Gwaelod:* gweler y nodyn ar rif 12.

Ceir trafodaeth ar y gerdd yn *Dadansoddi 14* (tt. 81-3).

382. Daw'r dyfyniad hwn o Ganiad XIX o'r gerdd hir *Hunllef Arthur*, caniad sy'n dwyn y teitl 'Creu'r Proletariad'. Cerdd hir o ryw 21,000 o linellau yw *Hunllef Arthur*, ac ynddi y mae'r Arthur chwedlonol yn ymrithio'n wahanol bersonau drwy gwrs y canrifoedd. Y mae'n gerdd fythaidd, dra arbrofol a thra newydd ei dull, sy'n ceisio treiddio i arwyddocâd Cymreictod. Dywedodd yr awdur mai marwnad i'w fam ei hun yw'r darn hwn yn y bôn.

Dyfeisiodd yr awdur ei fesur ei hun yn y gerdd hon, sef y 'mesur cyrch'. Y mae diweddeb un llinell yn cysylltu'n fewnol â llinell ddilynol, drwy gyfrwng odl (odl arferol, proest neu Wyddelig, etc) neu gynghanedd, er enghraifft:

Cronnant o fewn eu *nwyd*
Rwyd anfeir*niadol.* Beirniadant hwy bob dim
Sy'n methu â maddau. Dodant hwy y mab
Annheilwng ar ei bedestal ar*bennig,*
Beth *bynnag* 'wnelwn i yr oedd hi'n iawn:
Pan gamgymerwn, pan faglwn ar fy *nhraws*
Fe gâi ryw *reswm* gwir ddi-ffael. Doedd *neb*
Yn bod *heb*law ei *mab.*

Weithiau ceir diweddeb yn cysylltu â dau air. Uchod, y mae 'nwyd' yn odli â 'Rwyd' yn y llinell ddilynol, ac yn cynganeddu ag 'anfeirniadol', ac yn y ddwy linell olaf a ddyfynnwyd, y mae 'neb' yn odli â 'heb' yn 'heblaw' ac yn proestio â 'mab'.

383. *Dimetrodon:* dinosawr a drigai ar y ddaear ryw 250 o filiynau o flynyddoedd yn ôl, dinosawr tebyg i lisard enfawr a chanddo asgell fel gwyntyll hanner hirgrwn ar ei gefn.

Dalec: creadigaeth ffug-wyddonias o'r rhaglen deledu *Dr Who* i blant.

384. *Glencoe:* glen yn yr Ucheldiroedd yn Yr Alban. Treuliodd yr awdur lawer o flynyddoedd ei blentyndod yn Lerpwl, ac yr oedd yn byw yn y ddinas honno yn ystod nosweithiau'r Blitz adeg yr Ail Ryfel Byd. Mewn cerdd arall, sonia amdano ef ei hun a chyfoed iddo, Arthur Wong, 'yn blant yn Lerpwl y blitz'. Dyna'r cefndir sydd i'r gerdd hon.

385. Tref yn rhanbarth y Basgiaid yn Sbaen yw Guernica. Bomiwyd Guernica i'r llawr gan Almaenwyr, a oedd yn brwydro o blaid yr unben Francisco Franco, ym 1937. Y digwyddiad hwn a ysbrydolodd ddarlun enwog Pablo Picasso (1881-1973), a'r darlun hwn yw pwnc y gerdd hon.

Dachau: un arall o wersyll-garcharau'r Natzïaid.

Belsen: gweler y nodyn ar rif 151.

Buchenwald: gweler y nodyn ar rif 155.

387. *Picasso:* gweler y nodyn ar rif 385 uchod.

391. *comin Greenham:* y comin yn Lloegr lle ceir canolfan niwclear a militaraidd o bwys, a lle bu gwragedd yn protestio o blaid diddymu grym niwclear yn yr wythdegau.

393. Daw'r gerdd hon, yn ogystal â rhifau 394 a 395, o'r dilyniant o gerddi, 'I Gwestiynau fy Mab', a enillodd i'r awdur Goron Eisteddfod Genedlaethol Y Fflint ym 1969.

394. *wylo gofidus y wal:* cyfeiriad at Fur yr Wylofain yn Jerwsalem.

396. Pentref yng Nghwm Cynon, nid nepell o Hirwaun, wrth odre Mynydd Y Rhigos yw Rhigos. Ceid ffatri arfau yno yn ystod yr Ail Ryfel Byd, ac at hynny y cyfeirir yn y gerdd hon. Cyfeirir at ddinasoedd a fomiwyd yn drwm yn ystod yr Ail Ryfel Byd, Coventry (gweler y nodyn ar rif 228), Cologne (gweler y nodyn ar rif 215), Abertawe, a Dresden (gweler y nodyn ar rif 155).

398. Adolf Eichmann, y cyfeirir ato yn y dyfyniad uwch y gerdd, oedd un o brif swyddogion y Gestapo Natzïaidd. Brodor o Awstria oedd Eichmann (1906-1962), ac fe'i dienyddiwyd ar ôl iddo sefyll ei brawf ym 1961 ar y cyhuddiad o gyflawni erchyllterau yn erbyn yr Iddewon yn y gwersyll-garcharau. Ceir nodiadau ar y gwersylloedd a grybwyllir yn y gerdd yn yr adran hon.

399. *Catraeth:* gweler y nodyn ar rif 154.

Cilmeri: gweler y nodyn ar rif 279.

Mynydd y Gwair: mynydd bychan rhyw filltir o gyrraedd pentref Felindre yng Ngorllewin Morgannwg.

Llanfair-ar-y-Bryn: gweler y nodyn ar rif 55.

Llan y rhaeadr hir: Llanrhaeadr ym Mochnant, Sir Ddinbych, cartref William Morgan o 1578 ymlaen, a man cyfieithu'r Beibl i'r Gymraeg.

400. Llyn bychan ar y Mynydd Du, ger Rhydaman, yw Pownd Crugiau.

Cezanne: Paul Cezanne (1839-1906), yr arlunydd enwog o Ffrainc, ac arweinydd yr ysgol Ôl-Impresionistaidd.

401. Y clawdd yw Clawdd Offa, y gwrthglawdd a godwyd yn yr wythfed ganrif gan Offa, brenin Mersia, i nodi'r ffin rhwng ei diriogaethau ef a Chymru. Y mae'n ymestyn bron yn ddi-dor o Afon Gwy yn ardal Trefynwy hyd yn agos at Brestatyn. Troes y clawdd gwirioneddol gyda threigl y canrifoedd yn glawdd symbolaidd sy'n nodi'r ffin rhwng Cymru a Lloegr. Daw'r gerdd hon o'r dilyniant o gerddi 'Y Clawdd'.

Ynom mae y Clawdd a phob ymwybod: cyfeiriad at linell gan Islwyn, yn ei gerdd 'Tybiaeth': 'Ynom mae y sêr/A phob barddoniaeth'.

402. Mesur Siapaneaidd yw'r *haiku* ac iddo dair llinell, 5, 7, 5 o sillafau. Fe'i cymharwyd fwy nag unwaith â'n henglyn unodl union ni, er ei fod, o ran mesur, yn debycach i'r englyn milwr. Yn y Siapanaeg, mesur cynnil, awgrymog ydyw, sy'n canolbwyntio ar un ddelwedd neu syniad. Y mae enwi neu awgrymu un o'r pedwar tymor yn un o ddulliau'r *haiku.*

403. Bu'r bardd mewn Cynhadledd Ryngwladol ar Farddoniaeth ym mis Medi 1976, ac y mae'r gerdd hon yn deillio o'r ymweliad hwnnw â Warsaw, lle cynhelid y Gynhadledd, ac felly hefyd y gerdd ddilynol.

406. Ceir trafodaeth ar y gerdd hon yn *Barn*, rhif 260, Medi 1984 gan Alan Llwyd:

> Disgrifiad sydd yma o gefnogwyr tîm pêl-droed Wrecsam yn tyrru i'r Cae Ras, ond y mae Bryan Martin Davies yn fardd awgrymog, a cheir rhywbeth amgenach na darlun yma. I ddechrau, disgrifir yr ymsymud sinistr i gyfeiriad y maes drwy gyfrwng delwedd drawiadol: y trowsusau a'r crysau denim yw llif glas y gwaed, a'r sgarffiau a'r hetiau gwyn a choch yw'r corpesylau. Y mae'r gwaed hwn yn llifo

i 'galon' y dref i roi iddi fywyd, ac wedyn i 'ysgyfaint' y Cae Ras. Parhawyd y ddelwedd yn ei holl oblygiadau, gan roi i'r gerdd unoliaeth. Y mae rhywbeth bygythiol, brawychus yn y 'corff torfol' hwn, ac y mae'n amlwg mai cerdd yw hon am ein cymdeithas gyfoes anniddig a threisgar. Y mae yma, mewn gwirionedd, enedigaeth, geni'r 'corff torfol erchyll' hwn, a hynny 'ar nos Fercher ddiferched', heb dynerwch, gofal nac addfwynder mamaeth. Corff gwrywaidd ydyw. Y mae'r corff hwn wedyn yn gwasgar ei had, yn cenhedlu ar raddfa ehangach ('Ac wedi'r gêm/yn troi i'r nos . . . i bellafion y fro'). Y mae anniddigrwydd cymdeithas a'r elfen dreisgar ynddi yn lledaenu. Eironig hollol yw'r slogan yn y llinell olaf. Y mae cymdeithas ymhell o fod yn 'O.K.'.

407. Meddai'r awdur am y gerdd:

> Yn union o flaen ffenestr yr ystafell lle'm ganed yn hen ffermdy Ty'n Cae, Llangian, ym 1933, mae bryncyn a elwir Allt Greigir. Ar hwnnw mae Pen y Gaer, lle credir y byddai ein cyndadau yn cadw llygaid ar arfordir Llŷn o Drwyn Cilan i'r Rhiw.
>
> Dychwelyd i Ben y Gaer, pan oeddwn tua deugain oed, a symbylodd y gerdd. Erbyn hynny 'roedd fy nghysylltiad agos â'r ardal wedi ei dorri—'Sychodd fy mogail'. Oddi yno hefyd gwelir Afon Soch yn nadreddu ei ffordd yn araf tua'r Aber: 'Yr afon betrusgar/yn feddw ar y Morfa'. Arni mae'r elyrch urddasol, a'r brithyll yn codi gyda'r nos—'y saeth o'r dwfn'.
>
> Yn y rhan olaf ond un o'r gerdd 'rwyf yn dychmygu, wrth syllu ar gaeau'r hen gartref, fod popeth fel ag yr oedd ugain mlynedd ynghynt ('Llygaid atgof'). Arwynebol yw'r cyfeiriad at gaeau'r fferm wrth eu henwau, ond mae'r llinell 'cnwd deiliog yng nghae'r Beddau' yn awgrymog o fywyd ar ôl marwolaeth. Yn y rhan olaf 'rwyf yn datgan fy nheimlad fod presenoldeb ein perthnasau a'n cyfeillion ymadawedig i'w deimlo pan fo clymau'r meddwl wedi eu datod. Defnyddir cystrawen Feiblaidd yn fwriadol yn y llinell olaf.

408. Enillodd yr awdur Gadair Eisteddfod Genedlaethol Aberafan a'r Cylch ym 1966 â'i awdl 'Cynhaeaf'.

409. *Esau bach:* Esau oedd mab Isaac, a brawd-efell Jacob, yn ôl Genesis. Ystyr 'Esau' yw 'blewog'. Yn ôl Genesis 27.11 yr oedd Esau yn ŵr blewog, a Jacob yn ŵr llyfn. Gwisgodd Jacob grwyn mynnod geifr ar ei ddwylo i dwyllo'i dad mai Esau ydoedd, a thrwy hynny derbyniodd fendith ei dad trwy dwyll.

410. Ceir trafodaeth ar y gerdd yn *Dadansoddi 14* (tt. 87-9).

411. Cynhwysir y cywydd hwn yn y flodeugerdd i fod yn enghraifft o hiwmor a doniolwch dychanol Dic Jones.

Mamon: duw cyfoeth a bydolrwydd, y cyfeirir ato yn y Testament Newydd, Mathew 6.24 a Luc 16.13. Gweler y nodyn ar rif 194.

'S dim ots mai dots wedi'u hau/Yw eu bali symbolau: cyfeiriad dychanol at yr hyn a ddywedodd Euros Bowen yn ei nodiadau ar ei awdl 'Genesis' yn ei gyfrol *Myfyrion* (1963): 'Mae'r dotiau o flaen y ddau bennill Cyhydedd Hir unodl ar y diwedd yn cyfeirio'n ôl at y paragraff am ddyn cysefin perffaith yn y caniad cynta'. Fel bardd symbolaidd yr ystyrir Euros Bowen, er mai ei derm ef amdano ef ei hun yw 'bardd sagrafennaidd'.

412. Parc yr Arfau oedd yr hen enw ar y Stadiwm Genedlaethol yng Nghaerdydd, sef cartref tîm rygbi Cymru.

Meca: man geni Mohamed, sylfaenydd crefydd Islâm, a'r ddinas sancteiddiaf o blith holl ddinasoedd y Muslimiaid. Cyfystyr yma â pharadwys, lle cysegredig, lle o bwys mawr.

Hanes hysbys y sosban: cyfeiriad at y gân rygbi, 'Sosban Fach', cân a gysylltir â thîm rygbi Llanelli yn bennaf.

413. *Tir Na N'og:* Tir y Bythol Ifanc yn chwedloniaeth y Gwyddelod.

414. Mab un o feibion teulu'r Cilie, Sioronwy Jones, oedd Tydfor Jones (1934-1983), brodor o Gwm Tydu, Ceredigion. Yr oedd yn englynwr, yn ŵr ffraeth, yn arweinydd eisteddfodau a nosweithiau llawen, ac yr oedd ganddo'i grŵp canu ei hun, 'Adar Tydfor'. Am deulu'r Cilie, gweler y nodyn ar rif 86.

415. *Siân:* priod y bardd; Tristan yw ei blentyn ieuengaf.

417. *O gopa'r Garn:* Mynydd Garn Fadrun yn Llŷn.

418. *Ursa Maior:* yr Arth Fawr, cysawd o saith seren.

Sycharth: llys Owain Glyndŵr ar ororau swydd Amwythig.

Cyfeirir ym mhedair llinell olaf y gerdd at bennill olaf ' "Gorchestion Beirdd Cymru" 1773' R. Williams Parry:

Fel pan ar hwyr o Fedi
Y gwelir dan rifedi
Disglair sêr,
Trwy ryw bell ffenestr wledig
Oleuni diflanedig
Cannwyll wêr.

420. 'Ianws' oedd ffugenw T. James Jones yng nghystadleuaeth y Goron yn Eisteddfod Genedlaethol Caernarfon a'r Cylch ym 1979, ar y testun 'Dilyniant o Gerddi Serch neu Siom'. Dyfarnwyd ei gerddi'n orau gan y tri beirniad, ond ni choronwyd mohono, am iddo dorri rheol hanfodol. Nid cerddi gwreiddiol oedd ei gerddi, ond cywaith, a chyfaddefodd hynny yn gwbl agored o'r dechrau. Ffrwyth cyd-weithio rhyngddo ef a'r bardd Eingl-Gymreig/Americanaidd Jon Dressel oedd y cerddi; cywaith yn hytrach na chyfieithiadau. Ceir cerdd Saesneg yn cyfateb i bob un o'r cerddi Cymraeg. Lluniwyd y cerddi fel protest yn erbyn canlyniad Refferendwm Dygwyl Dewi 1979, pan wrthododd y mwyafrif helaeth o drigolion Cymry dderbyn yr her i'w lled-reoli hwy eu hunain. Meddai T. James Jones yn *Cerddi Ianws Poems* (1979): 'Ein cyd-ofidio am y cam a wnaethom ni'r Cymry â ni ein hunain Ddygwyl Dewi 1979 a'n symbylodd i'w cyfansoddi'.

môr Mab yr Ynad Coch: ceir y llinell 'Poni welwch-chwi'r môr yn merwinaw'r tir' ym marwnad fawr Gruffudd ab yr Ynad Coch (fl. 1280) i Lywelyn ap Gruffudd.

422. 'Llwch' yw'r bryddest a enillodd i T. James Jones Goron Eisteddfod Genedlaethol Abergwaun a'r Cylch ym 1986. Yn y detholiad hwn o'r bryddest, HI sy'n llefaru, sef merch ieuengaf y bardd, y dramodydd a'r gwleidydd J. Kitchener Davies, awdur rhif 131 yn y casgliad hwn, a'r gŵr y lluniwyd rhif 300 er cof amdano. Argraffiadau merch ieuengaf Kitchener Davies a geir yma. Y llun y cyfeirir ato yw'r un a gyhoeddwyd yn *Gwaith James Kitchener Davies* (1980), sef y llun olaf ohono gyda'i deulu—ei wraig a'i dair merch fach. Tynnwyd y llun wedi iddo ddychwelyd o'r ysbyty am y tro olaf. Bu farw ymhen ychydig wythnosau ar ôl tynnu'r llun, yn Awst 1952.

Codi perth o wherthin amdani: y mae perth yn symbol thematig ym mhryddest radio Kitchener Davies, 'Sŵn y Gwynt Sy'n Chwythu'.

cario pair Arthur drw'r Cwm: yn chwedl Culhwch ac Olwen swydd Hygwydd oedd 'cario pair Arthur a rhoi tân oddi tano'. Cyfeirir yn y rhan yma at weithgarwch gwleidyddol Kitchener Davies dros Blaid Cymru yng Nghwm Rhondda.

y Llethr-ddu: y mae mynwent y Llethr-ddu yn Nhrealaw ar draws y ffordd i Aeron, cartref Kitchener Davies.

Pioden unig/yn dwyn 'i neges sinistr: fe ddaeth mam y merched i Aberystwyth i dorri'r newydd iddynt am farwolaeth eu tad.

423. I'r Hebrewr yr oedd y weithred o enwi yn gyfystyr â pherchenogi, gweler er enghraifft Exodus 3.13-4, sef Duw yn gwrthod rhoi ei enw i Moses. Safbwynt y gerdd, fodd bynnag, yw i ddyn gael yr hawl i enwi popeth arall (cf. Salm 8.4-9).

A rhoed y llywodraeth ar ysgwydd bugail: cf. Eseia 9.6: 'Canys bachgen a aned i ni, a bydd y llywodraeth ar ei ysgwydd ef: a gelwir ei enw ef, Rhyfeddol, Cynghorwr, y Duw cadarn, Tad tragwyddoldeb, Tywysog Tangnefedd'.

Ni byddwch feirw ddim . . . Byddwch megis duwiau: cf. Genesis 3.4-5:

> A'r sarff a ddywedodd wrth y wraig. Ni byddwch feirw ddim.
>
> Canys gwybod y mae Duw mai yn y dydd y bwytaoch ohono ef yr agorir eich llygaid, ac y byddwch megis duwiau, yn gwybod da a drwg.

425. Dinas ar Ynys Creta yw Heraclion, nid nepell o Cnossos, lle ceir adfeilion Minoaidd enwog a gysylltir â chwedl Theseus, Ariadne a'r Minotawros yn y Labrinth. Gweler y nodyn ar rif 113.

426. Meddai'r awdures am y gerdd hon:

> Atgof am fy mab hynaf yn Davos yn y Swistir ym 1967 ac yntau'n saith oed. O fewn deng munud i logi pâr o sgis am y tro cyntaf, a chyn cael gwers o fath yn y byd, yr oedd yn ei lawnsio'i hun dros ymyl y dibyn ac yn hwylio yn hyderus i lawr y llechwedd eira, a hynny yn f'atgoffa am ein gwanwyn cyntaf yn Sir Benfro, pan oeddem yn byw mewn tŷ o'r enw Pant y Beudy ger Pwllderi ac yn gwylio'r gwylanod ifainc yn

eu lawnsio'u hunain oddi ar y clogwyni uwchben Porth Maen Melyn a'i drochion gwyn.

433. Cf. soned Gwenallt, 'Pechod':

> Pan dynnwn oddi arnom bob rhyw wisg,
> Mantell parchusrwydd a gwybodaeth ddoeth,
> Lliain diwylliant a sidanau dysg;
> Mor llwm yw'r enaid, yr aflendid noeth . . .

437. Ceir trafodaeth ar y gerdd gan Alan Llwyd yn *Llên y Llenor: Gwyn Thomas* (1984, tt. 46-7). Fel y dangosodd yr awdur yn y gyfrol honno ceir defnyddio'r ymadrodd 'Bomiau./A'u dinistr yn allu o fegatonau' yn rhyddiaith y bardd. Meddai Gwyn Thomas yn *Golwg ar Farddoniaeth Ddiweddar* (1976, tt. 5-6):

> . . . y mae llawer o feddyliau *mawr* y cyfnod diweddar wedi cael eu troi ar (sic) broblemau technolegol a gwyddonol. Cynnyrch yr egni hwn—ac egni creu ydi o—yw'r peiriant jet, hollti'r atom, bomiau sy'n fegatonau o ddinistr, yn ogystal â phenisilin.

438. Am Hiroshima gweler y nodyn ar rif 155.

Allan o'r bwytawr y daeth bwyd/Ac o'r cryf y daeth allan felystra: cyfeirir yma at hanes Samson yn lladd y cenau llew yng ngwinllannoedd Timnath, ac ychydig ddyddiau wedi iddo ei ladd, 'wele haid o wenyn a mêl yng nghorff y llew'. Daw'r geiriau hyn yn eu crynswth o Lyfr y Barnwyr 14.14.

Ceir trafodaeth ar y gerdd yn *Llên y Llenor: Gwyn Thomas* (tt. 51-3).

439. Ceir trafodaeth ar y gerdd yn *Llên y Llenor: Gwyn Thomas* (t. 37).

440. *Anindoewropeaidd:* yr ieithoedd Indoewropeaidd yw'r teulu o ieithoedd a siaredir dros y rhan fwyaf o Ewrop ac Asia, hyd at Ogledd India.

Ceir cyfeiriadaeth luosog iawn yn y gerdd hon. Disgrifir y behemoth yn y ddeugeinfed bennod yn Llyfr Job, a'r Lefiathan yn y bennod ddilynol. Y mae'r lori ludw a ddisgrifir yn y gerdd hon yn gyfuniad o'r ddau ddisgrifiad. Dyma ddyfynnu'r rhannau perthnasol o'r ddwy bennod, gan italeiddio'r defnydd a wneir o'r gwreiddiol yn y gerdd:

40.15: Yn awr *wele y behemoth*, yr hwn a wneuthum gyda thi; glaswellt a fwyty efe fel ŷch.

40.17: Efe a gyfyd ei gynffon fel cedrwydden: gewynnau ei arennau ef sydd *blethedig*.

41.14: *Pwy a egyr ddorau ei wyneb ef? ofnadwy* yw amgylchoedd ei ddannedd ef.

41.18: *Wrth ei disian ef y tywynna goleuni*, a'i lygaid ef sydd fel amrantau y bore.

41.20: *Mwg a ddaw allan o'i ffroenau*, fel o bair neu grochan berwedig.

41.22: *Yn ei wddf y trig cryfder . . .*

41.23: *Llywethau ei gnawd* a lynant ynghyd: caledodd ynddo ei hun, fel na syflo.

442. Llinell gan R. Williams Parry a roes ei theitl i'r gerdd hon. Ceir y llinell yn yr englyn a ganlyn, yn y gyntaf o'r tair cyfres dan y teitl 'Dysgedigion' yn *Yr Haf a Cherddi Eraill* (1923):

O'u diallu dywyllwch, ni welant
Na haul na hawddgarwch;
Na'r sêr yn eu tynerwch,
Na llewyrch lloer uwch eu llwch.

Ceir trafodaeth ar y gerdd yn *Llên y Llenor: Gwyn Thomas* (t. 95).

444. Ceir trafodaeth ar y gerdd yn *Llên y Llenor: Gwyn Thomas* (tt. 103-4).

446. Ceir nodyn ar gefndir y gerdd hon gan yr awdur:

> 'Roeddwn wedi digwydd mynd i'r cyfarfod gweddi ym Methel Sgeti, Abertawe, ym Mai 1970, i drefnu manylion cwrdd sefydlu'r Parch. Huw Ethall. Mae mynwent enfawr gan Fethel y Sgeti, erwau lawer. Credaf mai fandaliaid lleol a oedd wedi achosi'r tân y noswaith honno. Ar y ffordd yn ôl i'r festri y digwyddodd y sgwrs a nodir yn y gân.

A chodi'r baich oddi ar ein gwar: cyfeiriad at emyn gan William Williams, Pantycelyn, sy'n agor â'r llinell 'Mi dafla' maich oddi ar fy ngwar'.

447. Meddai'r awdur am gefndir llunio'r gerdd hon:

> Mae Ysgol Ramadeg yr Eglwys Newydd, Caerdydd, yn edrych i mewn i fynwent yr eglwys sydd yn rhoi ei henw (Saesneg a Chymraeg) i'r pentref. 'Roedd gwersi Cymraeg a Chrefydd ar yr amserlen ond ni wneid unrhyw ymdrech i ddysgu dim ynddynt: drych o ddifaterwch cymaint o ysgolion Morgannwg bryd hynny ynghylch pynciau o'r fath. Gwasgodd fy nhad ar yr awdurdodau a phenodwyd athrawes Gymraeg ymhen tipyn. Ar ganol gwersi anniddorol fy hoff ddifyrrwch fyddai syllu trwy'r ffenestr i'r fynwent.

448. Ceir trafodaeth ar y gerdd yn *Barddoniaeth y Chwedegau* (t. 369).

449. Ceir trafodaeth ar y gerdd yn *Barddoniaeth y Chwedegau* (tt. 368-9).

453. Un o nodweddion Gwynne Williams fel bardd yw ei fod yn cyfaddasu cerddi o ieithoedd eraill i'r Gymraeg, yn null y bardd Americanaidd Robert Lowell, a fyddai'n cyfaddasu cerddi o ieithoedd eraill i Saesneg. Nid cyfieithiadau fel y cyfryw mo'r rhain, ond rhyddgyfaddasiadau. Y mae'r gerdd hon yn enghraifft o'r dull hwn ar waith. Lluniwyd y gerdd wreiddiol gan Laurie Lee, 'Christmas Landscape', a dyma bennill cyntaf cerdd Laurie Lee i ddangos yr egwyddor hon ar waith:

> Tonight the wind gnaws
> with teeth of glass,
> the jackdaw shivers
> in caged branches of iron,
> the stars have talons.

455. *Marc Chagall:* yr arlunydd Rwsiaidd o waed Iddewig (1887-1985), a'i arddull yn dilyn y dull swrealaidd.

456. Englyn a luniwyd yn ystod y cyfnod diweddar hwn o losgi tai haf.

457. Cerdd er cof am fodryb y bardd, Annie M. Evans, a fu farw 31 Ionawr, 1969.

arffed y ffenestr: gair Morgannwg am sil ffenestr.

458. Cerdd er cof am dad y bardd, a fu farw 17 Tachwedd, 1969. Y geiriau Saesneg uwch y gerdd yw'r rhai a ddefnyddiai ar ei gerdyn.

459. Meddai'r awdur am y gerdd hon gan gyfeirio at rif 457 uchod:

> Wedi claddu llwch fy modryb yn naear mynwent Thornhill, cefais y profiad rhyfedd, wrth blygu yn y fan a byseddu'r pridd a oedd newydd ei droi, ein bod mewn rhyw ffordd neu'i gilydd wedi cael ein haduno yn y weithred. Yn lle ystyried y pridd yn beth dirmygedig, gwelais ei swyddogaeth a'i berthnasedd—yn wir, ei ogoniant. Yr oedd y gwahanu hir a achoswyd gan yr angau wedi dod i ben, wedi ei gyfannu—fel enfys yn cysylltu daear â nef. Mae'r llinell 'Drwy len y dagrau pefria'r enfys' yn adleisio un o'r emynau a ganwyd yng ngwasanaeth angladd fy modryb yn y Tŷ Hebrwng:
>
> O Joy that seekest me through pain
> I cannot close my heart to Thee:
> I trace the rainbow through the rain . . .
> (O Love, that will not let me go).
>
> Rhoddodd y pridd gyffyrddiad bywyd tragwyddol ar fy mysedd.

460. Ar 1 Gorffennaf, 1969—dydd Arwisgo'r Tywysog Siarl yng Nghastell Caernarfon—gosododd nifer o genedlaetholwyr Cymru dorch o flodau wrth y cerflun marmor o Lywelyn ap Gruffudd yn Neuadd y Ddinas, Caerdydd, ar ôl i un Cynghorydd wrthod caniatâd iddynt wneud hynny.

Gwyn a choch—/o'u rhoi gyda'i gilydd: 'cyfeirir at y gred (a glywais gan fy mam) mai anlwcus yw gosod blodau coch a gwyn gyda'i gilydd mewn llestr. Dyna oedd lliwiau'r blodau yn y dorch' (nodyn gan yr awdur).

ar ffriw Urien: ar wyneb Urien; adlais o'r gwrthgyferbynnu lliwiau a geir yng nghanu Taliesin.

Iorc a Lancastr: Rhyfel y Rhosynnau, a ddaeth i ben ar Faes Bosworth ym 1485, a Harri Tudur yn esgyn i orsedd Lloegr. Edrychai llawer o'r Cymry ar Harri fel y Mab Darogan. Nid felly y bu pethau yn y diwedd.

Saeson ac Ellmyn: y ddau Ryfel Byd, lle y bu farw llawer o Gymry trwy fod yn rhan o'r Ymerodraeth Brydeinig.

Cilmeri: gweler y nodyn ar rif 279.

y castell a'i wawd: sef castell Caernarfon, a hefyd castell fel symbol o ddarostyngiad y Cymry.

461. Meddai'r awdur am y gerdd:

> Ar groesfan yn Richmond Road, Y Rhath, Caerdydd, y gwelais y geiriau hyn, a minnau'n cerdded adref o'r gwaith un prynhawn. Erbyn hyn, mae'r geiriau wedi hen ddiflannu. Ceisiais gyfleu rhyw ystyr ddwbl yn y gerdd hon, a gwasgu'r botwm yn awgrymu nid yn unig y golau gwyrdd ond y chwalfa olaf, a'r gymdeithas anghynnes yr ydym yn byw ynddi.

462. *a fentrodd mor heini i'w dynged ddrud:* athroniaeth 'y naid i'r tywyllwch', un o brif themâu dramâu Saunders Lewis: mentro'r cyfan er mwyn serch neu wlad neu anrhydedd. Amlygir yr athroniaeth hon mewn dramâu megis *Siwan, Amlyn ac Amig, Esther, Brad.*

gan fwrw ei goelbren ar Dduw: athroniaeth 'betio fod Duw' (Pascal). Cf. Phugas yn *Gymerwch Chi Sigaret?*

ffoli ar yr hyfrydwch digyffelyb: ceir yn y gerdd adleisiau o'r tri emyn a ganwyd yn y gwasanaeth. Yma adleisir geiriau Pantycelyn, 'Oddi mewn yn creu hyfrydwch/Nad oes mo'i gyffelyb ef'. Yn rhan olaf y gerdd y mae'r llinell 'a lafuriodd mor ddyfal yng ngwinllan ei ofal' nid yn unig yn adleisio'r llinell 'Gwinllan a roddwyd i'm gofal yw Cymru fy ngwlad', a geir yn *Buchedd Garmon*, ond hefyd yn cyfeirio at 'y winllan wen' yn emyn Lewis Valentine, 'Dros Gymru'n Gwlad . . .' Y mae'r sôn am 'loches yng nghalon Crist' yn adlais o'r emyn 'O! galon Crist,/Ein lloches ni a'n nod'.

coelcerth/tanau: cyfeiriad at y llosgi ym Mhenyberth. Gweler y nodyn ar rif 53.

enbydrwydd byd: gair yr oedd Saunders Lewis yn hoff o'i ddefnyddio oedd 'enbyd', er enghraifft yn y llinell enwog 'Rhodd enbyd yw bywyd i bawb' yn *Siwan.*

464. Tad-yng-nghyfraith y bardd oedd Dafi Thomas. Bu'n filwr yn y Rhyfel Byd Cyntaf, a bu'n ymladd yn ffosydd y Somme (gweler y nodyn ar rif 93) ac yn ardal tref Péronne yng ngogledd-ddwyrain Ffrainc. Dioddefai'n drwm gan y clefyd *psoriasis*, clefyd crachog y croen, o ganlyniad i'w brofiadau yn y ffosydd.

465. Y mae'r enwau lleoedd a geir yn y gerdd hon, ac mewn sawl cerdd arall gan yr awdur, yn perthyn i gylch Banc Siôn Cwilt, darn cul o ucheldir yng nghynefin y bardd yng Ngheredigion.

469. Am *Belsen*, gweler y nodyn ar rif 151.

471. Meddai'r awdur am y gerdd:

> Y mae'r 'tŷ', yn ogystal â'r tŷ a fu'n gartref iddi, yn cynrychioli'r gymdeithas yn ei chyfanrwydd (fel y llys yng ngherddi Dafydd Nanmor neu'r cae yng ngherddi Waldo). Ac felly saif 'Dyn./Dynes./Bachgen./Geneth' am y ddynoliaeth, yn ogystal â chyfeirio at frawd, chwaer a rhieni Jane Charles.

Bu farw Jane Charles ar 26 Gorffennaf, 1980, yn un ar hugain oed, a cheir cerdd iddi gan Bryan Martin Davies hefyd, yn ei gyfrol *Lleoedd*, sef 'Er Cof'.

472. Bardd o'r Unol Daleithiau yw Anne Stevenson, ac mae'n byw ar hyn o bryd yn Lloegr. Teitl un o'i chyfrolau o farddoniaeth yw *Correspondences*, sef dilyniant epistolaidd sy'n dilyn hanes un teulu dros gyfnod o ganrif a hanner, ond sy'n canolbwyntio ar y croestynnu rhwng cenhedlaeth a chenhedlaeth, rhwng y rhieni a'r plant. Am gyfnod bu'n byw yn y Gelli Gandryll, ac yn ystod y cyfnod hwnnw lluniodd farwnad i'w rhieni, sef 'Green Mountain, Black Mountain'. Yr oedd ei mam yn wraig hael, ac ymddiddorai ym mywyd yr aderyn gwyllt. Yr oedd y teulu, yn arbennig y tad, yn hoff o gerddoriaeth. Ffenestr yn hytrach na drych yw barddoniaeth i Anne Stevenson.

Dyma ran o'i llythyr at y bardd (20 Awst, 1982):

> A window is a transparent boundary, without which we are enclosed blindly in our small lives.

474. Cerdd yw hon sy'n seiliedig ar ddarlun gan Marc Chagall (gweler y nodyn ar rif 455), 'La Crucifixion Blanche', sef 'Y Croeshoeliad Gwyn'. Meddai'r awdur:

> Y noson o risial neu'r noson wydr oedd y noson echrydus y bu i'r Natzïaid a'u dilynwyr ymosod ar gartrefi, siopau a synagogau'r Iddewon, gan falurio'r ffenestri. Fe geir rhyw gyfaredd yn sŵn y geiriau Almaeneg, 'Kristall Nacht', sy'n dwyn i gof 'Stille Nacht', yn eironig ddigon. Nid cyfeiriad

uniongyrchol at y noson hon sydd gan Marc Chagall yn 'La Crucifixion Blanche', 1938. Nid y darlun *per se* a aeth â'm bryd, ond un motiff. Yng nghornel chwith isaf y darlun y mae henwr â phlac yn crogi o amgylch ei wddf. Yn wreiddiol yr oedd y geiriau 'Ich bin Jude' ar y plac, ond fe'u dilewyd gan yr artist. Ar ôl gweld y gŵr hwn a'r 'ffenestr' hon, ni lynais i wrth y darlun. Nid gwatwar a rheg y Natzïaid sydd yn fy mhen ond ein rheg, fy rheg—'zhid'—'Yr Iddew budr'. Cerdd am y natur ddynol ydyw yn y bôn.

Bryn yr Ywen: 'mae ffarm Bryn yr Ywen ym Mhentre Bychan, tua milltir o'r Ponciau, ond mae'r hen lofa, o'r un enw, ar gyrion y pentref. Y mae'r naill fel y llall yn union ar glawdd Offa, ar y ffin. Y mae'r caeau y cyfeirir atynt mewn pantle naturiol. Mae yna arwyddocâd isleisiol i'r lleoliad: mae'r caeau ar yr un lefel â'r dyffryn eang sy'n ymestyn hyd at siroedd Lloegr, tra bo 'grugau'r mawn' (fel y grug ar Fynydd y Rhos) i'r gorllewin o'm cartref, yn edrych i gyfeiriad Cymry' (nodyn gan yr awdur).

caead du y golau: 'ceir amwysedd fan hyn. Fe all gyfeirio'n ôl at 'arch', ond mae'n cyfeirio hefyd at 'ffenest' y seler lo' (nodyn gan yr awdur).

bord: mewn pentrefi diwydiannol, lle nad oedd mynedfa i'r iard gefn, fe geid agoriad yn y wal (lle'r oedd y cwt glo), a 'ffenestr' bren garbwl yn gaead arno. Gwelid graffiti ar ffenestr o'r fath yn aml.

475. Yn y Canol Oesoedd yr oedd sawl ystyr i'r gair 'creu'. Un ydoedd gwaed, fel yn 'creulawn', sef creulon. Un arall ydoedd lle i gadw moch neu anifeiliaid. Dyn y lle gwarchod moch neu anifeiliaid, mae'n debyg, yw'r 'Creuddyn' yn enw'r plwyf Llanfihangel-y-Creuddyn. Serch hynny, y cysylltiad â gwaed, a chysylltiad gwaed yn ei dro â geni a chreu, a hefyd â lladd ac euogrwydd, sydd wrth wraidd y gerdd.

Pentecost: yr ail o'r tair prif ŵyl Hebreig, a gynhelid ar y degfed dydd a deugain wedi offrymu ysgub blaenffrwyth y cynhaeaf yng ngŵyl y bara croyw. Ar yr ŵyl hon y disgynnodd yr Ysbryd Glân ar yr Eglwys Gristnogol (Actau 2).

Mihangel: gweler y nodyn ar rif 228.

476. Awdl o fawl i'r gwleidydd Gwynfor Evans, Llywydd Plaid Cymru o 1945 i 1981, a'i Haelod Seneddol Cyntaf. Cyfeirir yn yr awdl at ei waith fel garddwr masnachol, gwaith a wnâi yn ei gartref yn Llangadog, Dyfed.

478. Detholiad o awdl i'r ddau olaf yng nghylch Penllyn ym Meirion i amaethu yn yr hen ddull, gyda cheffylau ac nid â pheiriannau.

479. Gweler y nodyn ar rif 244.

480. Ceir y cyfeiriad at siaced fraith Joseff yn Genesis 37.3.

Ceir trafodaeth ar y gerdd yn *Barddoniaeth y Chwedegau* (tt. 357-8).

481. Un o aelodau amlycaf Cymdeithas yr Iaith yw Ffred Ffransis, ac un o'i hymgyrchwyr mwyaf ymroddgar. Ar 15 Hydref, 1969, bu protestio a chythrwfwl mawr yn Llys Ynadon Aberteifi, yn dilyn y ddedfryd ar dri o aelodau Cymdeithas yr Iaith, Dafydd Iwan, Gwyn Jarvis a Morys John Rhys. Cyhuddwyd Ffred Ffransis o ymosod ar gwnstabl o'r enw John Jenkins yn ystod y brotest honno, ac aethpwyd ag ef i garchar Abertawe. Yr oedd Ffred Ffransis yn heddychwr o argyhoeddiad, a gwadodd y cyhuddiad yn ei erbyn. Byddai ei gyhuddo a'i brofi o'r weithred yn andwyo delwedd Cymdeithas yr Iaith fel mudiad didrais yn ogystal. Ar 12 Tachwedd, yn Llys Ynadon Aberteifi, fe'i cafwyd yn euog o'r cyhuddiad yn ei erbyn, a'r ddedfryd oedd rhyddhad amodol am ddeuddeng mis. Dywedodd ei fod yn bwriadu apelio yn erbyn y ddedfryd, ond gwrthodwyd ei apêl gan Lys Chwarter Aberteifi yn Llanbedr Pont Steffan, ar 15 Rhagfyr. Yn ystod y cyfnod hwn o anfri ar ei gymeriad, fe'i newynodd ei hun am ddau ddiwrnod ar bymtheg, nes bod llawer yn credu fod awr ei dranc yn ymyl. Dyna gefndir y gerdd hon. Mynegir yr ofn y gallai farw drwy chwarae ar y gair 'Glyn' yn Llanfihangel Genau'r Glyn, a'r glyn hwnnw yn awgrymu Glyn Cysgod Angau.

Sanhedrin: llys barn a senedd wladol yr Iddewon.

Ceir nodyn gan yr awdur ar y gerdd hon yn 'Gweithdy'r Bardd', *Barddas*, rhif 46, Tachwedd 1980:

> . . . dewch yn ôl i Geredigion, i Nant-afallen, sef y rhan o'r Bow Street sydd agosaf at Aberystwyth. Yno, yn ystod gaeaf 1969, yng nghartref Mr a Mrs Gwydol Owen, lletyai bachgen ifanc o'r enw Ffred Ffransis, myfyriwr yng Ngholeg y Brifysgol. Yr oeddem ninnau ar y pryd yn byw mewn fflat yn Llanfihangel Genau'r Glyn. Weithiau byddwn yn gweld Ffred yn cerdded i'r dre, a rhown lifft iddo. Ac ambell dro byddai Elin, fy merch (a oedd yn ddwy a hanner bryd hynny), gyda mi yn y car . . .

Ef oedd testun pob sgwrs am wythnos gron; ymgynullem yn nhai'n gilydd yn rhannol i gael cysur ein gilydd ac yn rhannol i drafod beth a allem ni ei wneud drosto.

Ond wrth gwrs, nid oes dim *nad* yw'n cyrraedd clustiau plant bychain. Dechreuodd Elin holi, "Pwy oedd ddim yn bwyta?" neu eiriau dwy-a-hanner cyffelyb. A "Pam?" I'w hateb hi, yn y lle cyntaf, yr ysgrifennwyd 'Yr Ymprydiwr' . . .

Gan fod y profiad a'r digwyddiad y mynnwn ysgrifennu amdano yn cynnwys Elin, a chan ei fod (fel y dywedais eisoes) yn arswydus—'doedd y protestiadau gwrth-arwisgo ond megis chwarae plant mewn cymhariaeth—meddyliais am ofnau a gobeithion W. B. Yeats fel y'u mynegwyd yn 'Prayer for my Daughter', cerdd y mae ei mesur ysblennydd yn cadarnhau'r dyheu mawreddog a gwâr sy'n thema iddi. Gwyddwn y byddai'n rhaid i minnau hefyd wrth fesur pwyllog a fyddai'n cyfleu difrifoldeb a gofid fy mhwnc. Felly, llinellau decsill ac odlau rheolaidd amdani.

482. Cywydd er cof am D. J. Williams (1885-1970), y llenor a'r cenedlaetholwr mawr. Lluniodd nifer o gyfrolau o straeon byrion a hunangofiannau. Cyfeirir at un o'i gyfrolau hunangofiant yn y cywydd hwn, sef *Yn Chwech ar Hugain Oed.* Yr oedd y teulu, y llwyth, yn hollbwysig iddo, megis yn y stori 'Y Tri Llwyth' yn *Hen Wynebau* (1934), a chyfeirir at hynny yn y llinell 'yn un â lleill chwedl y llwyth'. Cyfeirir hefyd at un o'i gyfrolau *Storïau'r Tir, Storïau'r Tir Du*, yn rhan olaf y cywydd.

Gwynfor: Gwynfor Evans, gwrthrych cerdd rhif 476.

Dafydd iau: Dafydd, David, oedd enw cyntaf D. J. Williams. Y 'Dafydd iau' yw Dafydd Iwan, a oedd yn amlwg iawn gyda gwrthdystiadau Cymdeithas yr Iaith yn ystod y Chwedegau a'r Saithdegau.

o'r fynwent, codi'r faner: ym 1968 cyhoeddwyd gan Blaid Cymru bamffledyn o waith D. J. Williams yn dwyn y teitl *Codi'r Faner.*

Cyngerdd almanac Angau: bu D. J. Williams farw ar ddiwedd cyngerdd yn ei fro enedigol, ei 'filltir sgwâr'.

483. *Llyfr Ancr:* Llyfr Ancr Llanddewibrefi, llawysgrif a ysgrifennwyd ar femrwn ym 1346, ac ynddi'r casgliad cynharaf a helaethaf o destunau crefyddol Cymraeg Canol.

484. Cerdd er cof am Gwerfyl Morgan, Bow Street, Aberystwyth, a fu farw ar ddydd Calan 1975.

487. Cywydd a luniwyd yn ystod cyfnod cythryblus yr Arwisgo (gweler y nodyn ar rif 460). Y Tywysog Siarl yw'r 'estron ŵr' yn y cywydd, a Llywelyn yw Llywelyn ap Gruffudd, ein Llyw Olaf.

488. Saunders Lewis yw'r gŵr a deyrngedir yn y cywydd hwn.

490. Enillodd Gerallt Lloyd Owen Gadair Eisteddfod Genedlaethol Abertawe a'r Cylch ym 1982 â'i awdl 'Cilmeri'. Y mae'r englynion hyn yn canolbwyntio ar y 'deunaw' a oedd ym myddin Llywelyn ap Gruffudd, y ceir cyfeiriad atynt ym marwnad Gruffudd ab yr Ynad Coch: 'Arglwydd llwydd cyn lladd y deunaw'. Yng nghyffiniau Cilmeri y mae Pont Orewyn.

491. Englynion er cof am Jennie Eirian Davies, a fu farw ym 1982. Ei phrif gamp yng nghanol nifer helaeth o weithgareddau diwylliannol oedd golygu *Y Faner* rhwng 1979 a 1982.

493. *Belsen:* gweler y nodyn ar rif 151.

494. Ceir trafodaeth ar y gerdd yn *Barddoniaeth y Chwedegau* (tt. 375-6).

495. Ceir trafodaeth ar y gerdd yn *Barddoniaeth y Chwedegau* (tt. 379-80).

498. Dylid cymharu'r gerdd hon â cherdd rhif 113. Cynefin Nesta Wyn Jones yw ardal Abergeirw yn yr hen Sir Feirionnydd, ardal arall sydd wedi ei handwyo gan goedwigaeth. Delwedd drawiadol iawn yn y gerdd hon, ac eironig iawn o gofio am thema'r gerdd, yw'r ddelwedd o 'ddeilen fy nghwm', a'r coed fel 'lindys haerllug' wedyn rhwng gwythiennau'r waliau cerrig. Dyma enghraifft o ddefnyddio delwedd i ddiben, yn gynnil ac yn awgrymog. Thema amlwg iawn ym marddoniaeth Nesta Wyn Jones yw ei phryder am ei chynefin.
Gweler hefyd rhif 264.

501. Gan mai Heledd yw enw merch y bardd, priodol yw'r cyfeiriad a geir yn y llinell 'Llonnach ei 'stafell heno', ac yn yr englyn i gyd. Gweler y nodyn ar rif 216. Y mae'r llinell yn cyfeirio at y llinell enwog 'Stafell Gynddylan ys tywyll heno'.

503. Daw'r gerdd hon o ddilyniant o ddeg o gerddi sy'n fyfyrdod ar feichiogrwydd gwraig y bardd. Y mae'r llinell olaf, 'a'r nos yn marw'n y wawr', nid yn unig yn golygu'r geni o dywyllwch i oleuni ond hefyd fod nos anwybodaeth yn marw yng ngwawr ac yng ngoleuni sylweddoliad wrth i'r bachgen fod yn llygad-dyst i enedigaeth, am y tro cyntaf yn ei fywyd.

504. Cynefin y meirch hyn yw'r darn o dir gwyllt a geir islaw mynwent ac eglwys Llangyfelach, pentref y tu allan i ddinas Abertawe, a lle enwog am ei ffeiriau ar un cyfnod. Yn ymyl yr eglwys hon y ceir y tŵr unigryw hwnnw a saif ar ei ben ei hun. Nid nepell o'r eglwys, islaw'r darn hwn o dir, y mae'r drafford—yr M4.

Symbol o'r ymchwil am y Gwerthoedd a'r Gwirionedd Ysbrydol yw'r meirch hyn; pererinion ym myd yr ysbryd a thrwy ganrifoedd amser. Y mae'r Tŵr yn y gerdd yn cynrychioli'r gwirionedd ysbrydol hwnnw a bery o oes i oes, a'r Drafford yn cynrychioli materoldeb a rhuthr yr ugeinfed ganrif.

506. Cyfeirir yn yr ail bennill at y bardd mawr o Iwerddon, W. B. Yeats (1865-1939). Yr oedd Yeats mewn cariad â Maud Gonne (1866-1953), a bu felly am flynyddoedd, ond ni fynnai hi ddim ag ef. Cenedlaetholwraig fawr oedd Maud Gonne, a phriododd un o brif arweinwyr Gwrthryfel y Pasg yn Iwerddon ym 1916, John MacBride. Yn y pennill hwn cyfeirir at ddwy gerdd gan W. B. Yeats; 'The Second Coming' yw'r naill gerdd, yn enwedig y llinellau hyn:

> Turning and turning in the widening gyre
> The falcon cannot hear the falconer;
> Things fall apart; the centre cannot hold;
> Mere anarchy is loosed upon the world . . .

Y gerdd arall yw 'Nineteen Hundred and Nineteen':

> Now days are dragon-ridden, the nightmare
> Rides upon sleep: a drunken soldiery
> Can leave the mother, murdered at her door,
> To crawl in her own blood, and go scot-free;
> The night can sweat with terror as before
> We pieced our thoughts into philosophy,
> And planned to bring the world under a rule,
> Who are but weasels fighting in a hole.

Lorca: Federico García Lorca (1898-1936), y bardd mawr o Sbaen. Llofruddiwyd Lorca, er na wyddys yn union gan bwy, yn ystod dyddiau cynnar y Rhyfel Cartref yn Sbaen yn y Tridegau. Cyfeirir yma yn arbennig at ei farwnad enwog i'w gyfaill o ymladdwr-teirw, Ignacio Sánchez Mejías. Cyfieithiad llythrennol ac uniongyrchol, i bob pwrpas, o un o linellau 'Llanto por Ignacio Sánchez Mejías' yw 'dodwyodd angau wyau yn ei wewyr', ac ailadroddir 'Am bump o'r gloch y prynhawn' drwy ran gyntaf y gerdd.

Akhmatova: Anna Akhmatova (1889-1966), un o feirdd mawr Rwsia. Cyfeirir yn arbennig at ei 'Galargerdd 1935-1940', cyfres o gerddi a luniwyd ganddi i fynegi ei galar a'i hiraeth am ei mab Lev Gumilyov a garcharwyd fwy nag unwaith o 1934 ymlaen yn ystod y cyfnod Stalinaidd o erledigaeth a sensoriaeth, y dyddiau pan oedd

> . . . Rwsia ddieuog yn ymwingo
> dan y sawdl waedlyd,
> dan olwynion y moduron du.

Myrddin: cyfeirir yma at y canu darogan cynnar a gysylltir â Myrddin. Aelod o lys Gwenddolau fab Ceido oedd Myrddin yn ôl y daroganau hyn, ac wedi i Wenddolau gael ei ladd ym mrwydr Arfderydd yn 573, ffoes Myrddin i Goed Celyddon, wedi drysu a gwallgofi, a thrigo yno mewn ofn rhag Rhydderch Hael, gelyn Gwenddolau.

lluoedd Hors a Hengist: ceir cyfeiriad at Hors a Hengist yn y gerdd 'Armes Prydein', cerdd ddarogan o ganol y ddegfed ganrif. Ceir cyfeiriad atynt cyn hynny yn *Historia Brittonum* Nennius (bl. 800). Yr oedd awdur 'Armes Prydein', fe ymddengys, yn gyfarwydd â *Historia Brittonum.* Yn ôl Nennius, y mae Gwrtheyrn (Guorthigirnus), gan ofni ymosodiadau o du'r Pictiaid a'r Sgotiaid, a'i gydwladwr Ambrosius (Emreis, Emrys), yn derbyn ac yn croesawu llond tair llong o alltudion o'r Almaen dan arweiniad y brodyr Hors a Hengist, ac yn rhoi Ynys Thanet iddynt.

Heledd: gweler y nodyn ar rif 216.

Lleu: Lleu Llawgyffes, un o'r prif gymeriadau ym Mhedwaredd Gainc *Pedair Cainc y Mabinogi.* Y mae gwraig Lleu, Blodeuwedd, y wraig o flodau, a Gronw Bebyr yn cynllwynio i ladd Lleu ar y cyd, wedi ei dwyllo i ddarganfod y modd y gellir ei ladd. Bwria Gronw Bebyr ef yn ei ystlys â gwaywffon, ond nid yw Lleu yn marw. Try'n eryr, a hedfan ymaith. Yn y man daw Gwydion o hyd iddo yn rhith yr eryr ar ben coeden yn Nantlleu, a chynrhon yn cwympo o'i gorff pwdr.

Y du truenus hwnnw: cyfeiriad at y sefyllfa yn Ne Affrica heddiw, a chyfeiriad at ddigwyddiad gwirioneddol a ddangoswyd ar y teledu.

507. *Fflandrys:* gweler y nodyn ar rif 151.

Somme: gweler y nodyn ar rif 93.

Llan Ffestiniog: pentref ym Meirion, nid nepell o'r Ffestiniog arall, Blaenau Ffestiniog.

508. *pob un, yn ei ddull ei hun, biau'i angau ei hun:* cyfeiriad at y llinellau a ganlyn o gerdd Saunders Lewis, 'Gweddi'r Terfyn', rhif 81 yn y flodeugerdd hon:

> Pob un ar ei ben ei hun yn ei ddull ei hun
> Piau ei farw ei hun . . .

Blitz: yr ymosodiadau o'r awyr ar brif ddinasoedd gwledydd Prydain yn ystod yr Ail Ryfel Byd, o'r Almaeneg *Blitzkrieg* (rhyfel melltennog).

Auschwitz, Buchenwald: gweler yr amryw gyfeiriadau yn y flodeugerdd hon.

509. *Kathleen Ferrier:* y gantores gontralto ifanc o Loegr (1912-1953).

510. Yn y gerdd hon y mae'r hebog yn symbol o'r dieflig a'r drygionus. Lluniwyd y gerdd yng nghanol yr Wythdegau pan oedd problem AIDS yn fraw ac yn arswyd i bawb, a phan oedd nifer o ffactorau eraill yn peri i ddyn feddwl ein bod ar gyfeiliorn llwyr. Cylch sy'n ehangu ac yn cynyddu yw cylch y drygioni, ac wrth iddo ehangu y mae'n tynnu pawb i mewn iddo gan bwyll, nes y bydd, yn y pen draw, wedi meddiannu'r hollfyd. Y mae dawns y Drwg yn mesmereiddio'r gwylwyr, nes eu llithio a'u caethiwo. Cerdd am yr uffern a luniodd dyn ar ei gyfer ei hun yw hon, a merthyr newydd croeshoeliedig cylch y Drwg yw'r hebog, sy'n hongian 'gerfydd adenydd o dân'. Y mae'r ddelwedd o dân yn bwysig ac yn ganolog, a hefyd y ddelwedd o gylch a chylchu.

yn y dirfawr wag: cyfeiriad at *Weledigaeth Uffern* o *Gweledigaetheu y Bardd Cwsc* gan Ellis Wynne, sef at y darn hwn:

> Ac o hîr ymdaith, dyma ni ar derfyneu'r anferth *Dragwyddoldeb;* yngolwg dau Lŷs y gorchestol Frenin *Angeu*, un o'r tu deheu a'r llall o'r tu asswy ymhell bell oddiwrth eu gilydd, gan fod rhyw ddirfawr *Wâg* rhyngddynt.

511. Enillodd yr awdl 'Cynefin' Gadair Eisteddfod Genedlaethol Y Rhyl a'r Cyffiniau ym 1985 i'w hawdur.

512. Judas Iscariot, a fradychodd Grist i'r milwyr Rhufeinig yng Ngardd Gethsemane, am dâl o ddeg darn ar hugain o arian (yn ôl Mathew), yw gwrthrych y gerdd hon. Iddo ef yr ymddiriedodd Crist ofal y drysorfa, am fod ynddo gymwysterau arbennig i'r swydd. Rhoes Judas gusan i Grist yng Ngethsemane, i alluogi'r milwyr i'w adnabod, a'r cusan hwn a fu'n gyfrifol am groeshoeliad Crist ar Fryn Golgotha yn y pen draw. Bernir mai ystyr 'Iscariot' yw 'dyn o Girioth', sef tref yn Jwda. Rhoes Judas derfyn ar ei fywyd drwy ei grogi ei hun ar ôl cyflawni'r brad.

Aceldama: yr enw gan breswylwyr Jerwsalem yn eu tafodiaith hwy ar faes a brynwyd â gwobr brad Jwdas, yn ôl Actau 1.19: 'A bu hysbys hyn i holl breswylwyr Jerwsalem, hyd oni elwir y maes hwnnw yn eu tafod priodol hwy, Aceldama, hynny yw, Maes y Gwaed'.

rhwng dail yr ysgawen: ceir traddodiad mai ei grogi ei hun ar bren ysgawen a wnaeth Jwdas.

Meddai'r awdur am y gerdd:

> Gwelaf Jwdas yn un o gymeriadau mwyaf alaethus a thrasig y Testament Newydd. Mae'n ymgnawdoliad pur o'r natur ddynol wedi ei dal mewn gwe o ddadrithiad a digalondid affwysol. Yr oedd ef, megis eraill o'r disgyblion mae'n rhaid, wedi hyderu y buasai Crist yn cynnig iddynt lwybr ymwared rhwydd ac esmwyth. Ond wele sylweddoli mai'r ffordd ddioddefus yw eiddo'r gwir Gristion, ac nid oes modd dianc ychwaith rhag trychineb y dynged honno.

513. Y fodryb a gofféir yn 'Marwolaeth yn Oriau'r Lluwch' yw Jane Jones, Rhes Ogwen, Bethesda; y fodryb a gofféir yn 'Cynhebrwng yn Eglwys y Gelli' yw Sarah Jones, Ffordd Tanrhiw, Tregarth, a chofféir Elizabeth Evans yn 'Dychwelyd i'r Cynefin'. Brawd a chwaer-yng-nghyfraith Elizabeth Evans oedd Gruffydd ac Elin. Bu'r tri yn ffermio Bryn Eithin, a chladdwyd Gruffydd ac Elin ym mynwent gyfagos Eglwys Llanllechid flynyddoedd lawer o flaen Elizabeth.

514. Gweler y nodyn ar rif 42.

515. Lluniwyd er cof am Mary Ellen Parry, Bethesda, a fu farw ar 14 Tachwedd, 1981, yn 103 oed. Hi, ar ddechrau'r ganrif, oedd

arweinydd Côr Merched Bethesda a fu'n teithio ac yn canu i godi arian i deuluoedd Dyffryn Ogwen yn ystod y Streic Fawr. Bu'n ymdrin â cherddoriaeth drwy'i hoes a hi oedd y gyntaf i ganu'r gân enwog 'Elen Fwyn'.

518. *Heledd:* gweler y nodyn ar rif 216. Cynddylan oedd brawd Heledd, ac at ei lys adfeiliedig ef y cyfeirir yn y gyfres enwog o englynion 'Stafell Gynddylan'.

519. Enillodd 'Y Cwmwl' Gadair Eisteddfod Genedlaethol Abergwaun a'r Fro ym 1986 i'w hawdur. Lluniwyd yr awdl er cof am dad y bardd, y Parchedig William Williams, brodor o Wytherin ym Mro Hiraethog, a fu farw ar 9 Medi, 1985. Bu farw mam y bardd, y cyfeirir ati yn yr awdl, yn fuan wedyn, ar 10 Gorffennaf, 1986.

520. Gweler y nodyn ar rif 217.

Ceir cyfeiriadau eraill at y Pedair Cainc yn y gerdd. Cyfeiria 'pwy a ollyngodd y llygod i'r gwenith' at y Drydedd Gainc (gweler y nodyn ar rif 537). Cyfeiriad yw 'pwy a gynlluniodd y gromglwyd uwch y gerwyn' at ymgais Blodeuwedd a Gronw Bebyr i ladd Lleu yn y Bedwaredd Gainc. Rhaid oedd wrth ddulliau arbennig i allu ei ladd, ac ymhlith pethau eraill, byddai'n rhaid iddo fod yn sefyll ag un troed ar gefn bwch a'r llall ar ymyl cerwyn, a honno dan gromglwyd. Cyfeiria 'pwy bioedd y grafanc fawr drwy ffenestr y tŷ' at y grafanc a gipiodd fab Rhiannon ymaith yn y Gainc Gyntaf. Cosbir Rhiannon am ddifetha ei mab ei hun, ar gam, ond fe'i profir yn ddieuog wedi i Deyrnon Twrf Liant weld y grafanc yn ceisio dwyn ebol o'i eiddo ymaith, 'llyma grafanc fawr drwy ffenestr ar y tŷ'.

521. *Bwlch Glyn Mynydd:* bwlch cul yn arwain o bentref Tal-y-wern i Bont Dolgadfan, Llanbryn-mair.

Annwn: gweler y nodiadau ar rif 39.

522. Meddai'r bardd am y gerdd:

> Pan oeddwn yn Llyfrgell y Brifysgol ym Mangor yn gweithio ar nosweithiau hwyr o haf arferai'r gwenoliaid hyn hedfan dros doeau Bangor Uchaf. Mae eu symudiad

wedi fy nenu erioed, a'u gweld yn gwau eu patrymau tra bônt yn sgrechian ar ei gilydd. Dros dro y maent yma, ac mae hynny hefyd yn symbolaidd o fyrhoedledd ein dyddiau ni.

524. Yn ôl y bardd yr hyn a geir yn y gerdd yw 'Disgrifio'r profiad o geisio dal yr hyn na ellir ei ddal: yr un hen hiraeth eto am yr anghyffyrddadwy'.

Ceir trafodaeth ar y gerdd yn *Dadansoddi 14* (tt. 104-5).

526. Meddai'r bardd am y gerdd ac am ei chefndir:

> Tyfai clwmp mawr o lilïau y tu allan i gapel yn un o gymoedd y De. 'Roedden nhw'n hyll, a dweud y gwir. Blodau angladd ydynt i raddau, trymion fel rhai cŵyr. O chwilio un rhyw dro cefais fod ei thu mewn yn llawn pryfed.
>
> 'Roedd rhyw ddyn dall yn arfer eistedd ym marchnad Llangefni flynyddoedd maith yn ôl, ac 'roedd yn ysgwyd ei focs arian yn gyson. Codai ffitiau o ofn arnaf pan oeddwn yn fach. 'Doedd dim canhwyllau i'w lygaid: marblis llwydolau oedd y ddwy.

Pan blygo'r nos i'w mynwes: cyfeiriad at y darn a ganlyn, o ddrama Saunders Lewis, *Blodeuwedd* (1948), lle ceir Llew Llaw Gyffes yn disgrifio Blodeuwedd:

> Byth, anghofia' i fyth y bore gwyn
> Y gwelais i Flodeuwedd gynta' erioed:
> Tydi a Math yn cerdded dros y lawnt,
> A rhyngoch chi, yn noeth fel blodau'r wawr,
> A'r gwlith heb sychu ar ei bronnau oer,
> Bronnau diwair megis calon lili
> Pan blygo'r nos i'w mynwes, cerddai hi,
> Enaid y gwanwyn gwyrf mewn corff o gnawd.

529. Ceir trafodaeth ar y gerdd yn *Dadansoddi 14* (tt. 109-10).

530. Daw'r gerdd hon o'r 'Dilyniant o Gerddi yn Portreadu Llencyndod' a enillodd i Siôn Eirian Goron Eisteddfod Genedlaethol Caerdydd ym 1978.

Major Eatherly: peilot yr awyren a ollyngodd y Bom Atomig ar Nagazaki, Siapan, ar 9 Awst, 1945. Lladdwyd 73,884 o'r 212,000 o boblogaeth Nagazaki, ac anafwyd 76,796. Aeth Eatherly'n wallgof ar ôl ei ran yn y camwri.

Hiroshima, Mon Amour: ffilm Ffrengig arbrofol a wnaethpwyd ym 1959 ac a gyfarwyddwyd gan Alain Resnais.

Anfield: maes chwarae tîm pêl-droed Lerpwl. Un o derasau'r stadiwm yw'r Kop, lle bydd cefnogwyr Lerpwl yn ymgynnull.

531. Ganed Mark Rothko (1903-1970) yn Dfinsc, Latfia, yn yr Undeb Sofietaidd, ond ymfudodd gyda'i deulu i'r Unol Daleithiau ym 1913. Un o'r argraffiaethwyr-haniaethol arloesol yn America. Gweithiai ar gynfasau anferth gan ddefnyddio lliwiau'n unig, dim ffigurau ar wahân i hirsgwarau aneglur, cymylog. Yr oedd yn benderfynol o gadw'i weithiau gyda'i gilydd gan fod cyfresi ohonynt yn dibynnu ar ei gilydd i greu'r effaith a ddymunai. Y maent yn ganlyniad i flynyddoedd o arbrofi, myfyrio, dadansoddi a distyllu. Neilltuir ystafell fawr i gyfres felly yn Oriel y Tate, Llundain. Bu farw Mark Rothko trwy gyflawni hunanladdiad.

532. Cywydd i awdur cerddi rhifau 199 a 200, awdur *Tannau'r Cawn* (1965).

533. Cywydd er cof am fab y baswr enwog, Tom Bryniog, a enillodd y Rhuban Glas yn Eisteddfod Dyffryn Lliw ym 1980. Bu farw yn drasig iawn yn ei gwsg, ym mis Rhagfyr 1984, ychydig ddyddiau cyn y Nadolig, yn 17 oed.

535. *yn atsain ym mhen mamau:* cyfeiriad at linell o eiddo Aneirin yn 'Y Gododdin': 'Seiniesid ei gleddyf ym mhen mamau'.

537. Meddai'r awdur am y gerdd hon:

> Teyrnged yw'r gerdd i'r Cymry hynny a fu'n gweithredu'n dawel (ac yn effeithiol) ers blynyddoedd dros y Gymraeg. Y 'medelwyr' yw pob fwltur sy'n uchel ei gloch ar y radio a'r teledu, y rheini sy'n troi'r dŵr i'w melinau eu hunain ac yn pesgi ar lafur eraill. Y mae nifer o'r 'heuwyr' wedi rhoi eu bywydau i wasanaethu'r Gymraeg, er nad oes gofeb yn unman i'r merthyron dienw hyn.

Fel Pwyll a'i gŵn yn sbeilio pill y gwanwyn: cyfeiriad at Bwyll Bendefig Dyfed yng Nghainc Gyntaf *Pedair Cainc y Mabinogi* yn gyrru helgwn Arawn frenin Annwfn ymaith, ac yn bwydo'i gŵn ei hun ar y carw a laddwyd gan gŵn Arawn. Un o hen ystyron y gair 'pill' yw cangen, canghennau pen y carw yma. Defnyddir 'pill' yma hefyd yn ei ystyron eraill, sef 'cadernid' (sef ŷd a gwenith y gwanwyn) ac, yn ogystal, 'pennill' neu 'gân'.

fel eigionau o lygod yn mwynhau ŷd Manawydan: cyfeiriad at y llygod yn difetha ŷd Manawydan yn Nhrydedd Gainc *Pedair Cainc y Mabinogi*, sef gosgordd Llwyd fab Cil Coed yn rhith llygod. Y mae'r ddau gyfeiriad hyn at Bedair Cainc y Mabinogi yn cyfleu'r ysbeilio hwn ar y cynhaeaf gan y melinwyr a'r medelwyr.

cyfeddach losgachol: 'y duedd bresennol o gadw swyddi'r byd teledu a radio 'ymysg y teulu' a olygir yma' (nodyn gan yr awdur).

gan foddi'r haf: hynny yw, dull arall o ddweud 'boddi'r cynhaeaf', y briod-ddull sy'n disgrifio'r dathliad a geir ar ddiwedd cynhaeaf.

540. Cywydd i un o lenorion mawr y ganrif, Kate Roberts (1891-1985), a aned ac a faged yn Rhosgadfan, un o bentrefi ardal y chwareli yn Arfon.

545. Englyn i goffáu Jac L. Williams (1918-1977), ysgolhaig a llenor, ac awdurdod ar addysg ddwyieithog.

546. Gweler y nodyn ar rif 244.